弁護士業務書式文例集

5訂補訂版

弁護士業務書式研究会　編著

日本法令

はしがき

近年，司法試験合格者の増加により，弁護士人口も急増しました。平成 30 年 1 月の報道では，弁護士数が初めて 4 万人を突破しましたが，訴訟数は横ばいであるとのことです。また，法務大臣の認定を受けた司法書士は，簡易裁判所において取り扱うことができる民事事件等について，訴訟代理等関係業務を行っています。

令和 2 年になって，コロナウイルスという見えざる脅威に晒され，日本全国に緊急事態宣言が発出されました。今後，日本の経済に大きな打撃を与えることは明らかであり，その影響が顧問先の減少や法的紛争の減少などという形で，司法の世界にも波及する可能性があります。また，近い将来に，AI の発達により，AI が法律相談やリーガルチェックを行うという時代が来るかもしれません。

このような状況の中で，法曹関係者においては，法律的問題・係争を抱える人々に対して，いかに適切かつ迅速な法的サービスを提供できるか，という差別化を図っていくことが今後の大きな課題になると思われます。

弁護士，認定司法書士，法律事務所等の業務のほとんどは書面を通じて行われます。なぜならば，その業務の性質から正確性，合法性が求められ，また，証明責任を果たす必要があるからです。法律実務において最初にとまどうのは，様々な手続きにあたってどのような形式の書類を作成するかということです。裁判所の訴訟手続等で提出を求められる法律文書の書式は，一般性，統一性を持たせる必要があるために，ある程度定型化されています。本書は，訴訟手続等で頻繁に使われる書式を提供し，皆さんの法的サービスの一層の迅速化，効率化に資することができれば，という願いの下に作成されたものです。

本書は，民事事件のみならず，刑事事件や行政事件，法律事務所内の事務処理に関して，頻繁に使われる書式を CD-ROM に納めているところに特徴があります。CD-ROM の書式の形式に従い，個別の事件に応じて具体的内容を書き込めば，法律文書が完成するようになっています。そのような法律文書の作成を繰り返すことにより，事件処理の迅速化，効率化が図られ，ノウハウが蓄積されることになります。

前回の平成 30 年改訂では，刑事編に新たな書式を加えるとともに，行政編という新しい編を創設して訴状等の書式を掲載しました。今回は，民法改正等を踏まえて，特に民事編の解説および書式の内容を見直して補訂しています。

本書の全編にわたり，各編集担当者の実務経験，判例・学説の調査研究などを積み重ねる作業により，内容的にも一層充実したものと自負しております。裁判所の訴訟手続等の法律実務に携わる方々に広くご活用いただき，事務処理の迅速化，効率化に少しでも役立つよう祈る次第でございます。

令和 2 年 4 月

弁護士業務書式研究会

総目次

民　事　編

刑　事　編

行　政　編

事　務　処　理　編

資　料　編

目　次

民　事　編

第１章　民事訴訟

1　訴状等

2　第一審手続

第２章　民事執行

1　民事執行申立

2　不動産執行

2　差押債権目録・請求債権目録

第4章　公示催告・公示送達

第5章　破産・会社更生・民事再生・特定調停

1　破産

4　特定調停

第6章　私的整理

第7章　和解調停

第8章　家事事件

刑　事　編

1　刑事弁護の受任

2　起訴前弁護活動

3　起訴後第 1 回公判前の弁護活動

4　公判前整理手続

5　公判手続

6　控訴審・上告審

7　少年事件その他

行　政　編

事　務　処　理　編

資　料　編

MEMO

民事編

第1章
民事訴訟

第1章　民事訴訟

1　訴状等

訴状は，裁判所用の「正本」1通と被告への送達用「副本」を被告の数と同数提出する。

なお，事物管轄について訴訟物の価額が140万円を超えないものは簡易裁判所の管轄であるが，行政事件と不動産に関する訴訟については例外がある（裁判所法24条，33条）。すなわち土地管轄は民事訴訟法4～7条となる。

訴訟物の価額は，事物管轄，手数料額（貼用印紙額）を各決定するため不可欠であるから記載する（民訴法8条）。算出の方法は，後記「訴額算定基準」を参照されたい。

手数料額は，民事訴訟費用等に関する法律によるが，算出の方法は，訴額が金1億7,000万円までの場合は，資料編の「第一審訴え提起手数料（収入印紙代）早見表」を利用すると簡便である。

訴状提出時に，被告等への送達用郵券を予納するが，その書類，数量は各裁判所によって区々である。

1　訴額算定基準（昭31・12・12最高裁民事甲第412号民事局長通知，昭39・6・18最高裁民2第389号民事局長通知）

(1)　所有権

目的たる物の価格。

- 不動産：固定資産（ただし，土地を目的とした訴訟・調停および借地非訟事件の訴訟物の価額の算定基準については，受付事務の取扱いとしては，平成6年4月1日より固定資産税評価額の2分の1を基準とする）
- その他：取扱価額

(2)　占有権

目的たる物の価格の3分の1。

(3)　地上権，永小作権，賃借権

目的たる物の価格の2分の1。

(4)　地役権

承役地の価格の3分の1。または要役地の価額の3分の1。

(5)　担保物権

被担保債権の金額。目的たる物の価格が被担保債権の金額に達しないときは物の価格。

(6)　金銭支払請求権

請求金額。ただし，将来の給付を求めるものは，請求金額から中間利息を控除した金額。

(7)　物の引渡（明渡）請求権

①　所有権に基づく場合
　目的たる物の価格の2分の1

②　占有権に基づく場合
　目的たる物の価格の3分の1

③　地上権，永小作権，賃借権に基づく場合
　目的たる物の価格の2分の1

④　賃貸借契約の解除等による場合
　目的たる物の価格の2分の1

(8)　所有権移転登記請求権

目的たる物の価格。

(9)　詐害行為取消

原告の債権の金額。ただし，取り消される法律行為の目的の価格が原告の債権の金額に達しないときは，法律行為の目的の価格。

(10)　境界確定

係争地域の物の価格。

【備考】

1)　物の価格とは，地方税法349条の規定による基準年度の価格のあるものについてはその価格とし，その他のものについては取引価格とする。

2)　上訴の場合は，不服を申し出た限度で

訴訟物の価額を算定する。付帯上訴の場合も，同様とする。

3）会社設立無効，株主総会の決議の取消・無効確認等の訴えは，財産権上の請求でない訴えとして取り扱う。

4）価格の認定に関しては，固定資産の価格について所管公署のこれを証明する書面を提出する等の方法により，適宜当事者が証明する。

（注）この基準は，参考資料であって，訴訟の目的の価額に争いがあるとき等の基準にはならない。

2　訴状等の貼用印紙額（民訴費法3条1項，資料編の第一審訴え提起手数料（収入印紙代）早見表参考）

(1)　訴え（第一審訴状）

①　財産権上の請求に係る訴え

訴訟の目的の価額（訴額）が……

100万円までの部分：
　10万円までごとに1,000円

100万円を超え500万円までの部分：
　20万円までごとに1,000円

500万円を超え1,000万円までの部分：
　50万円までごとに2,000円

1,000万円を超える部分：
　100万円までごとに3,000円

※訴額は訴えをもって主張する利益によって算定する（民訴法8条1項）。

※一の訴えにより数個の請求をするときは各訴額を合算する。ただし，付帯請求の価額は訴額に算入しない（民訴法9条2項）。

※手数料を納めたものとみなす場合

ⓐ手形・小切手訴訟の訴えが民事訴訟法355条1項により却下された場合に，同条2項によって通常の手続きによる訴えを提起するときは，当該手形・小切手訴訟の訴えについて納めた手数料相当額（民訴費法5条1項）

ⓑ民事調停または家事調停の不成立等により民事調停法19条または家事事件手続法272条により訴えを提起するときは，当該調停申立について納めた手数料相当額（民訴費法5条1項）

②　財産権上の請求でない訴え

訴額は160万円とみなす（民訴費法4条2項）。

※財産権上の請求とその原因である事実から生ずる財産権上の請求を併合するときは，多額である訴額を基準として算出する（民訴費法4条3項）。

※人事訴訟法の財産分与の申立ての手数料は，別表第一の15の2項に準じて1,200円。

③　和解または督促手続が訴訟に移行したとき

訴えを提起する場合の手数料の額から和解または支払命令の申立てについて納めた手数料の額を控除した額（民訴費法3条2項）。

(2)　控訴　第一審訴状手数料の1.5倍の額

①　訴額は，不服申立の限度で算定する。

②　仮差押・仮処分の判決に対する控訴については，仮差押・仮処分の申請手数料（2,000円）を基礎として算出する。

(3)　上告　第一審訴状手数料の2倍の額

①　訴額は，不服申立の限度で算定する。

②　人身保護法21条の上訴申立の手数料は，人身保護の請求の手数料2,000円（人身保護規9条）を基礎として，上告手数料の例により算出する（同規46条参照）。

3　人事訴訟

平成16年4月1日から新人事訴訟法が施行され，人事訴訟とそれに関連する損害賠償請求が一定の場合に家庭裁判所の職分管轄となった。

(1) 人事訴訟（人訴法２条）

人事訴訟は，家庭裁判所の専属管轄に属する（人訴法４条)。

① 婚姻の無効または取消しの訴え，離婚の訴え，協議上の離婚の無効および取消しの訴えならびに婚姻関係の存否の確認の訴え

② 嫡出否認の訴え，認知の訴え，認知の無効および取消しの訴え，民法773条の規定により父を定めることを目的とする訴えならびに実親子関係の存否の確認の訴え

③ 養子縁組の無効および取消しの訴え，離縁の訴え，協議上の離縁の無効および取消しの訴えならびに養親子関係の存否の確認の訴え

④ その他の身分関係の形成または存否確認の訴え

(2) 関連する損害賠償事件

家庭裁判所は，人身訴訟のほか，「人事訴訟の原因である事実によって生じた損害の賠償に関する請求を目的とする訴え」について，次の場合に審理できる。

① 人事訴訟と併合して提起されたとき（人訴法17条１項）

② 家庭裁判所に人事訴訟が係属している場合に，その家庭裁判所に損害賠償請求訴訟を提起したとき（人訴法17条２項）

③ 簡易裁判所，地方裁判所が損害賠償請求訴訟を，人事訴訟が係属している家庭裁判所に移転したとき（人訴法８条）

4 少額訴訟

60万円以下の金銭の支払いの請求を目的とする訴えについては，簡易裁判所に少額訴訟による審理および裁判を求めることができる。

[少額訴訟の審理手続の特徴]

① 少額訴訟による審理および裁判を求める旨の申述は，訴えの提起の際にしなければならない。

② 原則として１期日にて審理が終了し判決に至る。

③ 反訴の提起は許されない。

④ 証拠は即時に調べることのできるものに限る。

⑤ 被告は，被告が最初にすべき口頭弁論において，通常の手続きに移行させる旨の申述をすることができる。

1－001 訴状（売買代金請求）

収　入
印　紙

訴　　　　状

令和○○年○○月○○日

○○地方裁判所　御中

原告訴訟代理人弁護士　○　○　○　○　印

〒○○○－○○○○
○○県○○市○○町○○丁目○○番地
原　　　告　　　　□□株式会社
上記代表者代表取締役　　○　○　○　○
（送達場所）
〒○○○－○○○○
○○県○○市○○町○○丁目○○番地
○○弁護士会所属
上記原告訴訟代理人弁護士　○　○　○　○
ＴＥＬ　○○○（○○○）○○○○
ＦＡＸ　○○○（○○○）○○○○
〒○○○－○○○○
○○県○○市○○町○○丁目○○番地
被　　　告　　　　□□株式会社
上記代表者代表取締役　　○　○　○　○

売買代金請求事件
訴訟物の価額　　金○○○○円也
貼用印紙額　　　金○○○○円也

請 求 の 趣 旨

1 被告は，原告に対し，金〇〇〇〇円及びこれに対する令和〇〇年〇〇月〇〇日から支払済みまで年〇〇分の割合による金員を支払え。

2 訴訟費用は，被告の負担とする。

との判決及び仮執行の宣言を求める。

請 求 の 原 因

1 原告は，〇〇を業とし，被告は，〇〇を業とするものである。

2 原告は，被告に対し，次のとおり物件を売り渡した。

① 売渡年月日　令和〇〇年〇〇月〇〇日

② 物件名　〇〇〇〇〇〇

③ 代金額　金〇〇〇〇円

④ 代金支払期　令和〇〇年〇〇月〇〇日

⑤ その他の特約　〇〇〇〇〇〇〇〇〇

3 原告は，被告に対し，令和〇〇年〇〇月〇〇日上記物件を引き渡したが，被告は，代金を支払わない。

4 そこで原告は，被告に対し，次の金員の支払いを求める。

① 代　金　〇〇〇〇円

② 上記金員に対する令和〇〇年〇〇月〇〇日から支払済みまで，年〇分の割合による遅延損害金

上記のとおり訴えを提起する。

添 付 書 類

1 資格証明書　1通

2 訴訟委任状　1通

（1－001 訴状（売買代金請求））

1－002 訴状（貸金返還請求）

収入
印紙

訴　　　状

令和〇〇年〇〇月〇〇日

〇〇地方裁判所　御中

原告訴訟代理人弁護士　〇〇〇〇　印

〒〇〇〇－〇〇〇〇
〇〇県〇〇市〇〇町〇〇丁目〇〇番地
原　　　告　〇〇〇〇
（送達場所）
〒〇〇〇－〇〇〇〇
〇〇県〇〇市〇〇町〇〇丁目〇〇番地
〇〇弁護士会所属
上記原告訴訟代理人弁護士　〇〇〇〇
ＴＥＬ　〇〇〇（〇〇〇）〇〇〇〇
ＦＡＸ　〇〇〇（〇〇〇）〇〇〇〇
〒〇〇〇－〇〇〇〇
〇〇県〇〇市〇〇町〇〇丁目〇〇番地
被　　　告　〇〇〇〇

貸金返還請求事件
訴訟物の価額　　金〇〇〇〇円也
貼用印紙額　　金〇〇〇〇円也

請　求　の　趣　旨

1　被告は，原告に対し，金○○○○円及びこれに対する令和○○年○○月○○日から支払済みまで年○分の割合による金員を支払え。

2　訴訟費用は，被告の負担とする。

との判決及び仮執行の宣言を求める。

請　求　の　原　因

1　原告は，被告に対し，次のとおり金員を貸し付けた。

①　貸付年月日	令和○○年○○月○○日
②　貸付金額	金○○○○円
③　弁済期	令和○○年○○月○○日
④　利息の割合	年一割
⑤　利息の支払期	令和○○年○○月○○日
⑥　その他の特約	○○○○○○○○○

2　被告は弁済期を過ぎても上記金員を返還しない。

①　原告は被告に対し令和○○年○○月○○日付内容証明郵便を以て到達後５日以内に返済されたい旨の催告をなし，上記は同月○○日被告に到達したが，被告は本日まで支払わない。

②　被告は令和○○年○○月○○日金○○○○円を返済したほか，その余の支払いをしない。

3　そこで，原告は，被告に対し，次の金員の支払いを求める。

①　元金　　○○○○円

②　上記金員に対する令和○○年○○月○○日から支払済みまで約定利率年○分の割合による遅延損害金

（1－002 訴状（貸金返還請求））

1－003 訴状（賃料請求）

収　入
印　紙

訴　　　状

令和○○年○○月○○日

○○地方裁判所　御中

原告訴訟代理人弁護士　　○　○　○　○　　印

〒○○○－○○○○
○○県○○市○○町○○丁目○○番地
原　　　　告　　○　○　○　○

（送達場所）
〒○○○－○○○○
○○県○○市○○町○○丁目○○番地
○○弁護士会所属
上記原告訴訟代理人弁護士　　○　○　○　○
ＴＥＬ　○○○（○○○）○○○○
ＦＡＸ　○○○（○○○）○○○○

〒○○○－○○○○
○○県○○市○○町○○丁目○○番地
被　　　　告　　○　○　○　○

賃料請求事件
訴訟物の価額　　金○○○○円也
貼用印紙額　　金○○○○円也

請　求　の　趣　旨

1　被告は原告に対し金○○○○円を支払え。

2　訴訟費用は被告の負担とする。

との判決を求める。

請　求　の　原　因

1　原告は被告に対し，令和○○年○○月○○日，別紙目録記載の土地を賃料1カ月金○○○○円毎月末日払い，普通建物所有の目的で期限の定めなく賃貸した。

2　被告は令和○○年○○月○○日分以降の賃料を支払わない。

3　よって原告は被告に対し延滞賃料合計金○○○○円の支払いを求める。

（1−003 訴状（賃料請求））

1−004 訴状（リース料請求）

収入印紙

訴　　　　状

令和○○年○○月○○日

○○地方裁判所　御中

原告訴訟代理人弁護士　　○　○　○　○　　印

〒○○○−○○○○

○○県○○市○○町○○丁目○○番地

原　　　　　　告　　□□リース株式会社

上記代表者代表取締役　　○　○　○　○

（送達場所）

〒○○○−○○○○

○○県○○市○○町○○丁目○○番地

○○弁護士会所属

上記原告訴訟代理人弁護士　　○　○　○　○

ＴＥＬ　○○○（○○○○）○○○○

ＦＡＸ　○○○（○○○○）○○○○

〒○○○−○○○○

○○県○○市○○町○○丁目○○番地

被　　　　　　告　　　　　　　Ａ

〒○○○−○○○○

○○県○○市○○町○○丁目○○番地

被　　　　　　告　　　　　　　Ｂ

〒○○○−○○○○

○○県○○市○○町○○丁目○○番地

被　　　　　告　　Cリース株式会社
上記代表者代表取締役　　　　　D

リース料請求事件
訴訟物の価額　金○○○○円也
貼用印紙額　　金○○○○円也

請　求　の　趣　旨

被告らは原告に対し，各自，金○○○○円及びこれに対する令和○○年○○月○○日から支払済みまで日歩○○銭の割合による金員を支払え。

訴訟費用は被告らの負担とする。

との判決並びに仮執行の宣言を求める。

請　求　の　原　因

1　原告は，リース業を営む会社であるが，令和○○年○○月○○日被告Aに対し次の約束によるリース契約を締結した。

①　リース物件　　○○市○○町○○丁目「レストラン○○」の店舗内装，空調，厨房設備一式（以下「本件物件」という。）

②　リース期間　　令和○○年○○月○○日から同○○年○○月○○日まで

③　リース料　　月額○○○○円

④　支払方法　　契約時に○○カ月分を前払いし，令和○○年○○月から同○○年○○月まで毎月○○○○円ずつを毎月末限り支払う。

⑤　遅延損害金　　日歩○○銭

⑥　期限の利益喪失特約　　被告Aがリース料の支払いを一回でも遅滞し，または支払いを停止したときは，原告は通知，催告を要しないでリース料の全部の即時弁済の請求をすることができる。

（1—004 訴状（リース料請求））

2　被告Cリース株式会社及び同Bは，同日，上記契約に基づいて生じた被告Aの一切の債務の履行につき連帯保証を約した。

3　被告Aは，令和○○年○○月以降原告に支払うべきリース料の支払いをしない。

4　よって，原告は被告Aに対し，令和○○年○○月から同○○年○○月までのリース料残高○○○○円及びこれに対する遅滞した日の翌日である同年○○月○○日から支払済みまで，約定による日歩○○銭の割合による金員の支払いを求めるとともに，被告Cリース株式会社，同Bに対しても連帯保証契約に基づき上記同額の金員の支払いを求める。

（1−004 訴状（リース料請求））

1−005 訴状（請負代金請求）

収　入
印　紙

訴　　　状

令和○○年○○月○○日

○○地方裁判所　御中

原告訴訟代理人弁護士　○　○　○　○　印

〒○○○−○○○○
○○県○○市○○町○○丁目○○番地
原　告　○　○　○　○
（送達場所）
〒○○○−○○○○
○○県○○市○○町○○丁目○○番地
○○弁護士会所属
上記原告訴訟代理人弁護士　○　○　○　○
ＴＥＬ　○○○（○○○）○○○○
ＦＡＸ　○○○（○○○）○○○○
〒○○○−○○○○
○○県○○市○○町○○丁目○○番地
被　告　○　○　○　○

請負代金請求事件
訴訟物の価額　　金○○○○円
貼用印紙額　　　金○○○○円

請　求　の　趣　旨

1　被告は原告に対し金○○○○円及びこれに対する令和○○年○○月○○日から支払済みまで年○分の割合による金員を支払え。

2　訴訟費用は被告の負担とする。

との判決及び仮執行の宣言を求める。

請　求　の　原　因

1　原告は建築工事の請負を業とするものである。

2　被告は令和○○年○○月○○日原告に対し，被告所有の○○市○○町○○丁目○○番地所在木造瓦葺住宅兼店舗一棟床面積○○平方メートルにつき，店舗部分○○平方メートルを請負代金○○○○円，その支払方法は契約締結の際に金○○○○円，竣工時に金○○○○円を支払うこと，同年○○月○○日までに完成する約定のもとに喫茶店改装工事請負契約を締結した。

3　原告は上契約に従い直ちに改装工事に着手し同年○○月○○日完成し，翌日被告に対しこれを引き渡した。

4　被告は請負代金につき，請負契約締結の日に金○○○○円を，令和○○年○○月○○日に金○○○○円を支払ったのみで，その余の金○○○○円の支払いをしない。

5　よって，原告は被告に対し次の金員の支払いを求める。

イ　金○○○○円也　請負代金残高

ロ　上記金員に対する引渡終了後の令和○○年○○月○○日から支払済みまで年○分の割合による遅延損害金

1－006 訴状（不当利得金返還請求）

収　入
印　紙

訴　　　　状

令和○○年○○月○○日

○○地方裁判所　御中

原告訴訟代理人弁護士　　○　○　○　○　　印

〒○○○－○○○○

○○県○○市○○町○○丁目○○番地

原　告　　　　○　○　○　○

（送達場所）

〒○○○－○○○○

○○県○○市○○町○○丁目○○番地

○○弁護士会所属

上記原告訴訟代理人弁護士　　○　○　○　○

TEL　○○○（○○○）○○○○

FAX　○○○（○○○）○○○○

〒○○○－○○○○

○○県○○市○○町○○丁目○○番地

被　告　　　　○　○　○　○

不当利得金返還請求事件

訴訟物の価額　　金○○○○円

貼用印紙額　　　金○○○○円

請　求　の　趣　旨

1　被告は原告に対し金○○○○円及びこれに対する令和○○年○○月○○日から支払済みまで年○分の割合による金員を支払え。

2　訴訟費用は被告の負担とする。

との判決を求める。

請　求　の　原　因

1　原告は令和○○年○○月○○日，被告から○○県○○郡○○町大字○○番地所在の家屋１棟を代金○○○○円で買い受け，同日上記代金○○○○円を被告に支払った。

2　ところが，上記家屋は同年○○月○○日火災のため焼失していた。このことは，原被告らが同月○○日現地に出向いた際判明した。

3　すなわち上記家屋の売買契約は，目的の不存在により無効なのであり，したがって，被告は○○○○円を不当に利得し，原告は同額の損失を受けたわけである。

4　よって原告は，被告に対し，前項不当利得金○○○○円及びこれに対する被告が悪意になった日の翌日である令和○○年○○月○○日から支払済みまで民法所定の年○分の割合による法定利息の支払いを求める。

1−007 訴状（約束手形金請求①ー振出人）

収　人 印　紙

訴　　　　状

令和○○年○○月○○日

○○地方裁判所　御中

原告訴訟代理人弁護士　○　○　○　○　印

〒○○○−○○○○
○○県○○市○○町○○丁目○○番地
原　告　A

（送達場所）
〒○○○−○○○○
○○県○○市○○町○○丁目○○番地
○○弁護士会所属
上記原告訴訟代理人弁護士　B
TEL　○○○（○○○）○○○○
FAX　○○○（○○○）○○○○

〒○○○−○○○○
○○県○○市○○町○○丁目○○番地
被　告　C

〒○○○−○○○○
○○県○○市○○町○○丁目○○番地
被　告　D

〒○○○−○○○○
○○県○○市○○町○○丁目○○番地
被　告　E

〒○○○－○○○○

○○県○○市○○町○○丁目○○番地

被　告　　　　　　　F

約束手形金請求事件

訴訟物の価額　　金○○○○円也

貼用印紙額　　　金○○○○円也

請 求 の 趣 旨

１　被告らは，各自，原告に対し，金○○○○円及びこれに対する令和○○年○○月○○日から支払済みまで年○分の割合による金員の支払いをせよ。

２　訴訟費用は，被告らの負担とする。

との判決を求める。

なお，本件は手形訴訟により審理裁判を求める。

請 求 の 原 因

１　原告Aは別紙手形目録記載のとおりの裏書の連続のある約束手形（以下「本件約束手形」という。）を所持している。

２　被告Fは，本件約束手形を振り出した。

３　被告C，同D，同Eは，それぞれ拒絶証書作成義務を免除して，本件約束手形に裏書をした。

４　原告は，本件約束手形を満期に，支払場所に呈示したが，支払いを拒絶された。

５　よって，本件約束手形の所持人である原告は，振出人である被告F及び裏書人である被告C，同D及び同Eに対し，合同してつぎの金員を支払うことを求める。

①　約束手形金　金○○○○円也。

②　上記金員に対する満期日である令和○○年○○月○○日から支払済みまで年

○分の割合による利息。

添　付　書　類

1　甲第一号証の一乃至三（約束手形）の写し　1通

2　資格証明書　1通

3　訴訟委任状　1通

（1－007 訴状（約束手形金請求①－振出人））

1−008 訴状（約束手形金請求②−共同振出人）

収入
印紙

訴　　　状
（手形訴訟）

令和○○年○○月○○日

○○地方裁判所　御中

原告訴訟代理人弁護士　　○　○　○　○　　印

〒○○○−○○○○
　○○県○○市○○町○○丁目○○番地
　　　　　　原　告　　○　○　○　○
（送達場所）
〒○○○−○○○○
　○○県○○市○○町○○丁目○○番地
　　　○○弁護士会所属
上記原告訴訟代理人弁護士　　○　○　○　○
　　　　ＴＥＬ　○○○（○○○）○○○○
　　　　ＦＡＸ　○○○（○○○）○○○○
〒○○○−○○○○
　○○県○○市○○町○○丁目○○番地
　　　　　　被　告　　○　○　○　○

約束手形金請求事件
訴訟物の価額　　金○○○○円也
貼用印紙額　　　金○○○○円也

請　求　の　趣　旨

1　被告は原告に対し金○○○○円及びこれに対する令和○○年○○月○○日から支払済みまで年○分の割合による金員を支払え。

2　訴訟費用は被告の負担とする。

との判決及び仮執行の宣言を求める。

請　求　の　原　因

1　被告は訴外Dと共同して令和○○年○○月○○日訴外Eに宛て

金額	金○○○○円也
支払期日	令和○○年○○月○○日
支払地	東京都○○区
支払場所	□□銀行○○支店
振出地	○○市
名宛人	E

という記載のある約束手形一通（以下「本件約束手形」という。）を振出し交付した。

2　原告は訴外Eより裏書譲渡を受けて現に本件約束手形の所持人である。

3　原告は本件約束手形をその支払期日に支払場所に呈示して支払いを求めたが支払いを拒絶された。

4　よって原告は被告に対し，次の金員の支払いを求める。

①　金○○○○円也

②　①に対する令和○○年○○月○○日から完済まで年○分の割合による遅延損害金

（1－008 訴状（約束手形金請求②－共同振出人））

1−009 訴状（約束手形金請求③−数通を同時に）

収　入
印　紙

訴　　　状
（手形訴訟）

令和○○年○○月○○日

○○地方裁判所　御中

原告訴訟代理人弁護士　○　○　○　○　印

〒○○○−○○○○
○○県○○市○○町○○丁目○○番地
原　告　○　○　○　○
（送達場所）
〒○○○−○○○○
○○県○○市○○町○○丁目○○番地
○○弁護士会所属
上記原告訴訟代理人弁護士　○　○　○　○
TEL　○○○（○○○）○○○○
FAX　○○○（○○○）○○○○
〒○○○−○○○○
○○県○○市○○町○○丁目○○番地
被　告　○　○　○　○

約束手形金請求事件
訴訟物の価額　金○○○○円也
貼用印紙額　金○○○○円也

請　求　の　趣　旨

1　被告は原告に対し，金○○○○円及びうち金○○○○円に対する令和○○年○○月○○日から，うち金○○○○円に対する令和○○年○○月○○日から各完済に至るまで，年○分の割合による金員を支払え。

2　訴訟費用は被告の負担とする。

との判決及び仮執行の宣言を求める。

請　求　の　原　因

1　被告は令和○○年○○月○○日原告に対し下記２通の約束手形を振出し交付し，原告は現に所持人である。

①　額　　面　　金○○○○円也
　　支払期日　　令和○○年○○月○○日
　　支 払 地　　○○市
　　支払場所　　□□銀行○○支店
　　振 出 地　　○○市
　　名 宛 人　　原　告

②　額　　面　　金○○○○円也
　　支払期日　　令和○○年○○月○○日
　　支 払 地　　○○市
　　支払場所　　□□銀行○○支店
　　振 出 地　　○○市
　　名 宛 人　　原　告

2　原告は前項の各約束手形を各支払期日に支払場所に呈示して支払いを求めたが，いずれも支払いを拒絶された。

3　よって原告は被告に対し，上記手形金合計金○○○○円及びうち金○○○○円に対する支払期日である令和○○年○○月○○日から，うち金○○○○円に対す

（1−009 訴状（約束手形金請求③−数通を同時に））

る支払期日である令和○○年○○月○○日から各完済に至るまで，それぞれ年○分の割合による利息の支払いを求める。

（1－009 訴状（約束手形金請求③－数通を同時に））

1−010 訴状（約束手形金請求④ー裏書人）

収　入
印　紙

訴　　　状

令和○○年○○月○○日

○○地方裁判所　御中

原告訴訟代理人弁護士　○　○　○　○　印

〒○○○−○○○○
○○県○○市○○町○○丁目○○番地
原　告　○　○　○　○

（送達場所）
〒○○○−○○○○
○○県○○市○○町○○丁目○○番地
○○弁護士会所属
上記原告訴訟代理人弁護士　○　○　○　○
ＴＥＬ　○○○（○○○）○○○○
ＦＡＸ　○○○（○○○）○○○○

〒○○○−○○○○
○○県○○市○○町○○丁目○○番地
被　告　○　○　○　○

約束手形金請求事件
訴訟物の価額　金○○○○円也
貼用印紙額　金○○○○円也

請　求　の　趣　旨

１　被告は原告に対し金○○○○円及びこれに対する令和○○年○○月○○日から完済に至るまで年○分の割合による金員の支払いをせよ。

２　訴訟費用は被告の負担とする。

との判決及び仮執行の宣言を求める。

請　求　の　原　因

１　訴外○○○○は被告に対し令和○○年○○月○○日下記約束手形（以下「本件約束手形」という。）１通を振出し交付し，原告はこれを令和○○年○○月○○日被告より裏書譲渡を受け同日訴外○○○○に裏書譲渡した。

記

金　　額	金○○○○円也
支払期日	令和○○年○○月○○日
支払場所	□□銀行○○支店
振 出 地	○○市○○町
名 宛 人	被　告

２　同訴外○○○○は支払期日に本件約束手形を支払場所に呈示して支払いを求めたところ本件約束手形は「取引契約なし」との符箋付にて支払いを拒絶された。

３　そこで上記訴外○○○○の遡求に対し，原告は，令和○○年○○月○○日，手形金及びこれに対する満期日である令和○○年○○月○○日から令和○○年○○月○○日まで年○分の割合による利息○○○○円を支払って本件約束手形を受け戻して再び所持人となった。

４　よって，原告は被告に対し訴外○○○○に支払った総額金○○○○円及びこれに対する支払いの日である令和○○年○○月○○日から完済まで手形法所定の年○分の割合による利息の支払いを求める。

1−011 訴状（小切手金請求）

収　入
印　紙

訴　　　状

令和○○年○○月○○日

○○地方裁判所　御中

原告訴訟代理人弁護士　　○　○　○　○　　印

〒○○○−○○○○
○○県○○市○○町○○丁目○○番地
原　告　　　　A

（送達場所）
〒○○○−○○○○
○○県○○市○○町○○丁目○○番地
○○弁護士会所属
上記原告訴訟代理人弁護士　　　　B
TEL　○○○（○○○）○○○○
FAX　○○○（○○○）○○○○

〒○○○−○○○○
○○県○○市○○町○○丁目○○番地
被　告　　　　C

〒○○○−○○○○
○○県○○市○○町○○丁目○○番地
被　告　　　　D

小切手金請求事件
訴訟物の価額　　金○○○○円也

貼用印紙額　　　金○○○○円也

請　求　の　趣　旨

１　被告らは，各自，原告に対し，金○○○○円及びこれに対する令和○○年○○月○○日から支払済みまで年○分の割合による金員の支払いをせよ。

２　訴訟費用は，被告らの負担とする。

との判決を求める。

なお，本件は小切手訴訟により審理裁判を求める。

請　求　の　原　因

１　原告は，別紙小切手目録記載のとおりの記載のある小切手（以下「本件小切手」という。）を所持している。

２　被告Ｃは，本件小切手を振り出し，被告Ｄは本件小切手に支払いの保証をした。

３　原告は，令和○○年○○月○○日本件小切手を支払人に対し，支払いの呈示をしたが，支払いを拒絶されたので，同日，上記支払人によって支払拒絶宣言の記載を受けた。

４　よって，本件小切手の所持人である原告は，振出人である被告Ｃ及び支払保証人である被告Ｄに対し，共同してつぎの金員を支払うことを求める。

①　小切手金○○○○円也

②　上記金員に対する呈示の日である令和○○年○○月○○日から支払済みまで年○分の割合による利息

添　付　書　類

１	甲第一号証の一，二（小切手）の写し	１通
２	資格証明書	１通
３	訴訟委任状	１通

1−012 訴状（利得償還請求）

収 入 印 紙

訴　　　状

令和○○年○○月○○日

○○地方裁判所　御中

原告訴訟代理人弁護士　　○　○　○　○　　印

〒○○○−○○○○

○○県○○市○○町○○丁目○○番地

原　告　　　○　○　○　○

（送達場所）

〒○○○−○○○○

○○県○○市○○町○○丁目○○番地

○○弁護士会所属

上記原告訴訟代理人弁護士　○　○　○　○

ＴＥＬ　○○○（○○○）○○○○

ＦＡＸ　○○○（○○○）○○○○

〒○○○−○○○○

○○県○○市○○町○○丁目○○番地

被　告　　　○　○　○　○

利得償還請求事件

訴訟物の価額　　　金○○○○円也

貼用印紙額　　　　金○○○○円也

請　求　の　趣　旨

1　被告は，原告に対し金○○○○円及びこれに対する訴状送達の翌日から完済まで年○分の割合による金員を支払え。

2　訴訟費用は，被告の負担とする。

との判決及び仮執行の宣言を求める。

請　求　の　原　因

1　被告は，原告に対しつぎの約束手形を振出し交付し，原告は現在に至るまでその所持人である。

金　　額	金○○○○円
満　　期	令和○○年○○月○○日
支 払 地	○○市
支払場所	□□銀行○○支店
受 取 人	原　告
振 出 日	令和○○年○○月○○日
振 出 地	○○市
振 出 人	被　告

2　被告の上記手形債務は，満期日より３年の時効期間経過により消滅した。

3　原告は，被告に対し上記手形取得の対価として金○○○○円を支払った。

4　原告は，上記手形債務が時効により消滅すると同時に被告に対し金○○○○円の利得償還請求権を取得した。

5　よって，請求の趣旨記載の裁判を求める。

1−013 訴状（交通事故による損害賠償請求）

収入
印紙

訴　　　状

令和○○年○○月○○日

○○地方裁判所　御中

原告訴訟代理人弁護士　○　○　○　○　印

〒○○○−○○○○

○○県○○市○○町○○丁目○○番地

原　告　○　○　○　○

（送達場所）

〒○○○−○○○○

○○県○○市○○町○○丁目○○番地

○○弁護士会所属

上記原告訴訟代理人弁護士　○　○　○　○

ＴＥＬ　○○○（○○○）○○○○

ＦＡＸ　○○○（○○○）○○○○

〒○○○−○○○○

○○県○○市○○町○○丁目○○番地

被　告　□□交通株式会社

上記代表者代表取締役　○　○　○　○

交通事故による損害賠償請求事件

訴訟物の価額　　金○○○○円

貼用印紙額　　金○○○○円

請　求　の　趣　旨

1　被告は原告に対し金○○○○円を支払え。

2　訴訟費用は被告の負担とする。

との判決並びに仮執行の宣言を求める。

請　求　の　原　因

1　原告は令和○○年○○月○○日午後×時××分頃，○○県○○市○○町○○丁目○○番地先路上において，被告会社に自動車運転者として雇われていた訴外○○○○が，被告会社所有の営業用乗用車○○○を○○方面から○○方面に向かって営業運転進行中，自己の運転する車体を原告に追突せしめ，よって原告は頭蓋底骨折，右肩部及び右臀部打撲傷を受け約○カ月の入院加療と約○カ年の安静加療を要する重傷を受けた。

2　上記衝突事故は訴外○○○○の過失によるものである。すなわち訴外○○○○としては，その横断歩道を通過するに際し横断歩道上に歩行者がいるときには，最徐行若しくは一時停止し，この横断歩道を歩行者が無事通過できるのを確認して進行すべきにかかわらず，この注意義務を怠り，かつ，その横断歩道付近は追越禁止区域と指定され，その標識のある場所であるから他の自動車を追い越してはならないにもかかわらず，減速することなく，他の自動車を追い越し，その道路中心線より進行右側を越えて進行したため，同横断歩道上に歩行停止中の原告に自己の運転する自動車の車体を衝突せしめたものである。

3　原告は上記傷害事故により次のような損害を受けた。

①　加療等に要した費用　　　　○○○○円

②　精神的苦痛による損害　　　○○○○円

4　被告会社は，○○○を業とする会社であって，訴外○○○○の使用者として原告に対し上記損害金○○○○円を賠償する義務がある。

5　よって請求の趣旨記載の裁判を求める。

1－014 **訴状（謝罪広告の請求）**

収入
印紙

訴　　　状

令和○○年○○月○○日

○○地方裁判所　御中

原告訴訟代理人弁護士　○　○　○　○　印

〒○○○－○○○○
○○県○○市○○町○○丁目○○番地
原　告　○　○　○　○

（送達場所）
〒○○○－○○○○
○○県○○市○○町○○丁目○○番地
○○弁護士会所属
上記訴訟代理人弁護士　○　○　○　○
ＴＥＬ　○○○（○○○）○○○○
ＦＡＸ　○○○（○○○）○○○○

〒○○○－○○○○
○○県○○市○○町○○丁目○○番地
被　告　○　○　○　○

謝罪広告等請求事件
訴訟物の価額　金○○○○円也
貼用印紙額　　金○○○○円也

請 求 の 趣 旨

1　被告は，原告に対し，金○○○○円及びこれに対する本訴状送達の日の翌日から支払済みに至るまで年○分の割合による金員を支払え。

2　被告は○○新聞○○版に別紙記載の謝罪広告を別紙記載の条件で1回掲載せよ。掲載費用は被告の負担とする。

3　訴訟費用は被告の負担とする。

との判決及び仮執行の宣言を求める。

請 求 の 原 因

1　原告及び被告は，令和○○年当時いずれも訴外□□株式会社○○工場の従業員であった。

2　同年○○月頃，被告は同工場の同僚に対し「自分の背広がいつの間にか質入れされていて最近になって質流れするとの通知がきた」，「○○月○○日に涙を流して謝りに来た者がいる」と言いふらし，その翌日，謝りに来た者は原告であると同僚に告げた。身に覚えのない原告は被告に対し前記言明を取り消すよう抗議したが被告はこれに応ぜず原告である旨を強調した。

3　原告は被告の前記言明によって同年○○月○○日窃盗犯人として逮捕され，同月○○日まで勾留取調べを受けたが，同日，漸く不起訴となって釈放された。この結果，前記会社から退職することを強制せられたばかりでなく，周囲の圧迫から妻Eとも離婚させられる事態に至ったのである。

4　その後の調査によれば，前記質入れは被告名義でなされており，被告はその質屋と取引があったことから見て前記質入れは原告が行ったものでないことは明らかである。

5　したがって被告はその虚偽なることを知りながら原告を窃盗犯人と公言し，これによって原告の名誉を毀損し，その業務を妨害し，なお前記第3項記載のような損害を原告に被らせたものであるから被告は原告に対し前記損害を賠償すべき義務があるところ，原告の精神上の損害に対する慰謝料として金○○○○円を以て相当とするが，原告は本訴えにおいて前記慰謝料のうち金○○○○円と訴状送達の翌日から支払済みまで年５分の遅延損害金の支払いを求め，またその名誉の回復のため別紙記載の謝罪広告を前記工場従業員寮の過半数の者が購読する○○新聞○○版に掲載するよう求めるものである。

（1−014 訴状（謝罪広告の請求））

1－015 訴状（売買を原因とする所有権移転登記手続請求）

収　入
印　紙

訴　　　状

令和○○年○○月○○日

○○地方裁判所　御中

原告訴訟代理人弁護士　○　○　○　○　印

〒○○○－○○○○
○○県○○市○○町○○丁目○○番地
原　告　○　○　○　○

（送達場所）
〒○○○－○○○○
○○県○○市○○町○○丁目○○番地
○○弁護士会所属
上記原告訴訟代理人弁護士　○　○　○　○
ＴＥＬ　○○○（○○○）○○○○
ＦＡＸ　○○○（○○○）○○○○

〒○○○－○○○○
○○県○○市○○町○○丁目○○番地
被　告　○　○　○　○

売買を原因とする所有権移転登記手続請求事件
訴訟物の価額　金○○○○円也
貼用印紙額　金○○○○円也

請 求 の 趣 旨

1 被告は，原告に対し，別紙目録記載の建物について，令和○○年○○月○○日付売買を原因とする所有権移転登記手続をせよ。

2 訴訟費用は，被告の負担とする。

との判決を求める。

請 求 の 原 因

1 原告は，被告から，次のとおり別紙目録記載の建物を買い受けた。

① 買受年月日　　令和○○年○○月○○日

② 代　金　額　　金○○○○円

③ 支　払　日　　令和○○年○○月○○日

④ その他の特約　　○○○○○○○○○

2 原告は令和○○年○○月○○日金○○○○円の代金全額を被告に支払った。

3 そこで，原告は，被告に対し，上記建物について，上記売買を原因とする所有権移転登記手続をすることを求める。

（1-015 訴状（売買を原因とする所有権移転登記手続請求））

1−016 訴状（家屋の所有権移転登記手続請求）

収入印紙

訴　　　状

令和○○年○○月○○日

○○地方裁判所　御中

原告訴訟代理人弁護士　○　○　○　○　印

〒○○○−○○○○
○○県○○市○○町○○丁目○○番地
原　告　○　○　○　○

（送達場所）
〒○○○−○○○○
○○県○○市○○町○○丁目○○番地
○○弁護士会所属
上記原告訴訟代理人弁護士　○　○　○　○
ＴＥＬ　○○○（○○○）○○○○
ＦＡＸ　○○○（○○○）○○○○

〒○○○−○○○○
○○県○○市○○町○○丁目○○番地
被　告　○　○　○　○

家屋の所有権移転登記手続請求事件
訴訟物の価額　　金○○○○円也
貼用印紙額　　金○○○○円也

請 求 の 趣 旨

1　被告は，別紙物件目録記載の家屋の所有権保存登記手続をなした上，原告に対し令和○○年○○月○○日付売買を原因とする同家屋の所有権移転登記手続をせよ。

2　訴訟費用は被告の負担とする。

との判決を求める。

請 求 の 原 因

1　原告は令和○○年○○月○○日被告から，被告所有の別紙物件目録記載の家屋を代金○○○○円，移転登記は上記代金支払完了と同時にこれを履行するとの約定で買い受けた。

2　そこで原告は令和○○年○○月○○日までに代金全額を支払ったが，被告は上記約旨に反して原告に対し移転登記手続をなさない。

3　しかし上記約旨によれば被告は原告に対して本件家屋の所有権移転登記手続をなすべきであり，本件家屋は未だ保存登記がなされていないから，まず被告が本件家屋の所有権保存登記手続をなした上原告に対し，所有権の移転登記手続をなすことを求める。

（1－016 訴状（家屋の所有権移転登記手続請求））

1－017 訴状（抵当権設定登記申請手続請求）

収入
印紙

訴　　　状

令和○○年○○月○○日

○○地方裁判所　御中

原告訴訟代理人弁護士　○ ○ ○ ○　印

〒○○○－○○○○
○○県○○市○○町○○丁目○○番地
原　告　　○ ○ ○ ○

（送達場所）
〒○○○－○○○○
○○県○○市○○町○○丁目○○番地
○○弁護士会所属
上記訴訟代理人弁護士　○ ○ ○ ○
ＴＥＬ　○○○（○○○）○○○○
ＦＡＸ　○○○（○○○）○○○○

〒○○○－○○○○
○○県○○市○○町○○丁目○○番地
被　告　　○ ○ ○ ○

抵当権設定登記手続請求事件
訴訟物の価額　　金○○○○円
貼用印紙額　　金○○○○円

請求の趣旨

1　被告は原告に対し別紙目録記載の土地につき令和○○年○○月○○日金銭消費貸借同日設定を原因とする原告を抵当権者，被告を抵当権設定者，債権額○○○○円，元本の弁済期令和○○年○○月○○日，利息は元本○○○○円につき一日○○銭とする抵当権設定登記手続をせよ。

2　訴訟費用は被告の負担とする。

との判決を求める。

請求の原因

1　原告は被告に対し令和○○年○○月○○日金○○○○円を弁済期令和○○年○○月○○日，利息元金○○○○円につき一日○○銭，利息の支払期を毎月○○日とする約定で貸し渡した。

2　被告は上記貸金債権を担保するため，その所有にかかる別紙目録記載の土地につき令和○○年○○月○○日原告との間に，第一順位の抵当権設定契約を締結した。

3　よって，被告は原告に対して請求の趣旨第１項記載の抵当権設定登記手続を求める。

（1−017 訴状（抵当権設定登記申請手続請求））

1－018 訴状（根抵当権抹消登記手続請求）

収入印紙

訴　　　状

令和○○年○○月○○日

○○地方裁判所　御中

原告訴訟代理人弁護士　　○　○　○　○　　印

〒○○○－○○○○
○○県○○市○○町○○丁目○○番地
原　　　　　告　株式会社　○○
上記代表者代表取締役　　○　○　○　○
（送達場所）
〒○○○－○○○○
○○県○○市○○町○○丁目○○番地
○○法律事務所
上記原告訴訟代理人弁護士　　○　○　○　○
ＴＥＬ　○○○（○○○）○○○○
ＦＡＸ　○○○（○○○）○○○○

〒○○○－○○○○
○○県○○市○○町○○丁目○○番地
（登記簿上の住所　　○○市○○町○○）
被　　　　　告　○　○　○　○

根抵当権抹消登記手続請求事件
訴訟物の価額　　金○○○○円也

貼用印紙額　　　金○○○○円也

第1　請求の趣旨

1　被告は原告に対し，別紙物件目録記載1の土地及び同2記載の建物について，○○地方法務局○○出張所令和○○年○○月○○日受付第○○○号根抵当権設定登記の抹消登記手続きをせよ。

2　訴訟費用は被告の負担とする

との判決を求める。

第2　請求の原因

1　原告は，訴外○○○○（以下「X」という。）に対し，売掛金債権として○○○○円を有している。

2　被告は別紙物件目録記載1の土地と同記載2の建物（以下，双方あわせて「本件不動産」という。）にそれぞれ○○地方法務局○○出張所令和○○年○○月○○日受付第○○○○号の根抵当権登記（以下「本件根抵当権」という。）を設定している。

3　令和○○年○○月○○日根抵当権者○○が本件不動産に滞納処分による差押えの登記をした。

4　Xは本件不動産の他，○○に土地家屋を所有している（甲第○○号証　不動産全部事項証明書）が，換価することは不可能である（甲第○○号証　陳述書）。その他Xにはめぼしい資産はない。

5　Xは被告に対して抹消登記請求権を行使しない。

6　よって，原告は被告に対し，Xに代位して本件根抵当権の抹消登記手続を請求する。

証　拠　方　法

附　属　書　類

（1－018 訴状（根抵当権抹消登記手続請求））

物　件　目　録

1　所　　在　　○○県○○市○○町○○丁目
　　地　　番　　○○番○○
　　地　　目　　○○
　　地　　積　　○○．○○㎡

2　所　　在　　○○県○○市○○町○○丁目○○番地○○
　　家屋番号　　○○
　　種　　類　　○○○○
　　構　　造　　○○○○
　　床 面 積　　1階　○○．○○㎡
　　　　　　　　2階　○○．○○㎡

（1−018 訴状（根抵当権抹消登記手続請求））

1—019 訴状（代物弁済による本登記申請手続請求）

収　入 印　紙

訴　　　状

令和○○年○○月○○日

○○地方裁判所　御中

原告訴訟代理人弁護士　　○　○　○　○　　印

〒○○○－○○○○

○○県○○市○○町○○丁目○○番地

原　告　　　○　○　○　○

（送達場所）

〒○○○－○○○○

○○県○○市○○町○○丁目○○番地

○○弁護士会所属

上記原告訴訟代理人弁護士　　○　○　○　○

ＴＥＬ　○○○（○○○）○○○○

ＦＡＸ　○○○（○○○）○○○○

〒○○○－○○○○

○○県○○市○○町○○丁目○○番地

被　告　　　○　○　○　○

代物弁済による本登記手続請求事件

訴訟物の価額　　　金○○○○円也

貼用印紙額　　　金○○○○円也

請　求　の　趣　旨

1　被告は原告に対し別紙目録記載の土地につき，○○法務局○○出張所令和○○年○○月○○日受付第○○号所有権移転請求権保全仮登記に基づく令和○○年○○月○○日代物弁済による本登記手続をせよ。

2　訴訟費用は被告の負担とする。

との判決を求める。

請　求　の　原　因

1　原告は令和○○年○○月○○日，被告に対し，金○○○○円を弁済期令和○○年○○月○○日，利息○○%，利息支払期毎月○○日，遅延損害金年利○○%の約定で貸し渡した。

2　被告は同日その貸金債権を担保するためその所有にかかる別紙目録記載の土地（以下「本件土地」という。）につき抵当権を設定し，かつ弁済期に履行しないときは，本件土地を債務額と同額とみなしその所有権を原告が取得することができる旨の代物弁済の予約をして同年○○月○○日○○法務局○○出張所受付第○○号によりその旨の代物弁済の予約を原因とする所有権移転請求権保全の仮登記を経由した。

3　しかるに，被告は上記弁済期に至るもその弁済をしないので，原告は，被告に対し令和○○年○○月○○日付翌○○日到達の書面で，代物弁済完結の意思表示をした。

4　よって，原告は被告に対し請求の趣旨記載のように代物弁済による所有権移転の本登記手続を求める。

1−020 訴状（家屋明渡等請求①）

収入
印紙

訴　　　状

令和○○年○○月○○日

○○地方裁判所　御中

原告訴訟代理人弁護士　○　○　○　○　印

〒○○○−○○○○

○○県○○市○○町○○丁目○○番地

原　告　○　○　○　○

（送達場所）

〒○○○−○○○○

○○県○○市○○町○○丁目○○番地

○○弁護士会所属

上記訴訟代理人弁護士　○　○　○　○

ＴＥＬ　○○○（○○○）○○○○

ＦＡＸ　○○○（○○○）○○○○

〒○○○−○○○○

○○県○○市○○町○○丁目○○番地

被　告　○　○　○　○

家屋明渡等請求事件

訴訟物の価額　　金○○○○円也

貼用印紙額　　金○○○○円也

請　求　の　趣　旨

1　被告は原告に対して別紙目録記載の家屋を明け渡し，かつ金○○○○円を支払え。

2　被告は原告に対し令和○○年○○月○○日から上記家屋明渡済みまで1カ月金○○○○円の割合による金員を支払え。

3　訴訟費用は被告の負担とする。

との判決及び仮執行の宣言を求める。

請　求　の　原　因

1　原告は被告に対し，令和○○年○○月○○日原告所有の別紙目録記載の家屋（以下「本件建物」という。）を，賃料1カ月○○○○円，翌月分毎月末払い，期間の定めなく賃貸した。

2　被告は，令和○○年○○月分以降の賃料を全く支払わない。そこで原告は同年○○月○○日付内容証明郵便を以て同年○○月より○○月までの延滞賃料合計金○○○○円を上記郵便到達後7日以内に支払うよう催告し，上記期間内に支払わない場合は本件賃貸借契約を解除する旨の条件付契約解除の意思表示をなし，上記郵便は同年○○月○○日被告のもとに到達した。

3　しかるに，被告は，上記催告期間内に延滞賃料の支払いをしなかったので，本件賃貸借契約は同月○○日の経過を以て解除されたのであるが，被告はその後も本件建物を明け渡さないまま現在に及んでいる。

4　よって原告は被告に対し，

①　所有権に基づいて本件建物の明渡し

②　令和○○年○○月から同○○年○○月までの延滞賃料合計金○○○○円の支払い

③　令和○○年○○月以降明渡済みに至るまで，賃料相当1カ月金○○○○円の割合による使用損害金の支払い

を求める。

1−021 訴状（家屋明渡等請求②）

収　入 印　紙

訴　　　　状

令和○○年○○月○○日

○○地方裁判所　御中

原告訴訟代理人弁護士　　○　○　○　○　　印

〒○○○−○○○○

○○県○○市○○町○○丁目○○番地

原　告　　　○　○　○　○

（送達場所）

〒○○○−○○○○

○○県○○市○○町○○丁目○○番地

○○弁護士会所属

上記原告訴訟代理人弁護士　　○　○　○　○

ＴＥＬ　○○○（○○○）○○○○

ＦＡＸ　○○○（○○○）○○○○

〒○○○−○○○○

○○県○○市○○町○○丁目○○番地

被　告　　　Ｃ

〒○○○−○○○○

○○県○○市○○町○○丁目○○番地

被　告　　　Ｄ

家屋明渡等請求事件

訴訟物の価額　　　金○○○○円也

貼用印紙額　　　　金○○○○円也

請　求　の　趣　旨

１　被告Ｃは原告に対し別紙目録記載の家屋を明け渡し，かつ令和○○年○○月○○日から同明渡済みまで１カ月金○○○○円の割合による金員を支払え。

２　被告Ｄは，原告に対し別紙目録の家屋中階下右側の６畳１室を明け渡せ。

３　訴訟費用は，被告の負担とする。

との判決を求める。

請　求　の　原　因

１　原告は，令和○○年○○月○○日被告Ｃに対し別紙目録記載の家屋を賃料１カ月金○○○○円毎月末日払の約定で期間の定めなく賃貸した。

２　被告Ｃは令和○○年○○月頃から上記家屋中階下右側の６畳１室を，被告Ｄに転貸し，被告Ｄは請求の趣旨記載部分を占有している。

３　原告は被告Ｃに対し令和○○年○○月○○日付翌○○日到達の内容証明郵便を以て上記転貸を理由として前記賃貸借契約を解除する旨の意思表示をした。

４　そこで，原告は被告Ｃに対し①及び②のとおり，被告Ｄに対し③のとおり求める。

①　上記家屋の明渡し

②　令和○○年○○月○○日から明渡済みまでの１カ月金○○○○円の割合による賃料相当の損害金の支払い

③　上記家屋中階下右側の６畳１室の明渡し

1－022 訴状（建物明渡等請求①）

収　入 印　紙

訴　　　状

令和○○年○○月○○日

○○地方裁判所　御中

原告訴訟代理人弁護士　○　○　○　○　印

〒○○○－○○○○

○○県○○市○○町○○丁目○○番地

原　告　　○　○　○　○

（送達場所）

〒○○○－○○○○

○○県○○市○○町○○丁目○○番地

○○弁護士会所属

上記原告訴訟代理人弁護士　○　○　○　○

ＴＥＬ　○○○（○○○）○○○○

ＦＡＸ　○○○（○○○）○○○○

〒○○○－○○○○

○○県○○市○○町○○丁目○○番地

被　告　　○　○　○　○

建物明渡等請求事件

訴訟物の価額　　金○○○○円也

貼用印紙額　　金○○○○円也

請　求　の　趣　旨

1　被告は原告に対し別紙物件目録記載の建物の明渡し並びに金○○○○円及び令

和○○年○○月○○日から明渡済みまで1カ月金○○○○円の割合による金員を支払え。

2　訴訟費用は被告の負担とする。

との判決及び仮執行の宣言を求める。

請　求　の　原　因

1　原告は，原告所有の別紙物件目録記載の建物を，被告に対し次のとおりこれを賃貸した。

① 賃貸年月日　　令和○○年○○月○○日

② 借用目的　　住宅用

③ 賃　　料　　1カ月○○○○円

④ 賃料支払期　　毎月末日払

⑤ 賃貸期限　　定めなし

2　上記賃貸借契約は，次の理由によって令和○○年○○月○○日終了した。すなわち，本件建物は，原告の所有に属する唯一の建物であり，F会社に勤務する原告の夫が近々定年で退職し，退職後本件建物に居住しなければならない立場にあり，また原告の娘も近いうちに婚姻するため東京に在住しているところ，本件建物に被告及びその家族が居住しているため入居できない状態で間借生活をしている。もっとも原告の夫は現在退職はしていないが，退職後被告が到底明渡しを肯んじないことは明白な事情にある。このようなことから原告が本件建物を使用するにつき，正当事由があるから令和○○年○○月○○日付書面で被告に対し解約の申入れをし，その書面は同月○○日に被告に到達したので，法定期間の経過により賃貸借契約は終了したものである。

3　そこで，原告は被告に対し次のとおり求める。

① 本件建物の明渡し

② 令和○○年○○月○○日から令和○○年○○月○○日までの延滞賃料金○○

〇〇円の支払い

③　令和〇〇年〇〇月〇〇日から明渡済みまで１カ月金〇〇〇〇円の割合による賃料相当の損害金の支払い

（1－022 訴状（建物明渡等請求①））

1－023 訴状（建物明渡等請求②）

収入印紙

訴　　　状

令和○○年○○月○○日

○○地方裁判所　御中

原告ら訴訟代理人弁護士　　○　○　○　○　　印

〒○○○－○○○○

東京都○○区○○町○○丁目○○番○○号

原　　告　　　　Ａ

同　　　　　　　Ｂ

〒○○○－○○○○

東京都○○区○○町○○丁目○○番○○号

原告Ａ成年後見人　　Ｃ

（送達場所）

〒○○○－○○○○

東京都○○区○○町○○丁目○○番○○号

○○法律事務所

ＴＥＬ　○○（○○○○）○○○○

ＦＡＸ　○○（○○○○）○○○○

原告Ａ及び原告Ｂ訴訟代理人

弁護士　　　　　　○　○　○　○

〒○○○－○○○○

東京都○○区○○町○○丁目○○番○○号

（住民票上の住所）

〒○○○－○○○○

東京都○○区○○町○○丁目○○番○○号

被　　告　　　　○○○○

建物明渡等請求事件
訴訟物の価額　　金○○○○円也
貼用印紙額　　　金○○○○円也

第１　請求の趣旨

１　被告は原告らに対し別紙物件目録記載の建物を明け渡せ。
２　被告は原告Ａに対し金○○○○円を支払え。
３　訴訟費用は被告の負担とする。
との判決並びに仮執行の宣言を求める。

第２　請求の原因

１　建物明渡
①　別紙物件目録記載の建物（以下「本件建物」という。）は訴外亡○○が所有していたが，令和○○年○○月○○日原告らが相続した。共有持分は原告Ａ２分の１，同Ｂ２分の１である。
②　被告は○○年ほど前から本件建物を占有している。
２　不法行為
①　被告は令和○○年○○月○○日本件建物に隣接する原告Ａ宅に不法に侵入し原告Ａの首を絞めるなどして強盗行為に及んだ。
②　強盗そのものは未遂に終わったものの，この事件によって被告は令和○○年○○月○○日懲役３年の実刑判決を受けるに至った（甲第１号証　判決書）。
③　未遂ではあったものの深夜突然暴漢に押し入られ，生命の危険にも瀕した原告Ａの受けた精神的ショックは計り知れず，未だに事件のことを思い出すと体の震えが止まらない。また，現場である自宅にも住めない精神状態にある。これによって受けた精神的損害は少なくとも○○○○円を下らない。
３　よって，原告らは被告に対し建物所有権に基づき本件建物の明渡しを，原告Ａは不法行為による損害賠償請求として被告に対し金○○○○円の支払いを求める。

（1―023 訴状（建物明渡等請求②））

第３　関連事実

１　被告は訴外○○から本件建物を次のような条件で賃借していた（甲第２号証　契約書）。

①　期　　間　　令和○○年○○月○○日より同○○年○○月○○日まで

②　賃　　料　　１カ月○○○○円

③　（以下略）

２　原告らは令和○○年○○月○○日訴外○○○○から相続によって本件建物の所有権と共に賃貸人の地位も承継した。

３　原告らは，被告の犯罪行為により賃貸人と賃借人間の信頼関係が失われたものとして令和○○年○○月○○日付内容証明郵便によって本件賃貸借契約を解除し，同通知は同月日に被告に到達した（甲第３号証の１及び２）。

以上

証　拠　方　法

１　甲第１号証　　　判決書
２　甲第２号証　　　契約書
３　甲第３号証の１　内容証明郵便
４　甲第３号証の２　配達証明

附　属　書　類

１　訴状副本　１通
２　甲号証（写し）　各１通
３　証拠説明書　１通
４　不動産登記記録全部事項証明書　１通
５　固定資産評価証明書　１通
６　訴訟委任状　２通
７　登記事項証明書　１通

（1−023　訴状（建物明渡等請求②））

物　件　目　録

下記建物２階部分のうち別紙赤斜線部分（○号室）

記

所　　在　　○○県○○市○○町○○丁目○○番○○号
家屋番号　　○○
種　　類　　共同宅　居宅
構　　造　　木造瓦葺２階建
床 面 積　　１階　○○．○○㎡
　　　　　　２階　○○．○○㎡

以上

（1―023 訴状（建物明渡等請求②））

1−024 訴状（建物明渡等請求③）

収　入
印　紙

訴　　　状

令和○○年○○月○○日

○○地方裁判所　御中

原告訴訟代理人　弁護士　○　○　○　○　　印

〒○○○−○○○○
東京都○○区○○町○○丁目○○番○○号
原　　　告　　　○○株式会社
代表者代表取締役　○　○　○　○
（送達場所）
〒○○○−○○○○
東京都○○区○○町○○丁目○○番○○号
原告訴訟代理人　弁護士　　　　　　○　○　○　○
ＴＥＬ　○○（○○○○）○○○○
ＦＡＸ　○○（○○○○）○○○○

〒○○○−○○○○
東京都○○区○○町○○丁目○○番○○号
被　　　告　　　株式会社○○
代表者代表取締役　○　○　○　○

建物明渡等請求事件
訴訟物の価額　　金○○○○円也
貼用印紙額　　　金○○○○円也

第１　請求の趣旨

１　被告は，原告に対し，別紙物件目録記載の建物を明け渡せ。

２　被告は，原告に対し，金○○○○円及び令和○○年○○月○○日から明渡済みまで１カ月金○○○○円の割合による金員を支払え。

との判決並びに第２項について仮執行の宣言を求める。

第２　請求の原因

１　建物明渡請求

①　別紙物件目録記載の建物（以下「本件建物」という。）は現在原告が所有している。

②　被告は令和○○年○○月○○日から本件建物を占有している。

③　よって，原告は被告に対し，所有権に基づき本件建物の明渡しを求める。

２　賃料と更新料の請求

⑴　原告は，令和○○年○○月○○日，本件建物を被告に賃貸することとし，被告との間で次のとおり賃貸借契約（以下「本件契約」という。）を締結した（甲第１号証）。

①　期　間　　令和○○年○○月○○日から令和○○年○○月○○日まで２年間

②　賃　料　　月額○○○○円。翌月分を前月末日までに支払う（第○○条第○○項）。１カ月に満たない期間の賃料は１カ月を実日数として日割り計算した額とする（第○○条第○○項）。

③　解　除　　賃借人が２カ月以上賃料の支払いを怠った場合は，賃貸人は，相当の期間を定めて催告したにもかかわらずその期間内に当該義務が履行されないときは本契約を解除できる（第○○条）。

④　更新料　　賃貸人と賃借人は協議の上本契約を更新することができる。

（1―024 訴状（建物明渡等請求③））

更新料として賃借人は，新家賃の１カ月分を賃貸人に支払うものとする。

⑵　その後本件契約は令和〇〇年〇〇月〇〇日賃貸借期間を同日より２年間として更新された後，その期間満了後令和〇〇年〇〇月〇〇日更新されたが被告は更新料と令和〇〇年〇〇月分以降の賃料を支払わない。

3　契約解除

原告は，本訴状をもって本訴状送達の日から５日以内に令和〇〇年〇〇月分から同年〇〇月分までの賃料及び更新料〇〇〇〇円を支払うよう催告する。あわせて訴状送達後〇〇日以内に全額の支払いのない場合には特に通知することなく本件建物に係る賃貸借契約を解除する。

4　結　語

よって原告は，被告に対し，本件建物の明渡し，本件契約にかかる更新料〇〇〇〇円及び令和〇〇年〇〇月〇〇日から本件建物明渡済みに至るまでの延滞賃料及び賃料相当額の使用損害金を支払うよう求める。

以上

証　拠　方　法

附　属　書　類

（1−024 訴状（建物明渡等請求③））

物　件　目　録

（一棟の建物の表示）

所　　　在

建物の番号

（専有部分の建物の表示）

家 屋 番 号

建物の番号

種　　　類

構　　　造

床　面　積

（敷地権の表示）

土 地 の 符 号

所在及び地番

地　　　　目

地　　　　積

敷地権の種類

敷地権の割合

（1−024 訴状（建物明渡等請求③））

1－025 訴状（建物明渡等請求④）

収　入
印　紙

訴　　　　状

令和○○年○○月○○日

○○地方裁判所○○支部　御中

原告訴訟代理人弁護士　　○　○　○　○　　印

〒○○○－○○○○
○○県○○市○○町○○丁目○○番地
原　告　　○　○　○　○

（送達場所）
〒○○○－○○○○
東京都○○区○○町○○丁目○○番○○号
○○ビル○○号　　○○法律事務所
電　話　　○○（○○○○）○○○○
ＦＡＸ　　○○（○○○○）○○○○
原告訴訟代理人弁護士　　○　○　○　○

〒○○○－○○○○
○○県○○市○○町○○丁目○○番地
被　告　　　　　　　Ａ
〒○○○－○○○
○○県○○市○○町○○丁目○○番地
被　告　　　　　　　Ｂ

建物明渡等請求事件

訴訟物の価額　　金○○○○円也

貼 用 印 紙 額　　金○○○○円也

第１　請求の趣旨

1　被告Ａは原告に対し，別紙物件目録記載１乃至５の不動産をいずれも明け渡せ。

2　被告Ａと被告Ｂは連帯して，原告に対し，令和○○年○○月○○日から，別紙物件目録１記載の建物の明渡済みまで１カ月金○○○○円の割合による，別紙物件目録２記載の建物の明渡済みまで１カ月○○○○円の割合による，及び別紙物件目録３の土地の明渡済みまで１カ月○○○○円の割合による金員を支払え。

3　被告Ａは原告に対し，令和○○年○○月○○日から別紙物件目録４及び５記載の土地の明渡済みまで各土地につき１カ月金○○○○円の割合による金員を支払え。

との判決並びに仮執行の宣言を求める。

第２　請求の原因

1　不動産明渡

⑴　別紙物件目録１（以下「本件建物１」という。），同２（以下「本件建物２」という。）記載の建物及び別紙物件目録３乃至５記載の土地（以下，それぞれ「本件駐車場３乃至５」という。）は現在原告が所有している（不動産全部事項証明書）。

⑵　被告Ａは本件建物１，同２及び本件駐車場３乃至５を占有している。

⑶　よって，原告は被告Ａに対し所有権に基づき本件各建物及び各駐車場の明渡しを求める。

（1－025 訴状（建物明渡等請求④））

2　賃料及び使用損害金の請求

原告と被告Ａは，本件建物及び本件駐車場について次のような賃貸借契約を締結した。

⑴　本件建物１及び本件駐車場３について

①　当初の契約（甲第１号証　賃貸借契約証書）

契 約 日　　令和○○年○○月○○日
賃貸借期間　　令和○○年○○月○○日から令和○○年○○月○○日
月額賃料　　○○○○円
駐車場料金　　本件駐車場３につき月額○○○○円（令和○○年○○月分から）
雑　費　　月額○○○○円
支払期日　　毎月翌月分を前月末日までに支払う。
解　除　　賃料を１カ月でも滞納した場合は，賃貸人は，何らの催告を必要としないで解除できる。
連帯保証人　　Ｂ

②　契約更新

本件建物１及び本件駐車場３についての契約はその後２年ごとに更新され，令和○○年○○月○○日賃貸借期間が令和○○年○○月○○日より令和○○年○○月末日までに変更された後（甲第２号証），現在は次のような契約内容となっている（甲第３号証）。

契 約 日　　令和○○年○○月○○日
賃貸借期間　　令和○○年○○月○○日から令和○○年○○月末日
月額賃料　　○○○○円
駐車場料金　　本件駐車場３につき月額○○○○円
共益費等　　月額○○○○円
支払期日　　毎月翌月分を前月末日までに支払う。

（1－025 訴状（建物明渡等請求④））

解　　除　賃借人が賃料その他の債務の支払いを怠ったときは，賃貸人は催告を要せず直ちに本契約を解除することができる。（第○○条第○○号）

連帯保証人　B

⑵　本件建物2について

①　当初の契約（甲第4号証　賃貸借契約証書）

契 約 日　令和○○年○○月○○日

賃貸借期間　令和○○年○○月○○日から令和○○年○○月末日

月額賃料　○○○○円

共益費等　月額○○○○円

支払期日　毎月翌月分を前月末日まで支払う。

解　　除　賃貸人は，賃借人が賃料等その他の債務の支払いを怠ったときは催告を要せず直ちに本契約を解除することができる。

連帯保証人　Bは契約更新後も連帯保証人として責を負う。（甲第5号証）

②　契約更新

本件建物2についての賃貸借契約はその後2年ごとに更新されて，令和○○年○○月○○日次のとおり更新された（甲第6号証）。

賃貸借期間　令和○○年○○月○○日から令和○○年○○月末日

賃　　料　月額○○○○円

共益費等　月額○○○○円

支払期日　毎月翌月分を前月末日まで支払う。

解　　除　賃貸人は，賃借人が賃料等その他の債務の支払いを怠ったときは，催告を要せず直ちに本契約を解除することができる。

（1−025 訴状（建物明渡等請求④））

連帯保証人　　B

⑶　本件駐車場４について

①　当初契約（甲第７号証）

契　約　日　　令和○○年○○月○○日

賃貸借期間　　令和○○年○○月○○日から令和○○年○○月○○日

月 額 賃 料　　○○○○円

支払期日及び契約解除

賃料の支払いは毎月末日までに翌月分を賃貸人が指定した口座に振込みにより支払うものとする。万一１カ月なりとも滞納せる場合は，敷金の有無にかかわらず，賃貸人は何らの催告も要せずして本契約を解除し，賃借人は即時明け渡す。

②　本契約はその後１年ごとに更新され，令和○○年○○月○○日に次のように更新された（甲第８号証）。

契　約　日　　令和○○年○○月○○日

賃貸借期間　　令和○○年○○月○○日から令和○○年○○月末日

月 額 賃 料　　当初に同じ。

支払期日及び契約解除　　当初に同じ。

その後契約書は作成されなかったものの被告Aが現在も使用中である。

⑷　本件駐車場５について

①　当初契約（甲第９号証）

契　約　日　　令和○○年○○月○○日

賃貸借期間　　令和○○年○○月○○日から令和○○年○○月末日

賃　　　料　　月額○○○○円

支払期日及び契約解除

賃料の支払いは毎月末日までに翌月分を賃貸人が指定した口座に振込みにより支払うものとする。万一１カ月なりとも滞納せる場合は，敷

（1－025 訴状（建物明渡等請求④））

金の有無にかかわらず，賃貸人は何らの催告も要せずして本契約を解除し，賃借人は即時明け渡す。

② 更　新

本契約は令和〇〇年〇〇月〇〇日，賃貸借期間を同年〇〇月〇〇日から翌令和〇〇年〇〇月末日までとしてその他は当初と同じ条件にて更新され（甲第１０号証），その後契約書は作成されなかったものの，被告が現在も使用中である。

３　賃料支払いの遅滞

被告Ａは原告に対し，前項の各賃貸借契約による賃料として合計月額〇〇〇〇円の賃料支払債務を負っているが，被告Ａは令和〇〇年〇〇月分からの賃料を支払わない。そこで，原告は本訴状をもって原告と被告Ａ間の本件建物産１，同２及び本件駐車場３乃至５に係る賃貸借契約を解除する。

４　よって，原告は被告Ａに対し，所有権に基づき本件不動産１乃至５の明渡し，及び令和〇〇年〇〇月〇〇日から本訴状送達までの各不動産に係る賃料及び本訴状送達翌日から明渡済みまでの賃料相当使用損害金の支払いを，被告Ｂに対しては，被告Ａと連帯して，令和〇〇年〇〇月〇〇日から本件不動産１乃至３の明渡済みまで保証債務の支払いを求める。

以上

（1－025 訴状（建物明渡等請求④））

証　拠　方　法

１	甲第１号証	賃貸借契約証書
２	甲第２号証	賃貸借契約書
３	甲第３号証	賃貸借契約証書
４	甲第４号証	賃貸借契約証書
５	甲第５号証	連帯保証人確約書
６	甲第６号証	賃貸借契約証書
７	甲第７号証	自動車（自動車保管場所）契約書
８	甲第８号証	駐車場（自動車保管場所）契約書
９	甲第９号証	賃貸借契約証書
１０	甲第１０号証	駐車場（自動車保管場所）契約書

附　属　書　類

１	訴状副本	２通
２	甲号証（写し）	各３通
３	証拠説明書	３通
４	不動産全部事項証明書	２通
５	固定資産評価証明書	２通
６	訴訟委任状	１通

（1－025 訴状（建物明渡等請求④））

物　件　目　録

1　所　　在　　〇〇県〇〇市〇〇町〇〇丁目〇〇番〇〇号
　家屋番号　　〇〇
　種　　類　　〇〇
　構　　造　　〇〇
　床 面 積　　1階　〇〇．〇〇㎡
　　　　　　　2階　〇〇．〇〇㎡
のうち1階部分〇〇号室（別紙建物図面赤斜線部）〇〇．〇〇㎡

2　前項建物のうち1階部分〇〇号室（別紙建物図面青斜線部）〇〇．〇〇㎡

3　所　　在　　〇〇県〇〇市〇〇町〇〇丁目
　地　　番　　〇〇番〇〇
　地　　目　　〇〇
　地　　積　　〇〇．〇〇㎡
のうち別紙駐車場図面赤枠Aの部分〇〇．〇〇㎡

4　前項土地のうち別紙駐車場図面赤枠Hの部分〇〇㎡

5　前項土地のうち別紙駐車場図面赤枠Gの部分〇〇㎡

（1−025 訴状（建物明渡等請求④））

1－026 訴状（債務不存在確認請求）

収入
印紙

訴　　　状

令和○○年○○月○○日

○○地方裁判所　御中

原告訴訟代理人弁護士　○　○　○　○　印

〒○○○－○○○○
○○県○○市○○町○○丁目○○番地
原　告　○　○　○　○
（送達場所）
〒○○○－○○○○
○○県○○市○○町○○丁目○○番地
○○弁護士会所属
原告訴訟代理人弁護士　○　○　○　○
ＴＥＬ　○○○（○○○）○○○○
ＦＡＸ　○○○（○○○）○○○○
〒○○○－○○○○
○○県○○市○○町○○丁目○○番地
被　告　○　○　○　○

債務不存在確認請求事件
訴訟物の価額　金○○○○円也
貼用印紙額　金○○○○円也

請　求　の　趣　旨

1　原告の被告に対する令和○○年○○月○○日付消費貸借に基づく金○○○○円の債務の存在しないことを確認する。

2　訴訟費用は被告の負担とする。

との判決を求める。

請　求　の　原　因

1　被告は，原告に対し令和○○年○○月○○日金○○○○円を貸し付け，現金を交付したと主張し前記金員の支払いを請求している。

2　原告は前記事実を認める。

3　しかし，原告は被告に令和○○年○○月○○日前記金員を被告宅に持参して現実に弁済の提供をしたが，被告はこの受領を拒絶した。そこで，原告は，前記金員を○○月○○日○○法務局に供託した。

4　したがって，原告の被告に対する被告主張の債務は存在しないのであるから，その旨の確認を求める。

（1－026 訴状（債務不存在確認請求））

1－027 訴状（宅地境界確認請求）

収入
印紙

訴　　　状

令和○○年○○月○○日

○○地方裁判所　御中

原告訴訟代理人弁護士　　○　○　○　○　　印

〒○○○－○○○○
○○県○○市○○町○○丁目○○番地
原　告　　　○　○　○　○

（送達場所）
〒○○○－○○○○
○○県○○市○○町○○丁目○○番地
○○弁護士会所属
原告訴訟代理人弁護士　　○　○　○　○
ＴＥＬ　○○○（○○○）○○○○
ＦＡＸ　○○○（○○○）○○○○

〒○○○－○○○○
○○県○○市○○町○○丁目○○番地
被　告　　　○　○　○　○

宅地境界確認請求事件
訴訟物の価額　　金○○○○円也
貼用印紙額　　　金○○○○円也

請 求 の 趣 旨

1　原告所有の東京都○○区○○町○○番の宅地○○平方メートル（別紙図面中A）と被告所有の同所○○番の宅地○○平方メートル（別紙図面中B）との境界線は，A宅地の北東角より南東×・××メートルの点（別紙図面中イ）と同宅地北西角より南西に×・××メートルの点（別紙図面中ロ）とを一直線に結ぶものであることを確定する。

2　訴訟費用は被告の負担とする。

との判決を求める。

請 求 の 原 因

1　原告は明治初年頃に先々代頃から請求の趣旨表示の宅地○○平方メートルのうち○○平方メートルを賃借し居住していたが，今次の太平洋戦争で戦災によって家屋を焼失したため，同借地に居宅１棟，物置１棟を建築したが，平成○○年○○月○○日当時の地主訴外○○○○から同宅地のうち×××平方メートルを買い受け，平成○○年○○月○○日分割の上所有権移転登記をした。前記買い受けた宅地の南側境界線は別紙図面のイロを結ぶ線であった。

2　ところが被告は令和○○年○○月中旬頃訴外○○○○から同所同番の○○の宅地○○平方メートルを買い受け，これに隣接する被告の同宅地との境界線は別紙図面のハニを結ぶ線であると主張して原告の前記境界線を争うので，前記両隣地間の境界線の確定を求める。

（1−027 訴状（宅地境界確認請求））

1−028 訴状（地位確認等請求）

収　入
印　紙

訴　　　状

令和○○年○○月○○日

○○地方裁判所　御中

原告訴訟代理人弁護士　　○　○　○　○　　印

〒○○○－○○○○
○○県○○市○○町○○丁目○○番地
原　告　　　○　○　○　○

（送達場所）
〒○○○－○○○○
○○県○○市○○町○○丁目○○番地
○○弁護士会所属
原告訴訟代理人弁護士　　○　○　○　○
ＴＥＬ　○○○（○○○）○○○○
ＦＡＸ　○○○（○○○）○○○○

〒○○○－○○○○
○○県○○市○○町○○丁目○○番地
被　告　　　□□販売株式会社
代表者代表取締役　　　○　○　○　○

地位確認等請求事件
訴訟物の価額　　金○○○○円
貼用印紙額　　　金○○○○円

請求の趣旨

1　原告は，被告に対し，雇用契約に基づく権利を有することを確認する。

2　被告は，原告に対し，令和○○年○○月○○日以降，毎月○○日限り，金○○○○円を支払え。

3　訴訟費用は被告の負担とする。

との判決並びに仮執行の宣言を求める。

請求の原因

（当事者）

1　被告は，書類，版画，レコード等の総合出版社である。

2　原告は令和○○年○○月○○日，被告に期限の定めなく雇用され，○○室長として，販売特約店の経営指導及び財務関係，販売指導の統轄等々の管理業務全般について有能，かつ，誠実に業務を遂行してきた。

（解雇の存在）

3　被告は，原告に対し，令和○○年○○月○○日，口頭により解雇の意思表示をなし，原告の就労を拒否しながら，同年○○月○○日付郵便物を以って原告の「誠実な役務の提供」拒否を理由に，改めて解雇の意思表示をし，就労を拒否するとともに翌○○日以降の賃金の支払いをしない。

（解雇の無効）

4　しかしながら，原告には，被告主張の如き役務の提供拒否の事実は全く在しない。本件解雇は，就業規則の根拠すら明示しない杜撰なものであって，解雇が無効であることは明白である。

5　本件解雇当時，被告は，原告に対し，月額金○○○○円の賃金を毎月○○日限り支払う定めであった。

6　よって，原告は，被告に対し雇用契約上の権利を有することの確認を求めるとともに解雇の翌日以降の賃金支払を求めるため本訴を提起する。

（1－028 訴状（地位確認等請求））

1－029 訴状（認知請求）

収　入
印　紙

訴　　　　状

令和○○年○○月○○日

○○家庭裁判所　御中

原告訴訟代理人弁護士　　○　○　○　○　　印

本　籍　○○県○○市○○町○○丁目○○番地
住　所　〒○○○－○○○○
　　　　○○県○○市○○町○○丁目○○番地
原告　　　　　　A
上記原告法定代理人親権者　母　　　　　　B
（送達場所）
住　所　〒○○○－○○○○
　　　　○○県○○市○○町○○丁目○○番地
○○弁護士会所属
上記原告訴訟代理人弁護士　　○　○　○　○
TEL　○○○（○○○）○○○○
FAX　○○○（○○○）○○○○
住　所　〒○○○－○○○○
　　　　○○県○○市○○町○○丁目○○番地
被　告　　○○地方検察庁
検事正　　○　○　○　○

認知請求事件
訴訟物の価額　　金○○○○円也

貼用印紙額　　　金○○○○円也

請　求　の　趣　旨

1　原告は本籍○○県○○市○○町○○丁目○○番地亡Xの子であることを認知する。

2　訴訟費用は被告の負担とする。

との判決を求める。

請　求　の　原　因

1　原告は，本籍○○県○○市○○町○○丁目○○番地，筆頭者Bの子として在籍しているが，原告は母Bが訴外本籍○○県○○市○○町○○丁目○○番地Xとの間において令和○○年○○月○○日に分娩したものである。

2　すなわちBは上記Xと令和○○年○○月○○日結婚して事実上の夫婦となり○○において同棲生活に入り，令和○○年○○から東京都○○区○○町○○丁目○○番○○号のアパートに移転し，引き続き同棲していたところ，Bは上記Xの子を宿した。しかし上記Xは令和○○年○○月○○日，Bとの婚姻届未了の間に原告の出生を待たず死亡した。

3　Bは令和○○年○○月○○日原告を出産した。

4　以上の次第で，原告はBが上記Xと同棲している間において懐妊したもので，上記Xの子であることは間違いがない。よって，原告は上記Xの子であることが認知されるべきである。

（1－029 訴状（認知請求））

1−030 訴状（離婚等請求）

収　入
印　紙

訴　　　状

令和○○年○○月○○日

○○家庭裁判所　御中

原告訴訟代理人弁護士　○　○　○　○　印

本　籍　○○県○○市○○町○○丁目○○番地
住　所　〒○○○−○○○○
○○県○○市○○町○○丁目○○番地
原　告　　○　○　○　○

（送達場所）
住　所　〒○○○−○○○○
○○県○○市○○町○○丁目○○番地
○○弁護士会所属
上記原告訴訟代理人弁護士　○　○　○　○
ＴＥＬ　○○○（○○○）○○○○
ＦＡＸ　○○○（○○○）○○○○

本　籍　○○県○○市○○町○○丁目○○番地
住　所　〒○○○−○○○○
○○県○○市○○町○○丁目○○番地
被　告　　○　○　○　○

離婚等請求事件
訴訟物の価額　　金○○○○円也
貼用印紙額　　金○○○○円也

請 求 の 趣 旨

1　原告と被告とを離婚する。

2　原・被告間の未成年の子

　　○○○○　　男

　　令和○○年○○月○○日生

　の親権者を原告と定める。

3　訴訟費用は，被告の負担とする。

との判決を求める。

　なお，次の事項についての判決も，あわせて求める。

　※申立てをする場合は該当事項の番号をマルで囲む

　イ　子の監護をすべき者その他監護について必要な事項

　ロ　財産の分与

請 求 の 原 因

1　原告と被告は，令和○○年○○月○○日婚姻の届出をした。

2　離婚の理由は，次のとおりである。　　※該当事項の番号をマルで囲む

　イ　不貞な行為　　ロ　悪意の遺棄　　ハ　三年以上生死不明

　ニ　不治の精神病　　ホ　その他婚姻を継続し難い重大な事由

3　前項の理由の詳細は，別紙第1記載のとおりである。

4（1）次の離婚調停を経由した。

　　イ　裁判所名　＿＿＿＿家庭裁判所

　　ロ　期　　間　＿＿＿＿年　　月　　日調停申立て

　　　　　　　　　＿＿＿＿年　　月　　日調停不調

　　ハ　調停不調となった主な理由

　　　①　被告が調停に出頭しない

　　　②　被告が離婚に同意しない

（1−030 訴状（離婚等請求））

③　子の親権又は監護について合意が成立しない

④　財産分与について合意が成立しない

⑤　その他

（２）離婚調停を経由しない。その理由

①　被告の所在不明　　②　被告の精神病　　③　その他

５　親権者を指定するについての具体的資料は別紙第２記載のとおりである。

※特に主張したい事情があれば記載すること

６　その他の事情

※子の監護又は財産の分与について申立てをしない場合は記載する必要はない

①　子の監護をすべき者その他子の監護について必要な事項及びこれを定めるについての具体的資料

②　財産分与の額及び支払方法並びにこれを定めるについての具体的資料

（1－030 訴状（離婚等請求））

1−031 訴状（離婚無効確認請求）

収入
印紙

訴　　状

令和○○年○○月○○日

○○家庭裁判所　御中

原告訴訟代理人弁護士　○　○　○　○　印

本　籍　○○県○○市○○町○○丁目○○番地
住　所　〒○○○−○○○○
○○県○○市○○町○○丁目○○番地
原　告　○　○　○　○

（送達場所）
住　所　〒○○○−○○○○
○○県○○市○○町○○丁目○○番地
○○弁護士会所属
上記原告訴訟代理人弁護士　○　○　○　○
ＴＥＬ　○○○（○○○）○○○○
ＦＡＸ　○○○（○○○）○○○○

本　籍　○○県○○市○○町○○丁目○○番地
住　所　〒○○○−○○○○
○○県○○市○○町○○丁目○○番地
被　告　○　○　○　○

離婚無効確認請求事件
訴訟物の価額　金○○○○円也
貼用印紙額　金○○○○円也

請　求　の　趣　旨

1　令和○○年○○月○○日付○○市長に対する届出による原告と被告との離婚は無効であることを確認する。

2　訴訟費用は被告の負担とする。

との判決を求める。

請　求　の　原　因

1　原告と被告は，令和○○年○○月○○日婚姻届出をして夫婦となったものである。

2　ところが，被告は令和○○年頃原告と一子○○を残して家出をし，その後○○○○と同棲し，今日に至っているが，令和○○年原告を相手方として○○家庭裁判所に離婚の調停申立てをしたが，同調停事件は原告が離婚に応じなかったので不調になった。

3　しかるに，原告と被告とは戸籍上令和○○年○○月○○日離婚届により離婚したことになっている。

4　しかし，原告は被告と前記届出による離婚をしたことはない。前記離婚届は，被告が原告の関知しない間に原告との協議に基づくことなく勝手にこれをしたものである。

　したがって，前記届出による離婚は当然無効である。

1－032 訴状（親子関係不存在確認請求）

収入
印紙

訴　　　状

令和○○年○○月○○日

○○家庭裁判所　御中

原告訴訟代理人弁護士　○　○　○　○　印

本　籍　○○県○○市○○町○○丁目○○番地
住　所　〒○○○－○○○○
　　　　○○県○○市○○町○○丁目○○番地
原　告　　　　A
住　所　〒○○○－○○○○
　　　　同　　　所　　　同　　　番地
上記原告法定代理人親権者　母　　　　B
（送達場所）
住　所　〒○○○－○○○○
　　　　○○県○○市○○町○○丁目○○番地
○○弁護士会所属
上記原告訴訟代理人弁護士　○　○　○　○
TEL　○○○（○○○）○○○○
FAX　○○○（○○○）○○○○
本　籍　○○県○○市○○町○○丁目○○番地
住　所　〒○○○－○○○○
　　　　○○県○○市○○町○○丁目○○番地
被　告　　　　C

親子関係不存在確認請求事件
訴訟物の価額　　金○○○○円也
貼用印紙額　　金○○○○円也

請　求　の　趣　旨

1　被告と原告との間に父子関係が存在しないことを確認する。
2　訴訟費用は被告の負担とする。
との裁判を求める。

請　求　の　原　因

1　原告の母Bは，平成○○年○○月○○日被告と婚姻の届出をし，肩書本籍において同居し，両名の間に平成○○年○○月○○日長男D（同月○○日死亡），平成○○年○○月○○日次男Eが出生した。しかし，被告は素行悪く怠慢にして飲酒にふけり，このためBは令和○○年○○月頃，被告と事実上離婚することを合意して別居し，令和○○年○○月○○日離婚の届出をした。
2　その後，被告は別居した頃から慢性アルコール中毒症患者となり，精神に異常を来たし，令和○○年○○月○○日より令和○○年○○月○○日まで○○県○○町○○病院に入院し，治療を受けたが，その病状は悪化の一途を辿った。
3　一方Bは，令和○○年○○月頃訴外○○○○と知り合って同棲中懐胎して，令和○○年○○月○○日原告を分娩し，令和○○年○○月○○日原告を被告とBとの嫡出子としての出生届出をした。
4　したがって原告は，Bと同訴外人との間の子であるが，Bと被告との婚姻解消の日である令和○○年○○月○○日から３００日以内に出生したため，同年○○月○○日被告とBとの嫡出子として出生届がなされ，その旨被告の戸籍に入籍記載されている。
5　よって，原告は被告に対し，被告と原告との間に親子関係が存在しないことの確認を求めるためこの訴えを提起する。

1−033 訴状（株主総会決議無効確認請求）

収入印紙

訴　　　状

令和○○年○○月○○日

○○地方裁判所　御中

原告訴訟代理人弁護士　○　○　○　○　印

〒○○○−○○○○
○○県○○市○○町○○丁目○○番地
原　告　○　○　○　○

〒○○○−○○○○
○○県○○市○○町○○丁目○○番地
原　告　○　○　○　○

（送達場所）
〒○○○−○○○○
○○県○○市○○町○○丁目○○番地
○○弁護士会所属
上記原告ら訴訟代理人弁護士　○　○　○　○
ＴＥＬ　○○○（○○○）○○○○
ＦＡＸ　○○○（○○○）○○○○

〒○○○−○○○○
○○県○○市○○町○○丁目○○番地
被　告　□□株式会社
代表者代表取締役　○　○　○　○

株主総会決議無効確認請求事件

訴訟物の価額　　金○○○○円也

貼用印紙額　　　金○○○○円也

請　求　の　趣　旨

1　主位的請求

①　被告会社の令和○○年○○月○○日臨時株主総会における会社解散，監査役及び法定清算人選任の各決議は無効であることを確認する。

②　訴訟費用は被告会社の負担とする。

2　予備的請求

①　主位的請求第①項記載の各決議はこれを取り消す。

②　主位的請求第②項に同じ。

との判決を求める。

請　求　の　原　因

1　主位的請求原因

①　原告らはいずれも被告会社の株主である。

②　被告会社は令和○○年○○月○○日午前○○時頃から○○県○○市○○町○○信用金庫会議室において臨時株主総会（以下「本件株主総会」という。）を開催し，本件株主総会においては，会社解散監査役及び法定清算人選任の各決議（以下「本件株主総会決議」という。）がなされた。

③　しかしながら本件株主総会決議は，次のとおり決議の内容において法令に違反する瑕疵があるから無効である。

すなわち，

イ　○○○○○○○○○○

ロ　○○○○○○○○○○

ハ　○○○○○○○○○○○

ニ　○○○○○○○○○○○

④　よって，原告らは本件株主総会決議の無効確認を求める。

2　予備的請求原因

①　主位的請求原因第①項，第②項に同じ。

②　本件株主総会決議には，その総会招集の手続き又はその決議の方法において次のような法令及び定款に違反する瑕疵がある。

イ　本件株主総会は，被告会社の定款第○○条第○○項に「株主総会は法令に別段の定めのある場合を除き取締役の決議に基づき社長これを招集する」と規定するのにもかかわらず，取締役会の決議に基づかないで招集されたもので，定款に違反している。

ロ　主位的請求原因第③項のイからニと同じ。

③　よって，原告は本件株主総会決議の取消しを求める。

（1―033 訴状（株主総会決議無効確認請求））

1－034 訴状（新株発行無効請求）

収　入
印　紙

訴　　　状

令和〇〇年〇〇月〇〇日

〇〇地方裁判所　御中

原告訴訟代理人弁護士　〇　〇　〇　〇　印

〒〇〇〇－〇〇〇〇
〇〇県〇〇市〇〇町〇〇丁目〇〇番地
原　告　〇　〇　〇　〇
（送達場所）
〒〇〇〇－〇〇〇〇
〇〇県〇〇市〇〇町〇〇丁目〇〇番地
〇〇弁護士会所属
上記原告訴訟代理人弁護士　〇　〇　〇　〇
ＴＥＬ　〇〇〇（〇〇〇）〇〇〇〇
ＦＡＸ　〇〇〇（〇〇〇）〇〇〇〇
〒〇〇〇－〇〇〇〇
〇〇県〇〇市〇〇町〇〇丁目〇〇番地
被　告　□□株式会社
代表者代表取締役　〇　〇　〇　〇

新株発行無効請求事件
訴訟物の価額　金〇〇〇〇円也
貼用印紙額　金〇〇〇〇円也

請　求　の　趣　旨

1　被告が令和○○年○○月○○日にした１株の金額及び発行価額を金５万円とする額面株式○○○○株の新株の発行を無効とする。

2　訴訟費用は被告の負担とする。

との判決を求める。

請　求　の　原　因

1　原告は被告会社の株主であって５００株を所有している。

2　被告会社は，令和○○年○○月○○日，１株の金額及び発行価額を金５万円とする額面新株式○○○○株を発行した。

3　しかし，上記新株発行は次のとおり無効である。

①　○○○○○○○○○○○

②　○○○○○○○○○○○

4　よって，請求の趣旨記載の判決を求める。

（1—034 訴状（新株発行無効請求））

1－035 訴状（請求異議）

収入
印紙

訴　　　状

令和○○年○○月○○日

○○地方裁判所　御中

原告訴訟代理人弁護士　○　○　○　○　印

〒○○○－○○○○
○○県○○市○○町○○丁目○○番地
原　告　○　○　○　○

〒○○○－○○○○
○○県○○市○○町○○丁目○○番地
原　告　○　○　○　○

（送達場所）
〒○○○－○○○○
○○県○○市○○町○○丁目○○番地
○○弁護士会所属
上記原告ら訴訟代理人弁護士　○　○　○　○
ＴＥＬ　○○○（○○○）○○○○
ＦＡＸ　○○○（○○○）○○○○

〒○○○－○○○○
○○県○○市○○町○○丁目○○番地
被　告　○　○　○　○

請求異議の訴
訴訟物の価額　　金○○○○円也

貼用印紙額　　　金○○○○円也

請　求　の　趣　旨

1　被告の原告に対する○○地方裁判所令和○○年（○）第○○号○○○○請求事件の執行力ある判決の正本に基づく強制執行は許さない。

2　訴訟費用は，被告の負担とする。

との判決を求める。

請　求　の　原　因

1　被告の原告に対する債務名義として，次のものが存在する。

①　債務名義の種類　　　　請求の趣旨第１項記載のとおり

②　債務名義の成立年月日　令和○○年○○月○○日

③　債務名義にあげられた請求権の内容は次のとおりである。

(1)　元　本　　金○○○○円

(2)　損害金　　金○○○○円

上記(1)に対する令和○○年○○月○○日から令和○○年○○月○○日まで年○分の割合による金員

2　下記債務名義に対する異議の原因は，次のとおりである。

※該当事項の番号をマルで囲む

(1)　債務名義にあげられた請求権は，次の理由によって，最初から存在しない。

イ　公序良俗違反　　ロ　強行法規違反　　ハ　通謀虚偽表示　　ニ　錯誤

ホ　詐欺　　ヘ　強迫　　ト　無権代理　　チ　その他

(2)　上記請求権は，債務名義成立後，次の理由によって，消滅し又は変更した。

イ　弁済　　ロ　消滅時効完成　　ハ　免除　　ニ　相殺　　ホ　譲渡

ヘ　更改　　ト　解除　　チ　履行条件の変更　　リ　期限の猶予

ヌ　その他

（1－035　訴状（請求異議））

3　前項の異議の原因の詳細は，別紙のとおりである。

4　そこで原告は，上記債務名義に基づく強制執行の不許可を求める。

（1－035 訴状（請求異議））

1－036 訴状（第三者異議）

収入
印紙

訴　　　状

令和○○年○○月○○日

○○地方裁判所　御中

原告訴訟代理人弁護士　○　○　○　○　印

〒○○○－○○○○

○○県○○市○○町○○丁目○○番地

原　告　○　○　○　○

（送達場所）

〒○○○－○○○○

○○県○○市○○町○○丁目○○番地

○○弁護士会所属

上記原告訴訟代理人弁護士　○　○　○　○

ＴＥＬ　○○○（○○○）○○○○

ＦＡＸ　○○○（○○○）○○○○

〒○○○－○○○○

○○県○○市○○町○○丁目○○番地

被　告　○　○　○　○

第三者異議の訴

訴訟物の価額　金○○○○円也

貼用印紙額　金○○○○円也

請　求　の　趣　旨

1　被告が，訴外○○○○に対する○○地方裁判所令和○○年（○）第○○号○○○○請求事件の判決の執行力ある正本に基づき令和○○年○○月○○日別紙目録記載の物件についてした強制執行は許さない。

2　訴訟費用は，被告の負担とする。

との判決を求める。

請　求　の　原　因

1　被告は，訴外○○○○に対する請求の趣旨第1項記載の債務名義に基づいて，令和○○年○○月○○日別紙目録記載の物件（以下「本件物件」という。）について，強制執行をした。

2　しかしながら，本件物件は，次の事情によって，原告の所有に属するものである。

①　本件物件は，原告が令和○○年○○月○○日に訴外○○○○より買ったものである。

②　本件物件につき，令和○○年○○月○○日に原告への所有権移転登記が完了している。

3　そこで，原告は，被告が本件物件についてした上記強制執行の排除を求める。

1－037 訴状（少額訴訟）

収入
印紙

訴　　　状
（少額訴訟）

令和○○年○○月○○日

○○地方裁判所　御中

原告訴訟代理人弁護士　　○　○　○　○　　印

〒○○○－○○○○
○○県○○市○○町○○丁目○○番地
原　告　　　○　○　○　○

（送達場所）
〒○○○－○○○○
○○県○○市○○町○○丁目○○番地
○○弁護士会所属
上記原告訴訟代理人弁護士　○　○　○　○
ＴＥＬ　○○○（○○○）○○○○
ＦＡＸ　○○○（○○○）○○○○

〒○○○－○○○○
○○県○○市○○町○○丁目○○番地
被　告　　　○　○　○　○

売買代金支払請求事件
訴訟物の価額　　金○○○○円也
貼用印紙額　　　金○○○○円也

請　求　の　趣　旨

被告は，原告に対し，金○○○○円及びこれに対する令和○○年○○月○○日から支払済みまで年○○分の割合による金員を支払え。

との判決を求める。

紛　争　の　要　点

１　原告

２　売買契約

３　その他の事情

少額訴訟による審理及び裁判を求める。

原告が○○簡易裁判所において令和××年に少額訴訟による審理及び裁判を求めた回数は，これまで×回ある。

1－038 訴状（共有物分割請求）

収入
印紙

訴　　状

令和○○年○○月○○日

○○地方裁判所　御中

原告訴訟代理人弁護人　○　○　○　○　　印

〒○○○－○○○○
東京都○○区○○町○○丁目○○番○○号
原　告　　　　　○　○　○　○
（送達場所）
〒○○○－○○○○
東京都○○区○○町○○丁目○○番○○号
上記原告訴訟代理人弁護士　○　○　○　○
ＴＥＬ　○○（○○○○）○○○○
ＦＡＸ　○○（○○○○）○○○○
〒○○○－○○○○
東京都○○区○○町○○丁目○○番○○号
被　告　　　　　○　○　○　○

共有物分割請求事件
訴訟物の価額　　　金○○○○円也
貼用印紙額　　　　金○○○○円也

第１　請求の趣旨

１　別紙物件目録記載の土地について競売を命じ，その売却代金を原告及び被告に各2分の1の割合で分割する。
2　訴訟費用は被告の負担とする。
との判決を求める。

第2　請求の原因

1　別紙物件目録記載の土地（以下「本件土地」という。）は亡○○○○（以下「○○」という。）の所有であったところ，同人は令和○○年○○月○○日に死亡した。
2　原告及び被告は本件土地を売却の上その代金を相続税に充てることで合意し，各2分の1の持分にて本件土地を相続した。
3　その後，亡○○の遺産分割調停を経て亡○○についての遺産分割が終了したことから，原告が被告に対し本件土地を売却しその代金を分割するよう協力を求めたが，被告は全く反応を示さない。
　よって本件訴えに及ぶ。

証　拠　方　法

甲第1号証　　○○○○○○　　1通

添　付　書　類

甲号証写し	1通
土地登記事項証明書	1通
固定資産評価証明	1通
委任状	1通

物　件　目　録

所　在　　東京都○○区○○町○○丁目

地　番　　○○番○○

地　目　　○○

地　積　　○○．○○㎡

○○○○　持分２分の１

○○○○　持分２分の１

（1－038 訴状（共有物分割請求））

民訴

1−039 訴状（過払金返還請求）

収入
印紙

訴　　　状

令和○○年○○月○○日

○○地方裁判所　御中

原告訴訟代理人弁護士　○　○　○　○　印

〒○○○−○○○○
○○県○○市○○町○○丁目○○番地
原　告　○　○　○　○
（送達場所）
〒○○○−○○○○
○○県○○市○○町○○丁目○○番地
○○弁護士会所属
上記原告訴訟代理人弁護士　○　○　○　○
ＴＥＬ　○○○（○○○）○○○○
ＦＡＸ　○○○（○○○）○○○○
〒○○○−○○○○
○○県○○市○○町○○丁目○○番地
被　告　○　○　○　○

不当利得金返還請求事件
訴訟物の価額　金○○○○円也
貼用印紙額　金○○○○円也

▶　依頼者と貸金業者との間の取引経過が明らかになっている場合の基本的な文例である。

▶　貸金業者が不当利得につき悪意の場合，受益の時から過払金に対する法定利息の請求が可能となる（民法704条）。この点について，貸金業者は，利息制限法を超過した利率であることの認識があり，過払いになった時点で特別の事情がない限り悪意の推定を受けるとする最高裁判例がある（最

請 求 の 趣 旨

1　被告は原告に対し，金○○○○円及び内金○○○○円に対する令和○○年○○月○○日から支払済みまで年５分の割合による金員を支払え。

2　訴訟費用は被告の負担とする。

との判決及び第１項につき仮執行の宣言を求める。

請 求 の 原 因

1　当事者

原告は，一般の消費者であり，被告は，消費者を顧客として貸金を業とする株式会社である。

2　取引の経過

原告は，被告との間で，令和○○年○○月○○日から令和○○年○○月○○日まで，別紙「計算書」の「年月日」欄・「借入額」欄・「返済額」欄記載のとおり，継続的に金銭消費貸借取引を行ってきた。

なお，別紙「計算書」は，被告から開示された取引履歴をもとに，原告が利息制限法所定の利率に引き直したものである。

3　不当利得

原告は，別紙「計算書」のとおり，利息制限法所定の利率を超過した過払金は金○○○○円となっている。同額は，債務が存在しないのに支払われた金員であり，被告は法律上の原因なくして同金員を利得している。

4　悪意の受益者

利息制限法を超過して支払われた利息が元本に充当されること，充当の結果，元本が不存在となった場合には，不当利得返還請求が認められることは，最高裁判例により確立されている。

被告は貸金業者であり，同判例理論を知りながら，原告からの弁済を受領してきたものであり，民法７０４条の悪意の受益者に該当するので，年５分の利息を

（1―039 訴状（過払金返還請求））

高裁平成 19 年 7 月 13 日判決）。

付して返還することを要する。

5　よって，原告は被告に対し，

①　不当利得返還請求に基づき過払金元金〇〇〇〇円

②　民法７０４条に基づき令和〇〇年〇〇月〇〇日までの利息金〇〇〇〇円及び過払金元金〇〇〇〇円に対する令和〇〇年〇〇月〇〇日から支払済みに至るまでの年５分の割合による利息

の支払いを求める。

（1－039　訴状（過払金返還請求））

1−040 管轄合意書

管　轄　合　意　書

賃貸人○○○○と賃借人○○○○との間に令和○○年○○月○○日成立した土地賃貸借契約に関する一切の紛争について提起する訴訟については，○○地方裁判所を専属的管轄裁判所とすることに合意する。

令和　　年　　月　　日

住　所　〒

賃貸人　　　　　　　　　　　　　　　　　　　印

住　所　〒

賃借人　　　　　　　　　　　　　　　　　　　印

▶ 民事訴訟法11条。

▶ 本例は専属的合意管轄をした場合の例である。追加的（付加的）合意管轄とするには,「○○地方裁判所を管轄裁判所とする。」と，「専属的」の文字を削除すればよい。

1—041 移送の申立て①

令和○○年（ワ）第○○号　○○○○請求事件

移　送　の　申　立　て

原　告　　○　○　○　○
被　告　　○　○　○　○

上記当事者の間の貴庁令和○○年（ワ）第○○号○○○○請求事件について，被告は次のとおり訴訟の移送の申立てをする。

令和○○年○○月○○日
〒○○○－○○○○
○○県○○市○○町○○丁目○○番地
上記被告訴訟代理人弁護士　○　○　○　○　印

○○地方裁判所民事第○○部　御中

申　立　て　の　趣　旨

本件を○○地方裁判所に移送する。
との決定を求める。

申　立　て　の　理　由

1　原告は，前記訴訟事件を義務履行地たる原告の住所地を管轄する裁判所である貴庁に対し提起したが，本件は，もともと○○市における交通事故に関する損害賠償請求事件であって，被告主張の抗弁事実の立証としての証人たるべき者はすべて○○市に居住しており，被告としても，現場の検証を申請する用意もある。

▶ 民事訴訟法 16 条，17 条，19 条。
▶ 申立書は正本・副本各１通を事件係に提出する。
▶ 印紙は不要であるが，送達のための予納郵券が必要である。予納郵券は裁判所により取扱いが異なるので，裁判所に確かめるのがよい。

2　しかるに貴庁において審理を受ける場合には，証人の旅費日当，実地検証等の訴訟費用及び当事者と現地側との連絡準備等に莫大な費用がかかり，また遠隔地の証人らの出頭率も悪くなるおそれもあり，訴訟の遅延を来すことになるかもしれないので，本件を○○地方裁判所に移送するのが相当であると考え，本申立てをする。

以　上

（1－041 移送の申立て①）

1−042 移送の申立て②

令和○○年（ハ）第○○号　○○○○請求事件

移　送　の　申　立　て

原　告　　○　○　○　○
被　告　　○　○　○　○

上記当事者間の貴庁令和○○年（ハ）第○○号○○○○請求事件について，被告は次のとおり移送の申立てをする。

令和○○年○○月○○日

〒○○○−○○○○
○○県○○市○○町○○丁目○○番地○○号
上記被告訴訟代理人弁護士　○　○　○　○　印

○○簡易裁判所　御中

申　立　て　の　趣　旨

本件を○○地方裁判所に移送する。
との裁判を求める。

申　立　て　の　理　由

１　本件は，不動産に関する訴訟で，その争点は多岐にわたり複雑なものである。
２　よって民訴法第１９条２項により申立ての趣旨記載の裁判を求める。

以　上

▶ 1−041 参照。

1−043 訴訟委任状

訴　訟　委　任　状

令和　　年　　月　　日

〒

委任者　　　　　　　　　　　　　　　　　印

私は次の弁護士を訴訟代理人と定め，下記の事項を委任します。

○○弁護士会所属

弁護士　　○　○　○　○

〒○○○−○○○○

○○県○○市○○町○○丁目○○番○○号

ＴＥＬ　○○○（○○○）○○○○

ＦＡＸ　○○○（○○○）○○○○

1

2　反訴の提起，和解，調停，請求の放棄認諾，訴訟参加訴訟引受に基づく訴訟脱退。

3　控訴，上告，上告受理の申立て及びこれらの取下げ，訴え及び申立ての変更及び取下げ。

4　手形判決小切手判決又は少額訴訟判決に対する異議の取下げ又は取下げの同意。

5　復代理人選任，支払請求及び弁済受領，供託及び供託の還付取戻，関係証拠収集。

1―044 訴訟代理権消滅通知書

訴訟代理権消滅通知書

令和○○年○○月○○日

○○地方裁判所民事第○○部　御中

原告訴訟代理人弁護士　○　○　○　○　印

原　告　○　○　○　○
被　告　○　○　○　○

上記当事者間の貴庁令和○○年（ワ）第○○号○○○○請求事件について，私は，都合により令和○○年○○月○○日原告の代理人を辞任したので，ここに通知いたします。

1−045 補佐人選任届

補 佐 人 選 任 届

令和〇〇年〇〇月〇〇日

〇〇地方裁判所民事第〇〇部　御中

原告訴訟代理人弁護士　　〇　〇　〇　〇　　印

原　告　　〇　〇　〇　〇

被　告　　〇　〇　〇　〇

上記当事者間の貴庁令和〇〇年（ワ）第〇〇号〇〇〇〇請求事件について，私は弁理士法第９条に基づき次の者を補佐人として選任したので，お届けいたします。

記

〒〇〇〇−〇〇〇〇

〇〇県〇〇市〇〇町〇〇丁目〇〇番地

弁理士　　〇　〇　〇　〇

以　上

1－046 訴状訂正申立書

訴　状　訂　正　申　立　書

令和○○年○○月○○日

○○裁判所民事第○○部　御中

原告訴訟代理人弁護士　○　○　○　○　印

原　告　○　○　○　○
被　告　○　○　○　○

上記当事者間の貴庁令和○○年（ワ）第○○号○○○○請求事件について，原告は，次のとおり訴状を訂正いたします。

申立ての趣旨及び理由

1　請求の趣旨第２項中，「金３１万円」とあるのを，「金２２万円」と訂正する。上記は誤記によるものである。

2　請求の原因中，「山川一郎」と記載してあるのは，「山川二郎」の誤記であるので，「山川二郎」と訂正する。

3　請求の原因第３項中，「令和元年５月１０日」とあるのは，「令和元年６月１０日」の誤記であるので，正しいものに訂正する。

4　請求原因第３項の末尾に，次のように補充する。

「原告は被告に対し，令和○○年○○月○○日，内容証明郵便をもって本件賃貸借契約を解除する旨の意思表示を行い，同書面は，同月○○日被告に到達した。」

以　上

1−047 就業先への送達上申書

就業先への送達上申書

令和○○年○○月○○日

○○地方裁判所　御中

原告訴訟代理人弁護士　○　○　○　○　印

原　告　○　○　○　○

被　告　○　○　○　○

上記当事者間の貴庁令和○○年（○）第○○号○○○○請求事件について，被告に対する送達をその住所地に試みたが，全戸不在で不能となったので，被告の就業先である下記の場所に送達されたく上申する。

記

送達場所

〒○○○−○○○○

○○県○○市○○町○○丁目○○番地○○号

□□株式会社○○　○○部○○課内

以　上

- 民事訴訟法103条2項。
- 就業場所へ送達するには，①住所・居所が知れないとき，②住所・居所等に送達を試みたが受取人不在で還付された場合のように，住所・居所等において送達をするについて送達することができない場合，③就業場所において送達を受くべき旨の申述をしたとき――のいずれかに該当する必要がある。

1−048 書留郵便に付する送達の上申書

令和〇〇年（〇）第〇〇号　〇〇〇〇事件
原　告　　〇　〇　〇　〇
被　告　　〇　〇　〇　〇

書留郵便に付する送達の上申書

令和〇〇年〇〇月〇〇日

〇〇地方裁判所　御中

原告訴訟代理人　　〇　〇　〇　〇　　印

本件被告〇〇〇〇に対する訴状等の送達が不奏功となっているところ，別紙調査報告書のとおり，同人は住所地に居住しており，かつ，就業場所が判明しないので，同人に対し，書留郵便に付する送達をされるよう上申します。

添　付　書　類

住民票　〇通
戸籍附票　〇通
調査報告書　〇通

1−049 調査報告書（書留郵便に付する送達上申書）

令和〇〇年（〇）第〇〇号　〇〇〇〇事件
原　告　　〇　〇　〇　〇
被　告　　〇　〇　〇　〇

調　査　報　告　書

令和〇〇年〇〇月〇〇日

〇〇地方裁判所　御中

調査者　　〇　〇　〇　〇　　印
（原告訴訟代理人）

被告〇〇〇〇の住居所及び就業場所を調査した結果は，次のとおりです。

第１　住居所について

１　調査日時
２　調査場所
３　調査方法

①　ガス，電気の支障状況　　　　　□　添付写真のとおり

②　郵便物の受け取り状況　　　　　□　添付写真のとおり

③　建物，部屋の外観　　　　　　　□　添付写真のとおり

④　近隣者等からの聴取内容
氏　名
住　所
聴取内容

⑤　その他

第２　就業場所について

1　調査日時

2　調査場所

3　調査方法及び結果

□　上記現地に赴き次のとおり調査した。

□　電話により次のとおり調査した。

相手方氏名

電話番号

聴取内容

□　その他

1−050 公示送達申立書

公　示　送　達　申　立　書

令和〇〇年〇〇月〇〇日

〇〇地方裁判所民事第〇〇部　御中

原告訴訟代理人弁護士　〇　〇　〇　〇　印

原　告　〇　〇　〇　〇

被　告　〇　〇　〇　〇

上記当事者間の貴庁令和〇〇年（ワ）第〇〇号〇〇〇〇請求事件について，被告の住所，居所その他送達をなすべき場所が知れないため，通常の手続で訴状等の送達ができないので，公示送達によることを許可されたく申立てをします。

添　付　書　類

1　住民票謄本　〇通

2　報告書　〇通

▶ 民事訴訟法110条～113条。

▶ 申立人は公示送達の要件の存在を証明しなければならない。相手方の送達をすべき場所が知れざることを立証するには，①住民票または戸籍の附票と，②申立人または申立人代理人の作成した調査報告書を提出すればよいであろう。このほかに，③最後の住所地の近隣者による証明書，④警察署長の捜索願出済証明書，⑤市町村役場の証明書，⑥相手方の近親者による証明書，⑦弁護士法23条の2第1項の報告書，⑧民生委員，町会役員その他の世話役の証明書，⑨外国人については法務省入管局長など官庁の証明書――のうち一種類または二種類を提出すればよい。

〈送達に関する上申書の共通事項〉

申立書は正本1通（ただし再送達の上申書は正副各1通）を提出する。提出先は事件担当部である。提出方法は直接持参してもよいし，郵便で出してもよい。

収入印紙の貼付は不要である。

送達のための郵便切手の予納を求められることがある。裁判所によって取扱いが異なるので，あらかじめ問い合わせるとよい。

1−051 調査報告書（公示送達）

調　査　報　告　書

令和○○年○○月○○日

○○地方裁判所民事第○○部　御中

原告訴訟代理人弁護士　　○　○　○　○　　印

原　告　　○　○　○　○

被　告　　○　○　○　○

上記当事者間の令和○○年（○）第○○号○○○○請求事件について被告の所在を調査した結果は下記のとおりです。

記

1　調査先の場所とその日時〔被告が法人である場合は，その所在地と代表者個人の住居所について具体的に記載する。〕

2　調査先の人物（家主・隣人・管理人など）について〔住所・電話番号などを具体的に記載する。調査先が官公署又は民生委員その他であれば，具体的に表示する。〕

3　調査内容について〔居住の有無・態様・居住していたとしたらその時期及び転居先などを具体的に記載する。〕

（1）いつまで居住していたか

（2）居住の態様　　イ．家族とともに　　　ロ．単身　　　　ハ．職業

（3）転　居　先

1－052 夜間（休日）送達の上申書

夜間（休日）送達の上申書

令和○○年○○月○○日

○○地方裁判所民事第○○部　御中

原告訴訟代理人弁護士　○　○　○　○　印

原　告　○　○　○　○

被　告　○　○　○　○

上記当事者間の貴庁令和○○年（ワ）第○○号○○○○請求事件について，被告に対する訴状副本及び令和○○年○○月○○日午前１０時の口頭弁論期日の呼出状の送達に関し，下記事由により夜間（休日）における送達をしていただきたく上申します。

記

被告に対する上記各書状の送達が全戸不在により不送達となったので，原告において調査したところ，被告及びその家族は夜間でなければ在宅しないことが判明したため。

以　上

▶　送達は，日曜日その他一般の休日または日出前日没後でも実施することができ，法律上の制限はない。しかし，特に送達を急ぎ翌日まで待てない場合や，日中はいつも不在で夜間しか送達場所にいないときでないと，夜間・休日の送達は行っていない。

▶　あらかじめ執行官と送達可能時間等を打ち合わせておくか，または上申書に記載しておくとよい。また，送達場所の略図を添付するよう求められるときもある。

1−053 再送達上申書

再　送　達　上　申　書

令和○○年○○月○○日

○○地方裁判所民事第○○部　御中

原告訴訟代理人弁護士　　○　○　○　○　　印

原　告　　○　○　○　○
被　告　　○　○　○　○

上記当事者間の貴庁令和○○年（ワ）第○○号○○○○請求事件について，被告に対する訴状副本は送達不能となったところ，調査の結果下記の所に居住していることが判明したので，同所宛再送達せられたく上申します。

記

〒○○○−○○○○
○○県○○市○○町○○丁目○○番地　　　○○方

以　上

1－054 答弁書

令和○○年（○）第○○号　○○○○請求事件

答　弁　書

令和○○年○○月○○日

○○地方裁判所民事第○○部○○係　御中

被告訴訟代理人弁護士　○　○　○　○　印

原　告　○　○　○　○

被　告　○　○　○　○

請求の趣旨に対する答弁

1　原告の請求を棄却する。

2　訴訟費用は原告の負担とする。

との判決を求める。

請求の原因に対する答弁

被　告　の　抗　弁

1−055 準備書面

令和○○年（○）第○○号　○○○○請求事件

準　備　書　面

令和○○年○○月○○日

○○地方裁判所民事第○○部○○係　御中

被告訴訟代理人弁護士　　○　○　○　○　　印

原　告　　○　○　○　○

被　告　　○　○　○　○

被　告　の　主　張

1

2

▶ 民事訴訟法161条，162条，166条，170条。

▶ 準備書面とは，口頭弁論で当事者がなすべき弁論の内容およびこれに付随する事項を記載した書面をいう。準備書面のうち被告・被上訴人の反対申立を記載した最初のものを「答弁書」という。

▶ 答弁は，本案前の申立てと本案についての申立てがある。前者の例としては「本件訴（控訴・上告）を却下する」との判決を求めるものがあり，上訴に対する後者の申立ては「本件控訴（上告）を棄却する」との判決を求めればよい。

▶ 答弁書・準備書面は，正本１通と相手方の数と同数の副本を事件の担当部に直接提出する。

▶ 書面は，裁判所および相手方が検討できるよう，１週間位前に提出するのがよい。

▶ 裁判所は次回期日の順に記録を保管しているので，次回期日を記載する。

1−056 証拠説明書

令和○○年（○）第○○号　損害賠償請求事件

原　告　○　○　○　○

被　告　○　○　○　○

証　拠　説　明　書

令和○○年○○月○○日

○○裁判所　御中

原告訴訟代理人　弁護士　○　○　○　○　印

号　証	標　目 （原本・写しの別）		作　成 年月日	作成者	立証趣旨	備　考
甲１		原本		被告		
甲２		原本		被告		

- 証拠の申出には，立証事項・証拠方法およびこれらの関係を明示しなければならない。また，証拠保全の申立てでは，保全の必要性も明らかにする必要がある。
- 当事者の明示すべき立証事項は，争点である個々の主要事実とすることが通例であるが，直接事項・補欠事実，または相手方の主張し相容れない事実を証明する場合は，これらによって指定され，または否定される事実を明らかにしなければならない。
- 申立書は，正本・副本各１通を事件の担当部に提出する。
- 収入印紙を貼付する必要はない。
- 裁判所は記録を次回期日の順に保管しているため，次回期日を記載しておくと裁判所の取扱いがスムーズにいくので，これを記載することが望ましい。

1―057 証拠認否書

証拠認否書

令和○○年○○月○○日

○○地方裁判所　御中

被告訴訟代理人
弁護士　○○○○　印

原告　○○○○
被告　○○○○

番　号	標　目	認　否　等
乙第１号証	不動産売買契約書	不知
乙第２号証	委任状	否認（ただし，原告名下の印影が原告の印章からなるものであることは認める。）
乙第３号証	印鑑証明書	認
乙第４号証	内容証明郵便	官署作成部分は認める。その余は不知。
乙第５号証	配達証明書	認

▶ 1―056 参照。

1−058 文書提出命令申立書

令和○○年（○）第○○号　○○事件（次回期日○○月○○日）

文書提出命令申立書

令和○○年○○月○○日

○○地方裁判所民事第○○部　御中

原告訴訟代理人弁護士　○　○　○　○　印

原　告　○　○　○　○
被　告　□□株式会社

上記当事者間の頭書事件について，原告は次のとおり文書提出命令の申立てをする。

1　文書の表示
被告会社の作成保管にかかる令和○○年○○月○○日開催の取締役会議事録

2　文書の趣旨
本件取締役会議事録には，被告会社の取締役であった原告先代亡○○○○が令和○○年○○月○○日に被告会社に対してなした金○○○○円の融資について令和○○年○○月○○日取締役会が事後承認を与えた事実が記載されている。

3　文書の所持者　○○○○

4　証すべき事実
被告会社取締役であった原告先代亡○○○○を貸主とし被告会社を借主とする令和○○年○○月○○日の金○○○○円の金銭消費貸借契約に対し令和○○年○○月○○日開催の被告会社取締役会が会社法３５６条１項に基づく承認を与えた事実を証し，もって，原告が本訴において請求する金銭消費貸借債権の成立に瑕疵のないことの証とする。

- 民事訴訟法 219 条～ 225 条。
- 申立書には，文書の表示，文書の趣旨，文書の所持者，証すべき事実，文書提出義務の原因を明らかにする必要がある。
- 文書の表示とは，文書の種別，表題，作成者名義，日付などによって特定するのに必要な記載を指す。

５　文書提出の義務の原因

民事訴訟法２２０条３号

1−059 証拠申立書（人証）

令和○○年（○）第○○号　○○事件（次回期日○○月○○日）

証　拠　申　立　書

令和○○年○○月○○日

○○地方裁判所民事第○○部　御中

原告訴訟代理人弁護士　　○　○　○　○　　印

原　告　　□□株式会社

被　告　　○　○　○　○

原告は，その主張事実を立証するため，次のとおり証拠の申立てをする。

1　人証の表示

〒○○○−○○○○

東京都○○区○○町○○丁目○○番○○号

証　　人　　　○　○　○　○　（同　行）

（尋問予定時間約××分）

2　証人によって証すべき事実

本証人は，原・被告間の本件商品売買取引につき原告の従業員として関与したものであり，同証人によって，同売買契約が令和○○年○○月○○日成立した事実及び同月××日原告が被告に対し同商品を引き渡した事実を立証する。

3　尋問事項　　別紙のとおり。

▶ 民事訴訟法190条〜211条。

▶ 証人の日当・旅費について，裁判所から証人申請をした者にあらかじめ納付するように命じられるので，これを担当書記官に問い合わせ予納しなければならない。

▶ 申立書の記載方法は，従来からの形式もあるが，表形式とすると見やすいので，多数証人を申請するときは，表形式もよい（**1−060** 参照）。

尋　問　事　項

1　証人は，令和○○年○○月○○日当時原告においてどのような地位，職掌にあったか。

2　被告が本件商品の売買契約を締結した事実の有無。

有るとすればその日時，経過並びに内容について。

3　原告が被告に対し本件商品を引き渡した事実の有無。

有るとすればその日時，経過並びに本件商品の明細について。

4　その他上記に関連する一切の事項。

1－060 証拠申立書（人証）（表形式）

令和○○年（○）第○○号　○○事件（次回期日○○月○○日）

証　拠　申　立　書

令和○○年○○月○○日

○○地方裁判所民事第○○部　御中

被告訴訟代理人弁護士　○　○　○　○　印

原　告　○　○　○　○

被　告　○　○　○　○

原告は主張事実立証のために次のとおり証拠の申立てをします。

氏　名	住　所	立証事項	証人と証拠との関係	呼出・同行所要時間
○○○○	〒○○○－○○○○ ○○県○○市○○町 ○○丁目○○番地	売買契約の成立	売買契約に立ち会った者	同行　○時間
○○○○	〒○○○－○○○○ ○○県○○市○○町 ○○丁目○○番○○号	同上	同上	呼出　○○分

尋問事項　　別紙のとおり。

▶ **1－059** 参照。

1−061 鑑定申立書

鑑　定　申　立　書

令和〇〇年〇〇月〇〇日

〇〇地方裁判所民事第〇〇部　御中

被告訴訟代理人弁護士　〇　〇　〇　〇　印

原　告　〇　〇　〇　〇
被　告　〇　〇　〇　〇

1　証すべき事実

本件債務引受弁済契約証書（乙第一号証）末尾の原告名義の署名が原告の筆跡ではない事実，及び同署名は訴外〇〇〇〇の偽造によるものである事実。

2　鑑定事項

① 本件債務引受弁済契約証書（乙第一号証）末尾の原告名義の署名の筆跡と，本件原告本人尋問調書添付の宣誓書又は本件記録添付の原告の訴訟代理人委任状記載の原告名義の署名の筆跡は，同一人の筆跡と認められるか。

② 甲第五号証（訴外〇〇〇〇から原告宛てハガキ）の筆跡と，上記乙第一号証の原告名義の署名は同一人の筆跡と認められるか。

3　鑑定人

貴庁において然るべき鑑定人を選任されたい。

- 民事訴訟法212条〜218条。
- 鑑定事項が長くなるときは，別紙に「鑑定事項」としてそれを記載するとよい。
- 鑑定人の指定は裁判所が決定することであって当事者の意見は裁判所を拘束しないが，裁判所の鑑定人選任を容易にさせるため，申立人が意見を上申するとよい。
- 鑑定料について，申立人は担当書記官に問い合わせて予納する必要がある。

1−062 証拠保全申立書

証 拠 保 全 申 立 書

令和○○年○○月○○日

○○地方裁判所　御中

申立人代理人弁護士　○　○　○　○　印

〒○○○−○○○○

○○県○○市○○町○○丁目○○番地

申立人　○　○　○　○

〒○○○−○○○○

○○県○○市○○町○○丁目○○番地

ＴＥＬ　○○○（○○○）○○○○

ＦＡＸ　○○○（○○○）○○○○

上記申立人代理人弁護士　○　○　○　○

〒○○○−○○○○

○○県○○市○○町○○丁目○○番地

相手方　医療法人□□病院

代表者理事　○　○　○　○

申 立 て の 趣 旨

相手方の病院に臨み，相手方の保管する，申立人の長男である○○○○（昭和○○年○○月○○日生）の診療（診療期間令和○○年○○月○○日から同年同月○○日まで）にかかる診療録，医師指示表・看護記録・Ｘ線写真・諸検査結果票・保険診療報酬請求書控，その他同診療に関して作成された一切の書類の提示命令及び検証を求める。

申　立　て　の　理　由

１　証すべき事実及び事情

２　保全の必要性

疎　明　方　法

１	報　告　書	１通
２	死亡診断書	１通
３	文　　　献	３通

附　属　書　類

１	疎明方法写し	各１通
２	資格証明書	１通
３	訴訟委任状	１通

1−063 補助参加の申立書

収入 印紙

補　助　参　加　の　申　立　書

令和○○年○○月○○日

○○地方裁判所民事第○○部　御中

原　告　　○　○　○　○
被　告　　○　○　○　○

〒○○○−○○○○
○○県○○市○○町○○丁目○○番地
TEL　○○○（○○○）○○○○
FAX　○○○（○○○）○○○○
補助参加申立人　○　○　○　○　印

上記当事者間の貴庁令和○○年（ワ）第○○号保証債務履行請求事件について，私は被告を補助するため，補助参加の申立てをする。

参　加　の　趣　旨

上記保証債務履行請求事件について，被告を補助するため，この訴訟に参加する。

参　加　の　理　由

1　前記事件について，原告は補助参加申立人に対し，令和○○年○○月○○日金○○○○円を利息年一割，弁済期を令和○○年○○月○○日と定めて貸し付け，被告は，上記債務を保証したとして，これの支払いを求めている。
2　補助参加申立人は，上記訴訟の結果について，利害関係を有するものであるから，ここに被告を補助するため，この申立てをいたします。

- 民事訴訟法42条〜46条。
- 訴訟の結果について法律上の利害関係（感情的または経済的な利害関係では不十分）を有する第三者は，その訴訟の係属中に当事者の一方を補助するため訴訟に参加することができる。
- 申立書は，正本1通，副本2通を事件の担当部に提出する。
- 申立書には，収入印紙500円を貼付する必要がある。

添　付　書　類

1　借用証　　　　　　　　　　　　　　　○通

2　領収証　　　　　　　　　　　　　　　○通

以　上

1−064 承継参加申立書

収　入 印　紙

承　継　参　加　申　立　書

令和○○年○○月○○日

○○地方裁判所民事第○○部　御中

参加人代理人弁護士　　○　○　○　○　　印

〒○○○−○○○○

○○県○○市○○町○○丁目○○番地

参加人　　　○　○　○　○

〒○○○−○○○○

○○県○○市○○町○○丁目○○番地

被参加人（原告）　　○　○　○　○

〒○○○−○○○○

○○県○○市○○町○○丁目○○番地

被参加人（被告）　　○　○　○　○

上記原告と被告間の貴庁令和○○年（ワ）第○○号○○○○請求事件について，参加人は当事者双方を相手方として民事訴訟法４７条により上記訴訟に参加する。

請　求　の　趣　旨

1　原告と参加人との間において別紙目録記載の家屋は参加人の所有であることを確認する。

2　被告は参加人に対し別紙目録記載の家屋を明け渡せ。

- 民事訴訟法 47 条，49 条。
- 訴訟の係属中にその訴訟の目的物を第三者が承継した場合，その第三者が積極的に訴訟に参加する制度が訴訟参加であり，逆に訴訟の当事者が当該承継人を訴訟に引き入れるのが訴訟引受の制度である。
- 訴訟承継の場合，参加申出人は常に原被告双方を相手方としなければならない（最判昭 42・9・27 民集 21 巻 7 号 1925 頁）。
- 申立書は，訴訟承継の場合は正本１通・

3　参加について生じた訴訟費用は原告及び被告の負担とする。
との判決を求める。

請求の原因及び参加の理由

1　別紙目録記載の家屋（以下「本件家屋」という。）について，原告は被告に対し所有権に基づき明渡請求訴訟を提起し，貴庁令和○○年（ワ）第○○号○○○○請求事件として係属中である。

2　原告は令和○○年○○月○○日参加人に対し本件家屋を代金○○○○円にて売り渡し，同月○○日所有権移転登記手続を経由し，参加人は前項の訴訟の原告たる地位を承継した。

3　然るに原告は近時参加人に対しこの所有権の移転を争い，被告は本件家屋を占有している。

4　よって参加人は，第１項の訴訟の原告の承継人として原告及び被告を相手方とし請求の趣旨記載の判決を求めるため，上記訴訟に承継参加する。

添　付　書　類

甲第１号証（不動産登記記録全部事項証明書）写し　　　　１通

副本２通を，訴訟引受の場合は正本・副本各１通を，それぞれ民事事件係に提出する。

▶　申立書には，通常の訴訟と同じように訴訟物の価額に応じた収入印紙を貼付する。

▶　予納郵券も，各裁判所の取扱いに従ったものを納める。

▶　添付書類も，通常の訴訟と同様に訴訟委任状・資格証明書などを添付する。

1－065 訴訟引受の申立書

収入
印紙

訴　訟　引　受　の　申　立　書

令和○○年○○月○○日

○○地方裁判所民事第○○部　御中

申立人（原告）代理人弁護士　　○　○　○　○　　印

〒○○○－○○○○

○○県○○市○○町○○丁目○○番地

申立人（原告）　　　　○　○　○　○

〒○○○－○○○○

○○県○○市○○町○○丁目○○番地

上記申立人代理人　弁護士　○　○　○　○　　印

〒○○○－○○○○

○○県○○市○○町○○丁目○○番地

被　告　　　　○　○　○　○

〒○○○－○○○○

○○県○○市○○町○○丁目○○番地

被申立人　　　　○　○　○　○

上記原告と被告間の貴庁令和○○年（ワ）第○○号　○○○○請求事件について，申立人（原告）は，被申立人に対する訴訟引受の申立てをする。

申　立　て　の　趣　旨

被申立人○○○○に対して，被告○○○○のため，本件訴訟の引受けを命ずる。との裁判を求める。

- 民事訴訟法 50 条～ 52 条。
- 訴訟の係属中にその訴訟の目的物を第三者が承継した場合，その第三者が積極的に訴訟に参加する制度が訴訟参加であり，逆に訴訟の当事者が当該承継人を訴訟に引き入れるのが訴訟引受の制度である。
- 訴訟承継の場合，参加申出人は常に原被告双方を相手方としなければならない（最判昭 42・9・27 民集 21 巻 7 号 1925 頁）。
- 申立書は，訴訟承継の場合は正本 1 通・

申　立　て　の　理　由

1　申立人は原告として，被告○○○○に対し○○○○請求の訴えを提起し，目下貴庁民事第○○部において審理中である。

2　被告は，原告所有地上に存する本件家屋を，令和○○年○○月○○日被申立人○○○○に贈与し，同日その所有権移転登記を経た。

3　よって，被申立人は，被告の原告に対する本件土地の明渡債務を承継したものである。

4　そこで，被申立人に対し，被告のため，本件訴訟を引き受けさせる旨の裁判を求めるため，この申立てをする。

添　付　書　類

1	本件家屋の登記記録全部事項証明書	1通
2	訴訟委任状	1通

以　上

副本２通を，訴訟引受の場合は正本・副本各１通を，それぞれ民事事件係に提出する。

▶　申立書には，通常の訴訟と同じように訴訟物の価額に応じた収入印紙を貼付する。

▶　予納郵券も，各裁判所の取扱いに従ったものを納める。

▶　添付書類も，通常の訴訟と同様に訴訟委任状・資格証明書などを添付する。

1−066 訴訟告知書

訴　訟　告　知　書

令和○○年○○月○○日

○○地方裁判所民事第○○部　御中

告知人（原告）代理人弁護士　○　○　○　○　印

〒○○○−○○○○
○○県○○市○○町○○丁目○○番地
告知人（原告）　○　○　○　○

〒○○○−○○○○
○○県○○市○○町○○丁目○○番地
被　告　○　○　○　○

〒○○○−○○○○
○○県○○市○○町○○丁目○○番地
被告知人　○　○　○　○

上記原告と被告間の○○地方裁判所令和○○年（ワ）第○○号○○○○請求事件について，告知人は被告知人に対し，訴訟告知をする。

告　知　の　理　由

1　原告が上記訴訟で主張している要旨は，○○○○○○○○ということである。

2　ところで，告知人が上記訴訟において万一敗訴すれば，○○○○○○○○の理由で，被告知人に対して損害賠償の請求をなし得るものと考えるので，ここに上記訴訟の告知をする。

訴　訟　の　程　度

上記訴訟は，○○地方裁判所民事第○○部において，第1回口頭弁論期日が，令

- 民事訴訟法53条。
- 訴訟係属中に当事者から訴訟に参加し得る第三者に訴訟告知がなされると，その者が訴訟に補助参加したのと同じ効力が生じる。
- 申立書は，正本1通のほか相手方と被告知人に送達すべき分の副本を事件の担当部に提出する。
- 申立書に収入印紙を貼付する必要はないが，郵券を予納する必要がある。

和○○月○○日午前○○時に開かれ，同日準備手続に付され，○○月○○日午前○○時第１回準備手続が開かれ，訴状に対する被告の認否がなされ，なお主張準備のため準備手続が続行され，次回準備手続期日は，○○月○○日午前○○時と指定されている。

以　上

1−067 訴変更の申立書（交換的変更）

収入
印紙

訴変更の申立書

令和○○年○○月○○日

○○地方裁判所民事第○○部　御中

原告訴訟代理人弁護士　○　○　○　○　印

原　告　○　○　○　○
被　告　○　○　○　○

上記当事者間の貴庁令和○○年（ワ）第○○号立替金請求事件について，原告は，次のとおり交換的に訴えを変更する。

請求の趣旨の変更

被告は原告に対し，金○○○○円及びこれに対する令和○○年○○月○○日から完済に至るまで年○○分の割合による金員を支払え。

訴訟費用は被告の負担とする。

との判決及び第１項について執行の宣言を求める。

請求の原因の変更

1　原告は被告に対し令和○○年○○月○○日金○○○○円を，弁済期令和○○年○○月○○日，利息年○○分の約定で貸し渡した。

2　被告は，弁済期を過ぎても上記金員を支払わない。

3　そこで，原告は被告に対し次の金員の支払いを求める。

①　元金○○○○円

②　上記金員に対する令和○○年○○月○○日から完済に至るまで年○○分の割

▶ 民事訴訟法143条。

▶ 訴えの変更には，原告が当初の請求を取り下げて新たな請求を申し立てる場合（交換的変更）と，当初の請求に新たな請求を付加する場合（追加的変更）とがある。本例は前者の場合である。

追加的変更には，新たな請求の併合の仕方により，単純併合，選択的併合，予備的併合の三種類がある。

これらのうちどれにするのか，申立書の

合による金員

以　上

中で明らかにする必要がある。

▶　申立書は，正本・副本各１通を事件の担当部に提出する。

▶　申立書には，変更後の請求について訴訟物の価額に応じた手数料から変更前の請求に係る手数料の額を控除した額の収入印紙を貼付する。

▶　訴えの交換的変更を弁論をした後に行うときは，被告の同意が必要である。

1−068 期日変更の申立書

期 日 変 更 の 申 立 書

令和○○年○○月○○日

○○地方裁判所民事第○○部　御中

被告訴訟代理人弁護士　○　○　○　○　印

原　告　○　○　○　○

被　告　○　○　○　○

上記当事者間の貴庁令和○○年（ワ）第○○号○○○○請求事件について，弁論期日が，○○月○○日午前○○時と指定されましたが，次の理由により期日の変更の申立てをします。

申 立 て の 理 由

1　指定された上記期日には，一昨日交通事故により骨折し，退院するのに約1カ月を要するため，出頭できません。

2　なお，当方の希望日を参考までに申し添えます。

○○月○○日　午前○○時

○○月○○日　午前○○時

以　上

▶ 民事訴訟法93条。

▶ 期日の変更とは，期日の開始前にその指定を取り消し，別の期日を指定する裁判である。期日の変更には厳しい制限がある。

▶ 申立書は，正本1通を事件の担当部に提出する。

▶ 収入印紙の貼付は不要である。

▶ 申立ての理由を証する書面があるときは，これを添付する。

1－069 口頭弁論期日受書

口　頭　弁　論　期　日　受　書

令和○○年○○月○○日

○○地方裁判所民事第○○部　御中

被告代理人弁護士　○　○　○　○　印

原　告　○　○　○　○
被　告　○　○　○　○

上記当事者間の令和○○年（○）第○○号○○○○事件の口頭弁論期日を令和○○年○○月○○日午前○○時と指定されましたので同日時に出頭致します。

▶ 1－068 参照。

1−070 更正決定の申立書

更　正　決　定　の　申　立　書

令和○○年○○月○○日

○○地方裁判所民事第○○部　御中

原告訴訟代理人弁護士　　○　○　○　○　　印

原　告　　　　○　○　○　○

被　告　　　　○　○　○　○

上記当事者間の貴庁令和○○年（ワ）第○○号○○○○請求事件について，令和○○年○○月○○日言い渡された判決の○○○○中○○○○○○○○とある部分は○○○○○○○○の誤りであることが明白であるから更正決定をされたく，この申立てをします。

- 民事訴訟法 257 条。
- 更正決定の申立ては，判決等をした裁判所に対して行う。上訴審に事件が係属しているときは，上訴審で行うとする実務も多いが，原審で行うとする取扱いもある。
- 申立書は，正本 1 通を裁判所の民事事件係に提出する。
- 更正決定には即時抗告ができるので，強制執行をするには確定証明が必要となる。
- 収入印紙の貼付は不要である。

1−071 取下書①

取　　下　　書

令和○○年○○月○○日

原　告　　○　○　○　○

被　告　　○　○　○　○

○○地方裁判所民事第○○部　御中

原　告　　○　○　○　○　　印

上記当事者間の貴庁令和○○年（○）第○○号○○○○請求事件について，このたび当事者間に示談が成立したので，原告は被告の同意を得て訴えの全部を取り下げます。

上記訴えの取下げに同意します。

令和　　年　　月　　日

被　　告　　　　　　　　　　　　　　印

- 民事訴訟法261条～263条。
- 訴えの取下げは，被告が応訴（答弁書の提出，準備手続での申述，口頭弁論期日での弁論）する前は原告は自由に行うことができるが，被告の応訴後は，被告の同意を要する。
- 取下書は，被告の同意が記載されているときは正本1通を提出すればよいが，そうでないときは副本も提出する（事件担当部宛に提出）。
- 収入印紙を貼付する必要はない。

1−072 取下書②

取　下　書

令和○○年○○月○○日

○○地方裁判所民事第○○部　御中

原告訴訟代理人弁護士　○　○　○　○　印

原　告　○　○　○　○

被　告　○　○　○　○

上記当事者間の貴庁令和○○年（○）第○○号○○○○請求事件について，原告は都合により訴えの全部を取り下げます。

▶ **1−071** 参照。

3　上訴審手続

1−073 控訴状（被告敗訴の場合）

収入
印紙

控　訴　状

令和○○年○○月○○日

○○高等裁判所　御中

控訴人訴訟代理人弁護士　○○○○　印

〒○○○−○○○○
○○県○○市○○町○○丁目○○番地
控訴人　（被告）　○○○○

〒○○○−○○○○
○○県○○市○○町○○丁目○○番地
被控訴人（原告）　○○○○

○○○○請求事件
訴訟物の価額　金○○○○円也
貼用印紙額　　金○○○○円也

上記当事者間の○○地方裁判所令和○○年（ワ）第○○号○○○○請求事件について，令和○○年○○月○○日言い渡された判決は，全部不服であるから控訴をする。

原　判　決　の　表　示

主　　文

被告は原告に対し金○○○○円及びこれに対する令和○○年○○月○○日から支払済みに至るまで年５分の割合による金員を支払え。

▶ 民事訴訟法281条〜310条。

▶ 控訴の趣旨は，控訴人が原審で一部敗訴をし，これに対し不服を申し立てるときは，「原判決中控訴人敗訴の部分を取り消す。」とすればよい。

▶ 控訴申立は，判決正本の送達があった日の翌日を第１日目として計算し，14日目までに行わなければならない。14日目が日曜日その他一般の休日のときは，その翌日が最終日となる。不変期間である。

訴訟費用は被告の負担とする。

この判決は，仮に執行することができる。

控 訴 の 趣 旨

1　原判決を取り消す。

2　被控訴人の請求を棄却する。

3　訴訟費用は，第1，2審とも，被控訴人の負担とする。

との判決を求める。

控 訴 の 理 由

被控訴人が，本訴の請求原因として主張する事実及び控訴人の主張は，原判決の事実摘示のとおりである。

しかしながら控訴人は，本件債務を弁済しているものであるから この控訴を提起する。

その詳細は，追って準備書面をもって提出する。

添 付 書 類

1　訴訟委任状　　1通

（1－073 控訴状（被告敗訴の場合））

▶ 控訴状は，正本･副本各1通を提出する。

▶ 控訴状は，第一審裁判所に提出する。

▶ 収入印紙，予納郵券が必要である。

▶ 資格証明書，固定資産税評価証明書（ただし，一審と変更がなければ不要）および訴訟委任状を添付する。

1−074 控訴理由書

控　訴　理　由　書

原　告　　株式会社　□　□
被　告　　○　○　○　○

令和○○年○○月○○日

東京高等裁判所
　　民事第○○部　　　御中

訴訟人訴訟代理人　弁護士　　○　○　○　○　　印

Ⅰ　原判決について

1　原判決は、①○○○○○○○○○○○，②○○○○○○○○○○○を理由に○○○○に対する貸付金が損害賠償債務に基づくものか疑問があるとし、準金銭消費貸借の成立を否定する。

2　そこで以下，上記各点について検討する。

（1）①について

（2）②について

Ⅱ　控訴人の主張

1　○○○○の債務について

2

▶　控訴状に不服の理由が記載されていない場合には，控訴人は控訴提起後50日以内に理由書を提出しなければならない（民訴規182条）。

1－075 上告状

収入 印紙

上　告　状

令和○○年○○月○○日

最　高　裁　判　所　　御中

上告人訴訟代理人弁護士　　○　○　○　○　　印

〒○○○－○○○○

○○県○○市○○町○○丁目○○番○○号

上告人　　○　○　○　○

〒○○○－○○○○

○○県○○市○○町○○丁目○○番○○号

ＴＥＬ　○○○（○○○）○○○○

ＦＡＸ　○○○（○○○）○○○○

上告人訴訟代理人　弁護士　　○　○　○　○

〒○○○－○○○○

○○県○○市○○町○○丁目○○番○○号

被上告人　　○　○　○　○

○○○○請求上告事件

訴訟物の価額　　金○○○○円也

貼用印紙額　　金○○○○円也

上記当事者間の○○高等裁判所令和○○年（ネ）第○○号○○○○請求控訴事件について，同裁判所が令和○○年○○月○○日言い渡した判決（令和○○年○○月○○

- 上告も，上告提起と上告受理申立の二本立てとなった。
- 民事訴訟法311条～327条。
- 上告理由書の提出期間は，上告人が上告受理通知書の送達を受けた日から50日である。
- 上告関連書類は，正本・副本各1通を必ず原裁判所の民事事件係に提出する。上告状の宛名は，上告裁判所の名称を記載する。
- 収入印紙・予納郵券が必要である。

日上告人に送達）は全部不服であるから上告を提起する。

控　訴　審　判　決　の　表　示

主　　　文

本件控訴を棄却する。

控訴費用は控訴人の負担とする。

上　告　の　趣　旨

原判決を破棄し，さらに相当の裁判を求める。

上　告　の　理　由

追って上告理由書を提出する。

添　付　書　類

1　訴訟委任状　　　　　　　　　　　　　　　　　　　　1通

1−076 上告理由書

上　告　理　由　書

令和○○年○○月○○日

最　高　裁　判　所　　御中

上告人訴訟代理人　弁護士　　○　○　○　○　　印

上 告 人　　○　○　○　○
被上告人　　○　○　○　○

上記当事者間の○○高等裁判所令和○○年（ネオ）第○○号○○○○請求上告受理事件について，上告人は次のとおり上告理由を提出する。

上　告　の　理　由

1　原判決には次のとおり憲法解釈の誤りがある。

2

3

▶ 上告理由の記載は，上告状，上告理由書のいずれかでなされればよいが，提出期間は，上告状の場合は原判決送達の日から2週間，上告理由書の場合は上告提起通知書送達の日から50日である。

1−077 上告受理申立書

収　入 印　紙

上　告　受　理　申　立　書

令和○○年○○月○○日

最　高　裁　判　所　　御中

申立人訴訟代理人　弁護士　　○　○　○　○　　印

〒○○○−○○○○
○○県○○市○○町○○丁目○○番○○号
ＴＥＬ　○○○（○○○）○○○○
ＦＡＸ　○○○（○○○）○○○○
申立人　　○　○　○　○

〒○○○−○○○○
○○県○○市○○町○○丁目○○番○○号
ＴＥＬ　○○○（○○○）○○○○
ＦＡＸ　○○○（○○○）○○○○
申立人訴訟代理人　弁護士　　○　○　○　○

〒○○○−○○○○
○○県○○市○○町○○丁目○○番○○号
相手方　　○　○　○　○

○○○○請求上告受理の申立事件
訴訟物の価額　金○○○○円也
貼用印紙額　　金○○○○円也

上記当事者間の○○高等裁判所令和○○年（○）第○○号○○○○請求控訴事件について，同裁判所が令和○○年○○月○○日言い渡した判決（令和○○年○○月○○日上告受理申立人に送達）には，民事訴訟法第３１８条第１項の事由があるので上告を受理されたく申し立てる。

▶　上告すべき裁判所が最高裁判所である場合で原判決に最高裁判所の判例と相反する判断がある事件，その他法令の解釈に関する重要な事項を含む事件について，上告審としての判断を最高裁判所に求める不服申立である。

上告受理申立書は原裁判所に対して提出する。

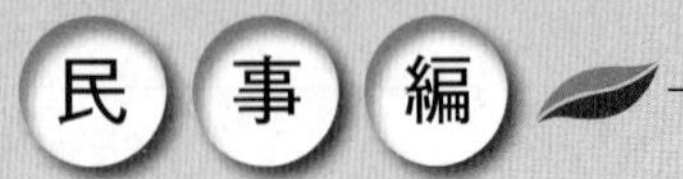

控訴審判決の表示

本件控訴を棄却する。

控訴費用は控訴人の負担とする。

申立ての趣旨

1　本件上告を受理することを求める。

2　原判決を破棄し，さらに相当の裁判を求める。

上告受理申立の理由

追って理由書を提出する。

附属書類

（1―077 上告受理申立書）

1−078 上告受理申立理由書

上　告　受　理　申　立　理　由　書

令和○○年○○月○○日

最　高　裁　判　所　　御中

申立人　　○　○　○　○
相手方　　○　○　○　○

上記申立人訴訟代理人　弁護士　　○　○　○　○　　印

上記当事者間の令和○○年(○)第○○号○○○○請求上告受理申立事件について，申立人は次のとおり上告受理の申立理由を提出する。

上　告　受　理　申　立　の　理　由

▶ 上告受理申立の理由の記載は，上告受理申立書，上告受理申立理由書のいずれかでなされればよいが，提出期間は，上告受理申立書の場合は原判決送達の日から2週間，上告受理申立理由書の場合は上告受理申立通知書送達の日から50日である。

1−079 証明願

収入 印紙

証　明　願

令和○○年○○月○○日

○○簡易裁判所民事部　御中

申立人訴訟代理人弁護士　○　○　○　○　印

申立人　○　○　○　○

相手方　○　○　○　○

上記当事者間の貴庁令和○○年（イ）第○○号○○○○和解申立事件について，令和○○年○○月○○日不調となったことを証明願います。

4　付随手続

1−080 送達申請

送　達　申　請

令和○○年○○月○○日

○○簡易裁判所民事部　御中

申立人訴訟代理人弁護士　○　○　○　○　印

申立人　○　○　○　○

相手方　○　○　○　○

上記当事者間の貴庁令和○○年（イ）第○○号○○○○和解申立事件について，令和○○年○○月○○日成立した和解調書の正本を当事者双方に送達して下さるよう申請します。

- 和解（または調停）調書は，判決と異なり，送達申請をしなければ送達してもらえない。
- 申立書は，正本１通を事件担当部に提出する。
- 収入印紙の貼付は不要であるが，送達のための郵券を若干予納する必要がある。

1－081 訴訟費用確定決定の申立書

訴訟費用確定決定の申立書

令和○○年○○月○○日

○○地方裁判所民事第○○部書記官　殿

原告訴訟代理人弁護士　○　○　○　○　印

〒○○○－○○○○

○○県○○市○○町○○丁目○○番地

原　告　○　○　○　○

〒○○○－○○○○

○○県○○市○○町○○丁目○○番地

被　告　○　○　○　○

上記当事者間の貴庁令和○○年（ワ）第○○号○○○○請求事件について，原告は下記のとおり，訴訟費用確定決定の申立てをします。

記

上記訴訟事件は，令和○○年○○月○○日貴庁において原告勝訴の判決言渡しがあり，この判決は確定したから，被告の負担すべき訴訟費用額の確定をされたく，別紙計算書及び疎明書類を添えてこの申立てをします。

以　上

▶　民事訴訟法 71 条。

▶　実務上，本申立てはあまり行われていないようであるが，書式例を挙げておいた。

▶　収入印紙の貼付は不要であるが，予納郵券が必要である。

1－082 訴訟費用計算書

計　　算　　書

No.	項　　　目	金　額	備　考
1	訴状書記料（正副本とも計　　枚）		
2	訴状貼用印紙代（手数料額）		
3	訴状提出費用		
4	第１回口頭弁論期日呼出用郵便切手代		
5	口頭弁論期日出頭日当（第１回～第　回計　回）		
6	甲第１乃至　号証写書記料（正副本とも計　　枚）		
7	上記郵送料		
8	準備書面書記料（正副本とも計　　枚）		
9	上記郵送料		
10	上記準備書面副本の被告への送達料		
11	証人○○○○への日当旅費		
12	判決正本送達料		
13	判決正本送達証明願書記料（正副本計　　枚）		
14	上記貼用印紙代		
15	上記提出費用		
16	上訴不受理証明願書記料（正副本計　　枚）		
17	上記貼用印紙代		
18	判決確定証明願書記料（正副本計　　枚）		
19	上記貼用印紙代		
20	訴訟費用確定決定申立書書記料（計　　枚）		
21	上記計算書謄本　　通書記料（計　　枚）		
22	上記催告書送達料		
23	訴訟費用確定決定正本送達料		
	合　　計		

▶ 1－081 に添付する。

1−083 判決正本交付申請書

収　入 印　紙

判決正本交付申請書

令和○○年○○月○○日

○○地方裁判所民事第○○部　書記官　殿

原告訴訟代理人弁護士　　○　○　○　○　　印

原　告　　○　○　○　○

被　告　　○　○　○　○

上記当事者間の貴庁令和○○年（ワ）第○○号○○○○請求事件について，令和○○年○○月○○日言い渡された判決の正本１通を，下記事由により原告に交付されたく申請をします。

記

原告は上記判決正本に基づき移転登記申請をするのですが，管轄登記所が，２箇所にあるので，原因証書として添付するために判決正本を更に１通必要とします。

以　上

▶　宛名は裁判所書記官とするのが正しい。

▶　申請書は１通提出すればよい。

▶　手数料として，用紙１枚につき 150 円分の収入印紙を貼付する必要がある。

1－084 判決謄本・抄本交付申請書

収　入
印　紙

判決謄本・抄本交付申請書

令和○○年○○月○○日

○○地方裁判所民事第○○部　書記官　殿

原告訴訟代理人弁護士　○　○　○　○　印

原　告　○　○　○　○

被　告　○　○　○　○

上記当事者間の貴庁令和○○年（○）第○○号○○○○請求事件について，令和○○年○○月○○日言い渡された判決の謄本１通を交付されたく申請をします。

▶　手数料として，用紙１枚につき150円分の収入印紙を貼付する必要がある。

1－085 証明願①

収 入 印 紙

証　明　願

令和○○年○○月○○日

○○地方裁判所民事第○○部　書記官　殿

原告訴訟代理人弁護士　○　○　○　○　印

原　告　○　○　○　○

被　告　○　○　○　○

上記当事者間の貴庁令和○○年（○）第○○号○○○○請求事件について，令和○○年○○月○○日午前○○時の第２回口頭弁論期日において次回期日を令和○○年○○月○○日午前○○時と指定されたことを証明してくださされたく，この申請をします。

▶ 150円分の収入印紙を貼付する。

1−086 証明願②

収入印紙

証　明　願

令和〇〇年〇〇月〇〇日

〇〇地方裁判所民事第〇〇部　書記官　殿

原告訴訟代理人弁護士　〇〇〇〇　印

原　告　〇〇〇〇

被　告　〇〇〇〇

上記当事者間の〇〇〇〇請求事件の訴状が，令和〇〇年〇〇月〇〇日貴庁に提出され，貴庁令和〇〇年（ワ）第〇〇号事件として受理されたことを証明してくだされたく，この申請をします。

▶ 150円分の収入印紙を貼付する。

1－087 証明願③

収入
印紙

証　明　願

令和○○年○○月○○日

○○地方裁判所民事第○○部　御中

原告訴訟代理人弁護士　○　○　○　○　印

原　告　○　○　○　○

被　告　○　○　○　○

上記当事者間の貴庁令和○○年（モ）第○○号執行停止申立事件の本案である貴庁令和○○年（ワ）第○○号○○○○請求事件は，令和○○年○○月○○日○○○○により訴訟終了したことを証明してくだされたく，この申立てをします。

▶ 150円分の収入印紙を貼付する。

5　督促手続

1－088 支払督促申立書

収　入 印　紙

支払督促申立書

令和○○年○○月○○日

簡易裁判所　書記官　御中

申立人代理人　弁護士　　○　○　○　○　　印

当 事 者 の 表 示　　別紙当事者目録記載のとおり
請求の趣旨及び原因　　別紙請求の趣旨及び原因記載のとおり
送達場所の届け出　　別紙当事者目録記載のとおり

預金等払戻請求事件

債務者は債権者に対し請求の趣旨記載の金額を支払えとの支払督促を求める。

申立手続費用	金○○○○円
内　訳	
申立手数料	金○○○○円
督促正本送達費用	金○○○○円
資格証明手数料	金○○○○円
支払督促発送費用	金○○○○円
申立書作成及び提出費用	金○○○○円
価　額	金○○○○円
印　紙	金○○○○円
郵　券（含む葉書）	金○○○○円

添付書類　　資格証明書１通

▶　管轄は，請求の価額にかかわらず，債務者の普通裁判籍所在地を管轄する簡易裁判所である。債務者が異議を申し立てると，通常訴訟が請求の価額に応じ当該簡易裁判所またはその所在地を管轄する地方裁判所で行われるので，争いが予想される場合は注意を要する。

▶　申立書は正本１通を提出する。郵送して提出してもよい。

▶　添付目録は，当事者の表示，請求の趣旨・

当 事 者 目 録

〒○○○－○○○○
○○県○○市○○町○○丁目○○番○○号
債権者　○　○　○　○

（送達場所）
〒○○○－○○○○
○○県○○市○○町○○丁目○○番○○号
TEL　○○○（○○○）○○○○
FAX　○○○（○○○）○○○○
上記債権者代理人
弁護士　○　○　○　○

〒○○○－○○○○
○○県○○市○○町○○丁目○○番○○号
債務者　○　○　○　○

（送達場所）
〒○○○－○○○○
○○県○○市○○町○○丁目○○番○○号
TEL　○○○（○○○）○○○○
FAX　○○○（○○○）○○○○
上記債務者代理人
弁護士　○　○　○　○

（1－088 支払督促申立書）

原因を各3通（債務者が増すごとに1通加算）提出する。

▶　予納郵券は裁判所によって取扱いが異なるので確かめる（申立書の予納郵券の欄の記載と一致させること）。

東京簡易裁判所では，特別送達料金（1,125円）の郵券を差出人の記載のない債権者・債務者宛の封筒に貼付して提出させている。

▶　申立書が受理されると，1週間くらいで

請求の趣旨及び原因

請　求　の　趣　旨

1　金２９０万円

2　上記金額の内金２７０万円に対する令和〇〇年〇〇月〇〇日から，内金２０万円に対する令和〇〇年〇〇月〇〇日から，それぞれ支払済みに至るまで年〇分の割合による遅延損害金

3　金〇〇〇〇円（申立手続費用）

請　求　の　原　因

1

2

3

4

（1−088 支払督促申立書）

支払命令正本が各当事者に送達される。債務者に不送達となっても裁判所から連絡してこないことがあるので，債務者に送達されたか確かめることが必要である。

1－089 仮執行宣言の申立て

仮 執 行 宣 言 の 申 立 て

令和〇〇年〇〇月〇〇日

〇〇簡易裁判所　御中

債権者代理人弁護士　　〇　〇　〇　〇　　印

住　所　〇〇県〇〇市〇〇町〇〇丁目〇〇番〇〇号

ＴＥＬ　〇〇〇（〇〇〇）〇〇〇〇

債権者　　〇　〇　〇　〇

債務者　　〇　〇　〇　〇

上記当事者間の御庁令和〇〇年(ロ)第〇〇号支払督促申立事件について，債務者は，令和〇〇年〇〇月〇〇日支払命令正本の送達を受けたが，法定期間内に督促異議の申立てをなさず，また債務の履行もなさないから下記費用とともに仮執行の宣言を付せられたく申し立てる。

記

金〇〇〇〇円　　仮執行宣言手続費用

内　訳

金〇〇〇〇円也　正本送達料

金〇〇〇〇円也　本申立書提出手数料

金〇〇〇〇円也　本申立書書記料

以　上

▶ 債務者に支払命令が送達された日から2週間以内に異議申立がない場合は，それから30日以内に本申立てをしなければならない。

▶ 添付目録等は，当事者の表示，請求の趣旨･原因を各2通（債務者が増すごとに1通追加する）と送達料（支払命令申立書の予納郵券参照）を添えて裁判所に提出する。

▶ 収入印紙の貼付は不要である。

1－090 送達証明申請

収入印紙

送達証明申請

令和○○年○○月○○日

○○簡易裁判所　御中

債権者代理人弁護士　○　○　○　○　印

債権者　○　○　○　○
債務者　○　○　○　○

上記当事者間の御庁令和○○年（ロ）第○○号支払督促申立事件につき，債務者に対し仮執行宣言付支払督促の正本が令和○○年○○月○○日送達になったことを証明いただきたく申請します。

- 仮執行宣言付支払命令が債務者に送達されると直ちに執行力が生じる。当事者に承継がない限り執行文なしに強制執行ができる。
- 本申請書正副２通を提出すると，裁判所は副本に証明する旨の奥書をして申請者に交付する。
- １件につき 150 円分の印紙を正本に貼付する。

1−091 受　書

受　　書

令和○○年○○月○○日

○○簡易裁判所　御中

債権者代理人弁護士　○　○　○　○　印

御庁令和○○年（ロ）第○○号　督促事件

仮執行宣言付支払命令正本の債権者に対する送達証明書　　1通

上記まさに受領いたしました。

民訴

1－092 支払督促申立書

支払督促申立書

令和○○年○○月○○日

○○簡易裁判所　御中

債権者代理人弁護士　○　○　○　○　印

当事者の表示，請求の趣旨，原因は別紙記載のとおり。

債務者らは債権者に対し各自上記請求の趣旨記載の金額を支払えとの支払督促を求める。

本件に督促異議申立があったときは手形訴訟により審理及び裁判を求める。

請求金額 円	申立印紙貼付欄	
印紙額 円		
予納郵券 円		

添付書類

1　約束手形写し　1通
1　資格証明書　1通
1　訴訟委任状　1通

▶ 債務者が支払督促に対し異議申立をした場合に，手形訴訟・小切手訴訟による審判をしてもらうには，申立時にその旨の申述をしておく必要がある。

▶ 手形または小切手およびその付帯請求の場合において手形訴訟または小切手訴訟を求める場合には，申立書に手形の写し2通（債務者の数が2以上であるときはその数に1を加えた数通）を添付しなければならない（民訴規220条1項）。

▶ その他の裁判費用については，1－088 参照。

1−093 請求の趣旨・原因

請求の趣旨（請求金額）

主たる請求 及び付帯請求	債務者らは各自債権者に対し金○○○○円及びこれに対する令和○○年○○月○○日より支払済みまで年○分の割合による金員を支払えとの支払督促を求める。
督促手続費用	金○○○○円 内　訳 金○○○○円　申立手数料 金○○○○円　申立書書記料 金○○○○円　手形写書記料 金○○○○円　申立提出費用 金○○○○円　督促命令正本送達料 金○○○○円　資格証明書交付手数料

請　求　の　原　因

1　債務者有限会社□□は令和○○年○○月○○日下記約束手形を振り出して，債務者○○○○に交付し，債権者は債務者○○○○より裏書譲渡を受けて現に所持人である。

記

・　額　面　　金○○○○円
・　支払期日　令和○○年○○月○○日
・　支払地　　○○市
・　支払場所　□□銀行
・　振出地　　○○市
・　受取人兼第一裏書人　　○○○○（支払拒絶証書作成義務免除）

2　債権者は，支払期日に支払場所に手形を呈示したが支払いを拒絶された。

▶　申立書書記料はA4用紙1枚150円（記載部分が半面を超えないものは75円）。ただし，裁判所に提出する申立書のみで，添付目録については請求できない。

▶　申立書提出手数料は，提出1回につき第1種郵便物の最低料金に書留料を加えた額である。

裁判所に申立書を持参しようが，普通郵便により提出しようが，提出方法・実費にかかわりなく，上記の金額が一律に認めら

3　よって，債権者は債務者両名に対し各自上記約束手形金〇〇円及びこれに対する支払期日である令和〇〇年〇〇月〇〇日より支払済みまで，手形法所定の年〇分の割合により利息の支払いを求める。

れる。

▶　支払督促正本送達料は特別書留料金の額である。実務では普通郵便をもって行われる場合もあり，この場合の送達料はその範囲しか認められない。

▶　資格証明手数料は，当該官庁等に支払うべき手数料の額に交付１回につき第１種郵便物の最低料金の２倍の額を加えた額である。

▶　委任状書記料は，A4 用紙１枚 150 円，半面 75 円。委任状に貼付した印紙額は申立費用に当たらず，請求できない。

1−094 督促異議申立

督 促 異 議 申 立

令和○○年○○月○○日

○○簡易裁判所　御中

住　所　〒○○○−○○○○

○○県○○市○○町○○丁目○○番○○号

ＴＥＬ　○○○（○○○）○○○○

債務者代理人弁護士　○　○　○　○　印

債権者　○　○　○　○

債務者　○　○　○　○

上記当事者間の令和○○年(ロ)第○○号○○○○支払督促事件について，令和○○年○○月○○日支払督促正本の送達を受けましたが，上記支払督促に不服でありますので督促異議申立をいたします。

なお，債務者に対する送達は，上記住所に宛てて行ってください。

▶　収入印紙の貼付は不要である。

1—095 仮執行宣言付支払督促に対する異議申立

仮執行宣言付支払督促に対する異議申立

令和○○年○○月○○日

○○簡易裁判所　御中

住　所　〒○○○－○○○○
○○県○○市○○町○○丁目○○番○○号
TEL　○○○（○○○）○○○○
債務者代理人弁護士　○　○　○　○　印

債権者　○　○　○　○
債務者　○　○　○　○

上記当事者間の令和○○年(ロ)第○○号支払督促申立事件について，令和○○年○○月○○日仮執行宣言付支払督促正本の送達を受けましたが，上記支払督促に不服でありますので督促異議申立をいたします。

なお，債務者に対する送達は，上記住所に宛てて行ってください。

▶ 仮執行宣言前の支払督促については，債務者は，送達を受けた日から異議申立期間の2週間を経過した後でも，仮執行宣言の裁判がなされるまでは異議の申立てができる。

これに対し仮執行宣言後の支払督促については，債務者が送達を受けた日から2週間を経過したときは，異議の申立ては原則としてできなくなる。

▶ 督促異議申立および仮執行宣言付支払督促に対する異議申立のいずれの申立書にも手数料を要しない。

▶ 申立書に異議の対象である督促物件が特定され，異議の意思が明らかにされていれば，理由を記載する必要はない。

▶ 異議申立をする場合には，債権者に対する手数料（印紙）追納のための補正命令の送達費用と訴状に代わる準備書面提出の催告の費用（最近訴状に代わる準備書面の催告をしない裁判所もある）を債務者に立替予納させている。

1－096 強制執行停止申立書

収入
印紙

強制執行停止申立書

令和○○年○○月○○日

○○裁判所　　御中

申立人（被告・債務者）訴訟代理人弁護士　　○　○　○　○　　印

当事者の表示　　別紙当事者目録記載のとおり

申立ての趣旨

原告と被告間の○○簡易裁判所令和○○年（ロ）第○○号○○○○請求事件の仮執行宣言を付した支払督促に基づく強制執行は本案判決があるまでこれを停止するとの裁判を求めます。

本訴の訴額　　　金○○○○円

本案の事件番号　　令和○○年（○）第○○○○号

申立ての理由

1　原告から被告に対する前記支払督促には，令和○○年○○月○○日仮執行宣言が付せられ，同支払督促正本は同年○○月○○日被告に送達された。

2　しかしながら，上記債務金については令和○○年○○月○○日原告と被告及び○○○○の三者立会いのもとに○○○○○○○○○の理由により被告の原告に対する債務は免除されたのである。

3　しかるに，原告から支払督促を申し立てられ，仮執行宣言まで付せられたことにより，いつ強制執行が開始されるかも知れないので，支払督促に対しては本日○○簡易裁判所に異議申立をしたので，申請の趣旨記載のとおり，強制執行停止の裁判を求めるため本申請をする次第である。

▶　仮執行宣言付支払督促に対する異議は，その仮執行宣言付支払督促の確定を遮断する効果を持つだけで，支払督促そのものが失効するわけではない。

仮執行宣言付支払督促は，即時に執行力が生ずるので，債務者が強制執行を回避するには，強制執行の停止または取消しを求めなければならない(民訴法403条1項3号)。

疎　明　方　法

1　念書（債務免除を証する書面）　　1通

附　属　書　類

1　念書（債務免除を証する書面）　　1通

2　代理委任状　　1通

民事編

第2章

民事執行

1　民事執行申立

2－001 判決正本送達証明申請

収　入
印　紙

判決正本送達証明申請

令和○○年○○月○○日

○○地方裁判所民事第○○部　御中

原告訴訟代理人弁護士　○　○　○　○　印

原　告　○　○　○　○

被　告　○　○　○　○

上記当事者間の御庁令和○○年（ワ）第○○号○○○○請求事件について、令和○○年○○月○○日言い渡された判決は、令和○○年○○月○○日に被告に送達されたことを証明してくだされたく申請する。

▶　強制執行は，債務名義または確定により債務名義となるべき裁判の正本または謄本が，あらかじめまたは執行開始と同時に，債務者に送達されたときに限り，これを開始することができる（民執法29条）。

▶　判決書の正本は当事者に送達されなければならず（民訴法225条），送達に関する事務は裁判所書記官が取り扱う（同法98条２項）。

▶　本申請は，受訴裁判所の書記官に対し，判決正本の送達証明書を交付してもらうために申請する（民訴法91条３項）。

▶　相手が数名あるときには，「被告Ｂには令和○○年○○月○○日，被告Ｃには令和○○年○○月○○日にそれぞれ送達された」と記載する。

▶　申請書は，正本と副本各１通を，本案を担当する書記官に直接提出する（本申請は立件せずに日記簿で受理されるだけである）。証明書は，申請書副本に「上記のとおり証明する」と奥書されて交付される。証明書が数通必要なときは，その必要な数の副本を添付することになる。証明書の交付を受けたときは「請書」または「受書」と題する受領書を出す。

▶　申請書には１件につき収入印紙150円を貼付する（民訴費法７条）。

2−002 判決確定証明申請

収入
印紙

判決確定証明申請

令和〇〇年〇〇月〇〇日

〇〇地方裁判所民事第〇〇部　御中

原告代理人弁護士　〇　〇　〇　〇　　印

原　告　　〇　〇　〇　〇
被　告　　〇　〇　〇　〇

上記当事者間の貴庁令和〇〇年（〇）第〇〇号〇〇〇〇請求事件について，令和〇〇年〇〇月〇〇日言い渡された判決は，〔令和〇〇年〇〇月〇〇日の経過により／上告棄却により令和〇〇年〇〇月〇〇日〕確定したことを証明してくださされたく申請する。

▶　判決の確定時期については民事訴訟法116条1項，2項で定められている。たとえば，上訴の提起について定められた期間（控訴期間：民訴法285条），上告期間：同法313条）内に，敗訴当事者が上訴を提起することなく，これを経過したときは，上訴期間満了の時に判決が確定する。

▶　判決が第一審で確定したときは，第一審裁判所の裁判所書記官が当事者等の請求により，訴訟記録に基づいて判決確定証明書を交付する（民訴規48条1項）。判決が上訴裁判所で確定したときは，当該上訴裁判所の書記官が判決確定証明書を交付する（同条2項）。

▶　申請書は，正本と副本各1通を，本案を担当する書記官に直接提出する（本申請は立件せずに日記簿で受理されるだけである）。証明書は，申請書副本に「上記のとおり証明する」と奥書されて交付される。証明書が数通必要なときは，その必要な数の副本を添付することになる。証明書の交付を受けたときは「請書」または「受書」と題する受領書を出す。

▶　申請書には1件につき収入印紙150円を貼付する（民訴費法7条）。

▶　旧法では，添付書類として「上訴の提起がないことの証明書」を必要とする場合があった。第一審判決に対する控訴は，一審裁判所と控訴裁判所のいずれに提出してもよいとされていたので（旧民訴法367条1項），控訴裁判所から「控訴提起のないことの証明書」を得て，これを判決確定証明申請書に添付して提出する必要があった。しかし，新法は控訴状の提出先を一審裁判所に限定したので（民訴法286条1項），「控訴提起のないことの証明書」の添付は不要となった。

2−003 和解調書正本送達申請

和解調書正本送達申請

令和○○年○○月○○日

○○裁判所　御中

〔原告／申立人〕代理人弁護士　　○　○　○　○　　印

〔原告／申立人〕　　○　○　○　○

〔被告／相手方〕　　○　○　○　○

上記当事者間の令和○○年（○）第○○号○○○○請求事件について，令和○○年○○月○○日に成立した和解調書の正本を当事者双方に送達されたく申請する。

▶　和解を調書に記載したときは確定判決と同一の効力を有するので（民訴法 267 条），債務名義となる（民執法 22 条 7 号）。

▶　裁判上の和解が成立した場合には，その調書正本は，当事者からの申請がない限り，裁判所では送達をしない。この点，判決正本が職権で送達される（民訴法 255 条）のと異なる。

▶　本申請では，和解調書を事件番号，和解成立日時等で特定して，その正本の送達申請を行う。

▶　本申請書は，正本 1 通を，本案の裁判所（和解が成立した裁判所）の担当書記官に直接提出する。収入印紙は不要である。

2－004 和解調書正本送達証明の申請

収　入
印　紙

和解調書正本送達証明の申請

令和　　年　　月　　日

○○裁判所　御中

原告代理人弁護士　○　○　○　○　　印

〔原告／申立人〕　　○　○　○　○
〔被告／相手方〕　　○　○　○　○

上記当事者間の令和○○年（○）第○○号○○○○請求事件について，令和○○年○○月○○日成立した和解調書の正本が〔被告／相手方〕に令和○○年○○月○○日送達されたことを証明願いたく申請する。

▶　強制執行は，給付請求権が明示されている和解調書正本が債務者に送達されたときに限り，開始することができる（民執法29条)。本申請は，本案の裁判所（和解を取り扱った裁判所）の書記官に対して，和解調書正本の送達証明書を交付してもらう申請である。

▶　申請書は，正本と副本各１通を，本案を担当する書記官に直接提出する（本申請は立件せずに日記簿で受理されるだけである)。証明書は，申請書副本に「上記のとおり証明する」と奥書されて交付される。証明書が数通必要なときは，その必要な数の副本を添付することになる。証明書の交付を受けたときは「請書」または「受書」と題する受領書を出す。

▶　申請書には１件につき収入印紙150円を貼付する（民訴費法７条)。

2―005 仮執行宣言付支払督促正本送達証明申請

収入 印紙

仮執行宣言付支払督促正本送達証明申請

令和○○年○○月○○日

○○簡易裁判所　御中

債権者代理人弁護士　○　○　○　○　　印

債　権　者　　○　○　○　○
債　務　者　　○　○　○　○

上記当事者間の貴庁令和○○年（○）第○○号○○○○請求督促事件について，仮執行宣言付支払督促正本が令和○○年○○月○○日債務者に送達されたことを証明してくだされたく申請する。

▶　仮執行宣言を付した支払督促（民訴法391条1項）も債務名義となる（民執法22条4号）。強制執行は，給付請求権が明示されている仮執行宣言付支払督促の正本が債務者に送達されたときに限り，これを開始することができる（同法29条）。

▶　旧法では支払命令は債権者・債務者の双方に送達しなければならないことになっていた（旧民訴法436条）が，新法では，債務者に対してのみ送達することとし，債権者には支払督促が発せられた旨を通知すれば足りることになった（民訴法388条1項，民訴規234条2項）。ただし，仮執行宣言付支払督促の送達は債権者・債務者双方にしなければならない（民訴法391条2項）。なお，支払督促の送達は，その正本によってなされる（民訴規234条1項，236条2項）。

▶　本申請は，仮執行宣言付支払督促を取り扱った裁判所の書記官に対して，その送達証明書を交付してもらうためのものである。

▶　申請書は，正本と副本各1通を，本案を担当する書記官に直接提出する（本申請は立件せずに日記簿で受理されるだけである）。証明書は，申請書副本に「上記のとおり証明する」と奥書されて交付される。証明書の交付を受けたときは「請書」または「受書」と題する受領書を出す。申請書には1件につき収入印紙150円を貼付する（民訴費法7条）。

2―006 執行文付与の申立て（確定による）

収入印紙

執行文付与の申立て

令和○○年○○月○○日

○○裁判所民事第○○部裁判所書記官　殿

原告（債権者）代理人弁護士　○　○　○　○　印

〒○○○－○○○○
○○県○○市○○町○○丁目○○番地
原　告（債権者）　○　○　○　○
〒○○○－○○○○
○○県○○市○○町○○丁目○○番地
被　告（債務者）　○　○　○　○

上記当事者間の貴庁令和○○年（○）第○○号○○○○請求事件について，令和○○年○○月○○日言い渡された判決は，確定したので，同判決正本に執行文を付与して下されたくこの申立てをする。

- 強制執行は，原則として，執行文の付された債務名義の正本に基づいて実施される（民執法25条）。執行文は，申立てにより，執行証書以外の債務名義については事件記録の存在する裁判所の裁判所書記官によって，執行証書についてはその原本を保存する公証人によって付与され（同法26条），債務名義の正本の末尾に執行文の付与を受けなければならない。
- 例外的に，①少額訴訟の確定判決，②仮執行宣言付少額訴訟判決，③仮執行宣言付支払督促（以上，民執法25条但書），④金銭の支払い，物の引渡し，登記義務の履行その他の給付を命ずる審判（家事事件手続法75条），⑤民事訴訟費用の取立決定正本（民訴費法15条1項）は，執行文なしで強制執行が可能である。
- 執行文付与の申立ては，①債権者および債務者ならびに代理人の表示，②債務名義の表示，③民事執行法27条または28条1項の規定による執行文付与を求めるときはその旨およびその事由――を記載した書面でしなければならない（民執規16条1項）。
- 申立書は，正本1通を裁判所の民事事件係に提出し，そこで立件されて事件番号が付く。申立書には収入印紙300円を貼付しなければならない。
- 給付判決に仮執行宣言が付されている場合は，**2―006**の中の「判決は，確定したので，同」は不要である。

2−007 執行文付与の申立て（条件成就による）

収　入
印　紙

執行文付与の申立て

令和〇〇年〇〇月〇〇日

〇〇裁判所民事第〇〇部裁判所書記官　殿

原告（債権者）代理人弁護士　〇　〇　〇　〇　印

〒〇〇〇−〇〇〇〇
〇〇県〇〇市〇〇町〇〇丁目〇〇番地
原　告（債権者）　〇　〇　〇　〇
〒〇〇〇−〇〇〇〇
〇〇県〇〇市〇〇町〇〇丁目〇〇番地
被　告（債務者）　〇　〇　〇　〇

上記当事者間の貴庁令和〇〇年（ワ）第〇〇号〇〇〇〇請求事件について，令和〇〇年〇〇月〇〇日成立した和解調書の和解条項第〇項による条件は，別紙証明書のとおり成就したので，同和解調書正本の第〇項について執行文を付与してくだされたく，この申立てをする。

▶　請求が債権者の証明すべき事実の到来に係る場合には，執行文は，債権者がその事実の到来したことを証する文書を提出したときに限り，付与することができる（民執法27条1項)。

▶　和解条項や調停条項で「支払いを1回でも怠ったときは期限の利益を失い残額を一時に支払う」という場合には，支払いを怠った事実は債権者が証明すべき事実ではないので，証明書の提出は不要である。

▶　これに対し，「賃料の支払いを2回怠ったときは，賃貸人は何らの催告をしないで，直ちに賃貸借契約を解除することができる。この場合，賃借人は直ちに家屋を明け渡す」という条項の場合には，債権者が賃貸借契約解除の事実を証明しないと，明渡しのための執行文の付与を受けられない。

▶　また，「金員を支払わないときは，所有権移転登記手続をする」という条項の場合には，執行文付与の申立てがあったときに，裁判所書記官は債務者に対して催告し債務者が応じないときに執行文を付与することができる（民執法174条3項）。

▶　執行文付与の申立ては，①債権者および債務者ならびに代理人の表示，②債務名義の表示，③民事執行法27条または28条1項の規定による執行文付与を求めるときはその旨およびその事由――を記載した書面でしなければならない(民執規16条1項)。

▶　申立書は，正本1通を裁判所の民事事件係に提出し，そこで立件されて事件番号が付く。申立書には収入印紙300円を貼付しなければならない。

2−008 承継執行文付与申立書（債務者の特定承継人）

収入印紙

承継執行文付与申立書

令和○○年○○月○○日

○○裁判所民事第○○部裁判所書記官　殿

上記原告（債権者）代理人弁護士　○　○　○　○　印

〒○○○−○○○○
○○県○○市○○町○○丁目○○番地
原　告（債権者）　○　○　○　○

〒○○○−○○○○
○○県○○市○○町○○丁目○○番地
被　告（債務者）　○　○　○　○

〒○○○−○○○○
○○県○○市○○町○○丁目○○番地
被告の承継人　○　○　○　○

1　原告と被告との間の貴庁令和○○年（○）第○○号建物明渡請求事件について，令和○○年○○月○○日下記内容の裁判上の和解が成立した。

（1）原告は被告に対し，本件建物を引き続き賃貸すること。
賃料は，1カ月金○○○○円とし，毎月末日その月分を支払うこと。

（2）被告が，賃料の支払いを3回分延滞したときは，本件賃貸借は何らの通知催告を要せずして当然解除となり，被告は，直ちに本件建物を明け渡すこと。

2　ところが，被告は，令和○○年○○月分より賃料の支払いをしないので，前記和解の約旨により令和○○年○○月○○日の経過により本件賃貸借は解除となった。

3　そこで，原告は令和○○年○○月○○日執行力ある前記和解調書の正本に基づき，

▶　債務名義に表示された当事者に変更があった場合には，新当事者（承継人）に対する執行文なしには，強制執行を始めることはできない。この新当事者に対する執行文を「承継執行文」という（民執法23条1項3号，2項）。

▶　①裁判上の和解により家屋を収去して土地を明け渡す義務を負う者から，その家屋を譲り受けて土地を占有する者，②裁判上の和解により建物を収去して土地を明け渡

建物明渡しの強制執行に着手したところ，被告は同建物の２階を令和○○年○○月頃訴外○○○○に賃貸し，同人が占有していることが判明した。

上記○○○○は，裁判上の和解により本件建物を明け渡すべき義務ある被告より２階の部分を借り受け占有するものであるから，被告の承継人となる。

４　よって，同人に対する承継執行文の付与を申請する。

添　付　書　類

１　執行調書謄本　　１通

２　建物賃貸借契約書　　１通

す義務のある者から建物を借り受け，その敷地を占有する者――などが承継人に当たる。

▶ 執行文付与の申立ては，所定の事項を記載した書面で申し立てなければならない（民執規16条１項）。承継人のために，または承継人に対する強制執行については承継執行文を必要とし（民執法27条２項），その記載事項も定められている（民執規16条１項３号）。

▶ 申立書には，当事者として「債権者及び債務者並びに代理人の表示」を記載しなければならないが（民執規16条１項１号），本例の承継執行文付与申立書には，債務者の承継人をも明記する必要がある。

▶ 申立書には，承継人が，いつ，いかなる債務を，どの範囲で承継したか――を明らかにしなければならない。たとえば，承継人の占有開始時期がいつかということも明確に記載する必要がある。

▶ 申立書は，正本１通を裁判所の民事事件係に提出し，そこで立件されて事件番号が付く。申立書には収入印紙300円を貼付しなければならない。

2－009 執行文の数通付与申立（同時執行の場合）

収　入 印　紙

執行文の数通付与申立

令和○○年○○月○○日

○○裁判所民事第○○部裁判所書記官　殿

上記原告（債権者）代理人弁護士　　○　○　○　○　　印

〒○○○－○○○○
○○県○○市○○町○○丁目○○番地
原　告（債権者）　　○　○　○　○

〒○○○－○○○○
○○県○○市○○町○○丁目○○番地
被　告（債務者）　　○　○　○　○

上記当事者間の貴庁令和○○年（○）第○○号○○○○請求事件につき，令和○○年○○月○○日言い渡された判決は確定したが，本訴請求債権の弁済を求めるため，被告所有の有体動産（見積価額○○○○円）及び○○県○○市○○町○○丁目○○番地所在の建物（見積価額○○○○円）に対して，同時に執行する必要があるので，上記判決の執行力のある正本を３通付与されたく申請する。

添　付　書　類

1　見積価額書　　○通
2　判決正本　　１通

▶　債権の完全な弁済を得るには，同一の執行債権につき数地で，または数種の財産に対し，強制執行を併行実施する必要があり，そのために執行文の付された債務名義の正本を数通必要とする場合には，同一債務名義の複数の正本につき執行文を重複して付与できる（民執法28条１項）。

▶　同時に執行文の付与された債務名義の正本が数通必要なときには，その数通と必要な理由を記載することが必要である（民執規16条1項3号)。申立書本文で，有体動産等の見積価額を記載しているが，これは添付書類の見積価額書に基づいて記載する(過剰執行でないことを示すため)。

▶　申立書は，正本1通を裁判所の民事事件係に提出し，そこで立件されて事件番号が付く。申立書には収入印紙300円を貼付しなければならない。

▶　数通付与したことは債務者に通知するので（民執規19条)，郵便切手の納付が若干必要になる。

2−010 執行文の再度付与申立（追加付与の場合）

収　入 印　紙

執行文の再度付与申立

令和○○年○○月○○日

○○裁判所民事第○○部裁判所書記官　殿

原告（債権者）代理人弁護士　　○　○　○　○　　印

〒○○○−○○○○

○○県○○市○○町○○丁目○○番地

原　告（債権者）　　○　○　○　○

〒○○○−○○○○

○○県○○市○○町○○丁目○○番地

被　告（債務者）　　○　○　○　○

上記当事者間の貴庁令和○○年（○）第○○号○○○○請求事件につき，令和○○年○○月○○日言い渡された判決の執行力のある正本１通の付与を受け，被告所有の有体動産の差押えをしたが，同物件の見積価額はわずかに金○○○○円であって，完全な弁済を得る見込みがないので，被告○○○○の訴外○○○○に対して有する売掛代金債権の差押えのため必要につき，上記判決の執行力のある正本を更に１通付与されたく申請する。

添　付　書　類

１　使用中の証明書　　　　　　　　　　１通

２　執行調書謄本　　　　　　　　　　　１通

▶　執行文の付与を受け，ある財産に対して強制執行を開始した後，同執行によっては，執行債権の完全な弁済を受け得る見込みがなく，重ねて他の財産に対して強制執行しようとする場合には，さらに１通または数通の執行文のある正本を求めることができる（民執法 28 条１項）。

▶　申請書にはその事由を記載しなければならないが（民執規 16 条１項３号），申請書本文の「被告○○○○の訴外○○○○に対して有する売掛代金債権の差押えのため必要につき」という程度で足り，詳細に記載する必要はない。

▶　申立書は，正本1通を裁判所の民事事件係に提出し，そこで立件されて事件番号が付く。申立書には収入印紙300円を貼付しなければならない。

▶　執行文を再度付与したことは債務者に通知するので（民執規19条），郵便切手の納付が若干必要になる。

2−011 執行文謄本等の送達申請書（条件成就の場合）

条件成就による執行文謄本等送達申請書

令和〇〇年〇〇月〇〇日

〇〇裁判所　御中

原告（債権者）代理人弁護士　　〇　〇　〇　〇　　印

〒〇〇〇−〇〇〇〇

〇〇県〇〇市〇〇町〇〇丁目〇〇番地

原　告（債権者）　　〇　〇　〇　〇

〒〇〇〇−〇〇〇〇

〇〇県〇〇市〇〇町〇〇丁目〇〇番地

被　告（債務者）　　〇　〇　〇　〇

上記当事者間の貴庁令和〇〇年（〇）第〇〇号〇〇〇〇請求事件について，条件成就による執行文の付与を受けたが，上記執行文の謄本及び条件成就を証する書面の謄本を被告に送達されたく申請する。

- 条件成就による執行力ある正本に基づき強制執行を開始するには，あらかじめまたは同時に，執行文および証明書の謄本を，債務者に送達することを要する（民執法29条）。
- 本申請書には特別の様式の定めがないので，表題，当事者の表示，申請内容，年月日，申請人の署名押印，裁判所の表示等を記載する。
- 申請書は，執行文を付与した裁判所の担当書記官に正本１通を提出する。収入印紙の貼付は不要である。送達のための郵便切手の納付が若干必要になる。

2-012 執行文謄本等の送達証明申請（条件成就の場合）

収入印紙

送達証明申請

令和○○年○○月○○日

○○裁判所　御中

原告（債権者）代理人弁護士　○　○　○　○　　印

原　告（債権者）　　○　○　○　○

被　告（債務者）　　○　○　○　○

上記当事者間の貴庁令和○○年（○）第○○号○○○○請求事件について，条件成就により付与された執行文の謄本並びにその証明書の謄本が，令和○○年○○月○○日被告に送達されたことを証明してくだされたく申請する。

▶　条件成就による執行力ある正本に基づき強制執行を開始するには，あらかじめまたは同時に，執行文および証明書の謄本を，債務者に送達することを要する（民執法29条）。本例は，その送達を証明してもらうための申請書である。

▶　本申請書には特別の様式の定めがないので，表題，当事者の表示，申請内容，年月日，申請人の署名押印，裁判所の表示等を記載する。

▶　申請書は，執行文を付与した裁判所の担当書記官に正本と副本各1通を提出する。送達証明は，副本に奥書されて交付される。収入印紙150円の貼付が必要である。

2−013 承継執行文並びに証明書謄本送達申請

承継執行文並びに証明書謄本送達申請

令和○○年○○月○○日

○○裁判所民事第○○部裁判所書記官　殿

原告（債権者）代理人弁護士　○　○　○　○　印

〒○○○−○○○○
○○県○○市○○町○○丁目○○番地
原　告（債権者）　○　○　○　○

〒○○○−○○○○
○○県○○市○○町○○丁目○○番地
被　告（債務者）　○　○　○　○

〒○○○−○○○○
○○県○○市○○町○○丁目○○番地
被告の承継人　○　○　○　○

〒○○○−○○○○
○○県○○市○○町○○丁目○○番地
同　○　○　○　○

〒○○○−○○○○
○○県○○市○○町○○丁目○○番地
同　○　○　○　○

上記原被告間の貴庁令和○○年（○）第○○号○○○○請求事件について，付与された承継執行文並びに承継を証明する書面の各謄本を被告の承継人に送達されたく申請する。

▶　債権者の承継人のためにまたは債務者の承継人に対して強制執行を開始するには，あらかじめまたは同時に，承継執行文およびその証明書の謄本を，債務者またはその承継人に送達しなければならない（民執法27条2項，29条）。

▶　本申請書には特別の様式の定めがないので，表題，当事者の表示，申請内容，年月日，申請人の署名押印，裁判所の表示等を記載する。

▶　申請書は，執行文を付与した裁判所の担当書記官に正本1通を提出する。収入印紙の貼付は不要である。送達のための郵便切手の納付が若干必要になる。

2－014 承継執行文謄本等の送達証明申請（承継執行の場合）

収入印紙

送達証明申請

令和○○年○○月○○日

○○裁判所　御中

原告代理人弁護士　○　○　○　○　　印

原　　告　　　○　○　○　○
被　　告　　　○　○　○　○
被告の承継人　○　○　○　○

上記原被告間の貴庁令和○○年（○）第○○号○○○○請求事件について，承継執行文謄本及び証明書謄本は令和○○年○○月○○日被告の承継人○○○○に送達されたことを証明してくだされたく申請する。

▶　債務者の承継人のためにまたは債務者の承継人に対して強制執行を開始するには，あらかじめまたは同時に，承継執行文および証明書の謄本を，債務者またはその承継人に送達することを要する（民執法27条2項，29条）。本例は，その送達を証明してもらうための申請書である。

▶　本申請書には特別の様式の定めがないので，表題，当事者の表示，申請内容，年月日，申請人の署名押印，裁判所の表示等を記載する。

▶　申請書は，承継執行文を付与した裁判所の担当書記官に正本と副本を各1通提出する。送達の証明は，副本に奥書されて交付される。収入印紙150円の貼付が必要である。

2－015 公正証書謄本送達申立書（同時送達の場合）

収　入 印　紙

公正証書謄本送達申立書

令和○○年○○月○○日

○○公証役場　御中

債権者代理人弁護士　○　○　○　○　印

〒○○○－○○○○
○○県○○市○○町○○丁目○○番地
債権者　○　○　○　○

〒○○○－○○○○
○○県○○市○○町○○丁目○○番地
債務者　○　○　○○

上記当事者間の○○法務局所属公証人○○○○作成令和○○年第○○号金銭消費貸借公正証書の謄本を上記住所において債務者に同時送達されたく申立てをする。

▶ 公正証書により強制執行をする場合，債務者に対する公正証書謄本の送達は，原則として，公証人が申立てにより郵便で送達をする（公証人法57条の2第1，2項）。

▶ 有体動産に対する強制執行をする場合で，同時送達を希望する場合には，強制執行申立書とともに公正証書謄本送達申立書を執行官に提出して，執行と同時に送達を求めることができる（民執規20条2項，3項）。

▶ これに対して，債権差押や不動産の強制執行などの場合には，債権差押命令（民執法143条）または強制執行開始決定（同法45条1項）までに送達がなされている必要があり，同時送達を行うことはできない。

▶ 本申立書には特別の様式の定めがないので，表題，当事者の表示，申立内容，年月日，申請人の署名押印等を記載する。

▶ 申請書は，正本1通を公証役場に直接提出する。同時送達のときは，送達すべき書類（公正証書謄本）を提出し，送達手数料，旅費および証明手数料を予納する。

▶ 送達手数料として，1,400円分の印紙を貼付する（公証人手数料令）。

2−016 公正証書謄本の送達証明申請

収入 印紙

送　達　証　明　申　請

令和○○年○○月○○日

○○公証役場　御中

債権者代理人弁護士　○　○　○　○　　印

〒○○○−○○○○
○○県○○市○○町○○丁目○○番地
債権者　○　○　○　○
〒○○○−○○○○
○○県○○市○○町○○丁目○○番地
債務者　○　○　○　○

上記当事者間の○○法務局所属公証人○○○○作成令和○○年第○○号金銭消費貸借公正証書の謄本は，令和○○年○○月○○日債務者に送達されたことを証明くださされたく申請する。

- 強制執行が開始されるためには，債務名義または確定により債務名義となる判決の正本または謄本が，あらかじめまたは同時に，債務者に送達することを要する（民執法29条）。本例は，公正証書謄本の送達を証明してもらうための申請書である。
- 本申請書には特別の様式の定めがないので，表題，当事者の表示，申請内容，年月日，申請人の署名押印，等を記載する。
- 本申請書は，正本と副本各1通を，当該公証役場に提出する。送達証明は，副本に奥書されて交付される。
- 収入印紙250円の貼付が必要である（公証人手数料令）。

2-017 公正証書謄本公示送達許可申立書

公正証書謄本公示送達許可申立書

令和○○年○○月○○日

○○地方裁判所　御中

申立人代理人弁護士　○　○　○　○　　印

〒○○○－○○○○

○○県○○市○○町○○丁目○○番地

申立人　　○　○　○　○

〒○○○－○○○○

○○県○○市○○町○○丁目○○番地

相手方　　○　○　○　○

申　立　て　の　趣　旨

上記申立人（債権者）及び相手方（債務者）間の○○法務局所属公証人○○○○作成令和○○年第○○号金銭消費貸借契約公正証書の謄本を相手方に対し公示送達の方法により送達することを許可する。

との命令を求める。

申　立　て　の　理　由

1　申立人は，前記公正証書の執行力ある正本に基づき，〔相手方の有する○○県○○市○○町○○丁目○○番地宅地○○平方メートル／相手方が第三者たる○○○○に対して有する貸金債権〕に対し強制執行をするため，令和○○年○○月○○日執行官に前記公正証書謄本の送達を申し立てたところ，相手方は，令和○○年○○月頃前記住所より転居し，行先不明のため謄本の送達は不能になった。

2　よって，申立人は，住民登録，隣家，取引先等について同人の行方を探したが全然判明しない。そこで，前記謄本を公示送達の方法によって送達する以外に方法が

▶　強制執行のために公正証書謄本の送達申請をしたにもかかわらず転居先不明で送達ができず，債権者が調査を尽くしたがどうしても不明なようなときには，公示送達によることの許可申立が認められている。

▶　その申立ては，①債務者の住所，居所その他送達をすべき場所が知れないとき，②民事訴訟法 107 条 1 項の規定による送達ができないとき，③外国においてすべき送達についてその送達が著しく困難であるとき

ないのでその許可を求める次第である。

添　付　書　類

1	公正証書謄本送達不能証明書	1通
2	住民票	1通
3	調査報告書	1通

――のいずれかに該当すればよい（民執規20条4項）。

▶　債権者は，債務者の普通裁判籍の所在地を管轄する地方裁判所（この普通裁判籍がないときには，請求の目的または差し押さえることができる債務者の財産の所在地を管轄する地方裁判所）の許可を受けて，その地方裁判所に所属する執行官に対して公示送達の申立てをすることができる（民執規20条4項）。

▶　この許可申立には特別の様式の定めがないので，表題，当事者の表示，申立内容，年月日，申請人の署名押印，裁判所の表示等を記載する。

▶　添付書類として，公正証書謄本送達不能証明書，住民登録票謄本，証明書（債権者の調査報告書等）を挙げている。

▶　申立書は，正本副本各1通を民事事件受付係に提出する。副本の末尾に許可を与えて交付されることが多い。収入印紙の貼付は不要である。

2−018 公正証書謄本送達不能証明申請

公正証書謄本送達不能証明申請

令和○○年○○月○○日

○○公証役場　御中

債権者代理人弁護士　○　○　○　○　　印

〒○○○−○○○○

○○県○○市○○町○○丁目○○番地

債権者　　○　○　○　○

〒○○○−○○○○

○○県○○市○○町○○丁目○○番地

債務者　　○　○　○　○

上記当事者間の○○法務局所属公証人○○○○作成令和○○年第○○号金銭消費貸借契約公正証書謄本を下記住所において債務者に送達することを申し立てたが，債務者は令和○○年○○月頃その住所より転居し，行先不明のため送達が不能になったことを証明願います。

記

○○県○○市○○町○○丁目○○番地

以　上

▶ **2−017** の公示送達許可申立書に添付する証明書の申請である。本例は，送達を実施した公証役場に対して，送達不能の事実を証明してもらうものである。

▶ 申請書は，正本副本各１通を，送達を実施した公証役場に提出し，副本の末尾に証明の文書を得る。

2-019 執行文付与の訴え

収入
印紙

執行文付与の訴え

令和○○年○○月○○日

○○地方裁判所　御中

原告訴訟代理人弁護士　○○○○　印

〒○○○－○○○○　○○県○○市○○町○○丁目○○番地
原　告　○○○○
〒○○○－○○○○　○○県○○市○○町○○丁目○○番地
○○○○法律事務所（送達場所）
TEL　○○○（○○○）○○○○
FAX　○○○（○○○）○○○○
原告訴訟代理人弁護士　○○○○
〒○○○－○○○○　○○県○○市○○町○○丁目○○番地
被　告　○○○○

訴訟物の価額　金○○○○円也
貼用印紙額　金○○○○円也

請求の趣旨

1　○○地方裁判所書記官は，「原被告間の○○地方裁判所令和○○年（ワ）第○○号○○○○請求事件の和解調書」中，和解条項第○項について，原告に執行文を付与せよ。
2　訴訟費用は被告の負担とする。
との裁判を求める。

▶　執行文の付与を申し立てたが拒絶された場合には申し立てた債権者のため，また，執行文の付与があった場合にはその要件の不備を主張する債務者のために，訴訟および異議による救済が認められている。執行文付与の訴えの訴額は，債務名義に表示された請求権の価額の2分の1である。

▶　債権者の救済手段としては，①執行抗告（民執法10条），②執行異議（民執法11条），③執行文付与に関する異議申立（同法32条1項），④執行文付与の訴え（同法33条1項）などがある。

請求の原因

1　原告は，被告に対して請求の趣旨記載の和解調書による債務名義を有しているが，被告はその和解条項記載の給付義務を履行しない。

2　原告は，被告に対して強制執行をしようとするが，上記和解条項第○項では「原告が○○○○をしたときは，被告は原告に対し本件建物を直ちに明け渡す」旨を約定しており，原告はその条件を履行したものであるが，被告はこれを争っている。

3　そこで原告は，条件成就したことについて更に必要な証明をするため，この訴えを提起する。

（2－019 執行文付与の訴え）

①の執行抗告とは，執行裁判所の執行処分に対し主としてその手続違法を主張して裁判の取消・変更を求める上訴であり，特別の定めがある場合に限り認められる。

②の執行異議とは，執行抗告の認められない執行処分につき，主としてその手続違法の救済手段となるものである。即ち，執行裁判所の執行処分で執行抗告をすることができないもの，および，執行官の執行処分ないしその遅滞に対しては，執行裁判所に執行異議を申し立てることができる。

③の執行文付与に関する異議申立とは，執行文付与の申立てに関する付与機関の処分に対し，裁判所書記官の処分ならばその所属の裁判所に，公証人の処分ならばその役場の所在地を管轄する地方裁判所に，申し立てることができる異議である。

④の執行文付与の訴えとは，承継執行文など特殊執行文の付与を求める債権者が，その特別要件である条件成就，承継，交替または転換を証明するに足りる文書を提出することができないときに，提起する訴えである。特殊執行文の付与要件の存在につき判決による確定を債権者に得させ，その点の争いを既判力によりあらかじめ排除し，執行文の付与に資する趣旨である。

▶　債務者の救済手段としては，①執行抗告（民執法10条），②執行異議（同法11条），③執行文付与に関する異議申立（同法32条1項），④執行文付与に対する異議の訴え（同法34条1項）などがある。このうち，①～③の救済手段は，債権者のみならず債務者にも認められている。

④の執行文付与に対する異議の訴えとは，承継執行文など特殊執行文の付与があった場合に，その特別要件たる条件成就，承継，交替または転換に異議のある債務者が提起する訴えであり，その特殊執行文の付された債務名義の正本に基づく強制執行は許されない旨の宣言を求めることができる。債権者側の執行文付与の訴えに対応する訴訟である。同一の異議事由は，執行文付与に関する異議をもって主張できるが，その点の争いを既判力によって排除するには本訴を必要とする。

▶　本例は，債権者が執行文付与の特別要件たる条件成就を証明するに足りる文書を提出できないときに提起する執行文付与の訴えである。手続きはすべて通常の訴訟および判決手続と異なるところはない。

▶　訴状には，請求の趣旨として，付与を求める特殊執行文の内容を掲げ，請求の原因として，付与の特別要件に該当する事実を記載すべきである。

2　不動産執行

1　総　論

不動産を換価する執行手続には，強制競売手続と担保不動産競売手続がある。

不動産競売は，債権者が，債務者所有の不動産を差し押さえ，これを競売し，その売得金を債権の弁済に充当する執行方法である。この手続きは，執行力ある債務名義の正本を有する債権者が執行裁判所に対し「不動産競売の申立て」をすることによって開始される。

執行裁判所は，強制競売の開始をするには，強制競売の開始決定をし，その開始決定において，債権者のために不動産を差し押さえる旨を宣言しなければならない（民執法45条1項）。

不動産競売事件の管轄は，競売の対象である目的不動産の所在地によって定まる（民執法44条1項）。担保不動産競売の手続きは，不動産売却代金を配当する手続きである点で強制競売と共通であるので，不動産強制競売の規定がほぼ全面的に準用される（同法188条）。

2　申立書の記載

競売申立書は，通常，本文と，別紙の形の目録（当事者目録，請求債権目録あるいは担保権・被担保債権・請求債権目録，物件目録）からなっている。

(1)　強制競売の場合

不動産強制競売の申立てをするには，裁判所に対して申立書を提出しなければならない（民執規1条）。その基本的な記載事項は，①裁判所の表示，②年月日，③債権者および債務者ならびに代理人の表示，④債務名義の表示，⑤強制執行の目的とする財産の表示および求める強制執行の方法，⑥金銭の支払いを命ずる債務名義に係る請求権の一部について強制執行を求めるときはその旨およびその範囲――などである（同規21条）。

(2)　担保権実行による競売の場合

担保権実行による不動産競売申立の場合も，申立書を提出しなければならない（民執規1条）。その基本的な記載事項は，①裁判所の表示，②年月日，③債権者，債務者および所有者ならびに代理人の表示，④担保権および被担保債権の表示，⑤担保権の実行または行使に係る財産の表示，⑥被担保債権の一部について実行または行使をするときはその旨およびその範囲――などである（民執規170条）。

旧法の滌除制度は抵当権の実行妨害に使われる傾向が広く見られ，それは抵当権者に課された増加競売申立の負担，その際の保証金の負担，買受義務の負担，抵当権者が競売する場合滌除権者に通知しなければならない負担にあったので，平成15年の民法等の一部改正（平成15年法律134号。平成16年4月1日施行）により，これらを廃止した。なお，滌除制度は抵当権の被担保債権が不動産価額より大きい債務超過である場合は，抵当不動産の流通促進を図る上で有益であるので，現行法では抵当権消滅請求権として存続している（民法379条）。

3　法定の添付書類

申立書の添付書類は，①執行力ある債務名義の正本（送達証明書を添付する），②登記がされた不動産については登記事項証明書，③登記がされていない土地または建物については，債務者の所有に属することを証明する文書および不動産登記法101条2項に規定する図面，④土地については，その土地に存する建物および立木に関する法律1条に規定する立木の登記事項証明書，⑤建物または立木については，その存する土地の登記事項証明書，⑥不動産に課される租税その他の公課の額を証する文書――などである（民執規23条）。

また，手続きの進行に資する書類として，

①不動産（不動産が土地である場合にはその上にある建物を，不動産が建物である場合にはその敷地を含む）に係る不動産登記法17条の地図および建物所在地の写し，②債務者の住民票の写し，その他その住所を証するに足りる文書，③不動産の所在地に至るまでの通常の経路および方法を記載した図面，④申立債権者が不動産の現況の調査または評価をした場合において当該調査の結果または評価を記載した文書を保有するときはその文書――を提出することになっている（民執規23条の2）。

4　不動産等競売の申立てについて

以下は，東京地方裁判所民事21部民事執行センターのものであり，実際に申立てをする裁判所が異なる場合には当該裁判所に確認したほうがよい。

(1)　予納金の額

① 不動産競売の申立て
請求債権額が
2,000万円未満 …………… 60万円
2,000万円以上5,000万円未満 …………… 100万円
5,000万円以上1億円未満 …………… 150万円
1億円以上 ………………… 200万円
※請求債権のない申立ては，申立ての対象物件（以下「物件」という）の評価額による。二重開始事件は原則として30万円。ただし，先行事件に含まれない物件があるときは上記の例による。

② 自動車競売の申立て
自動車1台につき　10万円

(2)　申立手数料（下記の額の収入印紙を申立書に貼付。割印をしない。）

① 担保権実行による競売（ケ事件）の場合
担保権1個につき　　4,000円

② 強制競売（ヌ事件）の場合
請求債権1個につき　4,000円

(3)　郵便切手等（「保管金提出書」用紙等の送付用）

令和元年10月1日以降，郵便料金が変更されているので裁判所に確認する。

① 94円切手1組（ただし，保管金提出書を入れた封筒に，裁判所の受付日付印を押した不動産競売申立書の写し等の同封を希望する場合や，相続代位登記のために戸籍関係書類を返送する必要がある場合等は，重量に応じた郵便切手が必要）
※以上の他，郵便切手の予納は不要

② 債権者宛ての住所等が記載された封筒1枚（原則として長形3号（約23㎝×約12㎝）。ただし，送付書類に応じてこれより大きい封筒でも可）

(4)　差押登記のための登録免許税

国庫金納付書により納付（3万円以下なら収入印紙でも可）。納付額は確定請求債権の1,000分の4（確定請求債権の1,000円未満を切り捨て，これに1,000分の4を乗じて100円未満を切り捨てる。算出額が1,000円未満のときは，1,000円とみなす。確定請求債権額が根抵当権極度額を上回っているときは極度額を確定請求債権額として算出する。請求債権のない申立ては，物件の評価額から算出する。）

(5)　不動産競売の申立てに必要な提出書類，添付目録等

① 競売開始決定発令等に必要な書類
1）競売申立書
2）発行後1カ月以内の不動産登記事項証明書
a　物件が土地・建物の一方のみの場合→　他方の登記事項証明書も必要
b　物件が更地である場合
→　その旨の上申書が必要

※　一部事項証明書については，現所有者に関する部分だけでなく，前所有者が設定し，現に効力を有する担保権，所有権移転に関する仮登記ももれなく抽出したものが必要

3)　公課証明書（最新の公課および評価の額が記載されているもの。非課税の不動産についてはその旨の証明書が必要）。請求債権のない申立ては，評価証明書も必要。

4)　当事者の中に法人がある場合，1カ月以内に発行された資格証明書。資格証明書としては，現在事項証明書または履歴事項全部証明書があるが，いかなる法人であるかが記載によって判明する，履歴事項全部証明書がよい。

5)　住民票（債務者または所有者が個人の場合には，1カ月以内に発行されたものを提出）

6)　強制競売の場合は，上記1)～5)の書類のほか，債務名義（執行文付判決正本，執行文付公正証書正本，仮執行宣言付支払督促正本等）および送達証明書が必要。なお，仮差押えの本執行移行を目的とした強制競売の場合は，その旨記載した上申書および仮差押決定正本の写し（仮差押執行後に名義移転がある場合は原本が必要）を提出。

②　現況調査等に必要な書類

1)　①の2）に記載した土地または建物登記事項証明書の写し（物件が更地である場合は，その旨の上申書写し）2部

2)　①の3）の公課証明書の写し2部

3)　物件案内図（住宅地図等）2部

4)　公図写し2部（新しいもの，申立ての対象が建物のみの場合にも提出）

5)　法務局備付けの建物図面2部（備付けがない場合はその旨の上申書2部）

6)　債務者・所有者が法人のときはその履歴事項全部証明書の写し2部

7)「不動産競売の進行に関する照会書」その他，事件の進行に有益な資料3部（※照会書の書式は，2−023 参照）

③　提出目録の部数

担保権・被担保債権目録（強制競売は請求債権目録）1部

※その他，縦書きの物件目録，登記権利者・義務者目録等の提出は不要

お願い　「現況調査等に必要な書類」は，現況調査命令および評価命令の添付資料となりますから，1部ずつセットにしたものを2組提出してください。

2−020 不動産強制競売申立書

収　入
印　紙

強制競売申立書

令和○○年○○月○○日

○○地方裁判所民事第○○部　御中

債権者代理人弁護士　　○　○　○　○　　印

ＴＥＬ　○○○（○○○）○○○○

当事者
請求債権　　別紙目録のとおり
目的不動産

債権者は，債務者に対し，別紙請求債権目録記載の執行力のある公正証書の正本に表示された上記債権を有しているが，債務者がその支払いをしないので，債務者所有の上記不動産に対する強制競売手続の開始を求める。

添　付　書　類

1	執行力のある公正証書の正本	1通
2	同謄本送達証明書	1通
3	不動産登記全部事項証明書	2通
4	公課証明書	1通
5	資格証明書	1通
6	委任状	1通

以　上

当 事 者 目 録

〒○○○－○○○○

○○県○○市○○町○○丁目○○番○○号

債　権　者　　　　　　□□株式会社

代表者代表取締役　　　○　○　○　○

〒○○○－○○○○

○○県○○市○○町○○丁目○○番○○号

○○法律事務所

ＴＥＬ　○○○（○○○）○○○○

ＦＡＸ　○○○（○○○）○○○○

債権者代理人弁護士　　○　○　○　○

〒○○○－○○○○

○○県○○市○○町○○丁目○○番○○号

債　務　者　　　　　　○　○　○　○

（2－020 不動産強制競売申立書）

請　求　債　権　目　録

債権者と申立外□□株式会社（債務者はその連帯保証人）間の○○法務局所属公証人○○○○作成令和○○年第○○号債務弁済契約公正証書に表示された下記債権。

（1）元　金　　○○○○円
　　ただし，賦払金○○○○円の残金
（2）上記（1）に対する令和○○年○○月○○日から完済まで年○○%の割合による損害金

なお，債務者は，令和○○年○○月○○日を支払日とする賦払金の支払いを怠ったので，同日の経過により期限の利益を失ったものである。

（2−020 不動産強制競売申立書）

物　件　目　録

（1）所　　在　　○○市○○町○○丁目
　　　地　　番　　○○番○○
　　　地　　目　　宅地
　　　地　　積　　○○平方メートル

（2）所　　在　　○○市○○町○○丁目○○番
　　　家屋番号　　○○番○○
　　　種　　類　　居宅　　車庫
　　　構　　造　　木造一部鉄筋コンクリート造亜鉛メッキ鋼板葺地下１階付２階建
　　　床 面 積　　１階　　　○○平方メートル
　　　　　　　　　２階　　　○○平方メートル
　　　　　　　　　地下１階　○○平方メートル

（2—020 不動産強制競売申立書）

2−021 担保不動産競売申立書

収入 印紙

担保不動産競売申立書

令和○○年○○月○○日

○○地方裁判所民事第○○部　御中

申立債権者代理人弁護士　○　○　○　○　　印

ＴＥＬ　○○○（○○○）○○○○

当事者
担保権
被担保債権　　　別紙目録のとおり
請求債権
目的不動産

債権者は，債務者（兼所有者）に対し，別紙請求債権目録記載の債権を有するが，債務者がその弁済をしないので，別紙担保権目録記載の抵当権に基づき，別紙物件目録記載の不動産の競売を求める。

▶　担保不動産競売申立は，強制執行に基づく競売申立と区別するため，表題を「担保不動産競売申立書」と記載する。

添 付 書 類

1	不動産登記全部事項証明書	○通
2	公課証明書	○通
3	配達証明書	○通
4	資格証明書	○通
5	委任状	○通

以 上

（2−021 担保不動産競売申立書）

当　事　者　目　録

〒○○○－○○○○
東京都○○区○○町○○丁目○○番○○号
債　権　者　　　株式会社□□銀行
代表者代表取締役　　　○　○　○　○

〒○○○－○○○○
東京都○○区○○町○○丁目○○番○○号　○○法律事務所
債権者代理人弁護士　　○　○　○　○
ＴＥＬ　○○○（○○○）○○○○

〒○○○－○○○○
東京都○○区○○町○○丁目○○番○○号
債　務　者　　　株式会社□□製作所
代表者代表取締役　　　○　○　○　○

〒○○○－○○○○
東京都○○区○○町○○丁目○○番○○号
所　有　者　　　　　○　○　○　○

（2－021 担保不動産競売申立書）

担保権・被担保債権・請求債権目録

1　担保権

（1）令和○○年○○月○○日設定の抵当権

（2）登　記　　○○法務局○○出張所

令和○○年○○月○○日受付第○○○号順位１番

2　被担保債権及び請求債権

（1）元　金　　金○○○○円

ただし，令和○○年○○月○○日の消費貸借契約による貸付金

（2）損害金　　上記元金の弁済期令和○○年○○月○○日の翌日である同年○○月○○日から完済まで上記元金に対する約定の年１４％の割合による損害金

（2−021 担保不動産競売申立書）

物　件　目　録

（１）所　　在　　○○県○○市○○町○○丁目
　　　地　　番　　○○番○○
　　　地　　目　　宅地
　　　地　　積　　○○平方メートル

（２）所　　在　　○○県○○市○○町○○丁目○○番○○
　　　家屋番号　　○○番○○
　　　種　　類　　居宅
　　　構　　造　　木造瓦葺弐階建
　　　床 面 積　　１階　○○平方メートル
　　　　　　　　　２階　○○平方メートル

（2−021　担保不動産競売申立書）

2−022 判決による不動産競売申立書

収　入 印　紙

不動産強制競売申立書

令和○○年○○月○○日

東京地方裁判所民事第２１部　御中

債　権　者　　　　　　　○○○○株式会社
代表者代表取締役　　　　○　○　○　○
上記債権者代理人弁護士　○　○　○　○　　印
　　ＴＥＬ　○○○（○○○）○○○○
　　ＦＡＸ　○○○（○○○）○○○○

当　事　者　　別紙当事者目録のとおり
請 求 債 権　　別紙請求債権目録のとおり
目的不動産　　別紙物件目録のとおり

債権者は，債務者に対し，別紙請求債権目録記載の債務名義に表示された上記債権を有するが，債務者がその弁済をしないので，債務者所有の上記不動産に対する強制競売の手続の開始を求める。

☑　上記不動産につき，入札又は競り売りの方法により売却しても適法な買受けの申出がなかったときは，他の方法により売却することについて異議ありません。

添　付　書　類

1　執行力ある判決正本　　○通
2　送達証明書　　○通
3　不動産登記事項証明書　　○通
4　公課証明書　　○通
5　資格証明書　　○通
6　住民票　　○通

▶　申立書と各目録との間に契印し，各ページの上部欄外に捨印を押す。

当　事　者　目　録

〒○○○－○○○○
東京都○○区○○町○○丁目○○番○○号
債　権　者　　　　　　○○株式会社
代表者代表取締役　　　○　○　○　○

〒○○○－○○○○
東京都○○区○○町○○丁目○○番○○号
○○法律事務所（送達場所）
ＴＥＬ　○○○（○○○）○○○○
ＦＡＸ　○○○（○○○）○○○○
債権者代理人弁護士　　○　○　○　○

〒○○○－○○○○
東京都○○市○○町○○丁目○○番○○号
債　務　者　　　　　　○　○　○　○

請 求 債 権 目 録

債権者債務者間の○○地方裁判所令和○○年（ワ）第○○号○○○○請求事件の執行力ある判決正本に表示された下記金員

記

（1）元　金　　　　金○○○○円也

（2）損害金

ただし，（1）の金員に対する令和○○年○○月○○日から完済に至るまで年○○パーセントの割合による遅延損害金

（2-022 判決による不動産競売申立書）

物　件　目　録

（1）　所　　在　　○○区○○町○○丁目
　　　地　　番　　○○番
　　　地　　目　　宅地
　　　地　　積　　○○平方メートル
　　　　　　共有者　○○○○（持分○分の○）

（2）　（一棟の建物の表示）
　　　所　　在　　○○区○○町○○丁目○○番地
　　　構　　造　　鉄骨造一部鉄骨鉄筋コンクリート造陸屋根１１階建
　　　床 面 積　　１階　　　　　　　　○○平方メートル
　　　　　　　　　２階ないし１１階　各○○平方メートル
　　　（専有部分の建物の表示）
　　　家屋番号　　○○区○○町○○丁目○○番○○号
　　　建物の名称　○○○○
　　　種　　類　　居宅
　　　構　　造　　鉄骨造１階建
　　　床 面 積　　○階部分　○○平方メートル

（2−022 判決による不動産競売申立書）

2−023 不動産競売事件の進行に関する照会書

平成　　年（ケ／ヌ）第　　　　　　　号（債権者名　　　　　　　　　　　　　　　）

不動産競売事件の進行に関する照会書

東京地方裁判所民事第２１部

本件の円滑かつ迅速な進行を図るため，下記の照会事項にご回答の上，早急に当部不動産開始係に３部提出されるよう，ご協力をお願いします。

所定の欄が不足する場合，余白や裏面を利用して下さい。

1　債務者，所有者について

・住民票住所地での居住実体（法人の場合，本店所在地での営業実体）
・債務者につき，　□あり　□なし　□不明
・所有者につき，　□あり　□なし　□不明
（いずれも「なし」の場合，次頁１参照）

・電　話　番　号
・債務者　　—　　—
・所有者　　—　　—

2　物件及び占有者について

⑴現地調査の有無　□あり（　　年　月　日実施）　□なし

⑵物件の利用状況　□個人住居（□戸建□ワンルーム）□共同住宅（戸数　　　）
□事務所□店舗□ビル一棟（　　階建）
□建物敷地□空地□駐車場□その他（　　　　　　）

⑶占有者の有無　・抵当権設定時に，　□あり　□なし　□不明
・申立ての際に，　□あり　□なし　□不明

⑷抵当権設定時の占有者は誰ですか　□所有者□所有者の家族（間柄　　　　）
□第三者：名称＊（　　　　　　）

⑸申立ての際の占有者は誰ですか　□所有者□所有者の家族（間柄　　　　）
□第三者：名称＊（　　　　　　）

＊占有者が法人の場合，代表者氏名及び本店所在地が分かれば，お書き下さい。
（　　　　　　　　　　　　　　　　　　　　）

⑹その他占有者に関する参考事項（いわゆる占有屋等）があれば，お書き下さい。
（　　　　　　　　　　　　　　　　　　　　）

⑺件外建物の有無　□あり　□なし　（ありの場合，次頁３参照）

⑻地代滞納の有無　□あり　□なし　（ありの場合，次頁４参照）

⑼土壌汚染の有無　□あり　□なし　□不明　（次頁６参照）

3　その他

⑴買受希望者の有無　□あり　□なし

⑵自己競落の予定　□あり　□なし　□検討中

平成　　年　　月　　日
債権者の担当者氏名（　　　　　　　　），TEL（　　　　　　　　　　）

＊この欄は，記入しないでください。
□A　□B　□C　□K
（担当　　　　　　　）

▶　東京地方裁判所の例である。

▶　照会事項１について，「なし」と回答された場合，速やかに債務者または所有者の勤務先の名称,住所に関する調査報告書（法人の場合には，代表の住所地がわかる住民票）を提出する。

なお，提出資料は，送達事務に資するよう，できる限り申立時点に近いものにする。

お　願　い

1　現地調査報告書について

担保権設定時又は申立てに近い時点に，物件の現地調査を行っている場合には，可能な限り，その調査報告書を提出してください。

債務者・所有者の現実の居住地についても調査している場合には，可能な限り，その調査報告書を提出してください。

2　地積測量図について

対象物件である土地を特定することが不能な場合，競売手続が取り消されることがあります。そのような事態を避けるため，地積測量図（写し可）があれば提出してください。

3　対象物件が土地のみの場合

対象物件である土地のみであっても，その土地上に建物（競売対象外）がある場合には，可能な限り，建物の構造，所有者，土地利用権原が分かる資料（建物の写真等）を提出してください。

4　対象物件が建物のみの場合（「対象物件が建物のみの場合の競売事件に関する照会書」の提出も必要となります。）

建物の土地利用権原の内容等が分かる資料（土地利用契約書等）がある場合には，可能な限り，提出してください。

また，建物が借地権付建物で，地代の滞納がある場合には，地代代払許可の申立てをするかどうかご検討ください。

5　所有者，債務者以外の法人が物件を占有している場合

占有している法人の登記事項証明書がお手元にありましたら提出してください。

6　土壌汚染について

土壌汚染の有無に関するデータ等がありましたら提出してください。

7　続行決定申請について

所有者に税金等の滞納があり，滞納処分庁による差押えが先行している場合には，事件続行のための続行決定申請が必要です。続行決定申請には，別途，関連手続，書類等が必要です。

続行決定申請の書式のご案内は，民事執行センター・インフォメーション２１内にあります。

8　その他事件の円滑な進行に有益な資料があれば，提出してください

＊上記１～６の資料は，いずれも３部（写し可）提出してください

平成　　年（ケ／ヌ）第　　　　　　　　号（債権者名　　　　　　　　　　　　　　）

対象物件が建物のみの場合の競売事件に関する照会書

東京地方裁判所民事第２１部

迅速な進行を図るため，下記の照会事項にご回答の上，当部不動産開始係に３部提出されるようお願いします。書ききれない場合は，余白や裏面を利用して下さい。

1　建物の土地利用権原について

□賃借権　　□地上権
　→　次の２以下の質問にご回答ください。
□使用借権　□無権原　□不明
　→　次の３以下の質問にご回答ください。

2（1）　借地契約書等のコピーがありますか。

□あり（ある場合はそのコピーを２部提出してください。）
□なし

（2）　地代の滞納はありますか。

□あり　　□滞納があるので，債権者が代わりに支払っている場合
　→　次の（３）の質問にご回答ください。
□なし
□不明

（3）　地代滞納がある場合に地代代払許可の申立てをする予定はありますか。

□あり（ある場合は早急に申立てをお願いします。）
□なし
□未定

3　敷地に関する争い等がありますか。

□ない
□借地契約が解除された。　（解除通知書等のコピーを２部提出してください。）
□訴訟等が継続中である。　（係属裁判所，事件番号をお知らせください。訴状，調停申立書等のコピーを２部提出してください。）
　　　　地方・簡易裁判所　　　平成　　年（　）第　　　　　　号
□不明
□その他（　　　　　　　　　　　　　　　　　　　　　　　）

4　土地所有者の連絡先（住所・電話番号）が分かれば記載してください。

5　その他参考事項がある場合は記載してください。

債権者の担当者氏名（　　　　　　　　　），TEL（　　　　　　　　　　　）

（2－023　不動産競売事件の進行に関する照会書）

2－024 担保権・被担保債権・請求債権目録（根抵当権）

担保権・被担保債権・請求債権目録

1　担保権

（1）令和○○年○○月○○日設定同○○年○○月○○日変更の根抵当権

極度額○○○○円

被担保債権の範囲

銀行取引による一切の債権

手形債権・小切手債権

（2）登　　記　　○○法務局○○出張所

主登記　　令和○○年○○月○○日受付第○○○号

順位２番

附記登記　　令和○○年○○月○○日受付第○○○号

2　被担保債権及び請求債権

下記債権のうち極度額○○○○円に満つるまで

（1）元　　本　　○○○○円

ただし，令和○○年○○月○○日の消費貸借契約による貸付金○○○○円の残金

（2）利　　息　　○○○○円

ただし，上記（1）記載の元本に対する令和○○年○○月○○日から同○○年○○月○○日まで年○○％の割合による約定利息

（3）損 害 金

元本○○○○円に対する令和○○年○○月○○日から完済まで年１４％の割合による遅延損害金

▶ 「担保権」の欄は，担保権設定日（変更・移転日等），担保権の態様（抵当権，根抵当権，先取特権等）を記載する。根抵当権の場合には，極度額および被担保債権の範囲も記載する。なお，登記を経由した担保権の場合には，当該法務局名，登記受付年月日，受付番号を記載する。

▶ 被担保債権と請求債権は，一部請求をする場合を除き原則として一致するので,「被担保債権及び請求債権」として記載する。被担保債権の一部について担保権を実行するときには，申立書にその旨および範囲を記載する（民執規170条4号）。根抵当権の被担保債権が極度額を超える場合には，請求金額は極度額を限度とする旨の記載をする。

2−025 担保権・被担保債権・請求債権目録（抵当権譲受人）

担保権・被担保債権・請求債権目録

1　担保権

（1）令和○○年○○月○○日設定，令和○○年○○月○○日移転の抵当権

（2）主登記　○○法務局○○出張所

　　令和○○年○○月○○日受付第○○○号

　附記登記

　　令和○○年○○月○○日受付第○○○号

2　被担保債権及び請求債権

（1）元　　本　　○○○○円

　ただし，債権者が申立外○○○○から令和○○年○○月○○日譲り受けた○○○○と債務者間の令和○○年○○月○○日の消費貸借契約による貸付元本

（2）利　　息　　○○○○円

　ただし，上記元本と共に譲り受けた上記元本に対する令和○○年○○月○○日から弁済期令和○○年○○月○○日まで年○○％の割合による約定利息

（3）損 害 金　　○○○○円

　ただし，上記元本と共に譲り受けた上記元本に対する令和○○年○○月○○日から令和○○年○○月○○日まで約定の年○○％の割合による遅延損害金外に上記元本に対する令和○○年○○月○○日から完済まで年○○％の割合による遅延損害金

▶　本文例は，抵当権付債権の譲渡により抵当権移転の附記登記を経た者が，抵当権の実行の申立てをする場合の目録である。担保権の表示として，当初の設定に関するもののほか，当該抵当権が移転した旨およびその年月日，移転による附記登記の年月日および受付番号を記載する。

2－026 担保権・被担保債権・請求債権目録（求償権者）

担保権・被担保債権・請求債権目録

１　担保権

（１）令和○○年○○月○○日設定，令和○○年○○月○○日移転の抵当権

（２）主登記　○○法務局○○出張所

令和○○年○○月○○日受付第○○○号

附記登記　　同年○○月○○日受付第○○○号

２　被担保債権及び請求債権

（１）元　　本　　○○○○円

ただし，申立外○○○○と債務者間の令和○○年○○月○○日付消費貸借契約による貸金○○○○円につき，債権者が同年○○月○○日の保証委託に基づき同年○○月○○日○○○○に代位弁済したことによって取得した求償債権元本

（２）利　　息　　○○○○円

ただし，上記元本と共に代位弁済した上記元本に対する令和○○年○○月○○日から弁済日同年○○月○○日まで年○○％の場合の約定利息

（３）損 害 金　　○○○○円

ただし，上記元本と共に代位弁済した上記元本に対する令和○○年○○月○○日から同年○○月○○日まで約定の年○○％の割合による遅延損害金

外に（１）の元本に対する同年○○月○○日から完済まで年○○％の割合の遅延損害金

▶　本文例は，代位弁済により抵当権移転の附記登記を経た者が，抵当権の実行の申立てをする場合の目録である。担保権の表示として，当初の設定に関するもののほか，当該抵当権が移転した旨およびその年月日，移転による附記登記の年月日および受付番号を記載する。

2−027 担保権・被担保債権・請求債権目録（転抵当権者）

担保権・被担保債権・請求債権目録

1　担保権

（原抵当権）

（1）令和○○年○○月○○日設定の抵当権

被担保債権　令和○○年○○月○○日消費貸借金○○○○円

弁済期令和○○年○○月○○日

登　　記　令和○○年○○月○○日受付第○○○号

（転抵当権）

（2）令和○○年○○月○○日設定の転抵当権

附記登記　令和○○年○○月○○日受付第○○○号

2　被担保債権及び請求債権

（1）元　　本

令和○○年○○月○○日の消費貸借金○○○○円

（2）利　　息

（3）遅延損害金

▶　本文例は，転抵当の実行として競売申立をする場合の目録である。担保権の表示としては，転抵当だけでなく，その基礎となる原抵当権も記載する。

▶　転抵当権者が転抵当権を実行するためには，転抵当権と原抵当権も双方の被担保債権の弁済期が到来していなければならないので，原抵当権の被担保債権とその債権額および弁済期も記載する。

2−028 訴訟委任状

訴　訟　委　任　状

令和　　年　　月　　日

○○弁護士会所属
弁護士　　○　○　○　○
住　所　　東京都○○区○○町○○丁目○○番○○号
ＴＥＬ　　○○○（○○○）○○○○

私は，○○○○氏を訴訟代理人と定め下記の事項を委任します。

1　当社から○○○○に対し不動産強制競売の申立てを○○地方裁判所になす一切の件
2　和解，調停，請求の放棄，認諾，復代理人の選任，参加による脱退
3　反訴控訴上告又はその取下げ及び訴えの取下げ
4　弁済の受領に関する一切の件
5　代理供託並びに還付利息取戻申請受領一切の件

以上，訴訟代理委任状に押印します。

住　所　〒

氏　名　　　　　　　　　　　　　　印

▶　弁護士を競売申立に関する訴訟代理人とする場合の委任状である。弁護士以外の者を代理人とする場合には，執行裁判所の許可が必要となるので（民執法13条1項），①代理人許可申立書（代理人となるべき者の氏名，住所，職業および本人との関係ならびにその者を代理人とすることが必要である理由を記載），②証明書（本人と代理人となるべき者との関係を証する文書）を提出する。

2−029 配当要求書

収入
印紙

配 当 要 求 書

令和○○年○○月○○日

○○地方裁判所民事第○○部　御中

○○市○○町○○丁目○○番○○号
配当要求債権者　　○　○　○　○
○○市○○町○○丁目○○番○○号
債権者代理人弁護士　○　○　○　○　印
ＴＥＬ　○○○（○○○）○○○○

配当要求債権者は，御庁令和○○年（ヌ）第○○号強制競売事件について配当要求をする。

1　配当要求をする債権の原因及び額
別添仮差押命令正本記載のとおり

2　配当要求の資格
別紙物件目録記載の上記強制競売事件の目的不動産について，仮差押命令（○○地方裁判所令和○○年（ヨ）第○○○号）を得，○○法務局○○出張所令和○○年○○月○○日受付第○○○号によりその登記を経た。

添 付 書 類

1	仮差押命令正本	1通
2	不動産登記事項証明書	2通
3	委任状	1通

▶ 配当要求は，債務者の総財産から弁済を受ける権利を有する債権者が，執行裁判所に対して，競売不動産の売却代金から債権の弁済を求める申立てである。

▶ 配当要求をなし得る者は，①執行力ある債務名義の正本を有する債権者，②差押登記後に登記された仮差押債権者，③法定文書により一般の先取特権を有することを証明した債権者である（民執法51条，188条）。

▶　配当要求をするときは，債権（利息その他の附帯の債権を含む）の原因および額を記載した書面を提出しなければならない（民執規26条，173条1項）。配当要求は，執行裁判所が定める配当実施期間（民執法107条1項）までにした場合に認められる（同条4項）。

▶　添付書類については，有名義債権者は執行力ある債務名義の正本を，仮差押債権者は仮差押えの登記された登記事項証明書と仮差押決定正本を，一般の先取特権者は民事執行法181条1項各号に掲げる文書を，提出する必要がある。

▶　配当要求書は，正本1通のほか，利害関係人数と同数の副本を添付して，強制競売事件を担当する書記官に直接提出する。副本は，民事執行規則27条による通知（差押債権者，所有者への通知）に使うものである。500円の収入印紙を貼付する。

2−030 配当要求書（マンション管理組合）

収　入 印　紙

配　当　要　求　書

令和○○年○○月○○日

東京地方裁判所民事第２１部　御中

債権者　○○商事株式会社
代表者代表取締役　○　○　○　○
上記債権者代理人弁護士　○　○　○　○　印
電　話　○○（○○○○）○○○○
ＦＡＸ　○○（○○○○）○○○○
物件所有者　○　○　○　○

上記所有者に対する御庁令和○○年（ケ）第○○号担保不動産競売事件について，次のとおり配当要求をする。

1　配当要求をする債権の原因及び額

所有者は，別紙物件目録記載の建物及びその敷地である同目録記載の土地の共有持分を所有しており，上記建物を含む○○マンション（以下「本件マンション」という。）の区分所有者である。

本件マンションの管理規約○○条によると，区分所有者である所有者は，毎月○○日までに翌月分の管理費及び修繕積立金を支払わなければならず，期限までに支払いをしないときは，年○○パーセントの遅延損害金を付加して支払わなければならないことになっている。

所有者が支払うべき管理費及び修繕積立金は，本件マンション管理組合の第○回総会（平成○○年○○月○○日開催）の議決により，平成○○年○○月分から管理費は月額○○○○円に，修繕積立金は月額○○○○円に，それぞれ改定された。

所有者は，別紙滞納管理費等明細書記載のとおり，令和〇〇年〇〇月〇〇日までに支払うべき管理費及び修繕積立金（令和〇〇年〇〇月分）の支払いを怠り，それ以降の支払いもしない。

２　配当要求の資格

上記１記載の管理費及び修繕積立金は，建物の区分所有等に関する法律７条１項の規定により，別紙物件目録記載の不動産上の先取特権により担保されている。

３　配当要求債権者の地位

配当要求債権者は，本件マンションの区分所有者により組織され，管理規約を定め，業務執行機関である理事会を置き，代表者たる理事長を定めるいわゆる権利能力なき社団であり，民事執行法２０条，民事訴訟法２９条によって自己の名において配当要求をなしうる資格を有する。

配当要求債権者代表者〇〇〇〇は，本件マンション管理組合第〇回総会（令和〇〇年〇月〇日開催）の議決により，当管理組合を代表する理事長に選任され，その就任を承諾した。

４　よって，配当要求債権者は，上記２記載の先取特権に基づき，上記記載の管理費，修繕積立金及びこれらに対する遅延損害金の支払いを求めるため，別紙滞納管理費等明細書記載の金員について配当要求をする。

添　付　書　類

１　〇〇マンション管理規約写し　１通
２　〇〇マンション管理組合第〇回総会議案書及び議事録写し　１通
３　理事長の資格証明書　１通

物件目録

1　一棟の建物の表示

所　　　在　　○○区○○町○○丁目１番１号

建物の名称　　○○○○

専有部分の建物の表示

家屋番号　　○○区○○町○○丁目１番１の２１

建物の名称　　○○○○

種　　　類　　居宅

構　　　造　　鉄筋コンクリート造１階建

床 面 積　　２階部分○○．○○平方メートル

敷地権の目的たる土地の表示

土地の符合　　1

所在及び地番　　○○区○○町○○丁目１番１

地　　　目　　宅地

地　　　積　　○○．○○平方メートル

敷地権の表示

土地の符合　　1

敷地権の種類　　所有権

敷地権の割合　　○○分の○○

（2−030 配当要求書（マンション管理組合））

理　事　長　の　資　格　証　明　書

令和○○年○○月○○日

東京地方裁判所民事第２１部　御中

東京都○○区○○町○○丁目○○番○○号
○○マンション管理組合
理　事　　　　○　○　○　○　　印
理　事　　　　○　○　○　○　　印

○○マンション管理組合の令和○○年○○月○○日開催の通常総会において，○○○○氏が等管理組合の理事長に選任され，現在も同氏が理事長であることを証明します。

（2−030 配当要求書（マンション管理組合））

2−031 不動産買受の申出書

不動産買受の申出書

令和○○年○○月○○日

○○地方裁判所民事第○○部　御中

債権者　　　　株式会社□□銀行

債権者代理人弁護士　○　○　○　○　印

ＴＥＬ　○○○（○○○）○○○○

御庁令和○○年（ヌ）第○○号不動産強制競売事件について，令和○○年○○月○○日に剰余の見込みがない旨の通知書の送達を受けましたが，差押債権者は，強制競売の手続の続行を求めるため，民事執行法６３条２項１号により，下記のとおり申出をします。

記

手続費用及び優先債権の見込額を超える額（申出額）を金○○○○円と定める。

上記申出額に達する買受けの申出がないときは，差押債権者が自ら申出額で本件不動産を買い受ける。

なお，その保証として，株式会社□□銀行が自己を支払人として振り出した上記の額を額面金額とする一般線引小切手（番号Ａ×××××号）を提出する。

以　上

▶ 売却基準価額が定められたときに，共益費用および優先債権の見込額を超える額が弁済して余剰を生ずる見込みがない場合には，競売手続は取り消される。しかし，この場合に，執行裁判所から通知を受けた差押債権者が，１週間以内に，自ら買い受けるかまたは差額を負担するかのどちらかの申出をし，かつ，保証の提供をするときには，競売手続の取消しをしないことになる（民執法 63 条２項）。本例は，差押債権者が自ら買受けを申し出る場合である。

▶ 申出書は，正本１通を強制競売事件を担当する裁判所書記官に提出する。収入印紙の貼付は不要である。

2−032 取毀し中止の保全処分命令申立書

収入
印紙

保全処分命令の申立書

令和○○年○○月○○日

○○地方裁判所民事第○○部　御中

申立人（差押債権者）代理人
弁護士　○　○　○　○　印
TEL　○○○（○○○）○○○○

当事者　別紙当事者目録のとおり

申立ての趣旨

相手方は，別紙物件目録記載の不動産に対し，取毀し，毀損等その他価額の減少をきたすような行為をしてはならない。
との裁判を求める。

申立ての理由

1　申立人は，令和○○年○○月○○日，相手方所有の別紙目録記載の建物（本件建物）に対し，御庁に抵当権実行としての競売を申し立て，令和○○年（○）第○○号事件として令和○○年○○月○○日競売開始決定がなされ現に係属中である。
2　相手方は，令和○○年○○月頃から本件建物西側の６畳間附近の屋根を剥がし，同部屋の取毀しをしようとしている。
3　相手方の本件行為は本件建物の価値を著しく減少する行為であり，このまま放置することは本件建物の換価に影響をきたすものである。
4　よって申立人は民事執行法５５条に基づき申立趣旨記載のとおりの裁判を求める。

▶ 差押不動産であっても，売却されて所有権が移転するまでは債務者の使用収益権が保証されているが（民執法46条2項），債務者や第三取得者が不動産の価値を減少する行為に及ぶことも考えられる。

▶ そこで，民事執行法55条は，債務者や不動産占有者が，不動産の価格を著しく減少する行為をするときまたはそのおそれがある行為をするときは，差押債権者（配当要求の終期後に強制競売または担保権実行

添付書類

1　申立人作成の現認報告書　　1通

2　現場写真　　○枚

（2−032 取毀し中止の保全処分命令申立書）

の申立てをした差押債権者を除く）の申立てにより，執行裁判所は，買受人が代金を納付するまでの間，担保を立てさせまたは立てさせないで，これらの行為を禁止し，または一定の行為を命ずることができることとした。

▶ 申立ての内容は，①不動産の価値を著しく減少する行為またはそのおそれのある行為の禁止命令または修復等の作為命令（民執法55条1項），②債務者等が禁止命令・作為命令に違反した場合（または，その命令によっては不動産の価額の著しい減少を防止できない特別の事情がある場合）の執行官保管命令（同条2項）である。①の禁止・作為命令はその内容が強制執行に親しむ限りにおいて，また，②の執行官保管命令は当然に，債務名義（同法22条3号）となる。②の執行官保管命令の執行は，保全処分決定が申立人に告知されてから2週間を経過すると執行できなくなる（同法55条7項）。

▶ 本例は禁止命令に関するものである。申立書は，正本1通を裁判所の事件係に提出する。申立書には収入印紙500円を貼付する。

2−033 取下書

取　下　書

令和○○年○○月○○日

○○地方裁判所民事第○○部　御中

債権者代理人弁護士　○　○　○　○　　印

ＴＥＬ　○○○（○○○）○○○○

債権者□□信用金庫，債務者○○○○間の御庁令和○○年（ヌ）第○○号不動産強制競売事件につき，別紙物件目録記載の不動産に対する強制競売の申立てを取り下げます。

▶　競売開始決定後でも，買受申出があるまでは，いつでも競売申立を取り下げることができる。買受申出がなされると，最高価買受申出人および次順位買受申出人の同意を得なければ，競売を取り下げることはできない（民執法76条1項本文）。

▶　取下書は，担当書記官に提出する。取下げにより，開始決定に係る差押えの登記を抹消する（民執法54条）。登記権利者・登記義務者目録および物件目録を各3通添付する。印紙の貼付は不要である。

2−034 執行抗告状

収　入 印　紙

執　行　抗　告　状

令和○○年○○月○○日

○○高等裁判所民事第○○部　御中

抗告人代理人弁護士　　○　○　○　○　　印

ＴＥＬ　○○○（○○○）○○○○

〒○○○−○○○○

○○県○○市○○町○○丁目○○番○○号

抗　告　人　　　○　○　○　○

○○地方裁判所令和○○年（ケ）第○○号不動産競売事件につき，同地方裁判所が令和○○年○○月○○日に言い渡した売却許可決定に対し，執行抗告をする。

抗　告　の　趣　旨

原決定を取り消し，○○○○に対する売却を不許可とする裁判を求める。

抗　告　の　理　由

原審が本件建物の最低売却価額を変更したことは違法であるから，原審は，売却不許可決定をしなければならないのに，売却許可決定をした。よって，原決定は違法である。

抗告理由の詳細は，追って別に理由書を提出して補充するので，申し添える。

▶ 執行抗告は，執行裁判所の執行処分に対し，主として，その手続違法を主張して，裁判の取消・変更を求める上訴であり，特別の定めがある場合に限り認められる（民執法10条1項）。

▶ 民事執行法に明文がある諸場合を，執行抗告が認められる趣旨に従って，次の3種に分類することができる。

① 民事執行の手続ないし執行救済を途絶させる裁判（例：民事執行の申立てを却

下する決定（民執法14条3項，45条3項），配当要求を却下する決定（同法51条2項）など）

② これを認めないと関係人に重大な不利益を与えるおそれがある裁判（例：売却ないし買受人のための保全処分の申立てについての裁判（民執法55条5項），強制管理開始決定（同法93条4項）など）

③ 実体関係の変動ないし確定を生ずる裁判（例：売却の許可・不許可の決定（民執法74条1項），売却不動産引渡命令の申立てについての裁判(同法83条4項)）

▶ 執行抗告状は，裁判の告知を受けた日から1週間の不変期間内に，正本1通を原裁判所の民事受付係に提出する必要がある（民執法10条2項）。収入印紙1,000円を貼付する。

2−035 売却のための保全処分命令申立書

収入 印紙

保全処分命令の申立て

令和○○年○○月○○日

○○地方裁判所　御中

申立人（差押債権者）　○　○　○　○

上記申立人代理人弁護士　○　○　○　○

当事者　　別紙当事者目録記載のとおり

申　立　て　の　趣　旨

1　相手方は，

（1）別紙物件目録1記載の土地上に建築した別紙物件目録2記載の建物を撤去せよ。

（2）買受人が代金を納付するまでの間，本件土地につき建物その他一切の工作物を建築・設置し，または占有を他人に移転し，もしくは占有名義を変更してはならない。

2　執行官は，買受人が代金を納付するまでの間，本件土地につき相手方に対し主文第1項の命令が発せられていることを公示しなければならない。

との裁判を求める。

申　立　て　の　理　由

1　申立人は令和○○年○○月○○日申立外□□株式会社に対し○○○○円を貸与し，物件目録1記載の土地（本件土地）に抵当権設定登記をした（甲第1号証）。

○○は令和○○年○○月○○日，銀行取引停止処分を受け，期限の利益を失ったが，その後返済はなされていない。○○は既に営業をやめ現在代表者の行方も不明

▶ **2−032** の解説参照のこと。民事執行法55条は，債務者や不動産占有者が，不動産の価格を著しく減少する行為をするときまたはそのおそれがある行為をするときは，差押債権者（配当要求の終期後に強制競売または担保権実行の申立てをした差押債権者を除く）の申立てにより，執行裁判所は，買受人が代金を納付するまでの間，担保を立てさせまたは立てさせないで，これらの行為を禁止し，または一定の行為を

である。

2　申立人は令和〇〇年〇〇月〇〇日本件土地につき〇〇地方裁判所に抵当権実行としての競売を申し立て，同年〇〇月〇〇日に競売開始決定がなされ（令和〇〇年（ケ）第〇〇号），同月〇〇日に差押登記がなされた差押債権者である。

3　しかるに，同年〇〇月〇〇日申立人が調査したところ本件土地上に別紙物件目録2記載の建物（本件建物）が建てられていた。

そこで〇〇月〇〇日申立人が調査したところ，相手方の〇〇なる人物は，□□から本件土地を借り受けた，と述べた。相手方は一見して暴力団風の人物であり，□□とは，××の債権者にも名を連ねているいわゆる整理屋であるとのうわさが高い。

4　このような人物が本件土地を占有することにより買受人の出現が困難になることは明らかであり，そのために本件土地の価値は著しく減少することになる。

5　よって申立人は民事執行法第１８８条，同５５条に基づき申立ての趣旨記載のとおりの裁判を求める。

疎　明　方　法

甲第1号証　　不動産登記全部事項証明書

添　付　書　類

1　甲第1号証乃至〇号証写し　　各1通

2　資格証明書　　〇通

3　委任状　　〇通

命ずることができることとした。

▶　申立ての内容は，①不動産の価値を著しく減少する行為またはそのおそれのある行為の禁止命令または修復等の作為命令（民執法55条1項1号），②債務者等が禁止命令・作為命令に違反した場合（または，その命令によっては不動産の価格の著しい減少を防止できない特別の事情がある場合）の執行官保管命令（同条1項2号）である。①の禁止・作為命令はその内容が強制執行に親しむ限りにおいて，また，②の執行官保管命令の執行は保全処分決定が申立人に告知されてから2週間を経過すると執行できなくなる（同条8項）。

▶　本例は，建物の撤去を求める行為命令，占有移転等を禁ずる禁止命令に関するものである。申立書は，正本1通を，裁判所の「現に基本事件（ケ・ヌ）を担当している係」に提出する。申立書には収入印紙500円を貼付する。

2－036 買受人のための保全処分命令申立書

収入 印紙

保全処分命令の申立書

令和○○年○○月○○日

○○地方裁判所民事第○○部　御中

申立人（最高価買受申出人）代理人弁護士　○　○　○　○　印

TEL　○○○（○○○）○○○○

当事者　別紙当事者目録のとおり

申立ての趣旨

相手方の別紙物件目録記載の不動産に対する占有を解いて，○○地方裁判所執行官に保管を命ずる。

執行官は，その保管にかかることを公示するため適当な方法をとらなければならない。

との裁判を求める。

申立ての理由

1　申立人は，別紙物件目録記載の不動産に対する御庁令和○○年（ケ）第○○号不動産競売事件につき，令和○○年○○月○○日の売却期日において最高価買受申出（代金○○○○円）をし，保証として金○○○○円を提供した。

2　相手方は，差押えの効力発生後である令和○○年○○月○○日以後，いわゆる占有屋と称する者を×人ないし×人同居させたほか，更に○○との間に賃貸借契約を締結すべく準備をしている。

3　以上の債務者の行為は，申立人が代金を納付しても本件不動産の引渡しを困難にする行為である。よって申立ての趣旨のとおりの裁判を求める。

▶　債権者または不動産の占有者が，不動産の価額を減少させ，もしくは，引渡しを困難にする行為をし，またはこれらの行為をするおそれのあるときは，最高価買受申出人または買受人は，債務者に対しこれらの行為を禁止しまたは一定の行為を求めまたは執行官保管命令の申立てをすることができる（民執法77条1項）。

▶　申立書は，正本1通を裁判所の民事執行係に提出する。収入印紙500円を貼付する。

添　付　書　類

１	住民票	１通
２	報告書	２通
３	委任状	１通

2－037 不動産引渡命令申立書

収入
印紙

不動産引渡命令申立書

令和○○年○○月○○日

○○地方裁判所民事第○○部　御中

〒○○○－○○○○
○○市○○町○○丁目○○番○○号
申立人（買受人）　○　○　○　○
〒○○○－○○○○
○○市○○町○○丁目○○番○○号
申立人（買受人）代理人
弁護士　○　○　○　○　印
TEL　○○○（○○○）○○○○
〒○○○－○○○○
○○市○○町○○丁目○○番○○号
相手方（債務者）　○　○　○　○

申　立　て　の　趣　旨

相手方は申立人に対し，別紙物件目録記載の不動産を引き渡せ。

申　立　て　の　理　由

申立人は，御庁令和○○年（ヌ）第○○号不動産強制競売事件において，別紙物件目録記載の不動産を買い受け，令和○○年○○月○○日代金を納付した。しかるに，同事件の債務者である相手方は，上記不動産に居住し，これを占有している。

よって，申立ての趣旨記載の裁判を求める。

▶　不動産の買受人は，売却代金を納付した時にその所有権を取得する（民執法79条）ので，買受人は債務者に対し所有権に基づいて不動産の引渡請求をすることができるが，自己の意思に反して換価を強制される債務者や所有者からは任意の引渡しを受けられない場合が多い。そこで代金納付した買受人および一般承継人が簡易迅速に不動産の占有を確保できるよう規定された制度が引渡命令である。

物　件　目　録

所　　在　　○○市○○町○○丁目○○番地○○号
家屋番号　　○○番○○号
種　　類　　居宅
構　　造　　鉄骨造陸屋根３階建
床 面 積　　１階　○○平方メートル
　　　　　　２階　○○平方メートル
　　　　　　３階　○○平方メートル

▶　債務者が任意に引渡しをしないときは，買受人は執行裁判所に対して，不動産を買受人に引き渡すべき旨を命ずる決定を求める申立てをすることができる（民執法83条１項）。買受人は，代金を納付した日から６カ月（買受時に民法395条１項に規定する抵当建物使用者が占有していた建物の買受人にあっては９カ月）を経過したときは，この申立てができなくなる（民執法83条２項）。

▶　申立書は，正本１通を執行裁判所に提出する。収入印紙500円を貼付する。

2−038 不動産強制管理申立書

収入 印紙

不動産強制管理申立書

令和○○年○○月○○日

○○地方裁判所○○支部　御中

申立債権者代理人弁護士　○　○　○　○　　印

ＴＥＬ　○○○（○○○）○○○○

当事者	別紙目録記載のとおり
請求債権	
目的不動産	
収益給付義務を負う第三者	

債権者は，債務者に対し，別紙請求債権目録記載の判決正本表示の債権を有するので，債務者所有の上記不動産の強制管理を求める。

なお，第三者の給付義務の内容は，上記不動産に対する債務者との賃貸借契約に基づく賃料債務である。

添付書類

1	執行力ある判決の正本	1通
2	判決正本送達証明書	1通
3	不動産登記全部事項証明書	1通
4	公課証明書	1通
5	資格証明書	1通
6	委任状	1通

以　上

▶　強制管理とは，不動産の収益（天然果実・法定果実）を継続的全体として執行の目的とし，裁判所の選任した管理人による不動産の管理，収入の収取・換価により金銭債権の満足を図る執行方法である（民執法93条）。

▶　強制競売が債務者所有の不動産を差し押さえ換価してその売得金から債権の弁済を得んとするものであるのに対し，強制管理は不動産を売却することはない。法は，強

当　事　者　目　録

〒○○○－○○○○
東京都○○区○○町○○丁目○○番○○号
債　権　者　　　株式会社　□□銀行
代表者代表取締役　　　○　○　○　○

〒○○○－○○○○
東京都○○区○○町○○丁目○○番○○号
債権者代理人弁護士　　○　○　○　○

〒○○○－○○○○
東京都○○区○○町○○丁目○○番○○号
債　務　者　　　　　　○　○　○　○

収益の給付義務を負う第三者
〒○○○－○○○○
東京都○○区○○町○○丁目○○番○○号
○○マンション１階１号室　　　○　○　○　○
この賃料月額４５，０００円
同　　　　１階２号室　　　○　○　○　○
この賃料月額５０，０００円

～以下記載省略～

制競売と強制管理を併用することを認めている（民執法 43 条 1 項）。

▶　対象不動産は，通常の用法に従い収益を上げ得るものでなければならないが，現に収益を上げている必要はなく，収益は，直接に不動産から生ずる天然果実および不動産使用の対価たる法定果実（地代・家賃等）に限る。

▶　不動産所在地の地方裁判所が執行裁判所として管轄する（民執法 44 条 1 項）。申立

請 求 債 権 目 録

債権者，債務者間の○○地方裁判所令和○○年（ワ）第○○号貸金請求事件の確定判決に表示された下記債権。

（1）貸　　金　　金○○○○円

（2）上記（1）に対する令和○○年○○月○○日から支払済みまで年１割５分の割合による遅延損害金

（2−038 不動産強制管理申立書）

書は，正本１通を裁判所の民事事件係に提出する。収入印紙 4,000 円を貼付する。

物 件 目 録

所　　在　東京都○○区○○町○○丁目○○番○○号

家屋番号　○○番○○号

種　　類　共同住宅

構　　造　鉄筋コンクリート造５階建

床 面 積　１階　○○平方メートル

２階　○○平方メートル

３階　○○平方メートル

４階　○○平方メートル

５階　○○平方メートル

（2－038 不動産強制管理申立書）

2－039 担保不動産収益執行申立書

収入
印紙

担保不動産収益執行申立書

令和○○年○○月○○日

○○地方裁判所　御中

申立債権者代理人弁護士　○　○　○　○　印
ＴＥＬ　○○○（○○○）○○○○

当事者
担保権
被担保債権
請求債権
目的不動産
収益給付義務を負う第三者
― 別紙目録記載のとおり

債権者は，債務者（兼所有者）に対し別紙請求債権目録記載の債権を有するが，債務者がその弁済をしないので，別紙担保権目録記載の抵当権に基づき，債務者所有の上記不動産の担保不動産収益執行を求める。

なお，第三者の給付義務の内容は，上記不動産に対する債務者との賃貸借契約に基づく賃料債務である。

添　付　書　類

不動産登記全部事項証明書	1通
公課証明書	1通
資格証明書	1通
委任状	1通

▶ 旧民事執行法では債務名義を有する債権者は，強制管理によってその収益価値からも満足を受けることができるのに対し，抵当権者には抵当不動産の収益価値から満足を受けるための強制管理類似の制度は設けられていなかった。しかし，近時では大規模なテナントビル等において，抵当不動産の売却には時間を要するが賃料等の収益が継続的に見込まれる場合に，抵当権者が抵当不動産の収益から優先弁済を受けることができる制度を求める声が高まった。

そこで，抵当権その他の担保権者が担保不動産の収益から優先弁済を受けるための強制管理類似の手続きとして，担保不動産収益執行制度が創設された（民執法 180 条 2 号）。

▶ 印紙は，担保権 1 個につき 4,000 円である。

3　自動車に対する強制執行

2−040　自動車強制競売申立書

収　入
印　紙

自動車強制競売申立書

令和○○年○○月○○日

○○地方裁判所○○支部　御中

債権者代理人弁護士　○　○　○　○　　印

ＴＥＬ　○○○（○○○）○○○○

当事者
請求債権　　別紙目録のとおり
目的自動車

債権者は，債務者に対し，別紙請求債権目録記載の執行力のある判決の正本に表示された上記債権を有するが，債務者がその支払いをしないので，債務者所有の別紙自動車目録記載の自動車に対する強制競売手続の開始を求める。

添　付　書　類

1　執行力のある判決の正本　　1通
2　判決正本送達証明書　　1通
3　自動車登録事項等証明書　　1通
4　資格証明書　　1通
5　委任状　　1通

▶　自動車に対する強制執行は，債権者が債務者所有の自動車を差し押さえ，これを競売し，その売得金を債権者の弁済に充当する執行方法である。

▶　自動車執行については，その自動車の自動車登録ファイルに登録された使用の本拠の位置を管轄する地方裁判所が，執行裁判所として管轄（専属管轄）する（民執規87条）。

▶　自動車執行の申立書には，民事執行規則

当　事　者　目　録

〒○○○－○○○○

東京都○○区○○町○○丁目○○番○○号

債　権　者　　□□株式会社

代表者代表取締役　　○　○　○　○

（送達場所）

〒○○○－○○○○

東京都○○区○○町　　丁目　　番　　号

債権者代理人弁護士　　　○　○　○　○

〒○○○－○○○○

東京都○○区○○町○○丁目○○番○○号

債　務　者　　　株式会社□□□

代表者代表取締役　　○　○　○　○

（2−040 自動車強制競売申立書）

21条各号に掲げる事項のほか，自動車の本拠を記載し，執行力ある債務名義の正本ほか，自動車登録ファイルに記載されている事項を証明した文書を添付しなければならない（同規88条）。

▶　適法な競売申立に基づき，執行裁判所は，競売開始決定をし，その中で差押えを宣言し，かつ，執行債務者に対して自動車を執行官に引き渡すべき旨を命ずる（民執規89条1項）。

請　求　債　権　目　録

○○地方裁判所令和○○年（ワ）第○○号売掛代金請求事件の執行力のある判決の正本に表示の下記金員

（1）元　金　　○○○○円

（2）損害金　　上記元金に対する令和○○年○○月○○日から支払済みまで，約定の年１２％の割合による損害金

（2－040　自動車強制競売申立書）

▶　申立書は，正本１通を裁判所の民事事件係に提出する。収入印紙 4,000 円を貼付する。

自　動　車　目　録

登　録　番　号	ＡＢ××Ｃ××××
種　　　　　別	普　通
車　　　　　名	○○○
車　台　番　号	ＳＣＲ×××－×××××
原動機の型式	６ＢＤ１
使用の本拠の位置	東京都○○区○○町○○丁目○○番○○号
債務者の氏名	株式会社□□物産

（2－040 自動車強制競売申立書）

2－041　自動車執行申立前の自動車引渡命令申立書

収入印紙

自動車執行申立前の自動車引渡命令申立書

令和○○年○○月○○日

○○地方裁判所○○支部　御中

債権者代理人弁護士　○　○　○　○　印

ＴＥＬ　○○○（○○○）○○○○

当　事　者　　別紙目録のとおり

目的自動車　　別紙目録のとおり

申　立　て　の　趣　旨

債務者は，債権者の申立てを受けた執行官に別紙目録記載の自動車を引き渡せ。

申　立　て　の　理　由

債権者は，債務者に対し，別紙○○地方裁判所令和年（ワ）第○○号売掛代金請求事件の執行力のある判決の正本に表示の債権を有する。債務者は，令和○○年○○月○○日に不渡手形を出し事実上倒産した。

そこで，債権者は債務者に対し，その所有に係る上記自動車に対する強制競売の申立てをすべく準備中であるが，執行裁判所は○○地方裁判所であるので，なお期間を要するところ，債務者は，○○月○○日以来シャッターを下ろして代表者も所在がわからない状態であるので，今のうちに自動車を捕捉しておかなければ，上記自動車強制競売が著しく困難となるおそれがある。

よって，申立ての趣旨記載の裁判を求める。

▶　強制執行の申立前に自動車の引渡しを受けておかないと執行が著しく困難となるおそれがあるときは，執行申立の前に自動車の引渡命令を申し立てることができる（民執規97条，民執法127条）

▶　申立書は，正本１通を民事執行係に提出する。収入印紙500円を貼付する。

添 付 書 類

1	執行力のある債務名義の正本	1通
2	自動車登録事項等証明書	1通
3	資格証明書	2通
4	委任状	1通
5	報告書	1通

（2－041 自動車執行申立前の自動車引渡命令申立書）

2−042 自動車譲渡命令の申出書

自動車譲渡命令の申出書

令和○○年○○月○○日

○○地方裁判所民事第○○部　御中

債権者代理人弁護士　○　○　○　○　印

ＴＥＬ　○○○（○○○）○○○○

債　権　者	□□モータース株式会社	
債　務　者	○　○　○　○	株式会社□□
所　有　者	○　○　○　○	

御庁令和○○年（ヌ）第○○号自動車強制競売事件について，下記のとおり，買受けの申出及び差引納付の申出をいたします。

記

自動車の表示	別紙目録記載のとおり
買受けの申出の額	金○○○○円
代金納付の方法	債権者が売却代金から弁済を受けるべき額は上記金額と同額であるので，これを差し引く方法により納付に代える。

▶ 自動車は，年式等によっておおよその相場があり，時の経過は価格下落につながるので，換価は簡便，迅速を要する。執行裁判所は，相当と認めるときは，あらかじめ差押債権者の意見を聞いた上，執行官に自動車の特別売却を命じ得る（民執規96条，51条）。また，額を定めて買受申出をした差押債権者に対する自動車の売却を許可する決定（自動車譲渡命令）もできる。本例は，差押債権者が自動車の買受申出をなし，自動車譲渡命令の申出をする場合である。

▶ 申立書は，正本１通を執行裁判所に提出する。収入印紙の貼付は不要である。

2−043 動産執行申立書

<table>
<tr><td colspan="2">（強　　　　制）
仮差押・仮処分　　執行申立書</td><td colspan="2" rowspan="2">受　付　印</td></tr>
<tr><td colspan="2" rowspan="2">地方裁判所
　　　　執行官　殿
支部

令和　　年　　月　　日</td></tr>
<tr><td>予納金</td><td>担当

区</td></tr>
<tr><td>〒</td><td colspan="3">住　　所</td></tr>
<tr><td></td><td colspan="3">債　権　者　　　　　　　　　　　　　　　　　印</td></tr>
<tr><td>〒</td><td colspan="3">住　　所</td></tr>
<tr><td></td><td colspan="3">代　理　人　　　　　　　　　　　　　　　　　印</td></tr>
<tr><td>〒</td><td colspan="3">住　　所</td></tr>
<tr><td></td><td colspan="3">債　務　者　　　　　　　　　　　　　　　　　印</td></tr>
<tr><td>〒</td><td colspan="3">住　　所</td></tr>
<tr><td></td><td colspan="3">債　務　者</td></tr>
<tr><td>〒</td><td colspan="3">住　　所</td></tr>
<tr><td></td><td colspan="3">債　務　者</td></tr>
<tr><td colspan="4">執行の目的及び執行の方法
イ．動産執行（家財・商品類・機械・貴金属・その他）
ロ．建物明渡・土地明渡・建物退去・代替執行（建物収去等）・不動産
　　引渡・動産引渡・船舶国籍証書等取上・自動車引渡
ハ．動産仮差押（家財・商品類・機械・貴金属・その他）
　　仮処分（動産・不動産・その他）
　　特別法に基づく保全処分</td></tr>
</table>

連絡先　　電話　　　　局　　　　番

（担当者　　　　　　　　）

▶　動産に対する強制執行は，執行官の目的物に対する差押えによって開始する。民法上の動産は，土地およびその定着物以外の物ならびに無記名債権である（民法86条）。しかし，民事執行法は，民法上の動産のほか，登記することができない土地の定着物（たとえば，庭石，石燈，鉄塔等），土地から分離する前の天然果実で1カ月以内に収穫することが確実であるもの，および裏書の禁止されている有価証券以外の有価証券

<table>
<tr><td colspan="2">目的物の所在場所（執行の場所）
１．前記債務者の住所
２．
３．
目　的　物　件　　別紙のとおり
債　務　名　義
１．　　地方裁判所　　　支部　令和　　年（ワ）第　　　号
　　判決・仮執行宣言付支払命令　　　和解調書
　　仮差押命令・仮処分命令
２．　　法務局所属公証人　　　　作成
　　令和　　年第　　　号　執行証書</td></tr>
<tr><td colspan="2">請求金額　　金　　　　　円（内訳は別紙のとおり）</td></tr>
<tr><td>添　付　書　類
１．執行力ある債務名義の
　　仮差押・仮処分命令　　正本　１通
２．送　達　証　明　書　　　１通
３．資　格　証　明　書　　　　通
４．委　　任　　状　　　　　通
５．目的物の所在場所の略図</td><td rowspan="2">１．執行の立会い
　　有　・　無
２．執行の日時
　　月　　日希望
３．上記の通知
　　要　・　否
４．同時送達の申立て
　　有　・　無</td></tr>
<tr><td>執行調書謄本　債権者・債務者へ交付申立て</td></tr>
</table>

（該当文字を○で囲む）

を執行法上の動産としている（民執法122条１項）。

▶　債務者の所有動産であっても，生活をおびやかす生活必需品などを差し押さえることは好ましくないので，法は差押禁止動産の範囲を定めている（民執法131条各号）。

▶　申立ては，差し押さえるべき動産の所在地を管轄する地方裁判所の執行官に対し（執行官法４条），書面により申し立てなければならない。申立書には，民事執行規則

当　　事　　者　　目　　録
住　　所
債　権　者
住　　所
債権者代理人
住　　所
債　務　者
債　務　名　義　の　表　示
1.　　地方裁判所　　支部　令和　　年（　）第　　　号
判決・仮執行宣言付支払督促・　　　　和解調書
決定・　　　　命令
2.　　法務局所属公証人　　　　作成
令和　　年第　　　号執行証書

（2−043 動産執行申立書）

21条各号に掲げる事項のほか，差し押さえるべき動産が所在する場所を記載しなければならない（同規99条）。動産所在場所の記載は，執行官の職務区域の範囲を明らかにするとともに，事件併合の根拠ともなるので正確な記載が必要である。

▶ 添付書類としては，①執行力ある債務名義の正本，②債務名義が送達された証明書，③代理人による申立ての場合は委任状，④当事者が法人の場合は資格証明書――など

請　求　金　額　計　算　書

摘　　　　　要	金　額
元　本	
利　息（　・　・　から　・　・　まで　年　割　分 / 日歩　銭　厘　）	
損害金（　・　・　から　・　・　まで　年　割　分 / 日歩　銭　厘　）	
損害金　［令和　　年1月1日から令和　　年4月1日まで月50,000円の割合］	
［50,000円×15 $\frac{1}{30}$=751,666円］	
督促手続費用	
仮執行宣言手続費用	
執行準備費用（内訳下記のとおり）	
1．申立書提出費用	
2．執行文付与申請　書　記　料 / 印　紙　代	
3．送達証明申請　書　記　料 / 印　紙　代	
合　計　金　　　円	

（2−043　動産執行申立書）

が必要である。執行官は動産所在地に出向いて差押えを実施するのであるから，債務者に関する調査表（2−046）を作成し，所在場所の地図も添付することが必要である。

2－044 差押物件点検申請書

差 押 物 件 点 検 申 請 書

令和○○年○○月○○日

○○地方裁判所執行官　殿

申立人（債権者）代理人弁護士　　○　○　○　○　　印

ＴＥＬ　○○○（○○○）○○○○

債権者　　○　○　○　○

債務者　　○　○　○　○

上記当事者間の御庁令和○○年（執イ）第○○号動産差押事件の差押物件を点検されたく申請します。

1　点検理由

債務者が〔差押物件を処分したような疑いがあるため／差押物件をどこかへ持ち運んだ模様があるため／等〕

▶　執行官は，債務者，差押債務者または第三者に差押物を保管させた場合において，差押債権者または債務者の申出があるときその他必要があると認めるときは，差押物の保管の状況を点検することができる（民執規108条1項）。本例は，差押債権者からの申請である。

▶　この申請書には記載事項や様式の定めがないので，一般の原則に従い，事件特定事項（事件番号，債権者および債務者），申請内容および理由，年月日，申請者の署名・押印，宛名を記載する。なお，点検への立会いを希望する場合にはその旨を付記する。

▶　申請書は，正本1通を裁判所の執行官室に提出する。収入印紙の貼付は不要である。

2-045 配当要求書

配　当　要　求　書

令和〇〇年〇〇月〇〇日

〇〇地方裁判所執行官　殿

〇〇市〇〇町〇〇丁目〇〇番〇〇号

配当要求債権者　〇　〇　〇　〇　印

配当要求債権者は，御庁令和〇〇年（執イ）第〇〇号動産執行事件について配当要求をする。

1　債権の原因

令和〇〇年〇〇月〇〇日付雇傭契約に基づく給料の先取特権

配当要求債権者は，添付給与証明書のとおり給料の先取特権を有する。

2　債権の額

（1）元　金　〇〇〇〇円

（2）損害金　上記金額に対する令和〇〇年〇〇月〇〇日から完済まで年5分の割合による遅延損害金

3　執行場所

〇〇市〇〇町〇〇丁目〇〇番〇〇号　債務者　〇〇方

添　付　書　類

給与証明書写し　1通

▶　動産執行においては，先取特権または質権を有する者が，その権利を証する文書を提出して，配当要求をすることができる（民執法133条）。本例は，給料債権（民法306条2号）に関するものである。

▶　配当を受けようとする債権者は，売得金については執行官がその交付を受けるまで，差押金銭についてはその差押えをするまで，手形等の支払金についてはその支払いを受けるまでに，配当要求をする必要がある（民執法140条）。

▶　配当要求は，債権の原因および額を記載した書面でしなければならない（民執規26条，132条）。

▶　配当要求書は，正本1通と，債権者および債務者の人数分の副本を，裁判所の執行官室に提出する。収入印紙の貼付は不要である。

2−046 債務者に関する調査表

債務者に関する調査表

ふりがな		男・女	年　令	在　宅　状　況
氏　　名			歳	
職　業（具体的に記載してください。）				
同居の家族等の状況				

同　居　者　氏　名	続　柄	年令	職　業	在宅時間

目的物件所在地（執行場所）の略図

（最寄り駅から記載し，執行場所の周辺は具体的に書いてください。）

▶　執行官は動産所在地に出向いて差押えを実施するのであるから，債務者に関する調査表を作成し，債務者の在宅状況・職業・同居の家族の状況，目的物権所在地等について情報提供することが必要である。

2－047 債務者住所変更の上申書

令和○○年（執○）第○○号

上　申　書

令和○○年○○月○○日

○○地方裁判所執行官室　御中

債権者代理人弁護士　○　○　○　○　印

債権者　○　○　○　○
債務者　○　○　○　○

上記当事者間の差押事件につき，下記のとおり債務者の住所が変更になっていますので，下記現住所で執行されるよう上申いたします。

記

債務名義上の住所　〒○○○－○○○○
東京都○○区○○町○○丁目○○番○○号

現　住　所　〒○○○－○○○○
東京都○○区○○町○○丁目○○番○○号

以　上

▶　動産執行の申立書には，債務者の住所・氏名を記載するが，債務者が債務名義表示の住所と異なる場所に住んでいる場合に，債権者が執行官に対し注意を喚起するために提出するものである。債務者の新住所で強制執行をすることになる。

▶　この上申書には記載事項や様式の定めがないので，一般の原則に従い，事件特定事項（債権者および債務者の氏名），上申内容，年月日，上申者の署名・押印，宛名を記載する。

2−048 執行場所追加申立書

執行場所追加申立書

令和○○年○○月○○日

○○地方裁判所執行官　殿

〒○○○−○○○○
○○県○○市○○町○○丁目○○番○○号
債権者代理人弁護士　○　○　○　○　印
TEL　○○○（○○○）○○○○

債権者　○　○　○　○
債務者　○　○　○　○

上記当事者間の令和○○年（執○）第○○号○○○○執行事件につき，令和○○年○○月○○日執行申立書記載の執行場所の外に目的物件の所在が判明したので，執行されたく申し立てます。

1　追加執行場所
○○県○○市○○町○○丁目○○番○○号

2　執行の目的物

3　追加執行場所と債務者との関係

▶　執行申立書に記載した目的物件の所在地（執行場所）について，その後に，それ以外に目的物件の所在地が判明したので追加を申し立てるものである。

▶　この申立書には記載事項や様式の定めがないので，一般の原則に従い，事件特定事項（事件番号，債権者および債務者），内容，年月日，申立人である債権者の署名・押印，宛名を記載する。

▶　申立書は，正本1通を裁判所の執行官室に提出する。収入印紙の貼付は不要である。

2−049 執行取消申立書

執行取消申立書

令和○○年○○月○○日

○○地方裁判所執行官　殿

〒○○○−○○○○

○○県○○市○○町○○丁目○○番○○号

申立人代理人弁護士　　○　○　○　○　　印

TEL　○○○（○○○）○○○○

債 権 者　　○　○　○　○

債 務 者　　○　○　○　○

執行場所　　○○県○○市○○町○○丁目○○番○○号

上記当事者間の令和○○年（執○）第○○号○○○○執行事件につき，下記文書を添付して執行の取消しを申し立てます。

添　付　文　書　の　表　示

1　○○○○　　○通

2　○○○○　　○通

▶　民執法39条1号から6号までに掲げる文書が提出されたときは，執行裁判所または執行官は，強制執行を停止するだけではなく，すでにした執行処分も取り消さなければならない（民執法40条）。たとえば，債務名義取消・執行不許の裁判の正本，和解・承諾・調停の無効確認確定判決の正本などである。

▶　申立書は，裁判所の執行官室に提出する。収入印紙の貼付は不要である。

2－050 続行申立書

令和○○年（執○）第○○号

続 行 申 立 書

令和○○年○○月○○日

○○地方裁判所執行官　殿

債権者代理人弁護士　○　○　○　○　印

ＴＥＬ　○○○（○○○）○○○○

（担当者　○○○○）

債 権 者　○　○　○　○

債 務 者　○　○　○　○

執行場所　○○市○○町○○丁目○○番○○号

上記当事者間の○○○○執行事件につき，債務者に対し，上記執行場所について執行の続行を願いたく申し立てます。

▶　一度差押申立をしたが何らかの事由により留保となったり中止になったりしていた動産執行事件の，手続きの進行を図ろうとするときに提出するものである。

▶　申立書は，正本１通を裁判所の執行官室に提出する。収入印紙の貼付は不要である。

2−051 閲覧申請書

令和○○年（執○）第○○号

閲　覧　申　請　書

令和○○年○○月○○日

○○地方裁判所執行官　殿

申請人　住　所　〒○○○−○○○○
○○県○○市○○町○○丁目○○番○○号
氏　名　○　○　○　○　印
TEL　○○○（○○○）○○○○
本人との関係　〔債権者／債務者／利害関係人〕

債権者　○　○　○　○
債務者　○　○　○　○

執行場所　○○市○○町○○丁目○○番○○号

上記当事者間の○○○○執行事件につき，
1　記録の閲覧
2　同謄本交付
を申請します。

2－052 証明申請書

証　明　申　請　書

令和○○年○○月○○日

○○地方裁判所執行官　殿

〒○○○－○○○○

○○県○○市○○町○○丁目○○番○○号

申請人　　○　○　○　○　　　　印

ＴＥＬ　○○○（○○○）○○○○

債 権 者　○　○　○　○

債 務 者　○　○　○　○

執行場所　○○市○○町○○丁目○○番○○号

上記当事者間の令和○○年（執○）第○○号○○○○執行事件（債務名義の表示　○○○○○○○○）につき，下記事項を証明されたく申請します。

記

1　令和○○年○○月○○日執行の取消しがあったこと

2　令和○○年○○月○○日執行に着手することなく申立てを取り下げたこと

3　令和○○年○○月○○日から同年○○月○○日まで執行申立てをしなかったこと

4　上記債務名義を○○○○執行のため，執行官において使用中であること

以　上

2－053 売却期日延期申出書

売却期日延期申出書

令和○○年○○月○○日

○○地方裁判所執行官　殿

債権者代理人弁護士　○　○　○　○　印

ＴＥＬ　○○○（○○○）○○○○

債 権 者　○　○　○　○

債 務 者　○　○　○　○

保管場所　○○市○○町○○丁目○○番○○号

上記当事者間の令和○○年（執イ）第○○号動産執行事件につき，売却期日を令和○○年○○月○○日午前１１時と指定されておりますが，下記理由により，（希望日）○○月○○日午前１１時に延期してください。

（延期理由）

○○○○○○○○○○○○○○○○

▶ 執行官は，競り売りの方法により動産を売却するときは，その期日を開く日時および場所を定めなければならない（民執規114条１項）。この競り売り期日の指定および変更は，執行官の専権である。しかし，当事者側に売却期日を延期してもらう必要があるときには，本申出書により，執行官の職権の発動を促すことができる。

▶ この申出書には記載事項や様式の定めがないので，一般の原則に従い，事件特定事項（事件番号，債権者および債務者），申出内容，年月日，申出者の署名・押印、宛名を記載する。

▶ 申出書は，正本１通を裁判所の執行官室に提出する。収入印紙の貼付は不要である。

2－054 売却実施申出書

令和○○年（執イ）第○○号

売却実施申出書

令和○○年○○月○○日

○○地方裁判所執行官　殿

（申立人）債権者

債権者代理人弁護士　○　○　○　○　印

ＴＥＬ　○○○（○○○）○○○○

債務者　○　○　○　○　印

債権者　○　○　○　○

債務者　○　○　○　○

保管場所　○○市○○町○○丁目○○番○○号

上記当事者間の動産執行事件につき，下記理由により，差押物の売却を実施されたく申し出ます。

（理　由）

○○○○○○○○○○○

▶　競り売り期日の指定および変更は，執行官の専権である。本例は，何らかの事由により売却が中止・延期になっていたような場合に，当事者側で売却の実施を申し出て，執行官の職権の発動を促すものである。

▶　この申出書には記載事項や様式の定めがないので，一般の原則に従い，事件特定事項（事件番号，債権者および債務者），申出内容，年月日，申出者の署名・押印，宛名を記載する。

▶　申立書は，正本１通を裁判所の執行官室に提出する。収入印紙の貼付は不要である。

2－055 取下書

取　下　書

令和○○年○○月○○日

○○地方裁判所執行官　殿

債権者代理人弁護士　○　○　○　○　印

ＴＥＬ　○○○（○○○）○○○○

債 権 者　○　○　○　○

債 務 者　○　○　○　○

上記当事者間の令和○○年（執○）第○○号○○○○執行事件は，下記事由により申立てを取り下げます。本件執行処分は取り消してください。

（事　由）

1　債権者の都合により

2　示談解決

3

▶　執行申出をしたのち，示談解決等でその必要がなくなったときは，執行官が最高価買受申出人に対して買受けを許す旨の告知をするまでは，債権者はその申立てを取り下げることができる。

▶　この取下書には記載事項や様式の定めがないので，一般の原則に従い，事件特定事項（事件番号，債権者および債務者），内容，年月日，取下げをする債権者の署名・押印，宛名を記載する。

▶　取下書は，正本１通，債務者の数の副本を，裁判所の執行官室に提出する。収入印紙の貼付は不要である。

2−056 受　書

受　　書

令和○○年○○月○○日

○○地方裁判所執行官　殿

債権者代理人弁護士　○　○　○　○　印

ＴＥＬ　○○○（○○○）○○○○

債 権 者　○　○　○　○

債 務 者　○　○　○　○

上記当事者間の令和○○年（執○）第○○号○○○○事件につき，下記の文書を確かに受け取りました。

記

1　○○○○　○通

2　○○○○　○通

以　上

2－057 差押禁止債権の範囲変更の申立書

差押禁止債権の範囲変更の申立書

令和〇〇年〇〇月〇〇日

〇〇地方裁判所　御中

申立債権者　〇〇〇〇
債権者代理人弁護士　〇〇〇〇　印
ＴＥＬ　〇〇〇（〇〇〇）〇〇〇〇

債権者
債務者　　別紙当事者目録のとおり
第三債務者

申立ての趣旨

上記当事者間の御庁令和〇〇年（ル）第〇〇号債権差押命令事件につき，債務者が第三債務者に対して有する給料債権額の２分の１まで差し押さえることができるとの裁判を求める。

申立ての理由

1　債権者は債務者に対して有する貸金債権については，知人〇〇〇〇より借り受けて債務者に融通したもので，債権者は〇〇〇〇より返済を迫られており，融通金に対する利息も支払いつつあり，第三債務者からの返済が長引けば，債権者の返済負担が大きくなるので早急に回収を図りたい。

2　債務者は第三債務者会社に雇われ給料を得ているほか，別に家作一棟を所有しその賃料収入があり，家族は債務者夫婦と当〇才の子供の３名であるから給料は１カ月〇〇〇〇円あれば生活上窮迫の状態に陥るおそれはない。

よって申立ての趣旨のとおり差押えの範囲を拡げる旨の裁判を求めるため本申立てに及んだものである。

▶　債権の差押えについては，差押えを禁止される範囲が規定されている（民執法152条）。しかし，これを厳格に貫くと，債権者が債務者よりも苦しい生活を強いられたり，その逆の場合があったりして，不都合が生ずる。

▶　そこで，執行裁判所は，当事者の申立てにより，債務者および債権者の生活状況等の事情を考慮して，差押命令の全部もしくは一部を取り消したり，差押えが禁止され

疎　明　方　法

1　報告書　　（債務者の賃貸家屋調査）

2　戸籍謄本　（家族関係）

（2－057 差押禁止債権の範囲変更の申立書）

ている債権の部分について差押命令を発したりすることができる（民執法153条1項）。本例は，債権者から差押えの範囲を広げる旨の裁判を申し立てるものである。

▶　申立書は，正本1通を裁判所の民事執行係に提出する。収入印紙の貼付は不要である。

5　債権その他の財産権に対する強制執行

1　総　論

金銭の支払いまたは船舶もしくは動産の引渡しを目的とする債権（動産執行の目的となる有価証券が発行されている債権を除く）に対する強制執行（「債権執行」と呼ぶ）は，執行裁判所の差押命令によって開始される（民執法143条）。

債権執行については，債務者の普通裁判籍の所在地を管轄する裁判所，これがないときは差し押さえるべき債権の所在地を管轄する地方裁判所が，執行裁判所として管轄する。

2　申立書の記載

金銭債権に対する強制執行の申立てをするには，裁判所に対して申立書を提出しなければならない（民執規1条）。その基本的な記載事項は，①裁判所の表示，②年月日，③債権者・債務者・第三債務者ならびに代理人の表示，④債務名義および請求債権の表示，⑤強制執行の目的とする財産の表示および求める強制執行の方法，⑥金銭の支払いを命ずる債務名義に係る請求権の一部について強制執行を求めるときはその旨およびその範囲――などである（民執法21条，133条）。

3　その他の事項

(1)　添付書類

添付書類としては，①執行力ある債務名義の正本，②債務名義の送達証明書等の執行開始要件（民執法29～31条）を満たしていることの証明書，③当事者の資格証明書や代理人の代理権を証する書面――がある。

(2)　添付印紙額・予納郵券額

申立手数料として，申立書に4,000円の収入印紙を貼付する。同一債権者が同一債務者に対して，複数の債務名義で1通の申立書で強制執行の申立てをするときは，1債務名義ごとに4,000円の収入印紙を貼付する。また，複数の債権者が，または複数の債務者に対して，1通の債務名義，1通の申立書で強制執行を申し立てるときは，債権者または債務者ごとに4,000円の収入印紙が必要である。なお，第三債務者が複数の場合であっても，債務者名義が1通であれば収入印紙は4,000円である。

予納郵券額の東京地方裁判所民事第21部債権執行係での取扱いは次頁のとおりである。

(3)　添付目録数

申立書のほかに当事者目録・請求債権目録・差押債権目録の写しを提出する。これは，執行裁判所の事務負担を軽減するためである。

写しの部数は，裁判所によって扱いが異なるので，申立先の裁判所に確認が必要である。ちなみに債務者および第三債務者が各1名の場合，東京地裁では各5部である。

債務者あるいは第三債務者の数が増えるときは，増えた数だけ部数を加える。

■ 予納郵便切手一覧表（債権執行）

（令和元年10月１日改定）

<table>
<tr><td colspan="13">予納郵便切手一覧表（債権執行）</td></tr>
<tr><td colspan="13">東京地方裁判所民事第21部債権執行係</td></tr>
<tr><td colspan="2" rowspan="2">申立て種類</td><td colspan="10">予納郵便切手</td><td rowspan="2">備　考</td></tr>
<tr><td>500円</td><td>100円</td><td>84円</td><td>20円</td><td>10円</td><td>5円</td><td>２円</td><td>１円</td><td>合計</td><td>うち申立書に執行費用として計上できる額</td></tr>
<tr><td>①</td><td>債権・その他財産権差押命令</td><td>５枚</td><td>４枚</td><td>５枚</td><td>５枚</td><td>５枚</td><td>３枚</td><td>５枚</td><td></td><td>3,495円</td><td>陳述催告あるとき
2,941円
その他
2,376円</td><td></td></tr>
<tr><td colspan="2">債務者１名増えるごとの加算基準</td><td>２枚</td><td>１枚</td><td>１枚</td><td>２枚</td><td>１枚</td><td>１枚</td><td></td><td></td><td>1,239円</td><td>1,099円増加</td><td></td></tr>
<tr><td colspan="2">第三債務者１名増えるごとの加算基準（陳述催告あり）</td><td>３枚</td><td>２枚</td><td>２枚</td><td>２枚</td><td>２枚</td><td>２枚</td><td>２枚</td><td></td><td>1,942円</td><td>1,664円増加</td><td>第三債務者は，送達場所ごとに１名として計算する。</td></tr>
<tr><td colspan="2">第三債務者１名増えるごとの加算基準（陳述催告なし）</td><td>２枚</td><td>２枚</td><td></td><td>２枚</td><td>１枚</td><td>１枚</td><td></td><td></td><td>1,255円</td><td>1,099円増加</td><td>同　上</td></tr>
<tr><td>②</td><td>転付命令（差押命令発令後に申し立てる場合）</td><td>４枚</td><td></td><td>３枚</td><td>６枚</td><td>３枚</td><td>５枚</td><td></td><td>３枚</td><td>2,430円</td><td></td><td>当事者１名増すごとに上記債務者１名増えるごとの加算基準を適用する。</td></tr>
<tr><td>③</td><td>売却命令
譲渡命令</td><td>８枚</td><td>10枚</td><td>10枚</td><td>10枚</td><td>10枚</td><td>20枚</td><td></td><td></td><td>6,240円</td><td></td><td></td></tr>
<tr><td>④</td><td>執行異議</td><td rowspan="2">８枚</td><td rowspan="2"></td><td rowspan="2">４枚</td><td rowspan="2">４枚</td><td rowspan="2">４枚</td><td rowspan="2">６枚</td><td rowspan="2">３枚</td><td rowspan="2">８枚</td><td rowspan="2">4,500円</td><td>※収入印紙
500円</td><td rowspan="2">当事者１名増すごとに500円×４枚，84円×２枚，50円×２枚，20円×３枚，10円×５枚，５円×３枚，１円×７枚（合計2,400円分）を１組追加</td></tr>
<tr><td>⑤</td><td>執行抗告</td><td>※収入印紙
1,000円</td></tr>
</table>

（注）重量超過や速達等利用の場合には，切手の追納が必要となることがあります。

（東京地方裁判所民事執行センターより）

2−058 債権差押命令申立書

収　入 印　紙

債権差押命令申立書

令和○○年○○月○○日

○○地方裁判所民事第○○部　御中

債権者代理人弁護士　　○　○　○　○　　印

ＴＥＬ　○○○（○○○）○○○○

当 事 者
請求債権　　別紙目録のとおり
差押債権

債権者は，債務者に対し，別紙請求債権目録記載の執行力のある公正証書の正本に表示された上記請求債権を有しているが，債務者がその支払いをしないので，債務者が第三債務者に対して有する別紙差押債権目録記載の債権の差押命令を求める。

添　付　書　類

1	執行力のある公正証書の正本	1通
2	送達証明書	1通
3	資格証明書	3通
4	訴訟委任状	1通

▶　本例は，債務者が第三債務者に対して有する金銭債権（請負工事代金債権）の差押命令を求めるものである。

当 事 者 目 録

〒○○○－○○○○

東京都○○区○○町○○丁目○○番○○号

債　権　者　　□□株式会社

代表者代表取締役　　　　○　○　○　○

〒○○○－○○○○

東京都○○区○○町○○丁目○○番○○号

○○法律事務所

TEL　○○○（○○○）○○○○

FAX　○○○（○○○）○○○○

上記債権者代理人弁護士　○　○　○　○

〒○○○－○○○○

東京都○○区○○町○○丁目○○番○○号

債　務　者　　株式会社□□産業

代表者代表取締役　　　　○　○　○　○

〒○○○－○○○○

東京都○○区○○町○○丁目○○番○○号

第三債務者　　□□□株式会社

代表者代表取締役　　　　○　○　○　○

（2－058 債権差押命令申立書）

請　求　債　権　目　録

○○法務局所属公証人○○○○作成令和○○年第○○号の執行力のある公正証書正本に表示された金○○○○円の残元金。

（1）元本　　金○○○○円

ただし，令和○○年○○月○○日の金銭消費貸借契約に基づき貸し付けた金員の残元金

（2）利息　　金○○○○円

上記（1）に対する令和○○年○○月○○日より同年○○月○○日まで年○○%の割合による利息金

（3）損害金　　金○○○○円

上記（1）に対する令和○○年○○月○○日より令和○○年○○月○○日まで年○○%の割合による損害金

（4）執行費用

執行証書謄本作成手数料	金○○○○円
同　　申請書の書記料	金○○○○円
同　　申請書の提出費用	金○○○○円
同　　謄本送達手数料	金○○○○円
同　　送達証明手数料	金○○○○円
執行証書の執行文付与手数料	金○○○○円
執行文送達手数料	金○○○○円
差押命令の申立手数料	金○○○○円
同　　申立書書記料	金○○○○円
同　　提出費用	金○○○○円
差押命令正本送達費用	金○○○○円
送達通知書の送付費用	金○○○○円
資格証明書下附手数料	金○○○○円

合　計　　金○○○○円

（2-058 債権差押命令申立書）

差押債権目録

金○○○○円

ただし，債務者が第三債務者に対して有する下記債権で頭書金員に満つるまで。

記

債務者が第三債務者に対して有する，○○県○○市○○町○○丁目○○番○○号の○○線○○駅の○○駅舎新設工事の基礎土木工事の請負工事代金債権

以　上

（2−058 債権差押命令申立書）

2－059 債権差押命令申立書（判決による場合）

収入印紙

債権差押命令申立書

令和○○年　　月　　日

○○地方裁判所　債権執行係　御中

債権者代理人弁護士　　○　○　○　○　　印
ＴＥＬ　○○○（○○○）○○○○

当 事 者
請求債権　　別紙目録記載のとおり
差押債権

債権者は、債務者に対し、別紙請求債権目録記載の執行力ある債務名義正本に記載された請求債権を有しているが、債務者がその支払いをしないので、債務者が第三債務者に対して有する別紙差押債権目録記載の差押命令を求める。

添　付　書　類

1　執行力ある債務名義の正本　　１通
2　同送達証明書　　１通
3　資格証明書　　２通
4　委任状　　１通

当　事　者　目　録

〒○○○－○○○○

東京都○○区○○町○○丁目○○番○○号

債権者　　　　○○株式会社

代表者代表取締役　　　○　○　○　○

〒○○○－○○○○

東京都○○区○○町○○丁目○○番○○号

○○法律事務所(送達場所)

ＴＥＬ　○○（○○○○）○○○○

ＦＡＸ　○○（○○○○）○○○○

債権者代理人弁護士　○　○　○　○

〒○○○－○○○○

東京都○○区○○町○○丁目○○番○○号

債務者　　　　　　　○　○　○　○

〒○○○－○○○○

東京都○○区○○町○○丁目○○番○○号

第三債務者　　○○銀行

代表者代表取締役　　　○　○　○　○

(送達場所)

〒○○○－○○○○

東京都○○区○○町○○丁目○○番○○号

株式会社○○銀行　○○支店

（2－059 債権差押命令申立書（判決による場合））

当　事　者　目　録

〒○○○－○○○○
東京都○○区○○町○○丁目○○番○○号
債権者　　○○株式会社
代表者代表取締役　　　○　○　○　○
〒○○○－○○○○
東京都○○区○○町○○丁目○○番○○号
○○法律事務所（送達場所）
ＴＥＬ　○○（○○○○）○○○○
ＦＡＸ　○○（○○○○）○○○○
債権者代理人弁護士　　○　○　○　○

〒○○○－○○○○
神奈川県横浜市○○区○○町○○丁目○○番○○号
債務者　　　　　　　　○　○　○　○

〒○○○－○○○○
東京都千代田区丸の内二丁目７番２号
第三債務者　　株式会社ゆうちょ銀行
代表者代表執行役　　　○　○　○　○
（送達場所）
〒２２４－００３２
神奈川県横浜市都筑区茅ヶ崎中央３８－１
株式会社ゆうちょ銀行　横浜貯金事務センター

（2－059 債権差押命令申立書（判決による場合））

▶　ゆうちょ銀行の貯金は，各地域ごとに設けられた貯金事務センターで管理されている。本例は債務者が横浜市の場合である。債務者の住所により貯金事務センターは異なるので，確認が必要である。

請 求 債 権 目 録

東京地方裁判所令和○○年(ワ)第○○号事件の執行力ある判決正本に表示された下記金員及び執行費用。

記

（1）元　本　　　金○○○○円

（2）損害金　　　金○○○○円

上記（1）に対する令和○○年○○月○○日から令和○○年○○月○○日まで年○○%の割合による金員

（3）執行費用　　金○○○○円

内　訳

本申立手数料	金○○○○円
本申立書作成及び提出費用	金○○○○円
差押命令正本送達費用	金○○○○円
資格証明書交付手数料	金○○○○円
送達証明書申請手数料	金○○○○円
執行文付与申立手数料	金○○○○円

合　計　金○○○○円

（2－059 債権差押命令申立書（判決による場合））

▶ 執行費用として認められる金額は裁判所により異なるので，申し立てする裁判所に確認が必要である。

【預金債権（既発生利息も差し押さえる場合）】

差　押　債　権　目　録

金〇〇〇〇円

ただし，債務者が第三債務者株式会社〇〇銀行（〇〇支店扱い）に対して有する下記預金債権及び同預金に対する預入日から本命令送達時までに既に発生した利息債権のうち，下記に記載する順序に従い，頭書金額に満つるまで。

記

1　差押えのない預金と差押えのある預金があるときは，次の順序による。
（1）先行の差押え，仮差押えのないもの
（2）先行の差押え，仮差押えのあるもの

2　円貨建預金と外貨建預金があるときは，次の順序による。
（1）円貨建預金
（2）外貨建預金：差押命令が第三債務者に送達された時点における第三債務者の電信買相場により換算した金額（外貨）。ただし，先物為替予約があるときは原則として予約された相場により換算する。

3　数種の預金があるときは，次の順序による。
（1）定期預金
（2）定期積金
（3）通知預金
（4）貯蓄預金
（5）納税準備預金
（6）普通預金
（7）別段預金
（8）当座預金

4　同種の預金が数口あるときは，口座番号の若い順序による。
なお，口座番号が同一の預金が数口あるときは，預金に付せられた番号の若い順序による。

（2−059 債権差押命令申立書（判決による場合））

【預金債権（複数支店の預金債権を同時に差し押さえる場合）】

差押債権目録

1　第三債務者株式会社○○銀行（○○支店扱い）分　　金○○○○円
2　第三債務者株式会社○○銀行（○○支店扱い）分　　金○○○○円
3　第三債務者株式会社○○銀行（○○支店扱い）分　　金○○○○円
4　第三債務者株式会社○○銀行（○○支店扱い）分　　金○○○○円
5　第三債務者株式会社○○銀行（○○支店扱い）分　　金○○○○円

ただし，債務者が上記各第三債務者に対して有する下記預金債権及び同預金に対する預入日から本命令送達時までに既に発生した利息債権のうち，下記に記載する順序に従い，各頭書金額に満つるまで。

記

1　差押えのない預金と差押えのある預金があるときは，次の順序による。
（1）先行の差押え，仮差押えのないもの
（2）先行の差押え，仮差押えのあるもの
2　円貨建預金と外貨建預金があるときは，次の順序による。
（1）円貨建預金
（2）外貨建預金：差押命令が第三債務者に送達された時点における第三債務者の電信買相場により換算した金額（外貨）。ただし，先物為替予約があるときは原則として予約された相場により換算する。
3　数種の預金があるときは，次の順序による。
（1）定期預金　（2）定期積金　（3）通知預金
（4）貯蓄預金　（5）納税準備預金　（6）普通預金
（7）別段預金　（8）当座預金
4　同種の預金が数口あるときは，口座番号の若い順序による。
なお，口座番号が同一の預金が数口あるときは，預金に付せられた番号の若い順序による。

（2−059 債権差押命令申立書（判決による場合））

【貯金債権（株式会社ゆうちょ銀行）】

差　押　債　権　目　録

金○○○○円

ただし，債務者が第三債務者株式会社ゆうちょ銀行（○○貯金事務センター扱い）に対して有する下記貯金債権及び同貯金に対する預入日から本命令送達時までに既に発生した利息債権のうち，下記に記載する順序に従い，頭書金額に満つるまで。

記

1　差押えのない貯金と差押えのある貯金があるときは，次の順序による。
　（1）先行の差押え，仮差押えのないもの
　（2）先行の差押え，仮差押えのあるもの

2　担保権の設定されている貯金とされていない貯金があるときは，次の順序による。
　（1）担保権の設定されていないもの
　（2）担保権の設定されているもの

3　数種の貯金があるときは，次の順序による。
　（1）定期貯金
　（2）定額貯金
　（3）通常貯蓄貯金
　（4）通常貯金
　（5）振替貯金

4　同種の貯金が数口あるときは，記号番号の若い順序による。
　なお，記号番号が同一の貯金が数口あるときは，貯金に付せられた番号の若い順序による。

（2－059 債権差押命令申立書（判決による場合））

【貯金債権（独立行政法人郵便貯金・簡易生命保険管理機構）】

差　押　債　権　目　録

金○○○○円

ただし，債務者が第三債務者独立行政法人郵便貯金・簡易生命保険管理機構（株式会社ゆうちょ銀行○○貯金事務センター扱い）に対して有する下記郵便貯金債権及び同郵便貯金に対する預入日から本命令送達時までに既に発生した利息債権のうち，下記に記載する順序に従い，頭書金額に満つるまで。

記

1　差押えのない郵便貯金と差押えのある郵便貯金があるときは，次の順序による。

（1）先行の差押え，仮差押えのないもの

（2）先行の差押え，仮差押えのあるもの

2　担保権の設定されている郵便貯金とされていない郵便貯金があるときは，次の順序による。

（1）担保権の設定されていないもの

（2）担保権の設定されているもの

3　数種の郵便貯金があるときは，次の順序による。

（1）定期郵便貯金（預入期間が経過し，通常郵便貯金となったものを含む。）

（2）定額郵便貯金（預入の日から起算して１０年が経過し，通常郵便貯金となったものを含む。）

（3）積立郵便貯金（据置期間が経過し，通常郵便貯金となったものを含む。）

（4）教育積立郵便貯金（据置期間の経過後４年が経過し，通常郵便貯金となったものを含む。）

（5）住宅積立郵便貯金（据置期間の経過後２年が経過し，通常郵便貯金となったものを含む。）

（6）通常郵便貯金（（1）から（5）までの所定期間経過後の通常郵便貯金を除く。）

4　同種の郵便貯金が数口あるときは，記号番号の若い順序による。

なお，記号番号が同一の郵便貯金が数口あるときは，郵便貯金に付せられた番号の若い順序による。

（2−059 債権差押命令申立書（判決による場合））

【貯金債権（農業協同組合）】

差　押　債　権　目　録

金○○○○円

ただし，債務者が第三債務者○○農業協同組合（○○支店扱い）に対して有する下記貯金債権及び同貯金に対する預入日から本命令送達時までに既に発生した利息債権のうち，下記に記載する順序に従い，頭書金額に満つるまで。

記

1　差押えのない貯金と差押えのある貯金があるときは，次の順序による。
（1）先行の差押え，仮差押えのないもの
（2）先行の差押え，仮差押えのあるもの
2　円貨建貯金と外貨建貯金があるときは，次の順序による。
（1）円貨建貯金
（2）外貨建貯金：差押命令が第三債務者に送達された時点における第三債務者の電信買相場により換算した金額（外貨）。ただし，先物為替予約があるときは原則として予約された相場により換算する。
3　数種の貯金があるときは，次の順序による。
（1）定期貯金
（2）積立式定期貯金
（3）定期積金
（4）通知貯金
（5）貯蓄貯金
（6）納税準備貯金
（7）普通貯金
（8）営農貯金
（9）出資予約貯金
（10）別段貯金
（11）当座貯金
4　同種の貯金が数口あるときは，口座番号の若い順序による。
なお，口座番号が同一の貯金が数口あるときは，貯金に付せられた番号の若い順序による。

（2－059 債権差押命令申立書（判決による場合））

【給料債権及び退職金債権－民間会社用】

差　押　債　権　目　録

金○○○○円

ただし，債務者（○○○○勤務）が，第三債務者から支給される，本命令送達日以降支払期の到来する下記債権にして，頭書金額に満つるまで。

記

1　給料（基本給と諸手当。ただし，通勤手当を除く。）から所得税，住民税，社会保険料を控除した残額の４分の１（ただし，上記残額が月額４４万円を超えるときは，その残額から３３万円を控除した金額）

2　賞与から１と同じ税金等を控除した残額の４分の１（ただし，上記残額が４４万円を超えるときは，その残額から３３万円を控除した金額）

なお，１及び２により弁済しないうちに退職したときは，退職金から所得税及び住民税を控除した残額の４分の１にして，１及び２と合計して頭書金額に満つるまで。

（2－059 債権差押命令申立書（判決による場合））

【給料債権及び退職金債権（役員報酬併存型）】

差　押　債　権　目　録

金○○○○円

ただし，債務者（○○○○勤務）が，第三債務者から支給される，本命令送達日以降支払期の到来する下記債権にして，頭書金額に満つるまで。

記

1　給料（基本給と諸手当。ただし，通勤手当を除く。）から所得税，住民税，社会保険料を控除した残額の４分の１（ただし，上記残額が月額４４万円を超えるときは，その残額から３３万円を控除した金額）

2　賞与から１と同じ税金等を控除した残額の４分の１（ただし，上記残額が４４万円を超えるときは，その残額から３３万円を控除した金額）

3　役員として毎月又は定期的に支払いを受ける役員報酬及び賞与から１と同じ税金等を控除した残額

4　上記１ないし３により頭書金額に満つる前に債務者が退職したときは，
　①　退職金から所得税及び住民税を控除した残額の４分の１
　②　役員退職慰労金から所得税及び住民税を控除した残額

なお，支払期日が同日となる最終回分については，上記記載の順序により頭書金額に満つるまで。

（2−059 債権差押命令申立書（判決による場合））

【役員報酬債権及び役員退職慰労金債権】

差　押　債　権　目　録

金○○○○円

1　債務者が第三債務者から支給される，本命令送達日以降支払期の到来する役員報酬及び役員としての賞与から所得税，住民税，社会保険料を控除した残額にして，頭書金額に満つるまで。

2　上記1により頭書金額に満つる前に債務者が退職したときは，役員退職慰労金から所得税及び住民税を控除した残額にして，上記1と合計して頭書金額に満つるまで。

（2－059 債権差押命令申立書（判決による場合））

【給料債権及び退職金債権（給料支払形態不明型】

差　押　債　権　目　録

金○○○○円

ただし，債務者が第三債務者から支給される，本命令送達日以降支払期の到来する給料債権（基本給と諸手当。ただし，通勤手当を除く。）及び継続的に支払いを受ける労務報酬債権（日給，週給，歩合手当，割増金）並びに賞与債権（夏季，冬季，期末，勤勉手当）の額から所得税，住民税，社会保険料を差し引いた残額の４分の１（ただし，給料債権及び継続的に支払いを受ける労務報酬債権から上記と同じ税金等を控除した残額の４分の３に相当する額が，下記一覧表記載の支払期の別に応じ，同記載の政令で定める額を超えるときは，その残額から政令で定める額を控除した金額。また，賞与債権については，上記税金等を控除した残額が４４万円を超えるときは，その残額から３３万円を控除した金額）にして頭書金額に満つるまで。

なお，前記により弁済しないうちに退職したときは，退職金債権から所得税，住民税を控除した残額の４分の１にして，前記による金額と合計して頭書金額に満つるまで。

一　覧　表

支払期	政令で定める額
毎　　　月	３３０，０００円
毎　半　月	１６５，０００円
毎　　　旬	１１０，０００円
月の整数倍の期　間　ご　と	３３０，０００円に当該倍数を乗じて得た金額に相当する額
毎　　　日	１１，０００円
その他の期間	１１，０００円に当該期間に係る日数を乗じて得た金額に相当する額

（2－059 債権差押命令申立書（判決による場合））

【俸給債権及び退職金債権－公務員用】

差　押　債　権　目　録

金○○○○円

ただし，債務者（○○○○勤務）が第三債務者から支給される，本命令送達日以降支払期の到来する下記債権にして，頭書金額に満つるまで。

記

1　俸給・給料及び諸手当（ただし，通勤手当を除く。）から所得税，住民税，社会保険料を控除した残額の４分の１（ただし，上記残額が月額４４万円を超えるときは，その残額から３３万円を控除した金額）

2　期末手当，勤勉手当（その外の賞与の性質を有するものを含む。）から１と同じ税金等を控除した残額の４分の１（ただし，上記残額が４４万円を超えるときは，その残額から３３万円を控除した金額）

なお，１及び２により弁済しないうちに退職したときは，退職金から所得税，住民税を控除した残額の４分の１にして，１及び２と合計して頭書金額に満つるまで。

（2－059 債権差押命令申立書（判決による場合））

【地方議員報酬債権】

差　押　債　権　目　録

金○○○○円

ただし，債務者が第三債務者から支給される，本命令送達日以降令和○○年○○月○○日までの報酬及び期末手当にして，各支払期に受ける金額から所得税，住民税及び○○議会議員共済掛金を控除した金額にして，頭書金額に満つるまで。

（2－059 債権差押命令申立書（判決による場合））

2－060 債権差押及び転付命令申立書

収　入 印　紙

債権差押及び転付命令申立書

令和○○年○○月○○日

○○地方裁判所○○支部　御中

申立債権者　　　　　　　○　○　○　○

申立債権者代理人弁護士　○　○　○　○　　印

ＴＥＬ　○○○（○○○）○○○○

当事者
請求債権　別紙目録のとおり
差押債権

債権者は，債務者に対し，別紙請求債権目録記載の仮執行宣言付支払命令正本に表示された上記請求債権を有しているが，債務者がその支払いをしないので，債務者が第三債務者に対して有する別紙差押債権目録記載の債権に対し差押命令及び請求債権の支払いに代えて券面額で債権者に転付するとの命令を求める。

添　付　書　類

1　仮執行宣言付支払命令正本　　1通
2　　同　　　送達証明書　　1通
3　委任状　　1通

▶ 転付命令とは，被差押債権が金銭債権であるときに，被差押債権で代物弁済をする制度である。執行裁判所は，差押債権者の申立てにより，支払いに代えて券面額で差し押さえられた金銭債権を差押債権者に転付する命令を発することができる（民執法159条1項）。

▶ 転付命令の申立ては，差押命令の申立てと同時になすこともでき，また差押命令発令後に別個になすこともできる。別個になす場合としては，第三債務者からの陳述を受け，その内容を見てから行う場合がある。

本例は，差押命令申立と同時になす場合である。予納郵券および当事者目録・請求債権目録・差押債権目録の部数は裁判所により異なるので，確認が必要である。

▶　転付命令の申立ては，債権差押命令の管轄裁判所に対して，正本1通を提出する。転付命令の申立てについては，申立手数料は不要である。

▶　転付命令の効力は，転付債権が同一性を保ちながら債務者から差押債権者に移転し，差押債権者の債権および執行費用が，その券面額に相当する範囲で弁済されたものとみなされる(民執法160条)。したがって，転付命令を申し立てた差押債権者は第三債務者の無資力の危険を負うことになる点に注意が必要である。

2−061 転付命令の確定証明申請書

収入
印紙

転付命令の確定証明申請書

令和○○年○○月○○日

○○地方裁判所民事第○○部　御中

債権者代理人弁護士　　○　○　○　○　　印

ＴＥＬ　○○○（○○○）○○○○

債　権　者　　○　○　○　○
債　務　者　　○　○　○　○
第三債務者　　○　○　○　○

上記当事者間の令和○○年（ル）第○○号債権差押及び転付命令事件について令和○○年○○月○○日なされた転付命令は，下記期間内に執行抗告がないことにより確定したことを証明ください。

自　　令和○○年○○月○○日
至　　令和○○年○○月○○日

▶　転付命令に対しては執行抗告が可能であり（民執法159条4項），転付命令は確定しなければ効力を生じない（同条5項）。そこで，転付債権者が具体的な権利行使をするにあたっては，確定証明書が必要である。

▶　申請書は，正本と副本各1通を提出する。貼用印紙は150円である。

2－062 第三債務者に対する陳述催告の申立書

第三債務者に対する陳述催告の申立書

令和○○年○○月○○日

○○地方裁判所民事第○○部　御中

債　権　者　　○　○　○　○

債権者代理人弁護士　○　○　○　○　印

ＴＥＬ　○○○（○○○）○○○○

当　事　者　　別紙目録のとおり

本日御庁に申し立てた上記当事者間の債権差押命令申立事件について，第三債務者に対し，民事執行法１４７条１項に規定する陳述の催告をされたく申し立てる。

▶　債権差押命令は，債務者および第三債務者を審尋しないで発せられるので（民執法145条２項），差押債権者は，差押債権の存否や範囲，他の競合する差押えの有無等を確認する必要がある。そこで，差押債権者は，執行裁判所に対し，裁判所書記官が第三債務者に債権の存否や弁済の意思の有無，他の競合する差押え等の有無について陳述の催告をするよう申し立てることができる（同法147条１項）。

▶　この申立てに基づく陳述の催告は，差押命令の正本の送達と同時になされなければならないから，陳述催告の申立ては，差押命令の申立てと同時に行う必要がある。

▶　この申立書は，正本１通を提出する。収入印紙の貼付は不要である。

2−063 取下書

令和○○年（ル）第○○号

取　下　書

令和○○年○○月○○日

○○地方裁判所民事第○○部　御中

債権者代理人弁護士　　○　○　○　○　　印

ＴＥＬ　○○○（○○○）○○○○

債　権　者　　○　○　○　○

債　務　者　　○　○　○　○

第三債務者　　○　○　○　○

上記当事者間の債権差押命令の申立てはこれを取り下げます。

▶ **2−055** 参照。

2-064 強制執行停止決定正本等提出のための上申書

上　　申　　書

令和○○年○○月○○日

○○地方裁判所民事第○○部　御中

債　務　者　　　　　○　○　○　○

債務者代理人弁護士　○　○　○　○　　印

ＴＥＬ　○○○（○○○）○○○○

御庁令和○○年（ル）第○○号債権差押命令申立事件について，別紙強制執行停止決定正本（弁済受領書又は弁済猶予書面）を提出します。

▶　債権者が債務名義の成立後に弁済を受けまたは弁済の猶予を承諾した旨の文書が提出されたときは，執行裁判所または執行官は，強制執行を停止しなければならない（民執法39条1項8号）。

▶　本例は，債務者から執行裁判所に対して，そのような文書を提出するための上申書である。上申書は，正本1通を執行裁判所に提出する。

2−065 配当要求書

収入
印紙

配　当　要　求　書

令和○○年○○月○○日

○○地方裁判所　御中

債権者代理人弁護士　　○　○　○　○　　印

ＴＥＬ　○○○（○○○）○○○○

〒○○○−○○○○　○○県○○市○○町○○丁目○○番○○号

配当要求債権者　　○　○　○　○

〒○○○−○○○○　○○県○○市○○町○○丁目○○番○○号

物件所有者　　○　○　○　○

配当要求債権者は，御庁令和○○年（ル）第○○号債権差押命令申立事件について配当要求をする。

1　配当要求をする債権の原因及び額

○○地方裁判所令和○○年（ワ）第○○号事件の判決主文第１項及び第２項記載の各金員

（1）元　金　　○○○○円

（2）損害金　　○○○○円

ただし，令和○○年○○月○○日から令和○○年○○月○○日まで年○割の割合による遅延損害金

2　配当要求の資格

配当要求債権者は，所有者に対し，執行力ある判決正本を有している。

▶　債権執行においては，執行力ある債務名義の正本を有する債権者，文書により先取特権を有することを証明した債権者が配当要求でき（民執法154条），民事執行法165条の各号に定める時期までに執行裁判所に対して申し立てることができる。

▶　配当要求は，債権の原因および額を記載した書面でしなければならない（民執規26条，132条）。

▶　配当要求書は，正本１通と，利害関係人

添　付　書　類

1	執行文付判決正本	○通
2	配当要求書副本	○通

数と同数の副本を，執行裁判所の書記官に提出する。収入印紙500円を貼付する。

2−066 取立（完了）届

令和○○年（ル）第○○号

取立（完了）届

令和○○年○○月○○日

○○地方裁判所民事第○○部　御中

債権者代理人弁護士　○　○　○　○　印

ＴＥＬ　○○○（○○○）○○○

債　権　者　○　○　○　○
債　務　者　○　○　○　○
第三債務者　○　○　○　○

上記当事者間の債権差押命令に基づき，債権者は第三債務者から令和○○年○○月○○日午前○○時金○○○○円を取立完了したので届けます。

▶　金銭債権を差し押さえた債権者は，債務者に対して差押命令が送達された日から1週間を経過したときは，その債権を取り立てることができる（民執法155条1項）。差押債権者が第三債務者から支払いを受けたときは，その債権および執行費用は支払いを受けた額の限度で弁済されたものとみなされる（同条2項）。また，差押債権者が第三債務者から支払いを受けたときは，直ちに，その旨を執行裁判所に届け出なければならない（同条3項）。本例はその届出書である。

▶　この届出書は，①事件の表示，②債務者および第三債務者の氏名または名称，③第三債務者から支払いを受けた額および年月日──を記載しなければならない（民執規137条）。

▶　本届出書は，正本1通を執行裁判所の担当書記官に提出する。収入印紙の貼付は不要である。

2－067 取立訴訟の訴状

収入印紙

訴　　　状

令和○○年○○月○○日

○○地方裁判所　御中

原告代理人弁護士　○○○○　印

ＴＥＬ　○○○（○○○）○○○○

〒○○○－○○○○

○○県○○市○○町○○丁目○○番○○号

原　　告　○○○○

〒○○○－○○○○

○○県○○市○○町○○丁目○○番○○号

原告代理人弁護士　○○○○

〒○○○－○○○○

○○県○○市○○町○○丁目○○番○○号

被　　告　□□株式会社

代表者代表取締役　○○○○

請求の趣旨

被告は原告に対し金○○○○円及びこれに対する令和○○年○○月○○日から支払済みまで年○割の割合による金員を支払え。

訴訟費用は被告の負担とする。

との判決並びに仮執行の宣言を求める。

▶　差押債権者の取立てに第三債務者が応じないときは，差押債権者は第三債務者に対して，被差押債権について直接自己への支払い（債権者が競合しないとき）または供託（債権者が競合するとき）を求める訴え（取立訴訟）を提起することができる（民執法157条）。

▶　取立訴訟の訴訟物は被差押債権であるから，その管轄は，被担保債権について事物管轄および土地管轄がある裁判所というこ

請 求 の 原 因

1　原告は訴外債務者○○○○に対し，○○地方裁判所令和○○年（ワ）第○○号貸金請求事件の執行力のある判決の正本に基づき，上記債務者が第三債務者である被告に対して有する金○○○○円の債権につき，令和○○年○○月○○日○○地方裁判所令和○○年（ル）第○○号債権差押命令を申し立て，同裁判所から同年○○月○○日債権差押命令が発せられ，同正本は債務者○○○○に対し同年○○月○○日，第三債務者たる被告には同年○○月○○日にそれぞれ送達された。

2　原告は上記差押命令に基づき被告に対し差押債権の支払いを求めたが，被告はこれに応じないので，本訴に及ぶ次第である。

添 付 書 類

1	債権差押命令正本（甲第１号証）	１通
2	同送達証明書（甲第２号証）	１通
3	資格証明書	１通

（2－067 取立訴訟の訴状）

とになる。取立訴訟は，特別の定めのあるもののほか，通常の訴訟手続で行われる。

2−068 船舶引渡請求権差押命令申立書

収入
印紙

船舶引渡請求権差押命令申立書

令和○○年○○月○○日

○○地方裁判所民事第○○部　御中

申立債権者代理人弁護士　○　○　○　○　印

ＴＥＬ　○○○（○○○）○○○○

当 事 者
請求債権　別紙目録のとおり
差押債権

債権者は，債務者に対し，別紙請求債権目録記載の執行力のある判決正本に表示された上記請求債権を有しているが，債務者がその支払いをしないので，債務者が第三債務者に対して有する別紙差押債権目録記載の船舶引渡請求権の差押命令を求める。

添 付 書 類

1	執行力のある判決正本	1通
2	同送達証明書	1通
3	資格証明書	3通

▶　管轄は，執行債務者の普通裁判籍所在地の地方裁判所に属するが，これがないときは船舶の所在地の地方裁判所に属する（民執法113条）。

▶　船舶の引渡請求権を差し押さえた債権者は，差押命令が債務者に送達されてから1週間を経過したときは，取立権の行使として，第三債務者である船舶占有者に対し，船舶の所在地を管轄する地方裁判所の選任する保管人に船舶を引き渡すべき旨を請求できる（民執法162条1項）。

2−069 動産引渡請求権差押命令申立書

収　入 印　紙

動産引渡請求権差押命令申立書

令和○○年○○月○○日

○○地方裁判所　御中

申立債権者代理人弁護士　○　○　○　○　印

ＴＥＬ　○○○（○○○）○○○○

当 事 者
請求債権　　別紙目録のとおり
差押債権

債権者は債務者に対し，別紙請求債権目録記載の執行力のある公正証書の正本に表示された上記請求債権を有するが，その支払いをしないので，債務者が第三債務者に対して有する別紙差押債権目録記載の動産引渡請求権の差押命令を求める。

添　付　書　類

1　執行力のある公正証書の正本　　1通

2　同送達証明書　　1通

▶　債務者が占有していない債務者所有動産は動産執行できないので，現に占有している者を第三債務者として動産の引渡請求権を差し押さえるものとした。

▶　動産引渡請求権の差押命令が債務者に送達されてから1週間経過したときは，執行債権者は第三債務者に対し，動産を執行官に引き渡す旨の請求をすることができる(民執法163条1項)。

2−070　社員持分権差押命令申立書

収入
印紙

社員持分権差押命令申立書

令和○○年○○月○○日

○○地方裁判所民事第○○部　御中

申立債権者代理人弁護士　○　○　○　○　印

TEL　○○○（○○○）○○○○

当事者
請求債権　　別紙目録のとおり
差押債権

債権者は，債務者に対し，別紙請求債権目録記載の執行力のある判決正本に表示された上記請求債権を有しているが，債務者がその支払いをしないので，債務者が第三債務者に対して有する別紙差押債権目録記載の社員持分権の差押命令を求める。

添付書類

1　執行力のある判決正本　　1通
2　同送達証明書　　1通
3　資格証明書　　1通

▶　合名・合資・有限会社の社員の持分，民法上の組合の組合員の持分，信用金庫の会員の持分，各種協同組合の組合員の持分等は，社員等の身分たる権利を伴うとともに利益・配当・残余財産分配等を請求できるなど財産的価値（換価して金銭化が可能）があるので，執行適格を有する。本例は，合資会社に対する持分権を差し押さえるものである。

▶　申立書の「差押債権目録」には，会社，

差　押　債　権　目　録

債務者が第三債務者（合資会社）に対して，同社の有限責任社員として有する持分権（出資金額面金○○○○円，１口○○円のもの○○口分）。

（2−070 社員持分権差押命令申立書）

信用金庫，組合等を特定するほか，その持分の内容を明確にするために，本例の合資会社の社員持分では「出資金額面」を記載する。

2－071 実用新案権差押命令申立書

収　入
印　紙

実用新案権差押命令申立書

令和○○年○○月○○日

○○地方裁判所民事第○○部　御中

申立債権者　　　　○　○　○　○
上記代理人弁護士　○　○　○　○　　印
TEL　○○○（○○○）○○○○

当 事 者
請求債権
差し押さえるべき実用新案権
（以上）別紙目録のとおり

債権者は，債務者に対し別紙請求債権目録記載の執行力のある和解調書の正本に表示された上記請求債権を有しているが，債務者がその支払いをしないので，債務者が有する別紙記載の実用新案権の差押命令を求める。

添 付 書 類

1　執行力のある和解調書正本　　1通
2　同送達証明書　　1通
3　実用新案権登録簿謄本　　1通
4　委任状　　1通

▶　実用新案権は，産業上利用できる考案であり，物品の形状，構造または組合せに係るもので（実用新案法3条），実用新案原簿に登録することによって成立する権利である（同法14条1項）。実用新案権も財産権であり，物権・債権等と同時に相続・譲渡等により移転することができ，執行適格を有する。

▶　申立書の「実用新案権目録」は，登録番号・年月日，出願番号・年月日，名称，登

当 事 者 目 録

〒○○○－○○○○
○○市○○町○○丁目○○番○○号
債 権 者　　　　○ ○ ○ ○

〒○○○－○○○○
○○市○○町○○丁目○○番○○号
○○法律事務所
TEL　○○○（○○○○）○○○○
FAX　○○○（○○○○）○○○○
債権者代理人弁護士　　○ ○ ○ ○

〒○○○－○○○○
○○市○○町○○丁目○○番○○号
債 務 者　　　　○ ○ ○ ○

（2－071 実用新案権差押命令申立書）

録権利者などで特定する。

請　求　債　権　目　録

○○地方裁判所令和○○年（ワ）第○○号貸金請求事件の執行力のある和解調書正本に表示の下記金員。

（1）元　本　　　金○○○○円
　　ただし，令和○○年○○月○○日貸し渡した金員の残金

（2）損害金　　　金○○○○円
　　上記（1）に対する令和○○年○○月○○日より令和○○年○○月○○日まで年○○％の割合による損害金

合計　金○○○○円

（2−071 実用新案権差押命令申立書）

差し押さえるべき実用新案権目録

（1）名　　　称　　　○○○○○○○○○

（2）登 録 番 号　　　実用新案登録第○○○○○○○○号

（3）登録権利者　　　○○市○○町○○丁目○○番○○号
　　　　　　　　　　○　○　○　○

（2−071 実用新案権差押命令申立書）

2―072 債権差押命令申立書（動産売買先取特権に基づく物上代位）

収入印紙

債権差押命令申立書

令和○○年○○月○○日

○○地方裁判所民事第○○部　御中

債権者代理人弁護士　○　○　○　○　印

ＴＥＬ　○○○（○○○○）○○○○

当　事　者
担　保　権
被担保債権
請 求 債 権
差 押 債 権
　別紙目録のとおり

債権者は，債務者に対し別紙請求債権目録記載の債権を有するが，債務者がその支払いをしないので，別紙担保権目録記載の動産売買の先取特権（物上代位）に基づき，債務者が第三債務者に対して有する別紙差押債権目録記載の債権の差押命令を求める。

添　付　書　類

1　注文書（債務者から債権者に対する○○○注文書）　○通
2　受領書（債務者の□□□株式会社に対する○○○受領書）　○通
3　請求書（□□□株式会社の債権者に対する○○○代金の請求）　○通
4　債務確認書（第三債務者の工事残代金債務確認）　○通
5　資格証明書　○通
6　委任状　○通

▶ 動産売買先取特権に基づく物上代位による担保権実行では，債権者と債務者との間における特定動産の売買の事実を証明する文書を添付する必要がある。
▶ また，物上代位権が発生するには，その目的動産が債務者から第三債務者に譲渡された事実を証明することが必要であるとされている。固有の製造番号が刻印されている場合は証明が容易であるが，同種のものが大量生産されているときは証明が非常に

当 事 者 目 録

〒○○○－○○○○

○○市○○町○○丁目○○番○○号

債　権　者　　　　□□株式会社

代表者代表取締役　　　　○　○　○　○

〒○○○－○○○○

○○市○○町○○丁目○○番○○号

○○法律事務所

TEL　○○○（○○○）○○○○

FAX　○○○（○○○）○○○○

上記債権者代理人弁護士　○　○　○　○

〒○○○－○○○○

○○市○○町○○丁目○○番○○号

債　務　者　　　　□□工機株式会社

代表者代表取締役　　　　○　○　○　○

〒○○○－○○○○

○○市○○町○○丁目○○番○○号

第三債務者　　　　□□株式会社

代表者代表取締役　　　　○　○　○　○

（2－072 債権差押命令申立書（動産売買先取特権に基づく物上代位））

困難であり，この証明が不十分として申立てが却下されるケースが多いというのが現状である。

担保権・被担保債権・請求債権目録

1　担保権

下記2記載の売買契約に基づく動産売買の先取特権

（物上代位）

2　被担保債権及び請求債権

金○○○○円

債権者が令和○○年○○月○○日付売買契約に基づき債務者に売却した下記商品の代金債務

記

□□□株式会社製　　○○○○

数量　　○基

（2−072 債権差押命令申立書（動産売買先取特権に基づく物上代位））

差 押 債 権 目 録

金○○○○円

ただし，債務者が令和○○年○○月○○日付第三債務者との請負契約に基づき令和○○年○○月○○日○○所在第三債務者○○工場に納入設置した下記物品の売買代金で同設備工事金○○○○円に含まれている金額

記

□□□株式会社製　　　○○○○

数量　　　　　○基

（2－072 債権差押命令申立書（動産売買先取特権に基づく物上代位））

2−073 動産競売申立書（留置権に基づく）

動　産　競　売　申　立　書

受付印

○○地方裁判所
○○執行官　殿
支部
令和○○年○○月○○日

予約金　　円
担当　　区

〒　住　所　○○県○○市○○町○○丁目○○番○○号
債権者　□□株式会社
代表取締役　○　○　○　○　印

〒　住　所　○○県○○市○○町○○丁目○○番○○号
代理人　□□株式会社
社員　○　○　○　○　印

〒　住　所　○○県○○市○○町○○丁目○○番○○号
債務者　○　○　○　○

〒

〒

担保権　留置権（修理代金）
被担保債権
金○○○○円（内訳別紙のとおり）

連絡先　電話　局　番
（担当者　）

▶　留置権は，民事留置権と商事留置権を問わず優先弁済権はないが，永続的な留置継続の負担からの解放手段として留置物の換価権を含むと解され，競売の基礎になる（民執法195条）。本例は，留置権に基づく競売申立である。

目的物	
種　　類 （数　　量）	所 在 す る 場 所
自動車　（○台）	○○県○○市○○町○○丁目○○番○○号 □□株式会社

添　付　書　類		
1　差押承諾証明書	通	1　執行の立会い 有 ・ 無
2　資格証明書	1通	2　執行の日時 月　　日希望
3　委任状	1通	3　上記の通知 要 ・ 否
4　自動車登録抹消証明書	1通	
5　自動車整備作業書	1通	
6　修理代金請求書	1通	
7　上申書	1通	

執行調書謄本　債権者・債務者へ交付申立て

（2－073 動産競売申立書（留置権に基づく））

6　財産開示

【1】財産開示制度

債務者の財産に対して強制執行の申立てをする際には，債務者のどの財産を対象にするかを具体的に特定する必要があるが，債権者にはこれが容易に判明しない場合が多い。そこで，金銭債権の実現のため，債務者を裁判所に呼び出し，どんな財産を持っているかを裁判官の前で明らかにさせる手続きが平成15年の新担保・執行法により創設された。これが財産開示手続である（民執法196条以下）。

【2】令和元年改正法

財産開示手続の利用実績は年間1,000件前後と低調であり，また実効性が十分でないことから，実効性を向上させるため，令和元年5月にこの制度を改正する法律（以下「本改正法」という）が成立した（同月17日公布，原則として令和2年4月1日施行）。

本改正法により，申立可能な債務名義の種類が金銭債権について強制執行の申立てをするに必要とされる債務名義を有する者全般に拡大され（民執法197条1項柱書），開示義務者が手続違反をした場合の刑事罰が導入された（同法213条1項）とともに，債務者の不動産に関する情報，債務者の勤務先に関する情報，債務者の預貯金債権や上場株式，国債等の第三者からの情報取得手続が新設された（同法205条～211条）。

ただし，債務者の不動産に関する情報取得手続（同法205条）については，公布の日から起算して2年を超えない範囲内において政令で定める日までの間は適用されない（本改正法附則5条）。

【3】第三者からの情報取得手続の留意点

債務者の預貯金債権等に係る情報は，先に財産開示手続を経る必要はなく，裁判所に申立てをして銀行等に情報提供を命じてもらうことができる（民執法207条）。

債務者の不動産と勤務先に関する情報取得のためには，先に債務者の財産開示手続を実施する必要がある（同法205条2項，206条2項）。また，債務者の勤務先に関する情報取得手続の申立てをすることができるのは，養育費等の支払いや生命または身体の侵害による損害賠償金の支払いを内容とする債務名義を有する者に限られる（同法206条1項柱書）。

【4】財産開示手続申立の内容

1　管　轄

債務者の普通裁判籍の所在地を管轄する地方裁判所である（民執法196条）。この管轄は専属管轄である（同法19条）。

2　申立権者

(1)　執行力のある債務名義正本を有する債権者で執行開始要件（民執法29条～31条）を備え（同法197条1項柱書），かつ債務者に破産・民事再生等の倒産手続開始決定がなされていないこと。

(2)　一般の先取特権（民法306条）を有し（民執法197条2項），かつ一般の先取特権を実行できない場合でないこと（弁済期の到来かつ破産・民事再生等の倒産手続開始決定がなされていないこと）。

ここで破産・民事再生等の倒産手続開始決定がなされた場合が除外されているのは，倒産手続開始決定があると，債権者の個別的権利行使が禁止されるためである。

3　要　件

(1)　**一般的開始要件**

①強制執行または担保権の実行における配当等の手続き（申立ての日より6カ月以上前に終了したものを除く）において，申

立人が当該金銭債権または当該先取特権の被担保債権）の完全な弁済を受けることができなかったとき（民執法197条1項1号），または，②知れている財産に対する強制執行を実施しても，申立人が当該金銭債権または当該先取特権の被担保債権の完全が弁済を得られないことの疎明があったとき（同条1項1号，2項2号）。

⑵ **開始要件阻却事由**

債務者が申立ての日前3年以内に財産開示期日において，その財産を開示した者でないこと(民執法197条3項)。この要件は，申立ての段階では明示的に主張立証を要しない。ただし，過去3年以内に全部の財産を開示したことが実施決定前に裁判所に明らかになった場合には，申立人は一部の財産の非開示（同項1号），新たな財産の取得（同項2号）または雇用関係の終了（同項3号）の要件を立証する必要があり，その立証がなければ申立ては却下される。

4 申立書の記載

⑴ 財産開示手続の申立書には，①当事者の氏名または名称および住所，②代理人の氏名および住所,③申立ての理由を記載し(民執規182条1項)，③については，申立てを理由づける事実を具体的に記載し,かつ,立証を要する事由ごとに証拠を記載することが必要である（同条2項，同規27条の2第2項）。

⑵ 申立手数料として，2,000円の収入印紙を貼付し，相当額の郵券を予納する。郵券の種類および予納方法は，提出する裁判所に確認を要する。

⑶ **添付書類**

〈すべての申立てに共通〉

A　当事者が法人の場合：商業登記事項証明書，代表者全部事項証明書（申立人は2カ月以内，債務者は1カ月以内に発行されたもの）

B　代理人による申立ての場合：弁護士であれば委任状。許可代理人であれば代理人許可申立書および委任状ならびに代理人と本人との関係を証する書面（社員証明書等）

C　債務名義上の氏名または名称および住所に変更がある場合：個人であれば，住民票または戸籍の附票。法人であれば，履歴事項証明書または閉鎖商業登記事項証明書等

〈執行力のある債務名義の正本を有する債権者〉

①執行力のある債務名義の正本
②①の送達証明書
③債務名義が更正されている場合は，その決定正本
④③の送達証明書
⑤③の更正決定が主文の更正の場合は，その確定証明書

その他，執行開始要件を備えたことの証明を要する場合はその証明文書

〈一般の先取特権を有する債権者〉

一般の先取特権を有することの証明文書

【5】第三者からの情報取得手続

⑴ 第三者からの情報取得手続の申立書には，

① 申立人，債務者および情報提供を命じられるべき者の氏名または名称および住所ならびに代理人の氏名および住所
② 申立ての理由
③ 不動産に関する情報手続を求めるときは，所在地の範囲

を記載する（民執規187条1項)。

⑵ 前項の申立書には，できる限り，債務者の氏名または名称のふりがな，生年月日および性別その他の債務者の特定に資する事

項を記載しなければならない（同条2項）。

⑶　債務者の不動産に関する情報または給与債権に関する情報を求める申立書には，申立ての日前3年以内に財産開示期日における手続きが実施されたことを証する書面を添付することが必要である（同条3項）。

⑷　第三者からの情報取得手続の申立の理由については，申立てを理由づける事実　を具体的に記載し，かつ，立証を要する事由ごとに証拠を記載することが必要である（同条4項，同規27条の2第2項）。

2－074 財産開示手続申立書①

収　入 印　紙

財産開示手続申立書

令和○○年○○月○○日

東京地方裁判所民事第２１部　御中

申立人代理人弁護士　　○　○　○　○　　印

電　話　　○○（○○○○）○○○○

ＦＡＸ　　○○（○○○○）○○○○

当 事 者　　別紙当事者目録記載のとおり

請求債権　　別紙請求債権目録記載のとおり

申立人は，債務者に対し，別紙請求債権目録記載の執行力ある債務名義の製本に記載された請求債権を有しているが，債務者がその支払いをせず，下記の要件に該当するので，債務者について，財産開示手続の実施を求める。

記

１　民事執行法１９７条１項の要件

□　強制執行又は担保権の実行における配当等の手続き（本件申立ての日より６月以上前に終了したものを除く。）において，金銭債権の完全な弁済を得ることができなかった（１号）。

□　知れている財産に対する強制執行を実施しても，金銭債権の完全な弁済を得られない（２号）。

２　民事執行法１９７条３項の要件

債務者が，本件申立ての日前３年以内に財産開示期日においてその財産について

陳述したことを

□　知らない。

□　知っている。

（「知っている。」にチェックした場合は，次のいずれかにチェックする。）

□　債務者が当該財産開示期日において，一部の財産を開示しなかった（１号）。

□　債務者が当該財産開示期日の後に新たに財産を取得した（２号）。

（取得した財産　　　　　　　　　　　　　　　　　　　　　　　　）

□　当該財産開示期日の後に債務者と使用者との間の雇用関係が終了した（３号）。

添　付　書　類

□　執行力ある債務名義の正本　　　　　　　　　通

□　同確定証明書　　　　　　　　　　　　　　　通

□　同送達証明書　　　　　　　　　　　　　　　通

□　資格証明書　　　　　　　　　　　　　　　　通

□　住民票　　　　　　　　　　　　　　　　　　通

□　その他

証　拠　書　類

１　民事執行法１９７条１項１号関係

□　配当表謄本　　　　　　　　　　　　　　　　通

□　弁済金交付計算書謄本　　　　　　　　　　　通

□　その他

２　民事執行法１９７条１項２号関係

□　知れたる財産に関する調査報告書　　　　　　部

□　その他

3　民事執行法１９７条３項関係

□　財産開示期日調書謄本　　　　　　　　　　通

□　知れたる財産に関する調査報告書　　　　　部

□　退職証明書・聴取書　　　　　　　　　　　通

□　その他

（2−074 財産開示手続申立書①）

当　事　者　目　録

〒○○○－○○○○
東京都○○区○○町○○丁目○○番○○号
申立人　　○○株式会社
代表者代表取締役　　○　○　○　○

〒○○○－○○○○
東京都○○区○○町○○丁目○○番○○号
○○法律事務所
電　話　　○○（○○○○）○○○○
ＦＡＸ　　○○（○○○○）○○○○
上記債権者代理人弁護士　　○　○　○　○

〒○○○－○○○○
東京都○○区○○町○○丁目○○番○○号
（債務名義上の住所）
東京都○○区○○町○○丁目○○番○○号
債務者　　○　○　○　○

（2－074　財産開示手続申立書①）

請 求 債 権 目 録

東京地方裁判所令和○○年（ワ）第○○号貸金返還請求事件の執行力ある判決正本に表示された下記債権

1　元　本　　金○○○○円

ただし，主文第１項に記載された元金３００万円の残金

2　損害金

ただし，上記１に対する令和○○年○○月○○日から支払済みに至るまで年○○パーセントの割合による遅延損害金

（2−074 財産開示手続申立書①）

2−075　財産開示手続申立書②

収入印紙

財産開示手続申立書

令和○○年○○月○○日

東京地方裁判所民事第２１部　御中

申立人代理人弁護士　　○　○　○　○　印
電　話　○○（○○○○）○○○○
ＦＡＸ　○○（○○○○）○○○○

当　事　者
　別紙当事者目録記載のとおり
担保権・被担保債権・請求債権
　別紙担保権・被担保債権・請求債権目録記載のとおり

申立人は，債務者に対し，別紙担保権・被担保債権・請求債権目録記載の一般の先取特権によって担保された同目録記載の請求債権を有しているが，債務者がその支払いをせず，下記の要件に該当するので，債務者について，財産開示手続の実施を求める。

記

１　民事執行法１９７条２項の要件
□　強制執行又は担保権の実行における配当等の手続き（本件申立ての日より６月以上前に終了したものを除く。）において，上記被担保債権の完全な弁済を得ることができなかった（１号）。
□　知れている財産に対する担保権の実行を実施しても，上記被担保債権の完全な弁済を得られない（２号）。

２　民事執行法１９７条３項の要件

債務者が，本件申立ての日前３年以内に財産開示期日においてその財産について陳述したことを

□　知らない。

□　知っている。

（「知っている。」にチェックした場合は，次のいずれかにチェックする。）

□　債務者が当該財産開示期日において，一部の財産を開示しなかった（１号）。

□　債務者が当該財産開示期日の後に新たに財産を取得した（２号）。

（取得した財産　　　　　　　　　　　　　　　　　　　　　　　　　）

□　当該財産開示期日の後に債務者と使用者との間の雇用関係が終了した（３号）。

添　付　書　類

□　給与明細書　　　　　　　　　　　　通

□　賃金台帳写し　　　　　　　　　　　通

□　従業員台帳写し　　　　　　　　　　通

□　源泉徴収票　　　　　　　　　　　　通

□　給料未払金債務確認書　　　　　　　通

□　印鑑証明書　　　　　　　　　　　　通

□　住民票　　　　　　　　　　　　　　通

□　その他

証　拠　書　類

１　民事執行法１９７条２項１号関係

□　配当表謄本　　　　　　　　　　　　通

（2−075 財産開示手続申立書②）

□　弁済金交付計算書謄本　　通

□　その他

2　民事執行法１９７条２項２号関係

□　知れたる財産に関する調査報告書　　部

□　その他

3　民事執行法１９７条３項関係

□　財産開示期日調書謄本　　通

□　知れたる財産に関する調査報告書　　部

□　退職証明書・聴取書　　通

□　その他

（2－075　財産開示手続申立書②）

第3章
民事保全

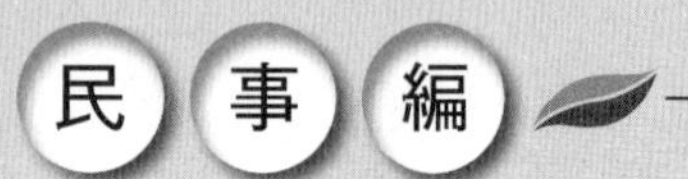

第3章　民事保全

1　保全命令の申立て

1　保全命令の申立て

保全命令の申立ては，所定の収入印紙を貼った申立書の正本1通に疎明資料（不動産登記事項証明書，報告書など）各1通と添付書類（資格証明書，固定資産評価証明書，訴訟委任状など）各1通を添えて，管轄裁判所の保全命令申立の受付係（東京地方裁判所では民事第9部）に提出して行う。なお，東京地方裁判所民事第9部では，保全命令の申立てがなされると全件について債権者面接が行われている。

2　申立書作成にあたっての一般的な注意事項

以下は，東京地方裁判所民事第9部から出されていた要望事項の抜粋である（なお，民保規13条2項参照）。申立書の作成にあたって注意されたい。

(1)　申立ての理由の充実について

①　申立書の項目分けと疎明資料の記載

被保全権利と保全の必要性の項目を分け（項目が多数にわたる場合には，できるだけ小見出しを付ける），それぞれの項目について適当な段落分けをするとともに，各段落ごとに疎明資料を指摘する。

②　被保全権利のまとめ

被保全権利の項目の最後には，必ず「被保全権利のまとめ」の項目を設け，保全命令の被保全権利を明記する。

③　形式的な記載の簡略化

「（以下「本件土地」という）」は単に「（本件土地）」と，「疎甲第1号証」は「甲1」というように，形式的な記載については簡略化してもよい。

④　細かい事情は報告書に

申立書の理由中では，いわゆる法律要件事実とそれを基礎付ける重要な間接事実，予想される抗弁とそれに対する反論等を記載すれば十分である。細かい事情は報告書に記載する。

(2)　処分禁止仮処分について

仮処分申立書の冒頭の部分に，処分禁止仮処分によって保全しようとする権利を具体的に明記する。

3　申立てにあたってのチェックリスト

339頁のチェックリストは，東京地方裁判所民事第9部で配布していたチェックリストに一部手を加えたものである。申立てにあたって，参考にされたい。

4　目　　録

発令を迅速に行うため，裁判所から目録の提出を求められる。340頁に示すのは，東京地方裁判所民事第9部の場合である。これ以外に主文目録の提出を求められることもある。

5　予納郵券

発令にあたって，送達のための郵券の納付が必要となる。納付額は，東京地方裁判所民事第9部では，原則として，債務者1名につき1,099円分，第三債務者1名につき2,038円分（速達，陳述催告申立の場合），登記所1カ所につき1,394円分（速達の場合）である。

6　登録免許税

登録免許税として，不動産仮差押の場合は請求債権額（1,000円未満切捨）に1,000分の4を乗じた額（100円未満切捨），不動産処分禁止の仮処分の場合は固定資産評価額（1,000円未満切捨）に1,000分の4を乗じた額（100円未満切捨）の納付が必要となる（登税法9条，11条，別表第1の1の(5)）。収入印紙による納付が一般的であるが，登録免許税額が3万円を超える場合は，一定の納付書で日本銀行本・支店または代理店に納付し，その領収証書を提出する。

【チェックリスト】

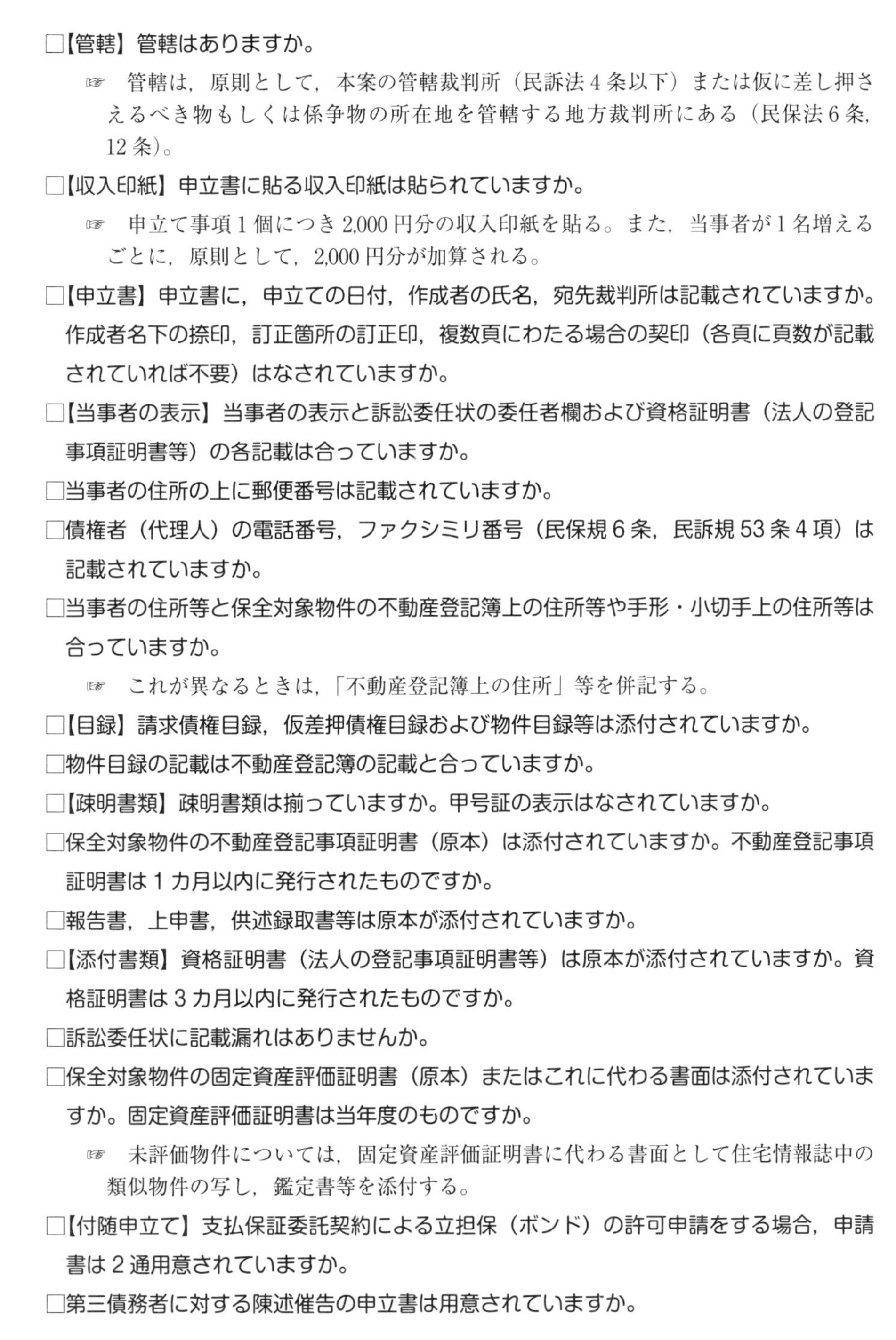

□【管轄】管轄はありますか。

☞　管轄は，原則として，本案の管轄裁判所（民訴法4条以下）または仮に差し押さえるべき物もしくは係争物の所在地を管轄する地方裁判所にある（民保法6条，12条）。

□【収入印紙】申立書に貼る収入印紙は貼られていますか。

☞　申立て事項1個につき2,000円分の収入印紙を貼る。また，当事者が1名増えるごとに，原則として，2,000円分が加算される。

□【申立書】申立書に，申立ての日付，作成者の氏名，宛先裁判所は記載されていますか。作成者名下の捺印，訂正箇所の訂正印，複数頁にわたる場合の契印（各頁に頁数が記載されていれば不要）はなされていますか。

□【当事者の表示】当事者の表示と訴訟委任状の委任者欄および資格証明書（法人の登記事項証明書等）の各記載は合っていますか。

□当事者の住所の上に郵便番号は記載されていますか。

□債権者（代理人）の電話番号，ファクシミリ番号（民保規6条，民訴規53条4項）は記載されていますか。

□当事者の住所等と保全対象物件の不動産登記簿上の住所等や手形・小切手上の住所等は合っていますか。

☞　これが異なるときは，「不動産登記簿上の住所」等を併記する。

□【目録】請求債権目録，仮差押債権目録および物件目録等は添付されていますか。

□物件目録の記載は不動産登記簿の記載と合っていますか。

□【疎明書類】疎明書類は揃っていますか。甲号証の表示はなされていますか。

□保全対象物件の不動産登記事項証明書（原本）は添付されていますか。不動産登記事項証明書は1カ月以内に発行されたものですか。

□報告書，上申書，供述録取書等は原本が添付されていますか。

□【添付書類】資格証明書（法人の登記事項証明書等）は原本が添付されていますか。資格証明書は3カ月以内に発行されたものですか。

□訴訟委任状に記載漏れはありませんか。

□保全対象物件の固定資産評価証明書（原本）またはこれに代わる書面は添付されていますか。固定資産評価証明書は当年度のものですか。

☞　未評価物件については，固定資産評価証明書に代わる書面として住宅情報誌中の類似物件の写し，鑑定書等を添付する。

□【付随申立て】支払保証委託契約による立担保（ボンド）の許可申請をする場合，申請書は2通用意されていますか。

□第三債務者に対する陳述催告の申立書は用意されていますか。

発令に際し必要な各種目録の種類・通数（東京地方裁判所民事第９部の場合）

事件の種類 ＼ 目録の種類			決定用				登記（登録）嘱託用	
			当事者目録	請求債権目録	仮差押債権目録	物件目録	物件目録	登記権利者義務者目録
仮差押	動産		3	3				
仮差押	不動産		3	3		3	2	2
仮差押	債権		4	4	4			
仮差押	電話加入権		4	4		4（加入権目録）		
仮差押	自動車		4	4		4	2	2
仮処分	動産		3			3		
仮処分	不動産	占有移転禁止	3			3		
仮処分	不動産	処分禁止	3			3	2	2
仮処分	債権（処分禁止）		4			4（債権目録）		
仮処分	自動車	占有移転禁止	3			3		
仮処分	自動車	処分禁止	4			4	2	2
仮処分	競売手続停止		3			3		
仮処分	抵当権実行・処分禁止		3			（同数の抵当権目録も必要）3	2	2
仮処分	作為・単純不作為		3			3		
強制執行停止	債務名義の停止		3					
強制執行停止	（特定）物件の停止		3			3		

（注）1. 上記は，債務者・第三債務者・登記所などが各１あるいは１カ所の場合です。
2. 決定用目録は，債務者・第三債務者などが各１増すごとに各１通ずつ加算してください。
3. 登記所が数カ所にわたるときの登記用目録は，各登記所ごとに上記通数が必要です。
4. ボンドの場合は担保目録が必要になります。
5. 詐害行為取消型の処分禁止仮処分の場合は還付請求権者目録が必要になります。

3−001 動産仮差押命令申立書

収　入
印　紙

動産仮差押命令申立書

令和○○年○○月○○日

○○地方裁判所　御中

債権者代理人弁護士　○　○　○　○　印

当事者の表示　　別紙当事者目録記載のとおり
請求債権の表示　　別紙請求債権目録記載のとおり

申　立　て　の　趣　旨

債権者の債務者に対する上記請求債権の執行を保全するため，上記請求債権額に満つるまで，債務者所有の動産は，仮に差し押さえる。
との裁判を求める。

申　立　て　の　理　由

第1　被保全権利

1　債権者は，令和○○年○○月○○日，債務者に対して，金○○○○円を，利息の定めなく，その返済は，○○県○○市○○町○○丁目○○番地所在の債務者所有の土地及び建物を売却し次第行うとの約束にて貸し渡した（甲1）。

2　債務者は，令和○○年○○月○○日，上記土地・建物を申立外株式会社○○に売却した（甲2，甲3）。

3　債権者は，その後，数回にわたって，上記貸金の返済を催促したが（甲4の1，2），債務者は，令和○○年○○月○○日に金○○○○円，同年○○月○○日に金○○○○円を各支払っただけで，その余は言を左右して支払おうとしない（甲5）。

4　よって，債権者は，債務者に対し，上記貸金契約に基づいて，貸金残金○○○

▶　動産については，目的物を特定しないで申立てができる（民保法21条但書）。
特定動産についての申立ても可能である。

○円及びこれに対する遅延損害金の支払請求権を有する。

第２　保全の必要性

債務者は，債権者以外にも多額の負債を抱えている様子であり，その所有する動産以外にめぼしい資産はない（甲５）。のみならず，債務者は，上記土地・建物を売却した後，しばらく所在不明となり，上記督促も，債権者において，八方捜索して債務者を探し出して，行ったものであるところ，債権者の調査によれば，債務者は令和○○年○○月中旬ころさらに他へ移転する予定であることが判明した（甲５）。そうなった場合，債権者が後日，本案訴訟において勝訴判決を得ても，その執行が不能又は著しく困難となるおそれがあるので，本申立てに及ぶ。

疎　明　方　法

甲第１号証	借用証書
甲第２号証	土地登記事項証明書
甲第３号証	建物登記事項証明書
甲第４号証の１，２	内容証明郵便及び同配達証明
甲第５号証	報告書

添　付　書　類

１	甲号証	各１通
２	訴訟委任状	１通

（3−001　動産仮差押命令申立書）

3－002　当事者目録

当　事　者　目　録

〒○○○－○○○○
○○県○○市○○町○○丁目○○番○○号
債　権　者　　　　　　○　○　○　○

〒○○○－○○○○
東京都○○区○○町○○丁目○○番○○号　○○ビル○階（送達場所）
ＴＥＬ　○○（○○○○）○○○○
ＦＡＸ　○○（○○○○）○○○○
債権者代理人弁護士　　○　○　○　○

〒○○○－○○○○
東京都○○市○○町○○丁目○○番○○号
債　務　者　　　　　　○　○　○　○

3－003 債権仮差押命令申立書

収入 印紙

債権仮差押命令申立書

令和　　年　　月　　日

○○地方裁判所　御中

債権者代理人弁護士　○　○　○　○　印

当事者の表示　　別紙当事者目録記載のとおり

請求債権の表示　別紙請求債権目録記載のとおり

申　立　て　の　趣　旨

債権者の債務者に対する上記請求債権の執行を保全するため，債務者の第三債務者に対する別紙仮差押債権目録記載の債権は，仮に差し押さえる。

第三債務者は，債務者に対し，仮に差し押さえられた債務の支払いをしてはならない。

との裁判を求める。

申　立　て　の　理　由

第１　被保全権利

1　債務者は，別紙請求債権目録記載の約束手形１通（本件手形）を申立外株式会社□□に振り出し，債権者は，裏書の連続した本件手形を所持している（甲１の１）。

2　債権者は，本件手形を支払期日に支払場所に提示したが，契約不履行を理由にその支払いを拒絶された（甲１の２）。

3　債務者は，本件手形の不渡りによる取引停止処分を免れるため，第三債務者の加盟する銀行協会に提供させる目的で，第三債務者に対し，別紙差押債権目録記載の金員を預託した（甲４）。

第２　保全の必要性

債権者は，債務者に対し，約束手形金請求訴訟を提起すべく準備中であるが，債務者は多額の負債を抱えており，その所有不動産にはすべて時価評価をはるかに上回る担保権が設定されていることから，唯一の資産ともいえる第三債務者に対する預託金返還請求権についても，いつ他に譲渡するか知れない状況にある（甲２の１，２，甲３の１，２，甲４）。

したがって，直ちに申立ての趣旨記載どおりの裁判を得なければ，債権者が本案の勝訴判決を得ても，その執行が不能又は著しく困難になるので，本申立てに及ぶ。

疎　明　方　法

甲１の１　　　約束手形
甲１の２　　　付箋
甲２の１，２　不動産登記事項証明書
甲３の１，２　公示地価
甲４　　　　　報告書

添　付　書　類

１　甲号証　　　　各１通
２　資格証明書　　３通
３　訴訟委任状　　１通

3－004 当事者目録

当　事　者　目　録

〒○○○－○○○○

○○県○○市○○町○○丁目○○番○○号

債　　権　　者　　　　　□□□□株式会社

代表者代表取締役　　　　○　○　○　○

〒○○○－○○○○

○○県○○市○○町○○丁目○○番○○号　○○ビル○階（送達場所）

ＴＥＬ　○○○（○○○）○○○○

ＦＡＸ　○○○（○○○）○○○○

債権者代理人弁護士　　　○　○　○　○

〒○○○－○○○○

○○県○○市○○町○○丁目○○番○○号

債　　務　　者　　　　　株式会社□□□□

代表者代表取締役　　　　○　○　○　○

〒○○○－○○○○

東京都○○区○○町○○丁目○○番○○号

第三債務者　　　　　　　株式会社□□銀行

代表者代表取締役　　　　○　○　○　○

（送達先）

〒○○○－○○○○

○○県○○市○○町○○丁目○○番○○号

株式会社□□銀行　○○支店

3−005 第三債務者に対する陳述催告の申立書

令和○○年（ヨ）第○○号

第三債務者に対する陳述催告の申立書

令和○○年○○月○○日

○○地方裁判所　御中

債権者代理人弁護士　○　○　○　○　印

債権者は，本日，御庁に申し立てた下記当事者間の債権仮差押命令申立事件につき，御庁から第三債務者に対し，民事保全法第５０条５項，民事執行法第１４７条１項に規定する陳述催告をされるよう申立てをします。

当事者の表示　　別紙当事者目録記載のとおり

▶ 第三債務者に対する陳述催告の申立ては，債権仮差押命令申立と同時に（遅くとも，裁判所が決定正本の送達手続に入る前に）行わなければならない。

3−006 不動産仮差押命令申立書

収　入 印　紙

不動産仮差押命令申立書

令和○○年○○月○○日

○○地方裁判所　御中

債権者代理人弁護士　　○　○　○　○　　印

当事者の表示　　　別紙当事者目録記載のとおり

請求債権の表示　　別紙請求債権目録記載のとおり

申　立　て　の　趣　旨

債権者の債務者に対する上記請求債権の執行を保全するため，債務者所有の別紙物件目録記載の不動産は，仮に差し押さえる。

との裁判を求める。

申　立　て　の　理　由

第１　被保全権利

1　債権者は，令和○○年○○月○○日，債務者との間で，信用金庫取引約定を締結し（甲１），令和○○年○○月○○日，同約定に基づいて，証書貸付の方法で，下記約定にて，金○○○○円を債務者に貸し渡した（甲２）。

記

①　弁済期日　　　令和○○年○○月○○日

②　利　　息　　　年○○％の割合

③　遅延損害金　　年○○％の割合

2　債務者は，弁済期日である令和○○年○○月○○日が経過しても，上記貸付金を返済しない。

3　よって，債権者は，債務者に対し，上記貸金○○○○円及びこれに対する令和○○年○○月○○日から弁済期日である令和○○年○○月○○日まで年○○％の割合による利息並びに同日の翌日から支払済みまで年○○％の割合による遅延損害金の支払いを求める権利を有している。

第2　保全の必要性

債務者は，めぼしい資産としては，別紙物件目録記載の土地，建物を所有している程度であるのに対し（甲3の1，2），負債は，債権者の知り得ただけでも金約○○○○円あり，令和○○年○○月○○日，既に第1回目の手形不渡りを出して（甲4），その業務は事実上廃業状態にある。しかも，同会社の代表者は，債権者からの連絡に対して一切応答を拒否しており，これら状況に照らすならば，債務者は他の一部債権者と謀って上記不動産を処分換金するなどこれを散逸隠匿するおそれがある（甲5）。したがって，直ちに申立ての趣旨記載どおりの裁判を得なければ，債権者が本案の勝訴判決を得ても，その執行が不能又は著しく困難になるので，本申立てに及ぶ。

疎　明　方　法

甲1	信用金庫取引約定
甲2	消費貸借契約書
甲3の1，2	不動産登記事項証明書
甲4	不渡報告書
甲5	報告書

添 付 書 類

1	甲号証	各１通
2	固定資産評価証明書	２通
3	資格証明書	２通
4	訴訟委任状	１通

（3―006 不動産仮差押命令申立書）

3―007 物件目録（土地・建物）

物　件　目　録

１　所　　在　　東京都○○区○○町○○丁目
　　地　　番　　○○番○○
　　地　　目　　宅地
　　地　　積　　○○平方メートル

２　所　　在　　東京都○○区○○町○○丁目○○番地○○
　　家屋番号　　○○番○○
　　種　　類　　事務所
　　構　　造　　鉄骨造陸屋根２階建
　　床 面 積　　１階　○○平方メートル
　　　　　　　　２階　○○平方メートル

3−008 物件目録（区分所有建物・敷地権）

物 件 目 録

１棟の建物の表示

所　　　在　○○県○○市○○町○○丁目○○番地

建物の番号　○○番

専有部分の建物の表示

家屋番号　○○番

建物の番号　○○番

種　　　類　居宅

構　　　造　鉄筋コンクリート造１階建

床 面 積　○階部分○○平方メートル

敷地権の表示

土地の符号　１

所在及び地番　○○県○○市○○町○○丁目○○番

地　　　目　宅地

地　　　積　○○平方メートル

敷地権の種類　所有権

敷地権の割合　○○分の○○

土地の符号　２

所在及び地番　○○県○○市○○町○○丁目○○番

所　　　在　宅地

地　　　積　○○平方メートル

敷地権の種類　所有権

敷地権の割合　○○分の○○

3−009 不動産仮処分命令申立書①

収入
印紙

不動産仮処分命令申立書

令和〇〇年〇〇月〇〇日

〇〇地方裁判所　御中

債権者代理人弁護士　〇　〇　〇　〇　印

当事者の表示　別紙当事者目録記載のとおり

仮処分により保全すべき権利　所有権移転登記手続請求権

申立ての趣旨

債務者は，別紙物件目録記載の不動産について，譲渡並びに質権，抵当権及び賃借権の設定その他一切の処分をしてはならない。

との裁判を求める。

申立ての理由

第１　被保全権利

１　債権者は，債務者から，令和〇〇年〇〇月〇〇日，別紙物件目録記載の土地建物（本件土地建物）を下記約定にて買い受けた（甲１の１・２，甲２）。

記

売買代金　金〇〇〇〇円

代金の支払方法　頭金として金〇〇〇〇円

残金〇〇〇〇円については〇〇年間にわたる分割支払。

即ち，毎月〇〇〇〇円の割合による支払いのほか，年２回のボーナス月に各〇〇〇〇円を付加して支払う。

所有権移転登記手続は，売買代金を完済したとき直ちに行う。

2　債権者は，令和○○年○○月○○日，代金を完済した（甲３の１乃至１０）。

3　したがって，債権者は，債務者に対し，上記売買契約に基づき，本件土地建物について売買を原因とする所有権移転登記手続請求権を有しているが，債務者は，この請求に応じない（甲４の１・２）。

第２　保全の必要性

債権者は，債務者を被告として，本件土地建物の所有権移転登記手続請求の訴えを提起すべく準備中であるが，債務者は，金策に窮しており，本件土地建物を第三者に譲渡したり担保に提供したりするなどの処分のおそれが大である（甲５）。したがって，直ちに申立ての趣旨記載の裁判を得なければ，本案訴訟において債権者が勝訴判決を得ても，その執行は不能又は著しく困難になるので，本件土地建物の所有権移転登記手続請求権を保全するため，本申立てに及ぶ。

疎　明　方　法

甲１の１，２	不動産登記事項証明書
甲２	不動産売買契約書
甲３の１乃至１０	振込金受取書控
甲４の１，２	内容証明郵便及び同配達証明
甲５	報告書

添　付　書　類

1	甲号証	各１通
2	固定資産評価証明書	２通
3	訴訟委任状	１通

（3-009 不動産仮処分命令申立書①）

3−010 不動産仮処分命令申立書②

収入
印紙

不動産仮処分命令申立書

令和○○年○○月○○日

○○地方裁判所　御中

債権者代理人弁護士　○　○　○　○　印

当事者の表示　別紙当事者目録記載のとおり
仮処分により保全すべき権利　所有権移転登記手続請求権及び仮登記抹消登記手続請求権

申立ての趣旨

１　債務者は，別紙物件目録（１）記載の不動産について，譲渡並びに質権，抵当権及び賃借権の設定その他一切の処分をしてはならない。
２　債務者は，別紙物件目録（２）記載の不動産について，別紙登記目録記載の登記に係る仮登記上の権利の譲渡その他一切の処分をしてはならない。
との裁判を求める。

申立ての理由

第１　被保全権利
１　債権者○○○○は，債務者から，大要下記の約定で金銭を借り入れた（甲１の１乃至３）（本件消費貸借契約）。

記

①　借入日　令和○○年○○月○○日
金　額　金○○○○円
利　息　月○分○厘

期　限　　定めなし

② 借入日　　令和○○年○○月○○日

金　額　　金○○○○円

利　息　　月○分○厘

期　限　　定めなし

③ 借入日　　令和○○年○○月○○日

金　額　　金○○○○円

利　息　　月○分○厘

期　限　　定めなし

2　前項①の借入れに際して，債務者からの要求に基づき，借入金を返済したときには名義を戻すとの約定のもと，債務者のために，債権者○○○○は，その所有する別紙物件目録（1）記載の不動産について所有権移転登記を，債権者○○○○の父親である債権者△△△△は，その所有する別紙物件目録（2）記載の不動産について別紙登記目録記載の条件付所有権移転仮登記を，それぞれ経由した（甲2の1乃至5，甲8の第1項・第2項）。

したがって，登記簿上明記されているわけではないが，別紙物件目録（1）記載の不動産については譲渡担保権が，同目録（2）記載の不動産については仮登記担保権が設定されたことになる。

3　債権者○○○○は，債務者に対し，別紙計算書（1）乃至（3）の「返済日」「返済額」欄に記載のとおり，本件消費貸借契約に基づく返済を行った。その返済総額は，金○○○○円に上る（甲3の1乃至5，甲4）。

4　しかしながら，本件各消費貸借契約で合意された利率は，利息制限法第1条所定の利率をはるかに超えているのであるから，前項の各返済金のうち超過利息分は，元金の返済に充当したとみなすことができる。

そこで，これに従って計算すると，別紙計算書（1）乃至（3）記載のとおり，債権者○○○○は，債務者に対し，本件各消費貸借契約に基づく借入金債務をす

（3−010 不動産仮処分命令申立書②）

でに完済しており，かえって合計金○○○○円の不当利得返還請求権を有することになる。

5　以上のとおり，本件消費貸借契約上の債務は完済されているのであるから，別紙物件目録（1）記載の不動産に設定された譲渡担保権及び同目録（2）記載の不動産に設定された仮登記担保権はいずれも消滅している。

6　よって，債務者に対し，債権者○○○○は，別紙物件目録（1）記載の不動産の所有権に基づき，同不動産について所有権移転登記手続請求権を，債権者△△△△は，同物件目録（2）記載の不動産の所有権に基づき，同不動産について別紙登記目録記載の仮登記の抹消登記手続請求権を有している。

第２　保全の必要性

1　債権者らは，債務者に対し，第１の６項記載の登記手続請求訴訟を提起すべく準備中であるが，債務者は，債権者○○○○に対し，令和○○年○○月○○日現在で金○○○○円の貸付金残金があると主張し，早急に全額の返済をしなければ，本件各不動産を他に処分すると迫っている（甲７，甲８の第５項)。

2　債権者が訴訟において勝訴判決を得ても，本件各不動産を他に処分されてしまっては，その執行は不能又は著しく困難になるので，所有権移転登記手続請求権及び仮登記抹消登記手続請求権の執行を保全するため，本申立てに及ぶ。

疎　明　方　法

甲１の１乃至３	金銭借用証書
甲２の１乃至５	不動産登記事項証明書
甲３の１乃至５	領収書
甲４	受取書
甲５の１，２	土地売買契約書
甲６	業務停止処分公告
甲７	請求書

（3－010 不動産仮処分命令申立書②）

甲8	報告書

添　付　書　類

1	甲号証	各1通
2	固定資産評価証明書	5通
3	資格証明書	1通
4	訴訟委任状	1通

（3−010 不動産仮処分命令申立書②）

3－011 登記目録（条件付所有権移転仮登記）

登　記　目　録

○○地方法務局○○支局令和○○年○○月○○日受付第○○○号条件付所有権移転仮登記

原　因　　令和○○年○○月○○日売買（条件農地法第３条又は第５条の許可）
権利者　　○○県○○市○○町○○丁目○○番○○号　株式会社□□

3−012 不動産仮処分命令申立書③

収入印紙

不動産仮処分命令申立書

令和○○年○○月○○日

○○地方裁判所　御中

債権者代理人弁護士　　○　○　○　○　印

当事者の表示　　　　　　　別紙当事者目録記載のとおり
仮処分により保全すべき権利　　抵当権設定登記手続請求権

申　立　て　の　趣　旨

債務者は，別紙物件目録記載の不動産について，譲渡並びに質権，抵当権及び賃借権の設定その他一切の処分をしてはならない。
との裁判を求める。

申　立　て　の　理　由

第1　被保全権利
1　債権者は，債務者に対し，令和○○年○○月○○日，金○○○○円を，下記約定で貸し渡した（甲1，甲2）。

記

弁　済　期　　令和○○年○○月○○日
利　　　息　　年○○%
損　害　金　　年○○%

2　債権者と債務者は，令和○○年○○月○○日，上記貸金債権を担保するため，債務者所有の別紙物件目録記載の不動産（本件不動産）に，抵当権を設定する旨約した（甲3，甲4，甲5）。

▶　保全仮登記併用型（民保法53条2項）。

3　よって，債権者は，債務者に対し，本件不動産について，別紙登記目録記載の抵当権設定登記手続請求権を有する。

第２　保全の必要性

1　上記抵当権設定契約を締結した当時，債務者の有していた印鑑証明書は，期限切れで使用できないものであったため（甲６），債務者は，債権者に対し，後日新しい印鑑証明書と委任状等の登記申請に必要な書類一式を交付することを約束した（甲８の第１項）。

2　ところが，令和〇〇年〇〇月〇〇日，債務者振出しの手形が不渡りとなり（甲７），債務者代表者の行方もわからなくなった（甲８の第２項）。本件不動産には，その後，第三者のために，２件の根抵当権設定仮登記がなされている（甲４，甲５）。債務者は，他にも多額の負債を抱えており（甲８の第３項），本件不動産を売却したり，さらに担保権を設定したりするおそれが大きい。

3　債権者は，上記抵当権設定登記手続請求訴訟を提起すべく準備中であるが，本件不動産を処分されてしまっては，本案訴訟において勝訴判決を得ても実効をおさめがたいので，本申立てに及ぶ。

疎　明　方　法

甲１　　金銭消費貸借契約書
甲２　　領収書
甲３　　抵当権設定契約書
甲４　　土地登記事項証明書
甲５　　建物登記事項証明書
甲６　　印鑑証明書
甲７　　不渡手形
甲８　　報告書（債権者代表者作成）

添　付　書　類

1	甲号証	各１通
2	固定資産評価証明書	２通
3	資格証明書	２通
4	訴訟委任状	１通

（3－012 不動産仮処分命令申立書③）

3－013 登記目録（抵当権設定）

登　記　目　録

登記の目的	抵当権設定
原　　　因	令和○○年○○月○○日金銭消費貸借同日設定
債　権　額	金○○○○円
利　　　息	年○○%
損　害　金	年○○%
債　務　者	○○県○○市○○町○○丁目○○番○○号　□□有限会社
抵 当 権 者	○○県○○市○○町○○丁目○○番○○号　株式会社□□

3－014 登記目録（根抵当権設定）

登　記　目　録

登記の目的	根抵当権設定
原　　　因	令和○○年○○月○○日設定
極　度　額	金○○○○円
債権の範囲	令和○○年○○月○○日付継続的○○契約
債　務　者	○○県○○市○○町○○丁目○○番○○号　有限会社□□
根抵当権者	○○県○○市○○町○○丁目○○番○○号　□□株式会社

3−015 占有移転禁止等仮処分命令申立書

収入
印紙

占有移転禁止等仮処分命令申立書

令和〇〇年〇〇月〇〇日

〇〇地方裁判所　御中

債権者代理人弁護士　〇　〇　〇　〇　印

当事者の表示　　別紙当事者目録記載のとおり
仮処分により保全すべき権利　　建物収去土地明渡請求権

申　立　て　の　趣　旨

1　債務者は，別紙物件目録記載の建物に対する占有を他人に移転し，又は占有名義を変更してはならない。

債務者は，同建物の占有を解いて，これを執行官に引き渡さなければならない。

執行官は，同建物を保管しなければならない。

執行官は，債務者に同建物の使用を許さなければならない。

執行官は，債権者が同建物の占有の移転又は占有名義の変更を禁止されていること及び執行官が同建物を保管していることを公示しなければならない。

2　債務者は，別紙物件目録記載の建物について，譲渡並びに質権，抵当権及び賃借権の設定その他一切の処分をしてはならない。

との裁判を求める。

申　立　て　の　理　由

第１　被保全権利

1　本件土地の所有者

債権者は，下記各土地（本件土地）の所有者である（甲１，甲２）。

▶　記載例の申立ての趣旨のうち，第１項が占有移転禁止仮処分の申立ての趣旨である。これは，債務者に使用を許す場合のものであるが，執行官保管のみの場合は第４文を削除し，債権者に使用を許す場合は第４文の「債務者」を「債権者」に改める。

▶　債務者に使用を許さない占有移転禁止仮処分については，債務者審尋がなされる（民保法 23 条４項本文）。

① 所在　○○県○○市○○町○○丁目

地番　○○番○○

地目　宅地

地積　○○平方メートル

② 所在　○○県○○市○○町○○丁目

地番　○○番○○

地目　雑種地

地積　○○平方メートル

2　賃貸借契約の成立等

① 債権者は，令和○○年○○月○○日，本件土地を申立外○○○○に賃貸し，令和○○年○○月○○日，同契約を更新した（甲４，甲９の第１項）。

なお，同賃貸借契約書第○○条には，申立外○○○○が本件土地の賃借権を譲渡し若しくは本件土地上の建物を譲渡又は担保に供する場合には，事前に債権者の書面による承諾を得なければならず，これに違反して申立外○○○○が債権者に無断でこれら行為を行った場合には，債権者において同賃貸借契約を解除できる旨定められている（甲４）。

② 申立外○○○○は，本件土地上に別紙物件目録記載の建物（本件建物）を所有し，同建物に居住していた（甲３，甲９の第２項）。

3　本件土地賃借権等の承継

申立外○○○○は，令和○○年○○月○○日死亡し（甲５），申立外△△△△が，本件土地賃借権及び本件建物の所有権を相続取得した（甲３）。

4　本件土地賃借権等の無断譲渡

① 申立外△△△△は，令和○○年○○月○○日，上記約定に違反して債権者に無断で本件建物を債務者に贈与し，同月○○日，その旨登記を了した（甲３）。

② 本件土地は，本件建物の敷地であるから，本件建物の譲渡に伴い本件土地賃借権も申立外△△△△から債務者に譲渡されたものであるが，債権者は，本件

（3－015 占有移転禁止等仮処分命令申立書）

土地賃借権の譲渡について一切承諾を与えていない。

なお，債権者は，申立外△△△△から，本件建物を譲渡した事実について全く報告を受けていなかったうえ，申立外○○○○の死亡後はもとより，本件建物が譲渡された後も，本件土地の賃料は申立外○○○○名義で支払われており（甲6），債権者は，最近に至るまで，本件建物及び本件土地賃借権が無断譲渡された事実を全く知らなかった。最近になって，申立外□□□□（後日債務者の父親と判明した。）なる人物が本件建物を売却する画策をしているという噂を聞き，調査したところ，上記の事実が判明したのである（甲9の第3項・第4項）。

③　以上のとおり，申立外△△△△から債務者への本件土地賃借権の譲渡は無断譲渡であるから，債務者は，本件土地賃借権の譲受けを債権者に対抗できない。

その結果，債務者は，本件建物を所有し，ここに居住することにより，本件土地を不法に占有していることになる。

5　よって，債権者は，債務者に対し，本件土地の所有権に基づき建物収去土地明渡請求権を有している。

第2　保全の必要性

1　債権者は，債務者に対し，建物収去土地明渡請求訴訟を御庁に提起すべく準備中である。

2　しかるに，債務者の父親である申立外□□□□は，本件建物を売却処分するため，不動産業者にその旨の仲介を依頼する等不審な行動を取っている。このため，申立外□□□□において債務者を代理して本件建物を処分し，若しくは本件建物に対する占有を移転し，又は占有名義を変更するおそれは大きい（甲9の第5項・第6項）。

このおそれが現実化すると，債権者が勝訴の判決を得てもその執行が不能又は著しく困難になるので，本件建物収去土地明渡請求権を保全するため本申立てに及ぶ。

（3−015 占有移転禁止等仮処分命令申立書）

疎　明　方　法

甲1　土地登記事項証明書

甲2　土地登記事項証明書

甲3　建物登記事項証明書

甲4　土地賃貸借契約証書

甲5　戸籍謄本

甲6　銀行預金通帳

甲7　念書

甲8　内容証明郵便

甲9　報告書

添　付　書　類

1	甲号証	各1通
2	固定資産評価証明書	2通
3	訴訟委任状	1通

（3−015 占有移転禁止等仮処分命令申立書）

3−016 占有移転禁止仮処分命令申立書（債務者不特定）

収入
印紙

占有移転禁止仮処分命令申立書

令和○○年○○月○○日

○○地方裁判所　御中

債権者　破産者○○株式会社破産管財人　○○○○　印

当事者の表示　　　　　　別紙当事者目録記載のとおり（債務者不特定）
仮処分により保全すべき権利　建物明渡請求権

申　立　て　の　趣　旨

債務者は，別紙物件目録記載の建物に対する占有を他人に移転し，又は占有名義を変更してはならない。

債務者は，上記建物の占有を解いて，これを執行官に引き渡さなければならない。

執行官は，上記建物を保管しなければならない。

執行官は，債務者に上記建物の使用を許さなければならない。

執行官は，債権者が上記建物の占有の移転又は占有名義の変更を禁止されていること及び執行官が同建物を保管していることを公示しなければならない。

との裁判を求める。

申　立　て　の　理　由

第１　被保全権利

１　○○株式会社（破産会社）は，令和○○年○○月○○日，○○裁判所に対して自己破産の申立てをなし（同裁判所令和○○年（フ）第○○号），同月○○日，破産宣告を受け，債権者がその破産管財人に選任された（甲１の１，２）。

２　別紙物件目録記載の建物（本件建物）は，破産宣告時に破産会社が所有してい

▶　不動産の占有移転禁止仮処分で「債務者を特定することを困難とする特別の事情」が存するときは，債務者を特定しないで命令を発することができる（民保法25条の2）。

▶　当事者の表示欄には，債務者不特定の申立てであることを明らかにするため，「（債務者不特定）」と記載する。

▶　「債務者を特定することを困難とする特別の事情」は，特別の要件であるから，別

たものであり（甲２），破産会社の破産財団を構成するものである。

３　本件建物については，後記のとおり，不特定の債務者がこれを占有している。

４　よって，債権者は，債務者に対し，破産管財人の財産管理権に基づき，本件建物の明渡請求権を有している。

第２　債務者を特定することを困難とする特別な事情

１　破産会社は，令和〇〇年〇〇月〇〇日，同月〇〇日と相次いで手形不渡りを出し（甲３），同月〇〇日，上記のとおり，自己破産の申立てを行い，同日，破産申立代理人らは，本件建物の１階玄関のガラス戸に破産会社が自己破産の申立てを行った旨の通知書を貼付し（甲４），厳重に施錠したうえ，同建物を退去した（甲９）。

２　ところが，翌日，破産申立代理人らにおいて本件建物を見回りに行ったところ，上記通知書は剥がされ，これに代わって，本件建物の１階玄関脇に，「告示　本物件は当方が賃借権等の権利に依り占有管理しており何人も当方の許可なく立入を禁ず　株式会社□□」と記載されたビラが貼り出されており（甲５），本件建物内には，「株式会社□□のＡから頼まれた。」などと言ってＢなる人物が入り込んでいた。そこで，破産申立代理人らは，Ｂに対し，建物から退去するよう要求し，Ｂの電話連絡でやってきたＡ（甲６）は，当初，賃借権の譲渡を受けたとしてこれを拒んでいたが，押し問答の末，同日中に同建物を退去する旨約束した（甲９）。

３　ところが，翌日，破産申立代理人らが本件建物に赴いたところ，本件建物の１，２階部分（事務所部分）と３，４階部分（住居部分）には，それぞれＣ及びＤと称する人物が入り込んでおり，いずれも株式会社□□から賃借権の譲渡を受けたなどと言って，頑として退去に応じなかった（甲９）。

４　債権者は，破産宣告直後の令和〇〇年〇〇月〇〇日，本件建物に赴いた。すると，本件建物の１，２階部分の郵便ポストには，△△有限会社なる名称が表示されていたが，ポスト内にあった郵便物は全て破産会社宛てのものであり（甲７の１），同部分の呼び鈴を押したところ，氏名不詳の男性が現れ，その男性は，「自

（3-016 占有移転禁止仮処分命令申立書（債務者不特定））

項で記載する。なお，「債務者を特定することを困難とする特別の事情」は，疎明ではなく証明を要するとされている。

分は留守番を頼まれただけだ。」と繰り返すだけで，誰から留守番を頼まれたのかはもちろん，自分の名前すら言おうとしなかった。なお，△△有限会社なる会社の法人登記はなされていない（甲８）。また，本件建物の３，４階部分の郵便ポストには，何も記載されておらず，ポスト内の郵便物は全て破産会社代表者宛てのものであり（甲７の２），同部分の呼び鈴を押したところ，外国人と見られる男性が現れ，債権者が日本語及び英語で問いかけをしても，その意味を全く解せない様子であり，更に別の外国人と見られる男性も現れたが，同様であった。

同日，債権者が，本件建物の近隣住民に本件建物の状況を尋ねたところ，令和○○年○○月○○日以降数回にわたって，本件建物から荷物が運び出されたり運び込まれたりした様子で，暴力団員風の男性や外国人を含む様々な人間が出入りしているとのことであった（甲１０）。

５　以上のとおり，本件建物については，その占有者は特定されておらず，これを特定することは困難である特別の事情が存する。

第３　保全の必要性

１　債権者は，債務者に対し，建物明渡請求訴訟を御庁に提起すべく準備中である。

２　しかるに，上記のとおり，本件建物の占有関係はめまぐるしく移転しており，債務者は，今後も明渡しを免れるため，他に占有を移転し又は占有名義を変更するおそれが極めて高い。

このおそれが現実化すると，債権者が勝訴の判決を得てもその執行が不能又は著しく困難となるので，本件建物の明渡請求権を保全するため本申立てに及ぶ。

疎　明　方　法

甲１の１，２	破産決定書及び破産宣告通知
甲２	不動産登記事項証明書
甲３	取引停止報告
甲４	通知書

（3－016 占有移転禁止仮処分命令申立書（債務者不特定））

甲５　　　　　写真

甲６　　　　　名刺

甲７の１，２　写真

甲８　　　　　登記事項証明申請書

甲９　　　　　報告書

甲１０　　　　報告書

添　付　書　類

1	甲号証	各１通
2	固定資産評価証明書	１通
3	破産管財人資格証明書	１通
4	仮処分申立て許可書	１通

（3－016 占有移転禁止仮処分命令申立書（債務者不特定））

3－017 当事者目録（債務者不特定の占有移転禁止仮処分）

当　事　者　目　録

〒○○○－○○○○

○○県○○市○○町○○丁目○○番○○号

債　権　者　　破産者○○株式会社

破産管財人　　○　○　○　○

債　務　者　　本件仮処分命令執行の時において別紙物件目録記載の不動産を占有する者

▶　債務者の表示は，記載例の程度で足りる。

▶　占有者の一部が特定されている場合には，債務者として特定されている者を掲げたうえ，不特定者について，「上記債務者の外，本件仮処分命令執行の時において別紙物件目録記載の不動産を占有する者」と記載する。

3－018 金員仮払仮処分命令申立書

収入
印紙

損害賠償金仮払仮処分命令申立書

令和○○年○○月○○日

○○地方裁判所　御中

債権者代理人弁護士　○　○　○　○　印

当事者の表示　別紙当事者目録記載のとおり

仮処分により保全すべき権利　不法行為に基づく損害賠償請求権

申　立　て　の　趣　旨

債務者は，債権者に対し，令和○○年○○月○○限り金○○○○円を仮に支払え。

との裁判を求める。

申　立　て　の　理　由

第1　被保全権利

1　事故の発生

債権者は，次の事故（本件事故）により負傷した（甲1）。

（1）　日　　時　　令和○○年○○月○○日午後○○時○○分ころ

（2）　場　　所　　東京都○○区○○町○○丁目○○番○○号先路上

（3）　加害車両　　普通乗用自動車（車両番号○○○○○○）

上記運転者　債務者

（4）　被害車両　　普通乗用自動車（車両番号○○○○○○）

上記運転者　債権者

（5）　事故態様

被害車両が，信号機が設置された交差点手前の片側二車線道路の左側車線に赤信号に従って停止し，青信号に変わったので発進して同交差点内を直進進行していたところ，やはり赤信号に従って左右両車線に跨る形で被害車両の斜め右後ろに停止していた加害車両が，被害車両に遅れて発進し，同交差点内のほぼ中央付近で，被害車両の右側に並んだ直後，急左折して被害車両の右前輪部辺りに擦るような形で衝突し，被害車両を左方向に引きずっていった。

2　責任原因

債務者は，加害車両を運転し，交差点内において，できるだけ道路左側に寄って，かつ，前方及び左方を注視して左折すべき注意義務があるのにこれを怠り本件事故を引き起こした過失があるので，民法７０９条及び自賠法３条に基づき，債務者に生じた損害を賠償すべき責任がある。

3　障害の内容及び治療経過（甲２の１～５）

（1）　傷病名

腰椎椎間板障害

（2）　治療状況

○○病院に令和○○年○○月○○日から令和○○年○○月○○日まで入院し（入院日数○○日），○○病院に令和○○年○○月○○日から通院し（令和○○年○○月○○日までの実通院日数○○日），現在も通院中である。

4　損害（令和○○年○○月○○日現在）

（1）　治療関係費

①　治療費　　金○○○○円

上記傷病の治療のため令和○○年○○月○○日までに債権者が支出した治療費は金○○○○円である（甲３の１～４）。

②　付添費　　金○○○○円

債権者は，上記傷病の治療のため○○病院に入院していたところ，腰から右足にかけての痛みが激しくベッドから起き上がることすらできず，日常の

保全

動作を行ううえで介護を必要としたため，債権者の妻において１週間に３，４日の割合で少なくとも計○○日間付き添ったので，その付添費として，１日当たり６，５００円，合計○○○○円が債権者の損害である。

③　入院雑費　　金○○○○円

債権者は，上記傷病の治療のため○○病院に○○日間入院しており，入院雑費として，１日当たり金１，５００円，合計金○○○○円が債権者の損害である。

（2）　休業損害　　金○○○○円

債権者は，本件事故当時，外資系の○○に勤務していたところ，上記傷病に因って，令和○○年○○月○○日以降，出勤することが不可能となり，その結果，令和○○年○○月○○日，昇級を見送られたうえ賃金の一部をカットされ（甲４の１，２），同年○○月○○日，同会社から解雇された（甲５）。

債権者の本件事故当時の平均賃金月額は金○○○○円を下らず，令和○○年○○月○○日以降令和○○年○○月○○日までの得べかりし賃金合計額は金○○○○円（これには昇級部分を含んでいない。）を下らないところ，令和○○年○○月○○日以降，同会社から支払われた賃金月額は，令和○○年○○月分○○○○円，同年○○月分○○○○円，同年○○月分○○○○円，同年○○月分○○○○円，同年○○月分○○○○円，同年○○月分○○○○円，同年○○月分以降０円の合計○○○○円であり，その差額○○○○円が債権者の損害である（甲５，甲６，甲７，甲８）。

（3）　入通院慰謝料　　金○○○○円

上記のとおり，債権者は，上記傷病の治療のため，○○病院に○○日間入院し，令和○○年○○月○○日までの間，○○病院に○○日通院した（通院期間○カ月間）。

したがって，令和○○年○○月○○日現在，入通院慰謝料としては金○○○○円が相当である。

（3−018　金員仮払仮処分命令申立書）

5　まとめ

よって，債権者は，令和○○年○○月○○日現在，債務者に対し，○○○○円を下らない不法行為に基づく損害賠償請求権を有している。

第2　保全の必要性

1　債権者は，上記のとおり，給与生活者であったが，令和○○年○○月○○日，解雇されたため，以後，全く収入を得る術はない。また，債権者の妻も，債権者を看病するため，令和○○年○○月○○日，勤め先を退職しており，現在就職先を探しているが，未だ見つかっていない。そのため，債権者は，治療費及び生活費を今までの貯え及び借入れによってなんとか捻出してきたが，このままの状態では，生活の維持すら困難となる。

2　債権者及びその家族の生活を維持するために最低限必要な費用は，1カ月○○○○円を下らない。

3　そこで，申立ての趣旨記載のとおりの仮払いを求めるため本申立てに及んだ。

（3－018 金員仮払仮処分命令申立書）

疎明方法

甲１	交通事故証明書
甲２の１～５	診断書
甲３の１～４	領収書
甲４の１，２	通知書・訳文
甲５	離職票
甲６	確定申告書控え（令和○○年）
甲７	課税（所得）証明書（令和○○年）
甲８	陳述書

添付書類

１	甲号証	各１通
２	訴訟委任状	１通

（3－018 金員仮払仮処分命令申立書）

3−019 訴訟委任状

訴 訟 委 任 状

令和　　年　　月　日

住 所　　〒

氏 名　　　　　　　　　　　　　　　　　　印

私は，次の弁護士を訴訟代理人と定め，下記の事項を委任します。

○○弁護士会所属

弁護士　　○ ○ ○ ○

住 所　　〒○○○－○○○○

　○○県○○市○○町○○丁目○○番○○号

TEL　　○○○（○○○）○○○○

FAX　　○○○（○○○）○○○○

記

1　相 手 方

　事 件 名

　裁 判 所

2　反訴の提起

3　訴えの取下げ，和解，調停，請求の放棄若しくは認諾又は訴訟参加若しくは訴訟引受けによる脱退

4　控訴，上告若しくは上告受理の申立て又はこれらの取下げ

5　復代理人の選任

以 上

3－020 上申書

令和○○年（ヨ）第○○号　○○○○命令申立事件
債権者　○　○　○　○
債務者　○　○　○　○

上　申　書

令和○○年○○月○○日

○○地方裁判所　御中

債権者代理人弁護士　○　○　○　○　印

頭書の事件につき，債権者に代わり第三者弁護士○○○○をして供託することを許可していただきたく上申します。

▶ 実務上，債権者以外の第三者（ただし，債権者の代理人弁護士，親族等一定の範囲の者に限られる）による立担保が認められている。これを行うには，裁判所の許可が必要とされている。

▶ 第三者による立担保が供託の場合，本記載例のような上申書を提出して，裁判所の許可を求める。

3－021 供託書

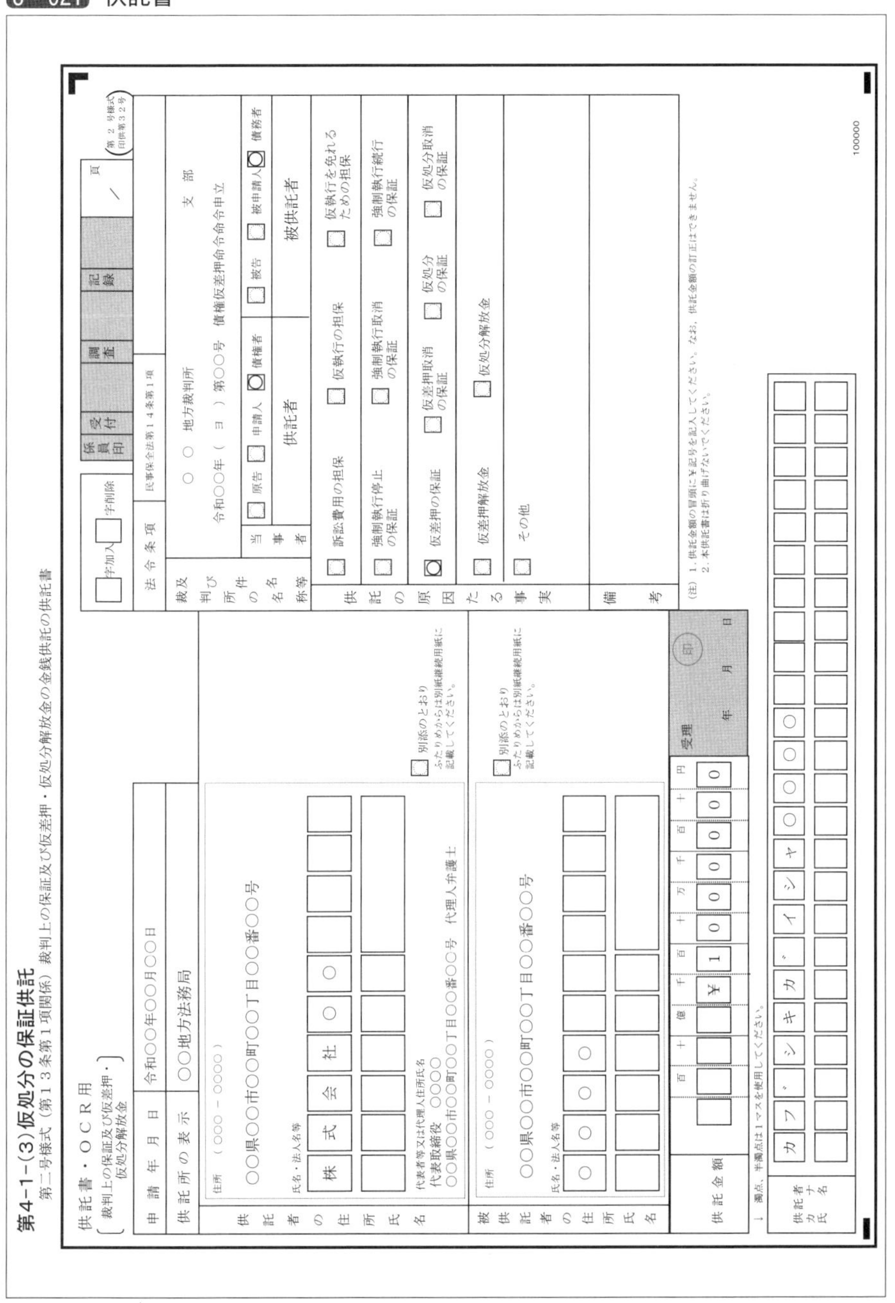

第4-1-(3)仮処分の保証供託

第二号様式（第13条第1項関係）裁判上の保証及び仮差押・仮処分解放金の金銭供託の供託書

供託書・OCR用（裁判上の保証及び仮差押・仮処分解放金）

第2号様式（印供第32号）

字加入　字削除　係員印　受付　調査　記録　頁

- 申請年月日：令和○○年○○月○○日
- 供託所の表示：○○地方法務局
- 供託者の住所氏名：
  - 住所：（〒○○○－○○○○）○○県○○市○○町○○丁目○○番○○号
  - 氏名・法人名等：株式会社○○
  - 代表者等又は代理人住所氏名：代表取締役　○○○○　○○県○○市○○町○○丁目○○番○○号　代理人弁護士
  - □別添のとおり　ふたりめからは別紙継続用紙に記載してください。
- 被供託者の住所氏名：
  - 住所：（〒○○○－○○○○）○○県○○市○○町○○丁目○○番○○号
  - 氏名・法人名等：○○○○
  - □別添のとおり　ふたりめからは別紙継続用紙に記載してください。
- 供託金額：¥1000000
- 受理：年　月　日　印
- 供託者カナ氏名：カフ゛シキカ゛イシヤ○○○○
  - ※濁点、半濁点は1マスを使用してください。
- 法令条項：民事保全法第14条第1項
- 裁判所の名称及び件名等：○○地方裁判所　支部　令和○○年（ヨ）第○○号　債権仮差押命令申立
  - 当事者：供託者 □原告 □申請人 ◎債権者 ／ 被供託者 □被告 □被申請人 ◎債務者
- 供託の原因たる事実：□訴訟費用の担保　□仮執行の担保　□仮執行を免れるための担保　□強制執行停止の保証　□強制執行取消の保証　□強制執行続行の保証　◎仮差押の保証　□仮差押取消の保証　□仮処分の保証　□仮処分取消の保証　□仮差押解放金　□仮処分解放金　□その他
- 備考：

（注）1．供託金額の冒頭に¥記号を記入してください。なお、供託金額の訂正はできません。
2．本供託書は折り曲げないでください。

100000

▶　供託を行う際，供託者の資格証明書（発行後3カ月以内のもの）および供託委任状（代理人が申請する場合）を提示する。

▶　供託によって立担保した場合，裁判所には，供託書の原本を提示した上，その写しを提出する。

3−022 供託書（第三者供託）

第4-1-(3)仮処分の保証供託

第二号様式（第１３条第１項関係）裁判上の保証及び仮差押・仮処分解放金の金銭供託の供託書

供託書・ＯＣＲ用
〔裁判上の保証及び仮差押・仮処分解放金〕

申請年月日	令和○○年○○月○○日
供託所の表示	東京法務局
供託者の住所氏名	住所（○○○ − ○○○○） 東京都○○区○○町○○丁目○○番○○号 氏名・法人名等 弁護士○○○○ 代表者等又は代理人住所氏名 □別添のとおり ふたりめからは別紙継続用紙に記載してください。
被供託者の住所氏名	住所（○○○ − ○○○○） 東京都○○区○○町○○丁目○○番○○号 氏名・法人名等 ○○○○ □別添のとおり ふたりめからは別紙継続用紙に記載してください。
供託金額	¥1200000

受理　印　年　月　日

□字加入　□字削除　係員印　受付　調査　記録　頁　／　（第２号様式 印供第３２号）

法令条項	民事保全法第１４条第１項	
裁判所の名称及び件名等	東京地方裁判所　支部 令和○○年（ヨ）第○○号　不動産仮処分命令申立　事件	
当事者	□原告 □申請人 ☑債権者 ○○○○	□被告 □被申請人 ☑債務者 被供託者
供託の原因たる事実	□訴訟費用の担保　□仮執行の担保　□仮執行を免れるための担保 □強制執行停止の保証　□強制執行取消の保証　□強制執行続行の保証 □仮差押の保証　□仮差押取消の保証　☑仮処分の保証　□仮処分取消の保証 □仮差押解放金　□仮処分解放金 □その他	
備考		

（注）1．供託金額の冒頭に¥記号を記入してください。なお，供託金額の訂正はできません。
2．本供託書は折り曲げないでください。

↓ 濁点、半濁点は１マスを使用してください。

供託者カナ氏名	ヘ゛ンコ゛シ○○○○○○○○

100000

▶　第三者（弁護士）の名で供託する場合の記載例を掲げた。

3－023 供託委任状

供　託　委　任　状

令和　　年　　月　　日

住　所　　〒

氏　名　　　　　　　　　　　　　　　　印

私は，次の弁護士を代理人と定め，下記の事項を委任します。

○○弁護士会所属
弁護士　　○　○　○　○
住　所　　〒○○○－○○○○
　○○県○○市○○町○○丁目○○番○○号
ＴＥＬ　　○○○（○○○）○○○○
ＦＡＸ　　○○○（○○○）○○○○

記

1　債権者○○○○，債務者○○○○間の○○地方裁判所令和○○年（ヨ）第○○号債権差押命令申立事件の担保として金○○○○円也を○○法務局○○出張所に供託する件。
2　原本の還付請求及び受領をなす件。
3　復代理人選任の件。

▶ 3－137 参照。

3−024 支払保証委託契約による立担保の許可申請書

支払保証委託契約による立担保の許可申請書

令和○○年○○月○○日

○○地方裁判所　御中

申請人　債権者に代わる第三者担保提供者

弁護士　　○　○　○　○　　印

債権者○○○○，債務者○○○○間の令和○○年（ヨ）第○○号○○○○申立事件について，金○○○○円の担保を立てることを命ぜられた。よって，債権者に代わり第三者たる弁護士○○○○が，民事保全法第４条，民事保全規則第２条の規定により，同担保を下記銀行と支払保証委託契約を締結する方法によって立てることの許可を求める。

記

所在地　　○○県○○市○○町○○丁目○○番

□□銀行○○支店

上記申請を許可する。

令和　　年　　月　　日

○○地方裁判所

裁　判　官

▶　支払保証委託契約による立担保をするには，裁判所の許可が必要であり（民保法４条，民保規２条），保全処分の申立てと同時に許可申請書２通を提出する。印紙は不要である。

▶　第三者（弁護士）の名で立担保する場合の記載例を掲げた。

債権者本人の名で立担保する場合は，申請人を債権者とし，「よって」以下の「債権者に代わり第三者たる弁護士○○○○が」を削除する。

▶　支払保証委託契約による立担保をした場合，裁判所には，金融機関から発行された締結証明書を提出する。

3－025 担保目録

担　保　目　録

債権者に代わり第三者たる弁護士○○○○が令和○○年○○月○○日株式会社□□銀行（○○支店）との間で金○○○○円を限度とする支払保証委託契約を締結する方法による担保。

▶　支払保証委託契約による立担保の場合，決定書に添付する担保目録の提出を求められる。
▶　第三者（弁護士）の名で立担保する場合の記載例を掲げた。

債権者本人の名で立担保する場合は，「債権者に代わり第三者たる弁護士○○○○」を「債権者」に改める。

【１】差押債権目録・仮差押債権目録

1　差押債権・仮差押債権を特定する

債権の差押・仮差押をするには，差押債権・仮差押債権を特定しなければならない。差押債権・仮差押債権を特定するには，その債権の種類，発生原因とその日付，弁済期，納付内容，金額などを表示して行う。ここに掲げた記載例は，金銭債権として通常の場合これで必要にして十分であろうと考えられるものである。その記載事項のうち一つでも欠ければ常に特定に欠けるというものではないし，またその記載事項で常に十分というわけでもない。たとえば，債務者と第三債務者との間の金銭消費貸借契約による返還債務が一口であるときは，「債務者が第三債務者に対して令和××年××月××日貸し付けた金××××円の貸金元本債権」という表示でも足りようが，同日付で同額の債権が数口あるときは，そのうちのどれを対象にするのか，さらに弁済期，担保の種類等によって他の債権と区別できるようにしなければならない。

最高裁判所は，「差押債権の特定とは，債権差押命令の送達を受けた第三債務者において，直ちにとはいえないまでも，差押えの効力が上記送達の時点で生ずることにそぐわない事態とならない程度に速やかに，かつ，確実に，差し押さえられた債権を識別することができるものでなければならない」としている（最三小決平成23年9月20日判時2129号41頁)。

同一の第三債務者に対する複数の債権の差押・仮差押をする場合は，差押・仮差押をする債権の順序を明らかにするか（銀行預金など)，債権ごとに差押・仮差押をする金額を割り振る必要がある。複数の第三債務者に対する債権の差押・仮差押をする場合は，第三債務者ごとに差押・仮差押をする金額を割り振る必要があり，また，差押債権目録・仮差押債権目録は第三債務者ごとに作成する。

2　利息債権

差押・仮差押前に生じた利息債権は独立した債権であるから，元本債権とは別に差押・仮差押の対象としなければならない。この場合，元本債権の記載に続き「これに対する令和××年××月××日から本命令送達時までの間にすでに発生した利息債権」のように記載する。

3　第三債務者の表示

国または地方公共団体，公共企業体などが第三債務者であるときの記載方法について，比較的取扱いの多いと思われるものを巻末の資料に挙げているので，これを参照してもらいたい。

【２】請求債権目録

差押債権目録のうち，表題を「請求債権目録」に，「債務者」を「債権者」に，「第三債務者」を「債務者」に改めるなどすれば，請求債権目録として使用できる。

3－026 差押債権目録（銀行預金）

差　押　債　権　目　録

金○○○○円

ただし，債務者が第三債務者（○○支店扱い）に対して有する下記預金債権のうち，下記に記載する順序に従い，頭書金額に満つるまで。

記

1　差し押さえられた預金があるときは，次の順序による。
（1）　先行の差押え，仮差押えのないもの
（2）　先行の差押え，仮差押えのあるもの
2　円貨建預金と外貨建預金があるときは，次の順序による。
（1）　円貨建預金
（2）　外貨建預金
ただし，仮差押命令が第三債務者に送達された時点における第三債務者の電信買相場（先物為替予約がある場合にはその予約相場）により換算した金額
3　数種の預金があるときは，次の順序による。
（1）　定期預金
（2）　定期積金
（3）　通知預金
（4）　貯蓄預金
（5）　納税準備預金
（6）　普通預金
（7）　別段預金
（8）　当座預金

4　同種の預金が数口あるときは，口座番号の若い順序による。

なお，口座番号が同一の預金が数口あるときは，預金に付せられた番号の若い順序による。

（3−026 差押債権目録（銀行預金））

▶　仮差押えの場合は，保全の必要性との関係で債務者に影響度の少ないものから記載する。本差押えの場合は，流動性が高いものから記載してもよい。

▶　銀行が同じでも取扱支店が異なれば別個の権利であり，特定のため別個の第三債務者として扱う。

▶　第三債務者の表示は巻末の資料参照。

▶　預金利息も差し押さえる場合は，記載例の「下記預金債権」の後ろに「及び同預金に対する預入日から本命令送達時までの間にすでに発生した利息債権」と入れる。

保全

3-027 差押債権目録（株式会社ゆうちょ銀行の貯金）

差　押　債　権　目　録

金○○○○円

ただし，債務者が第三債務者に対して有する下記貯金債権（○○貯金事務センター扱い）にして，下記に記載する順序に従い，頭書金額に満つるまで。

記

1　差押えや仮差押えのない貯金とある貯金があるときは，次の順序による。
（1）　先行の差押え，仮差押えのないもの
（2）　先行の差押え，仮差押えのあるもの
2　担保権の設定されている貯金とされていない貯金があるときは,次の順序による。
（1）　担保権の設定されていないもの
（2）　担保権の設定されているもの
3　数種の貯金があるときは，次の順序による。
（1）　定期貯金
（2）　定額貯金
（3）　通常貯蓄貯金
（4）　通常貯金
（5）　振替貯金
4　同種の貯金があるときは，記号番号の若い順序による。
なお，記号番号が同一の貯金が複数あるときは，貯金に付せられた番号の若い順序による。

▶　貯金事務センターが異なれば，別個の第三債務者として扱う。
▶　第三債務者の表示は巻末の資料参照。
▶　郵政民営化前に預けられた通常貯蓄預金，通常郵便預金を差し押さえる場合もこの記載例による。

3−028 差押債権目録（郵政民営化前に預けられた定期性の郵便貯金）

差押債権目録

金○○○○円

ただし，債務者が第三債務者に対して有する下記郵便貯金債権（株式会社ゆうちょ銀行○○貯金事務センター扱い）にして，下記に記載する順序に従い，頭書金額に満つるまで。

記

1　差押えや仮差押えのない郵便貯金とある郵便貯金があるときは，次の順序による。

（1）　先行の差押え，仮差押えのないもの

（2）　先行の差押え，仮差押えのあるもの

2　担保権の設定されている郵便貯金とされていない郵便貯金があるときは，次の順序による。

（1）　担保権の設定されていないもの

（2）　担保権の設定されているもの

3　数種の郵便貯金があるときは，次の順序による。

（1）　定期郵便貯金（預入期間が経過し，通常郵便貯金となったものを含む。）

（2）　定額郵便貯金（預入の日から起算して１０年が経過し，通常郵便貯金となったものを含む。）

（3）　積立郵便貯金（据置期間が経過し，通常郵便貯金となったものを含む。）

（4）　教育積立郵便貯金（据置期間の経過後４年が経過し，通常郵便貯金となったものを含む。）

（5）　住宅積立郵便貯金（据置期間の経過後２年が経過し，通常郵便貯金となったものを含む。）

（6）　通常郵便貯金（(（1）から（5）までの所定期間経過後の通常郵便貯金を除

▶　郵政民営化前に預けられた定期郵便貯金，定額郵便貯金，積立郵便貯金，教育積立郵便貯金，住宅積立郵便貯金を差し押さえる場合の記載例である。

▶　この場合の第三債務者は，独立行政法人郵便貯金・簡易生命保険管理機構になる。

く。)

4　同種の郵便貯金があるときは，記号番号の若い順序による。

なお，記号番号が同一の貯金が複数あるときは，郵便貯金に付せられた番号の若い順序による。

3－029 差押債権目録（預託金①）

差押債権目録

金○○○○円

ただし，債務者が別紙請求債権目録記載の約束手形の不渡処分を免れるため，第三債務者の加盟する銀行協会に提供させる目的で第三債務者（○○支店扱い）に預託した金員の返還請求権。

3−030 差押債権目録（預託金②）

差　押　債　権　目　録

金○○○○円

ただし，債務者が第三債務者（○○支店）を支払場所として振り出した約束手形の不渡処分を免れるため，第三債務者の加盟する銀行協会に提供する目的で，第三債務者（○○支店扱い）に預託した金員の返還請求権のうち，下記に記載する順序に従って頭書金額に満つるまで。

記

1　差し押さえられた預託金があるときは，次の順序による。
　（1）　先行の差押え，仮差押えのないもの
　（2）　先行の差押え，仮差押えのあるもの
2　数個の預託金相互の間にあっては，預託の早い順序により，同時に預託されたものについては，預託の原因となった約束手形の発行番号の若い順序による。

3−031 差押債権目録（工事代金①）

差押債権目録

金○○○○円

ただし，債務者が第三債務者に対して有する下記工事代金債権。

記

工事名	○○市○○町○○前第○○号道路工事
契約日	令和○○年○○月○○日
工　期	令和○○年○○月○○日から令和○○年○○月○○日まで
工事代金	金○○○○円

▶ 工事請負契約の具体的内容が不明であっても，場所，内容等によって可能な限り特定に努める。

▶ 請求債権目録として使用する場合は，表題を「請求債権目録」，「債務者」を「債権者」，第三債務者を「債務者」とする。請求債権目録では，工事名，契約日，工期，工事代金をすべて記載し，請求債権を特定する必要がある。

3−032 差押債権目録（工事代金②）

差　押　債　権　目　録

金○○○○円

ただし，債務者が第三債務者に対して有する下記建物の新築工事代金債権。

記

○○県○○市○○町○○丁目○○番○○号

木造瓦葺平屋居宅１棟

床面積○○平方メートル

▶ 3−030 参照。

3－033 差押債権目録（工事代金③）

差　押　債　権　目　録

金〇〇〇〇円

ただし，債務者が第三債務者に対して有する下記１，２の工事代金債権のうち，下記記載の順序に従って頭書金額に満つるまで。

記

１　工事名　　〇〇市〇〇町〇〇前第〇〇号道路工事
　　契約日　　令和〇〇年〇〇月〇〇日
　　工　期　　令和〇〇年〇〇月〇〇日から令和〇〇年〇〇月〇〇日まで
　　工事代金　金〇〇〇〇円
２　工事名　　〇〇市立第一小学校校庭舗装工事
　　契約日　　令和〇〇年〇〇月〇〇日
　　工　期　　令和〇〇年〇〇月〇〇日から令和〇〇年〇〇月〇〇日まで
　　工事代金　金〇〇〇〇円

▶ 3－030 参照。

3−034 差押債権目録（売渡代金）

差　押　債　権　目　録

金○○○○円

ただし，債務者が第三債務者に対して令和○○年○○月○○日売り渡した○○○○の売渡代金債権。

3－035 差押債権目録（売掛代金）

差 押 債 権 目 録

金○○○○円

ただし，債務者が第三債務者に対して令和○○年○○月○○日から令和○○年○○月○○日までの間に売り渡した○○○○の売掛金債権にして，支払期の早いものから頭書金額に満つるまで。

▶ 請求債権目録として使用する場合は，表題を「請求債権目録」，「債務者」を「債権者」，「第三債務者」を「債務者」，「にして，支払期の早いものから頭書金額に満つるまで」を「の合計金」または「の内金」とする。また，請求債権目録では，数個の取引がある場合，一覧表などによって，個々の取引の内容を特定する必要がある。

3－036 差押債権目録（委託販売代金）

差 押 債 権 目 録

金○○○○円

ただし，債務者が第三債務者に委託して販売した○○○○一式の売上金にして第三債務者が債務者に交付すべく保管中の令和○○年○○月○○日から同年○○月○○日までに発生した売上保管金の返還請求権。

3−037 差押債権目録（売上代金引渡請求権）

差　押　債　権　目　録

金○○○○円

ただし，債務者が第三債務者から賃借した店舗内で喫茶店を経営し，その売上金は第三債務者に納入された後，毎月定期的に第三債務者からその売上金のうちから電気代，ガス代等諸経費を控除した残額を債務者に支払う旨の両者間の契約に基づき，債務者が第三債務者に対して有する令和○○年○○月○○日現在の売上金債権の内金。

3－038 差押債権目録（債務譲渡による売買代金債権）

差　押　債　権　目　録

金〇〇〇〇円

ただし，債務者が下記事実関係に基づき，第三債務者に対して有する譲受売買代金債権。

記

1　申立外〇〇〇〇は，令和〇〇年〇〇月〇〇日，第三債務者に対し，〇〇〇〇を金〇〇〇〇円で売り渡した。

2　債務者は，令和〇〇年〇〇月〇〇日，上記申立外人から，上記売買代金債権を譲り受けた。

3－039 差押債権目録（貸金①）

差　押　債　権　目　録

金○○○○円

ただし，債務者が，令和○○年○○月○○日，第三債務者に対して，弁済期令和○○年○○月○○日の約定で貸し付けた貸金元本債権。

▶　請求債権目録として使用する場合は，表題を「請求債権目録」，「債務者」を「債権者」，「第三債務者」を「債務者」とする。利息，遅延損害金を請求する場合は，「約定」の前に利息，遅延損害金の約定を記載し，「貸金元本債権」を「元金○○○○円及びこれに対する令和○○年○○月○○日から令和○○年○○月○○日まで年○○パーセントの割合の利息（遅延損害金）○○○○円の合計金」とする。

3－040 差押債権目録（貸金②）

差　押　債　権　目　録

金○○○○円

ただし，債務者が第三債務者に対して有する下記１及び２の貸金元本債権のうち下記記載の順序に従って頭書金額に満つるまで。

記

１	契 約 日	令和○○年○○月○○日
	貸金元本	金○○○○円
	弁 済 期	令和○○年○○月○○日
２	契 約 日	令和○○年○○月○○日
	貸金元本	金○○○○円
	弁 済 期	令和○○年○○月○○日

3−041 差押債権目録（学校債）

差 押 債 権 目 録

金○○○○円

ただし，債務者が第三債務者に対して有する，債務者の長男○○○○が令和○○年度入学に際し差し入れた令和○○年○○月末日に支払われる学校債（一口○○○○円○○○口）をもって貸し付けた金○○○○円の返還請求権。

3－042 差押債権目録（連帯保証債務履行請求権）

差　押　債　権　目　録

金○○○○円

ただし，債務者の申立外○○○○に対する下記貸金について，第三債務者が令和○○年○○月○○日連帯保証したことに基づき，債務者が第三債務者に対して有する下記貸金元本○○○○円及びこれに対する令和○○年○○月○○日から令和○○年○○月○○日までの損害金○○○○円，合計金○○○○円についての連帯保証債務履行請求権。

記

貸金元本	金○○○○円
契 約 日	令和○○年○○月○○日
弁 済 期	令和○○年○○月○○日
利　　息	年○○%
損 害 金	年○○%

3－043 差押債権目録（債務引受による貸金債権）

差 押 債 権 目 録

金○○○○円

ただし，債務者が下記事実関係に基づき第三債務者に対して有する貸金債権。

記

1　債務者は，令和○○年○○月○○日，申立外○○○○に対し金○○○○円を貸し付けた。

2　第三債務者は，令和○○年○○月○○日，上記申立外人より上記借受金返還債務を引き受けた。

3－044　差押債権目録（損害賠償金①）

差　押　債　権　目　録

金○○○○円

ただし，債務者が第三債務者に対して令和○○年○○月○○日○○県○○市○○町○○丁目先路上において，第三債務者の保有自動車が債務者運転の自動車に追突し，債務者を負傷させたことによる第三債務者が債務者に支払うべき損害賠償金のうち頭書金額に満つるまで。

3−045 差押債権目録（損害賠償金②）

差 押 債 権 目 録

金○○○○円

ただし，債務者が下記事実関係に基づき，第三債務者に対して有する損害賠償債権のうち，頭書金額に満つるまで。

記

1　第三債務者は，令和○○年○○月○○日，債務者に対して，○○○○を売却した。

2　しかるに，第三債務者は，上記物件を第三者に譲渡し，令和○○年○○月○○日その旨の所有権移転登記をした。

3－046 差押債権目録（損害賠償金③）

差　押　債　権　目　録

金○○○○円

ただし，債務者（注文主），第三債務者（請負人）間の令和○○年○○月○○日付け○○県○○市○○町○○丁目○○番○○号○○ビル新築工事請負契約に基づき第三債務者が行った新築工事の瑕疵によって生じた損害賠償債権のうち頭書金額に満つるまで。

3−047 差押債権目録（敷金）

差　押　債　権　目　録

金〇〇〇〇円

ただし，債務者が下記建物の賃貸借契約締結に際し第三債務者に差し入れた敷金の返還請求権。

記

〇〇県〇〇市〇〇町〇〇丁目〇〇番〇〇号所在〇〇ビル〇階〇〇号室

なお，債務者は，令和〇〇年〇〇月〇〇日，同建物を明渡し済みである。

3―048 差押債権目録（賃料）

差 押 債 権 目 録

金○○○○円

ただし，債務者が下記建物の賃貸借契約に基づいて第三債務者に対して有する一カ月金○○○○円の割合による賃料債権のうち，本命令送達時から令和○○年○○月○○日までの間に弁済期の到来するものにして，弁済期の早いものから頭書金額に満つるまで。

記

○○県○○市○○町○○丁目○○番○○号所在
木造瓦葺平屋建居宅一棟
床面積○○平方メートル

▶　実務では，一般的に，本案で債務名義を得るために必要な期間を超える仮差押えは認めておらず，通常1年程度の期間に限って継続的給付債権の仮差押えを認めている。

▶　本差押えの場合は，記載例のうち「令和○○年○○月○○日までの間に」を削除する。

▶　未払賃料がある場合は，記載例の「賃料債権のうち」の後ろに「まずは，本命令送達時にすでに弁済期にあるもの（未払分）にして，弁済期の早いものから頭書金額に満つるまで，次いで」と記載する。

3－049 差押債権目録（運送代金①）

差 押 債 権 目 録

金〇〇〇〇円

ただし，債務者と第三債務者との間の運送契約に基づき，債務者が令和〇〇年〇〇月〇〇日，〇〇〇〇を〇〇県〇〇市〇〇町〇〇丁目〇〇番地所在〇〇〇〇倉庫へ運送したことによる運送代金債権。

3−050 差押債権目録（運送代金②）

差押債権目録

金○○○○円

ただし，債務者と第三債務者との間で締結されたトラック運送下請契約に基づき債務者が令和○○年○○月○○日から令和○○年○○月○○日までの間にトラック運送をしたことによる運送代金債権のうち支払期の早いものから頭書金額に満つるまで。

3−051 差押債権目録（傭船料）

差　押　債　権　目　録

金○○○○円

ただし，債務者と第三債務者との間の下記船舶についての定期傭船契約に基づき，債務者が第三債務者から令和○○年○○月以降支払いを受けるべき傭船料のうち支払期の早いものから頭書金額に満つるまで。

記

汽　　船	○○丸
総 屯 数	××屯
所 有 者	○○○○

3－052 差押債権目録（運航委託金）

差 押 債 権 目 録

金○○○○円

ただし，債務者と第三債務者との間の下記船舶についての運航委託契約に基づき，債務者が第三債務者から令和○○年○○月以降に支払いを受けるべき運航委託金のうち支払期の早いものから頭書金額に満つるまで。

記

汽　　船	○○丸
総 屯 数	××屯
所 有 者	○○○○

3－053 差押債権目録（社会保険診療報酬）

差　押　債　権　目　録

金○○○○円

ただし，債務者が○○県○○市○○町○○丁目○○番○○号所在○○○○名義（開設者○○県○○市○○町○○丁目○○番○○号○○○○）で第三債務者から支払いを受ける本命令送達時から令和○○年○○月○○日までの間に支払期の到来する債務者の診療にかかる診療報酬債権及び公費負担医療費にして，支払期日の到来した順序で，支払期が同じ場合は金額の大きい順序で頭書金額に満つるまで。

- 継続的給付債権の仮差押えについては，3－048 参照。
- 第三債務者の表示は巻末の資料参照。

3−054 差押債権目録（国民健康保険診療報酬）

差　押　債　権　目　録

金○○○○円

ただし，債務者が○○県○○市○○町○○丁目○○番○○号所在○○○○名義（開設者○○県○○市○○町○○丁目○○番○○号○○○○）で第三債務者から支払いを受ける，本命令送達時から令和○○年○○月○○日までの間に支払期の到来する，債務者の診療にかかる診療報酬債権及び公的負担医療費にして，支払期の到来した順序で，支払期が同じ場合は金額の大きい順序で，頭書金額に満つるまで。

▶ 継続的給付債権の仮差押えについては，3−048 参照。

▶ 第三債務者の表示は巻末の資料参照。

3－055 差押債権目録（介護報酬）

差 押 債 権 目 録

金○○○○円

ただし，債務者が東京都○○区○○町○○丁目○○番○○号所在○○○○（介護保険事業所番号○○○○○○○○○○。開設者東京都○○区○○町○○丁目○○番○○号○○○○）名義で第三債務者から支払いを受ける，本命令送達時から令和○○年○○月○○日までの間に支払期の到来する，平成１２年厚生省令第２０号第１条所定の介護給付費及び公費負担医療等に関する費用にして，支払期の到来した順序で，支払期が同じ場合は金額の大きい順序で，頭書金額に満つるまで。

▶ 介護保険事業所番号は，独立行政法人福祉医療機構の Web サイトで検索できる。

▶ 継続的給付債権の仮差押えについては，3－048 参照。

3−056 差押債権目録（損失補償金）

差押債権目録

金○○○○円

ただし，債務者が第三債務者から下記物件を買収されたことにより支払いを受ける損失補償金請求権。

記

所　在	○○県○○市○○町○○丁目○○番地
家屋番号	○○番
種　類	居宅
構　造	木造瓦葺二階建
床面積	一階　○○平方メートル
	二階　○○平方メートル

3−057 差押債権目録（和解金）

差 押 債 権 目 録

金○○○○円

ただし，債務者と第三債務者間の○○地方裁判所令和○○年（ワ）第○○号○○○○事件の令和○○年○○月○○日成立した和解の和解条項第３項に基づき第三債務者が債務者に対して令和○○年○○月○○日限り支払うべき金○○○○円の内金。

3－058 差押債権目録（信用販売契約に基づく商品代金譲渡代金）

差押債権目録

金○○○○円

ただし，債務者と第三債務者との間の○○加盟店契約に基づき，債務者が第三債務者の個人会員に対しカード使用により信用販売した代金債権を，毎月○○日に売上伝票を第三債務者の指定した銀行に提出する方法をもって第三債務者に譲渡したことによるその代金債権のうち，令和○○年○○月○○日分から譲渡された順序で頭書金額に満つるまで。

3−059 差押債権目録（連帯保証人の求償金債権）

差 押 債 権 目 録

金○○○○円

ただし，債務者が下記契約に基づく第三債務者の借受金返還債務について，その連帯保証人として申立外○○○○に対し弁済したことにより，債務者が第三債務者に対して取得した求償金債権のうち頭書金額に満つるまで。

記

貸　　主	申立外○○○○
借　　主	第三債務者
貸金元本	金○○○○円
契 約 日	令和○○年○○月○○日
弁 済 期	令和○○年○○月○○日
利　　息	日歩金○○銭
損 害 金	日歩金○○銭

3−060 差押債権目録（保釈保証金）

差　押　債　権　目　録

金○○○○円

ただし，被告人○○○○に係る○○地方裁判所○○被告事件（令和○○年（わ）第○○号）の保釈保証金として，債務者が第三債務者に納付した金○○○○円の返還請求権。

3−061 差押債権目録（買受申出保証金）

差 押 債 権 目 録

金○○○○円

ただし，債務者が第三債務者に対して有する下記事件についての買受申出保証金返還請求権金○○○○円のうち頭書金額に満つるまで。

記

債権者○○○○，債務者兼所有者○○○○間の○○地方裁判所令和○○年（ケ）第○○号不動産競売申立事件。

3－062 差押債権目録（供託金取戻請求権・執行停止保証金）

差 押 債 権 目 録

金○○○○円

ただし，債務者が債権者と債務者間の○○地方裁判所令和○○年（モ）第○○号強制執行停止決定申立事件の保証として令和○○年○○月○○日第三債務者に供託した金○○○○円（○○法務局令和○○年度（金）第○○号）の供託金取戻請求権。

3－063 差押債権目録（供託金取戻請求権・仮差押解放金）

差　押　債　権　目　録

金○○○○円

ただし，債権者と債務者間の○○地方裁判所令和○○年（ヨ）第○○号不動産仮差押命令申立事件の令和○○年○○月○○日仮差押決定の執行取消（○○地方裁判所令和○○年（ヲ）第○○号執行取消申立事件）のため，債務者が仮差押解放金として令和○○年○○月○○日第三債務者に供託した金○○○○円也（○○法務局○○出張所令和○○年度（金）第○○号）の取戻請求権。

3－064 差押債権目録（供託金取戻請求権・仮処分の担保）

差　押　債　権　目　録

金○○○○円

ただし，債務者が債務者と申立外○○○○間の○○地方裁判所令和○○年（ヨ）第○○号不動産仮処分命令申立事件の担保として，令和○○年○○月○○日○○法務局に対し令和○○年度（金）第○○号をもって供託した供託金○○○○円也の取戻請求権。

3－065 差押債権目録（供託金取戻請求権・旅行業法に基づく供託金）

差 押 債 権 目 録

金○○○○円

ただし，債務者が旅行業法第７条に基づき第三債務者に対し供託した下記金員について，債務者が同法第２０条に基づき令和○○年○○月○○日登録の抹消手続をしたことにより同法第２１条に基づいて第三債務者に対して有する供託金取戻請求権。

記

令和○○年○○月○○日供託

○○法務局令和○○年度（金）第○○号

金○○○○円

3−066 差押債権目録（供託金取戻請求権・宅建業法に基づく営業保証金①）

差　押　債　権　目　録

金○○○○円

ただし，債務者が第三債務者に対し宅地建物取引業の営業保証として令和○○年○○月○○日○○法務局令和○○年度（金）第○○号をもって供託した金○○○○円の供託金取戻請求権。

3－067 差押債権目録（供託金取戻請求権・宅建業法に基づく営業保証金②）

差 押 債 権 目 録

金〇〇〇〇円

ただし，債務者が宅地建物取引業法２５条に基づく営業保証金として令和〇〇年〇〇月〇〇日第三債務者に〇〇法務局令和〇〇年度（証）第〇〇号をもって供託した下記国庫債券の取戻請求権。

記

名　称	〇〇国庫債券
枚　数	〇〇〇枚
総額面	〇〇〇〇円
券面額，回記号及び番号	〇〇〇〇円券，第〇〇回，〇〇から〇〇まで

3−068 差押債権目録（供託金払渡請求権）

差　押　債　権　目　録

金○○○○円

ただし，債務者が第三債務者に対して有する下記配当事件についての供託金払渡請求権の内金。

記

債権者○○○○，債務者○○○○，第三債務者○○○○間の○○地方裁判所令和○○年（リ）第○○号配当事件。

供託金の表示
　供託番号　　令和○○年度（金）第○○号
　額　　面　　金○○○○円

3－069 差押債権目録（供託金還付請求権・換価競売代金）

差 押 債 権 目 録

金○○○○円

ただし，債務者が第三債務者に対して有する，下記事件について○○地方裁判所執行官○○○○が民事執行法１６８条６項に基づき強制執行の目的外動産を売却し，その売得金のうちから同法７項に基づき○○法務局令和○○年度（金）第○○号をもって供託した金○○○○円の還付請求権。

記

債権者○○○○，債務者○○○○間の○○地方裁判所令和○○年（ワ）第○○号居室明渡請求事件の執行力ある判決に基づく同裁判所令和○○年（執ロ）第○○号不動産明渡事件。

3－070 差押債権目録（供託金還付請求権・滞納処分と強制執行等の手続の調整）

差　押　債　権　目　録

金○○○○円

ただし，債務者が第三債務者に対して有する下記供託金の還付請求権。

記

供 託 者	○○○○
被供託者	債務者
供託金額	金○○○○円
法令条項	民事執行法第１７８条第５項，第１５６条第１項，滞納処分と強制執行等との手続の調整に関する法律第２０条の６第１項
供託法務局	○○法務局
供託番号	令和○○年度（金）第○○号
供 託 日	令和○○年○○月○○日

3−071 差押債権目録（供託金還付請求権・債権者不確知による供託金）

差 押 債 権 目 録

金○○○○円

ただし，債務者が第三債務者に対して有する申立外○○○○が債務者又は申立外△△△△を被供託者として令和○○年○○月○○日○○法務局令和○○年度（金）第○○号をもって供託した供託金還付請求権。

3−072 差押債権目録（供託金還付請求権・仮差押競合）

差　押　債　権　目　録

金○○○○円

ただし，債務者が第三債務者に対して有する下記供託金還付請求権。

記

供託年月日	令和○○年○○月○○日
供 託 番 号	○○法務局令和○○年度（金）第○○号
供 託 金 額	金○○○○円
供 託 原 因	仮差押の競合
供　託　者	○○○○

3－073 差押債権目録（競売代金剰余金）

差 押 債 権 目 録

金○○○○円

ただし，債務者が第三債務者に対して有する下記事件についての競売代金剰余金返還請求権。

記

債権者○○○○，債務者○○○○，所有者○○○○間の○○地方裁判所令和○○年（ケ）第○○号不動産競売申立事件。

3－074 差押債権目録（配当金）

差　押　債　権　目　録

金○○○○円

ただし，債務者が第三債務者に対して有する下記事件についての配当金交付請求権にして頭書金額に満つるまで。

記

債権者○○○○，債務者○○○○間の○○地方裁判所令和○○年（執イ）第○○号動産差押事件（同裁判所令和○○年（リ）第○○号配当事件）。

3－075 差押債権目録（破産配当）

差 押 債 権 目 録

金〇〇〇〇円

ただし，〇〇地方裁判所令和〇〇年（フ）第〇〇号破産申立事件について，債務者が第三債務者に対して有する最終（中間）配当請求権。

3−076 差押債権目録（更生計画に基づく弁済金）

差　押　債　権　目　録

金○○○○円

ただし，債務者が第三債務者に対して有する下記債権。

記

第三債務者に対する○○地方裁判所令和○○年(ミ)第○○号会社更生事件につき，令和○○年○○月○○日同裁判所から認可決定された更生計画に基づく更生債権の残金○○○○円のうち，弁済期を令和○○年○○月○○日とする金○○○○円。

3－077 差押債権目録（任意整理配当金）

差　押　債　権　目　録

金○○○○円

ただし，債務者の申立外株式会社□□に対して有する金○○○○円の債権につき，同社債権者委員会の債権配当決定に基づき，債務者が令和○○年○○月○○日以降同委員会代理人たる第三債務者に対して有する任意整理配当金請求権の内金。

3－078 差押債権目録（郵便振替払込金）

差　押　債　権　目　録

金○○○○円

ただし，債務者が第三債務者（○○貯金事務センター管掌）に対して有する郵便振替（口座番号○○○○○○○○）払込金払渡請求債権の内金。

3－079 差押債権目録（法人税還付請求権）

差　押　債　権　目　録

金○○○○円

ただし，債務者が第三債務者に対して有する法人税法第８１条（欠損金繰戻し）による下記法人税還付請求権。

記

還付所得事業年度

令和○○年○○月○○日から令和○○年○○月○○日まで

欠損事業年度

令和○○年○○月○○日から令和○○年○○月○○日まで

（令和○○年○○月○○日付還付請求書記載のとおり）

3－080 差押債権目録（特許実施料①）

差　押　債　権　目　録

金〇〇〇〇円

ただし，債務者が第三債務者から令和〇〇年〇〇月〇〇日以降支払いを受けるべき特許番号×××号×××の〇〇台分の特許実施料のうち頭書金額に満つるまで。

3−081 差押債権目録（特許実施料②）

差押債権目録

金〇〇〇〇円

ただし，債務者が第三債務者から令和〇〇年〇〇月〇〇日以降同年〇〇月〇〇日までの間支払いを受けるべき下記特許権及び実用新案権について設定した専用実施権の対価（実施料）にして頭書金額に満つるまで。

記

1	特許番号	第×××号
	発明の名称	〇〇〇〇〇〇〇〇
	登録名義人	〇〇〇〇
	専用実施権者	〇〇〇〇
2	実用新案登録番号	第×××号
	考案の名称	〇〇〇〇〇〇〇〇
	登録名義人	〇〇〇〇
	専用実施権者	〇〇〇〇

3−082 差押債権目録（実用新案権）

差し押さえるべき実用新案権目録

1　名　　　称　　　〇〇〇〇〇〇〇〇〇
2　登 録 番 号　　　第×××号
3　登録権利者　　　〇〇〇〇

3−083 差押債権目録（生命保険金）

差　押　債　権　目　録

金○○○○円

ただし，債務者が第三債務者に対して有する下記生命保険契約に基づく保険金支払請求権。

記

保険証券番号	第×××号
契　約　日	令和○○年○○月○○日
種　　　類	○○保険
保険期間	○○年
保険金額	○○○○円
保　険　者	第三債務者
被保険者	○○○○
契　約　者	○○○○
受　取　人	債務者

▶　掲記の事項をすべて記載する必要はなく，要は，保険金支払請求権を特定するに足りる事項を記載する。

▶　被保険者がすでに死亡していて，請求権が現実に発生している場合は，被保険者の死亡年月日を記載する。

3−084 差押債権目録（経営者保険金）

差　押　債　権　目　録

金○○○○円

ただし，下記経営者保険契約に基づき，債務者が第三債務者に対して有する保険金支払請求権の内金。

記

契 約 日	令和○○年○○月○○日
保険金額	金○○○○円
保 険 者	第三債務者
保険契約者	債務者
保険金受取人	債務者

被保険者（債務者の代表取締役○○○○）の死亡を保険事故とする経営者保険

▶ 3−083 参照。

3－085 差押債権目録（損害保険金）

差　押　債　権　目　録

金○○○○円

ただし，債務者が第三債務者に対して有する下記保険契約に基づく保険金支払請求権のうち頭書の金員。

記

保　険　者　　第三債務者

保険契約者　　債務者

保険の種類　　火災保険

契 約 番 号　　第×××号

債務者の建物は令和○○年○○月○○日火災で全焼した。

▶ 3－083 参照。

3－086　差押債権目録（損害保険金返戻金）

差　押　債　権　目　録

金〇〇〇〇円

ただし，下記長期総合保険契約が終了したことによって債務者が第三債務者に対して有する返戻金の支払請求権。

記

保険証券番号	第〇〇〇〇号
契　約　日	令和〇〇年〇〇月〇〇日
種　　類	〇〇保険
保険期間	令和〇〇年〇〇月〇〇日から令和〇〇年〇〇月〇〇日まで 〇〇年間
保険金額	〇〇〇〇円
保　険　者	第三債務者
契　約　者	債務者
保険の目的	〇〇〇〇〇〇〇〇〇〇〇〇〇
特約事項	保険事項が発生することなく保険契約が終了した場合は，保険者は契約者に対し保険金の〇〇％である金〇〇〇〇円を支払う。

▶ 3－083 参照。

3－087 差押債権目録（出資金）

差　押　債　権　目　録

金○○○○円

ただし，債務者が第三債務者に対して有する出資持分○○口（ただし，一口の金額○○○○円）の返還請求権。

3－088 差押債権目録（ゴルフ会員権①）

差　押　債　権　目　録

金〇〇〇〇円

ただし，債務者が第三債務者の経営する〇〇カントリークラブのゴルフ会員として入会するに際し，令和〇〇年〇〇月〇〇日Ｎｏ．〇〇〇〇をもって第三債務者に支払った預託金の返還請求権。

3−089 差押債権目録（ゴルフ会員権②）

差　押　債　権　目　録

債務者が第三債務者に対して有する下記ゴルフ会員権（下記ゴルフ場及び付属施設の利用権並びに下記金額の会員資格保証金としての預託金返還請求権）。

記

1	名　　　称	○○ゴルフ倶楽部
2	会員権番号	第○○○○号
3	預託金証書表示金額	金○○○○円

3−090 差押債権目録（執筆料）

差　押　債　権　目　録

金○○○○円

ただし，債務者が毎週○曜日発行の出版物「週刊○○○○」に令和○○年○○月○○日号から○○回にわたり（令和○○年○○月○○日号までの予定）連載執筆する題名「○○○○○○○」の執筆に関して第三債務者から支給される執筆料から所得税を差し引いた残額で，本決定送達時に支払期にある分以降頭書金額に満つるまで。

3－091 差押債権目録（出演料）

差　押　債　権　目　録

金〇〇〇〇円

ただし，債務者が第三債務者に対して有する東京〇〇劇場における舞台劇「〇〇〇〇〇〇」の令和〇〇年〇〇月〇〇日から同年〇〇月〇〇日までの興業出演料債権にして頭書金額に満つるまで。

3－092 差押債権目録（賞金及び出場手当）

差　押　債　権　目　録

金○○○○円

ただし，債務者が申立外○○新聞社主催の令和○○年○○月○○日から同○○年○○月○○日までの間に行われた令和○○年度の○○戦において優勝し，同新聞社が第三債務者を通じて債務者に支払う賞金及び同○○戦における出場手当債権にして頭書金額に満つるまで。

3−093 差押債権目録（抵当権付債権）

差 押 債 権 目 録

金〇〇〇〇円

ただし，下記物件につき〇〇法務局〇〇出張所令和〇〇年〇〇月〇〇日受付第〇〇〇号をもって設定登記を経た抵当権によって担保される，債務者が令和〇〇年〇〇月〇〇日第三債務者に対して弁済期令和〇〇年〇〇月〇〇日利息年〇割期限後の損害金年〇割の約定で貸し付けた貸金債権。

記

物件の表示

① 所　　在　〇〇県〇〇市〇〇町〇〇丁目
　 地　　番　〇〇番
　 地　　目　宅地
　 地　　積　〇〇平方メートル

② 所　　在　〇〇県〇〇市〇〇町〇〇丁目〇〇番地
　 家屋番号　〇〇番
　 種　　類　居宅
　 構　　造　木造瓦葺２階建
　 床 面 積　１階　〇〇平方メートル
　 　　　　　２階　〇〇平方メートル

3−094 差押債権目録（根抵当権付債権）

差　押　債　権　目　録

金○○○○円

ただし，下記物件につき○○法務局○○出張所令和○○年○○月○○日受付第○○○号をもって設定登記を経た根抵当権によって担保される債務者の第三債務者に対する貸金債権のうち，貸付けの順序で（同一債権内では元本，利息，損害金の順序で，利息・損害金は発生の順序で），頭書金額に満つるまで。

記

物件の表示

①　所　　在　　○○県○○市○○町○○丁目
　　地　　番　　○○番
　　地　　目　　宅地
　　地　　積　　○○平方メートル

②　所　　在　　○○県○○市○○町○○丁目○○番地
　　家屋番号　　○○番
　　種　　類　　居宅
　　構　　造　　木造瓦葺２階建
　　床 面 積　　１階　○○平方メートル
　　　　　　　　２階　○○平方メートル

3－095 差押債権目録（動産引渡請求権）

差 押 債 権 目 録

債務者が第三債務者に対して有する令和○○年○○月○○日付け売買契約に基づく下記物件の引渡請求権。

記

3－096 差押債権目録（未発行株券引渡請求権）

差　押　債　権　目　録

○○○○株の株式発行請求権

ただし，債務者が第三債務者に対して有する下記株式発行請求権で頭書の数量に満つるまでの発行請求権（未発行株券の引渡請求権）。

記

発　行　会　社	第三債務者
額面株式一株の金額	金５万円
発行する株式の総数	○○○○株
発行済株式の総数	○○○○株
資　本　の　額	金○○○○円

3－097 差押債権目録（会社員の月給）

差　押　債　権　目　録

金○○○○円

ただし，債務者（○○勤務）が本命令送達時から令和○○年○○月○○日までの間第三債務者から支給される，

1　給料（基本給と諸手当。ただし，通勤手当を除く。）から給与所得税，住民税，社会保険料を控除した残額の４分の１（ただし，その残額が月額４４万円を超えるときは，その残額から３３万円を控除した金額）

2　賞与から１と同じ税金等を控除した残額の４分の１（ただし，その残額が４４万円を超えるときは，その残額から３３万円を控除した金額）

3　１，２による金額が頭書金額に満たないうちに退職したときは，退職金から所得税，住民税を控除した残額の４分の１

にして，頭書金額に満つるまで。

▶ 給料・退職手当については，4分の3に相当する部分の仮差押えが禁止されている（民保法50条5項，民執法152条1項・2項）。ただし，養育費請求権等を請求債権とする場合は，これが2分の1になる（民保法50条5項，民執法152条3項）。

▶ 継続的給付債権の仮差押えについては，**3－048** 参照。

保全

3－098 差押債権目録（会社員の月給以外の給料）

差　押　債　権　目　録

金○○○○円

ただし，債務者（○○勤務）が本命令送達時から令和○○年○○月○○日までの間第三債務者から支給される給料（基本給と諸手当。ただし，通勤手当を除く。）及び賞与にして各支払期に受ける金額から給与所得税，住民税，社会保険料を控除した残額の４分の１（ただし，給料から給与所得税等を控除した残額の４分の３に相当する額が，一覧表記載の支払期の別に応じ，同記載の政令で定める額を超えるときは，上記の給料残額から政令で定める額を控除した金額。また，賞与については，上記税金等を控除した金額が４４万円を超えるときは，支払額から３３万円を控除した金額）にして頭書金額に満つるまで。

なお，上記による金額が頭書金額に満たないうちに退職したときは，退職金から所得税，住民税を控除した残額の４分の１にして，頭書の金額に満つるまで。

一　覧　表

支　払　期	政　令　で　定　め　る　額
毎　　　月	３３０，０００円
毎　半　月	１６５，０００円
毎　　　旬	１１０，０００円
月の整数倍の期間ごと	３３０，０００円に当該倍数を乗じて得た金額に相当する額
毎　　　日	１１，０００円
その他の期間	１１，０００円に当該期間に係る日数を乗じて得た金額に相当する額

▶ 3－097 参照。

3－099 差押債権目録（公務員の俸給）

差　押　債　権　目　録

金○○○○円

ただし，債務者（○○勤務）が本命令送達時から令和○○年○○月○○日までの間第三債務者から支給される，

1　俸給及び諸手当（ただし，通勤手当を除く。）のうち，給与所得税，住民税，共済組合掛金を控除した残額の４分の１（ただし，その残額が月額４４万円を超えるときは，その残額から３３万円を控除した金額）

2　期末手当，勤勉手当のうち１と同じ税金等を控除し残額の４分の１（ただし，その残額が４４万円を超えるときは，その残額から３３万円を控除した金額）

3　１，２による金額が頭書金額に満たないうちに退職したときは，退職金から所得税，住民税を控除した残額の４分の１

にして，頭書金額に満つるまで。

▶ 3－097 参照。

3−100 差押債権目録（国会議員の歳費）

差　押　債　権　目　録

金○○○○円

ただし，債務者が第三債務者から本命令送達時から令和○○年○○月○○日までの間に支給を受ける歳費，期末手当にして各支払期に受ける金額から給与所得税，住民税及び国会議員互助年金納付金を差し引いた残額の頭書金額に満つるまで。

3−097 参照。

3－101 差押債権目録（地方議員の報酬）

差　押　債　権　目　録

金〇〇〇〇円

ただし，債務者が第三債務者から本命令送達時から令和〇〇年〇〇月〇〇日までの間支払いを受ける報酬及び期末手当にして，各支払期に受ける金額から給与所得税，住民税，〇〇議会議員共済掛金を控除した金額の頭書金額に満つるまで。

▶ 3－097 参照。

3−102 差押債権目録（役員報酬）

差　押　債　権　目　録

金○○○○円

ただし，債務者が第三債務者から本命令送達時から令和○○年○○月○○日までの間支払いを受ける役員報酬，賞与から所得税，住民税，社会保険料を差し引いた残額の頭書金額に満つるまで。

なお，上記による金額が頭書金額に満たないうちに退職したときは，役員退職慰労金から所得税，住民税を控除した残額にして，頭書金額に満つるまで。

▶ 3−097 参照。

3－103 差押債権目録（役員報酬と給与）

差 押 債 権 目 録

金○○○○円

ただし，債務者（○○勤務）が本命令送達時から令和○○年○○月○○日までの間第三債務者から支給される，

1　給料（基本給と諸手当，ただし通勤手当を除く。）から給与所得税，住民税，社会保険料を控除した残額の４分の１（ただし，上記残額が月額４４万円を超えるときはその残額から３３万円を控除した金額）

2　賞与から１と同じ税金等を控除した残額の４分の１（ただし，上記残額が月額４４万円を超えるときは，その残額から３３万円を控除した金額）

3　役員として毎月または定期的に支払いを受ける役員報酬または賞与から１と同じ税金等を控除した残額

4　上記１，２，３による金額が頭書金額に満たないうちに退職したときは，退職金から所得税，住民税を控除した残額の４分の１

5　役員退職慰労金から４と同じ税金等を控除した残額

にして，頭書金額に満つるまで。

なお，支払期日が同日となる最終回分については，上記記載の順序より頭書金額に満つるまで。

▶ **3－097** 参照。

3　保全命令の審理

3—104 主張書面

令和○○年（○）第○○号　○○○○事件
債　権　者　　○　○　○　○
債　務　者　　○　○　○　○

主　張　書　面

令和○○年○○月○○日

○○地方裁判所民事第○○部　御中

債権者代理人弁護士　　○　○　○　○　　印

第1

第2

以　上

口頭弁論の期日または債務者を呼び出す審尋の期日が指定された後に，主張書面の提出，書証の申出をするには，相手方の数と同数の写し（副本でなくとも可）を裁判所に提出し，書記官はこれらを相手方に送付する（民保規14条1項ないし3項）。この場合，相手方にこれらを直送することも認められている。

それまで提出した申立書，主張書面，書証は，これらの期日の通知を受けた段階で，その写しを一括して債務者に直送しなければならない（同規15条）。

なお，保全異議事件における主張書面等の提出につき民事保全規則25条，26条参照。

3−105 審尋等申出書

令和○○年（○）第○○号　○○○○事件
債　権　者　　○　○　○　○
債　務　者　　○　○　○　○

審　尋　等　申　出　書

令和○○年○○月○○日

○○地方裁判所民事第○○部　御中

債権者代理人弁護士　　○　○　○　○　　印

第１　人証の表示
　１　〒○○○−○○○○
　　○○県○○市○○町○○丁目○○番○○号
　　参考人または証人　　○　○　○　○
　　（呼出，尋問予定時間２０分）
　２　〒○○○−○○○○
　　○○県○○市○○町○○丁目○○番○○号
　　債権者本人　　○　○　○　○
　　（同行，尋問予定時間２０分）

第２　立証趣旨
　本件建物が建築されるに至った経緯及び債務者が本件建物を使用している事実

第３　尋問事項
　別紙記載のとおり　（別紙省略）

▶　参考人等を，参考人として取り調べてもらっても証人として取り調べてもらってもよい場合の記載例を掲げた。

3−106 証人等の陳述の録音申出書

令和○○年（○）第○○号　○○○○事件
債　権　者　　○　○　○　○
債　務　者　　○　○　○　○

証人等の陳述の録音申出書

令和○○年○○月○○日

○○地方裁判所　裁判所書記官　殿

債権者　　　　○　○　○　○
債務者　　　　○　○　○　○
代理人弁護士　○　○　○　○　　印

本件について，口頭弁論・審尋の期日における当事者本人又は証人等の陳述の結果について調書の記載が省略される場合,次の者の陳述を録音されるよう申出をします。

□　債権者　　　　□　債務者
□　証　人　　　　□　参考人
□　準当事者　　　□　その他

▶　記載例の「準当事者」とは,「当事者のため事務を処理し，または補助する者」をいい，民事保全法9条によって，口頭弁論または審尋の期日において陳述することが認められている（釈明処分の特例）。

3−107 録音テープ複製の申出書

令和○○年（○）第○○号　○○○○事件
債　権　者　　○　○　○　○
債　務　者　　○　○　○　○

録音の複製の申出書

令和○○年○○月○○日

○○地方裁判所　裁判所書記官　殿

□債権者 □債務者 □利害関係人
代理人弁護士　　○　○　○　○　　印

本件について，令和○○年○○月○○日に実施された　□口頭弁論　□審尋　の期日において，下記の者の陳述が録音テープに録音されましたが，それを別添の録音テープに複製されるよう申出をします。

□　債権者　　　□　債務者
□　証　人　　　□　参考人
□　準当事者　　□　その他

受　　領　　書

上記複製した録音テープを受領しました。

令和　　年　　月　　日

○○地方裁判所　裁判所書記官　殿

□ 債権者　□ 債務者　□ 利害関係人
代理人弁護士　○　○　○　○　印

▶　証人等の陳述を録音したテープは，調書または事件記録の一部ではないとされている。録音テープの保存期間は，事件が決定により終了した場合は1年（ただし，それ以前に当該決定もしくはこれに対する不服申立事件が確定し，または不服申立事件が和解もしくは保全命令の申立ての取下げにより終了したときは，確定または終了の日から2週間）であり，その前に複製の申出をする必要がある。

▶　ダビング用のテープ（通常は90分テープ）を提出する。複製の手数料は不要である。

3－108 書面写し送付申出書

令和○○年（○）第○○号　○○○○事件
債　権　者　　○　○　○　○
債　務　者　　○　○　○　○

書面写し送付申出書

令和○○年○○月○○日

○○地方裁判所民事第○○部　御中

債権者代理人弁護士　　○　○　○　○　　印

本件について，双方当事者の審尋期日が同年○○月○○日と指定されたので，債権者から債務者に対し，下記書面の写しを送付すべきところ，債務者は，債権者代理人である当職から協議の申入れをなしても，一切これに応じないばかりか，電話での接触に際しても粗暴な言辞をくり返しているので，無用の紛議を避けるため，裁判所書記官による同書面の写しの送付を求める。

記

1　本件仮処分命令申立書
2　令和○○年○○月○○日付け主張書面
3　甲１乃至甲８

▶　裁判所に写しの送付を求める事由は具体的に記載すればよく，その疎明をする必要はない。
▶　相手方に郵送するため郵券（通常は普通郵便に要する郵券）を予納する。

3−109 保全異議申立書

収入 印紙

保全異議申立書

令和○○年○○月○○日

○○地方裁判所　御中

債務者代理人弁護士　○　○　○　○　印

当事者の表示　別紙当事者目録記載のとおり

申立ての趣旨

1　債権者と債務者間の○○地方裁判所令和○○年（ヨ）第○○号債権仮差押命令申立事件について，同裁判所が令和○○年○○月○○日にした仮差押決定を取り消す。

2　債権者の上記仮差押命令の申立てを却下する。

3　申立費用は債権者の負担とする。

との裁判を求める。

申立ての理由

1　債権者は，本件仮差押命令申立てにおいて，債務者に対し金○○○○円の貸金があると主張しているが，債務者が借りたのは金○○○○円にすぎず（乙1），しかも，この○○○○円はすでに弁済済みである（乙2）から，債務者は債権者に対し，何らの債務も負担していない。したがって，債権者主張の被保全債権は存在しない。

2　また，債権者は，債務者には財産を隠す恐れがあると主張しているが，債務者は住所地に飲食店の店舗を構え，その建物および敷地を所有している（乙3，乙4）ほか，銀行預金，株式その他相当の資産を有している。そして，飲食店の経営が不振ということはなく，店も結構繁盛している。したがって，仮差押えの必要性もない。

▶　保全異議の申立ては，保全命令の当否について再審理を求めるもので，審理の対象は，被保全権利の存否と保全の必要性の有無である。

▶　申立ての理由には，保全命令の申立書におけるのと同様，具体的事実の主張と証拠の対応関係が明らかとなるよう記載する。

▶　収入印紙500円を貼付する。また，予納郵券が必要である。

3　よって，本件仮差押決定は，被保全権利も必要性も認められないから，直ちに取り消されるべきである。

疎　明　方　法

乙１　　借用証控

乙２　　領収証

乙３　　建物登記事項証明書

乙４　　土地登記事項証明書

添　付　書　類

1	乙号証	各１通
2	訴訟委任状	１通

3−110 本案訴訟の不提起等による保全取消申立書

収　入 印　紙

本案訴訟の不提起等による保全取消申立書

令和○○年○○月○○日

○○地方裁判所　御中

申立人代理人弁護士　　○　○　○　○　印

当事者の表示　　別紙当事者目録記載のとおり

申　立　て　の　趣　旨

1　○○地方裁判所が同裁判所令和○○年（ヨ）第○○号不動産仮処分命令申立事件について令和○○年○○月○○日にした仮処分決定を取り消す。

2　申立費用は被申立人の負担とする。

との裁判を求める。

申　立　て　の　理　由

1　○○地方裁判所は，被申立人の申立てにより，同裁判所令和○○年（ヨ）第○○号不動産仮処分命令申立事件について令和○○年○○月○○日仮処分決定をした。

2　○○地方裁判所は，申立人の申立てにより，被申立人に対し，いまだ本案訴訟を提起していないときはこれを管轄裁判所に提起するとともにその提起を証する書面を，すでに本案訴訟を提起しているときはその係属を証する書面を，この決定送達の日から○○日以内に○○地方裁判所に提出しなければならない旨の決定をなし（同裁判所令和○○年（○）第○○号），同決定は，被申立人に，令和○○年○○月○○日送達された。

3　しかしながら，被申立人は，同期間内に，本案訴訟の提起又は係属を証する書面を提出しないから，民事保全法第３７条に基づき上記仮処分決定の取消しを求める。

▶　保全取消の申立ては，保全命令の存続の当否を争うものであり，審理の対象は，保全命令発令後に生じた取消原因の存否である。取消事由は，本案不提起（民保法37条），事情変更（同法38条），特別事情（同法39条）に限定されている。

▶　収入印紙500円を貼付する。また，予納郵券が必要である。

疎　明　方　法

甲１　　仮処分決定正本

甲２　　起訴命令決定正本

甲３　　送達証明書

添　付　書　類

１	甲号証	各１通
２	訴訟委任状	１通

3−111 起訴命令申立書

起　訴　命　令　申　立　書

令和○○年○○月○○日

○○地方裁判所　御中

申立人（債務者）代理人弁護士　　○　○　○　○　　印

当事者の表示　　別紙当事者目録記載のとおり

上記当事者間の令和○○年（ヨ）第○○号不動産仮処分命令申立事件について，令和○○年○○月○○日決定がなされた。そこで，債権者に対し，いまだ本案訴訟を提起していないときはこれを管轄裁判所に提起するとともにその提起を証する書面を，すでに本案訴訟を提起しているときはその係属を証する書面を，相当期間内に御庁に提出すべきことを命ぜられたく，本申立てをする。

▶　予納郵券が必要である。印紙は不要である。

3−112 事情変更による保全取消申立書

収入
印紙

事情変更による保全取消申立書

令和○○年○○月○○日

○○地方裁判所　御中

申立人代理人弁護士　○　○　○　○　印

当事者の表示　別紙当事者目録記載のとおり

申立ての趣旨

1　○○地方裁判所が同裁判所令和○○年（ヨ）第○○号不動産仮処分命令申立事件について令和○○年○○月○○日にした仮処分決定を取り消す。

2　申立費用は被申立人の負担とする。

との裁判を求める。

申立ての理由

1　被申立人は，申立人を債務者として，○○地方裁判所に対し，別紙物件目録記載の建物（本件建物）について占有移転禁止等の仮処分命令申立をなし（同裁判所令和○○年（ヨ）第○○号），同裁判所は，令和○○年○○月○○日，これを認める仮処分決定をした（甲１）。

2　しかしながら，被申立人は，令和○○年○○月○○日，本件建物の所有名義を申立外○○○○に移転し，同日，その所有権移転登記をしたので，被保全権利を失うに至った（甲２）。

3　よって，上記仮処分決定は，事情の変更を生じたものであるから，民事保全法第３８条に基づき同仮処分決定の取消しを求める。

▶　特別事情による保全取消の申立ても，事情変更のそれと同じような形式で行う。ただし，申立ての趣旨において，「申立人において裁判所の定める担保を立てることを条件として，これを取り消す。」とする。

▶　収入印紙500円を貼付する。また，予納郵券が必要である。

保全

疎　明　方　法

甲１　仮処分決定正本

甲２　建物登記事項証明書

添　付　書　類

1	甲号証	各１通
2	訴訟委任状	１通

（3―112 事情変更による保全取消申立書）

3−113 仮処分執行停止申立書

収入 印紙

仮処分執行停止申立書

令和○○年○○月○○日

○○地方裁判所　御中

申立人代理人弁護士　○　○　○　○　印

当事者の表示　別紙当事者目録記載のとおり

申立ての趣旨

○○地方裁判所令和○○年（ヨ）第○○号不動産仮処分命令申立事件について，同裁判所が令和○○年○○月○○日にした仮処分決定の執行は，保全異議の申立てについての決定において本仮処分執行取消決定に対する裁判があるまでの間，これを停止する。

との裁判を求める。

申立ての理由

1　被申立人は，申立人を債務者として，○○地方裁判所に対し，別紙物件目録記載の建物（本件建物）について改造禁止の仮処分命令申立てをなし（同裁判所令和○○年（ヨ）第○○号），同裁判所は，令和○○年○○月○○日，これを認める仮処分決定をした（本件仮処分決定）（甲１）。

申立人は，本日，本件仮処分決定に対し，保全異議の申立てをした。

2　申立人は，被申立人から本件建物を賃借し（甲２），そこで喫茶店「○○○○」を経営しているが，令和○○年○○月から約○○○○円を投じて室内の模様替えに取りかかったところ，その中途で，本件仮処分決定がなされた。

被申立人は，申立人が，被申立人に無断で，室内の模様替えに取りかかったと主

▶ 保全命令に不服を申し立てる（保全異議，保全取消，保全抗告）とともに，保全執行の停止または取消しの裁判を申し立てることができる（民保法27条1項，40条，41条5項）。

▶ 「保全命令の取消しの原因となることが明らかな事情があること」と，「保全執行により償うことができない損害を生ずるおそれのあること」の２つの要件が必要であり，要件が厳格である。

張するが，申立人は，令和○○年○○月○○日ころ，被申立人に対して，設計図（甲3）を示しながらこれについて説明し，そのころ，口頭でその承諾を取り付けている。のみならず，本件建物は老朽化が著しく，室内の模様替えを行わなければ，営業の継続は困難である。

3　そして，申立人は毎日多数の常連客を相手に営業をしている関係上，工事半ばにしてこれを放置することは，申立人にとって営業の妨害になるのみならず，請負業者に対する代金の支払等損害甚大である（甲4，甲5）。したがって，申立人には，本件仮処分決定の執行によって償うことができない損害が生ずるおそれがある。

4　よって，申立人は，本件仮処分決定の執行の停止を求める。なお，申立人には，裁判所が相当と認める担保を立てる用意がある。

疎　明　方　法

甲1　　仮処分決定正本
甲2　　建物賃貸借契約書
甲3　　設計図
甲4　　見積書（請負人作成）
甲5　　報告書（喫茶店営業状態につき同業者○○○○作成）

添　付　書　類

1　甲号証　　各1通
2　訴訟委任状　　1通

（3−113 仮処分執行停止申立書）

▶ 印紙500円を貼付する。また，予納郵券が必要である。

3－114 保全抗告申立書

収　入 印　紙

保　全　抗　告　申　立　書

令和○○年○○月○○日

○○高等裁判所　　御中

抗告人代理人弁護士　　○　○　○　○　　印

当事者の表示　　別紙当事者目録記載のとおり

上記当事者間の○○地方裁判所令和○○年（モ）第○○号保全異議申立事件について，同裁判所が令和○○年○○月○○日にした決定は不服であるから，保全抗告の申立てをする。

第１　抗告の趣旨

1　原決定を取り消す。

2　○○地方裁判所令和○○年（ヨ）第○○号不動産仮処分命令申立事件について，同裁判所が令和○○年○○月○○日にした仮処分決定を取り消す。

3　被抗告人の上記仮処分命令の申立てを却下する。

4　申立費用は，原審，抗告審とも被抗告人の負担とする。

との裁判を求める。

第２　抗告の理由

1　抗告人は，本件仮処分の目的たる建物においてビジネスホテルを経営しているが，この建物の増改築工事に取りかかったところ，被抗告人から，賃貸借終了による明渡請求権を被保全権利として，現状変更を禁止するため，占有移転及び増改築の禁止を求める仮処分命令の申立てがされ，これを認める仮処分決定がなされた。

▶　記載例の抗告の趣旨は，原審が仮処分決定を許可した場合のものである。原審が仮処分決定を取り消した場合は，第２文の「取り消す」を「認可する」とし，第３文を削除する。

▶　収入印紙3,000円を貼付する。また，予納郵券が必要である。

2　しかしながら，それでは，抗告人において，多数の従業員を抱えてホテル経営を続けることが不可能となるばかりか，信用を傷つけることにもなる（乙４）ので，保全の必要性のないことを主張して保全異議の申立てをしたが，原審は，上記のとおり仮処分決定を認可する決定をしたので，ここに同決定の取消しを求めるため，抗告の申立てをする。

疎　明　方　法

乙４　　反訳書（参考人○○○○の審尋結果）

添　付　書　類

1	乙号証	1通
2	審尋申出書	1通
3	資格証明書	2通
4	訴訟委任状	1通

（3−114 保全抗告申立書）

5　担保取消・担保取戻・取下等

【1】担保取消

裁判所は，仮差押・仮処分を命ずるにあたり，通常，債権者に担保を立てさせるが，担保取消事由として，民事保全法4条2項，民事訴訟法79条は，①担保権利者の同意（書式：3－115～3－125），②担保事由消滅（書式：3－126～3－127），③権利行使催告（書式：3－128～3－130）——の3つを規定している。

3−115 同意による担保取消決定申立書

担保取消決定申立書

令和○○年○○月○○日

○○地方裁判所民事第○○部　御中

申立人代理人弁護士　　○　○　○　○　　印

当事者の表示　　別紙当事者目録記載のとおり

御庁令和○○年（ヨ）第○○号債権仮差押命令申立事件について，申立人は，担保として令和○○年○○月○○日○○地方法務局○○出張所に対し金○○○○円也を令和○○年度（金）第○○号をもって供託しているところ，このたび担保権利者が同意したので，担保取消決定をされるよう申し立てる。

▶　担保取消の申立人は担保提供者またはその承継人であり，債権者に代わって第三者が担保を立てた場合，その第三者が申立人となる。

▶　同意による担保取消申立には，①同意書，②印鑑証明書（本人が同意する場合）または委任状（代理人が同意する場合），③即時抗告権放棄の上申書，④担保取消決定の正本の受書――が必要である。これ以外に，供託（支払保証委託契約）原因消滅申請書正本・副本，受書が必要である。

▶　印紙は不要である。

3−116 同意書

同　意　書

令和〇〇年〇〇月〇〇日

担保提供者　〇　〇　〇　〇　殿

担保権利者　〇　〇　〇　〇　印

担保権利者は，債権者〇〇〇〇，債務者〇〇〇〇間の〇〇地方裁判所令和〇〇年（ヨ）第〇〇号債権仮差押命令申立事件について，担保提供者〇〇〇〇が立てた下記担保の取消しに同意します。

記

令和〇〇年〇〇月〇〇日〇〇地方法務局〇〇出張所に供託して立てた担保（供託書額面金〇〇〇〇円，供託番号令和〇〇年度（金）第〇〇号）

▶　担保取消に対する同意は，担保権利者がその担保物に対して有する権利を放棄する意思表示であるから，その名宛人は担保提供者である。

▶　担保権利者本人が同意書を作成するときは，それが真正に作成されたことを明らかにするため印鑑証明書を添付する。代理人弁護士が作成するときは，印鑑証明書の添付は不要である。

▶　和解調書（調停調書）中に同意がある場合，その調書の写しまたは謄本を添付する。

3−117 委任状

委 任 状

令和　　年　　月　　日

住 所　〒

氏 名　　　　　　　　　　　　　　　　　　印

私は，次の弁護士を代理人と定め，下記の事項を委任します。

○○弁護士会所属

弁護士　○ ○ ○ ○

住 所　〒○○○−○○○○

○○県○○市○○町○○丁目○○番○○号

TEL　○○○（○○○）○○○○

FAX　○○○（○○○）○○○○

記

1　債権者○○○○，債務者○○○○間の○○地方裁判所（ヨ）第○○号債権仮差押命令申立事件について，担保提供者○○○○が立てた担保の取消しに同意する件，同担保の取消決定について即時抗告権を放棄する件及びこれらに関する一切の件

2　復代理人選任の件

▶ 被申立人が代理人によって同意するには，その旨の委任が特に必要である。

▶ 担保取消決定についての即時抗告権を放棄する旨の委任も必要である。

3−118 上申書

上　申　書

令和　　年　　月　　日

○○地方裁判所民事第○○部　御中

被申立人代理人弁護士　　○　○　○　○　　印

申立人○○○○，被申立人○○○○間の御庁令和○○年（モ）第○○号担保取消申立事件について，令和　　年　　月　　日御庁でされた担保取消決定に対し，被申立人は即時抗告をいたしません。

▶　日付欄はいずれも空白のまま相手方から受け取り，裁判所に提出する。

▶　和解（または調停）調書で即時抗告をしない旨の合意をしているときは，調書正本を提示し，その写しを提出すれば，上申書は必要ない。

3−119 受　書

受　　　書

令和　　年　　月　　日

○○地方裁判所民事第○○部　御中

被申立人代理人弁護士　　○　○　○　○　　印

1　担保取消決定正本　　　　　　1通

ただし，御庁令和○○年（モ）第○○号事件について，正にお受けいたしました。

▶　申立書と同時に裁判所に提出すると，決定書の送達手続が省略でき，迅速に担保の取戻しができる。

▶　日付欄は空白のまま相手方から受け取り，裁判所に提出する。

3−120 供託原因消滅証明申請書

令和○○年（モ）第○○号

収入印紙

供託原因消滅証明申請書

令和○○年○○月○○日

○○地方裁判所民事第○○部　御中

申立人代理人弁護士　○　○　○　○　印

当事者の表示　別紙当事者目録記載のとおり

上記当事者間の○○地方裁判所令和○○年（ヨ）第○○号債権仮差押命令申立事件について，申立人がその担保として○○地方法務局○○出張所に供託した金○○○○円（令和○○年度（金）第○○号）は，担保取消決定がなされ，同決定は確定したので，供託原因が消滅したことを証明してください。

- 申請書には，供託書の写しを合綴する。
- 収入印紙150円を正本に貼付し，副本とともに提出する。

3−121 受　書

受　　　　書

令和　　年　　月　　日

○○地方裁判所民事第○○部　御中

申立人代理人弁護士　○　○　○　○　印

1　供託原因消滅証明書　　　　　　　1通

正にお受けしました。

▶ 日付欄は空白のまま提出する。

3－122 同意による担保取消決定申立書

担保取消決定申立書

令和○○年○○月○○日

○○地方裁判所民事第○○部　御中

申立人代理人弁護士　○　○　○　○　印

当事者の表示　別紙当事者目録記載のとおり

御庁令和○○年（ヨ）第○○号債権仮差押命令申立事件について，申立人は，担保として令和○○年○○月○○日株式会社□□銀行（○○支店）との間で金○○○○円也を限度とする支払保証委託契約を締結しているところ，このたび担保権利者が同意したので，担保取消決定をされるよう申し立てる。

▶ 3－115 参照。

3−123 同意書

同 意 書

令和○○年○○月○○日

担保提供者　　○　○　○　○　　殿

担保権利者　　○　○　○　○　　印

担保権利者は,債権者○○○○,債務者○○○○間の○○地方裁判所令和○○年(ヨ)第○○号債権仮差押命令申立事件について，担保提供者○○○○が立てた下記担保の取消しに同意します。

記

申立人が令和○○年○○月○○日株式会社□□銀行（○○支店）との間に金○○○○円也を限度とする支払保証委託契約を締結する方法による担保。

▶ 3−116 参照。

3−124　支払保証委託契約原因消滅証明申請書

令和　　　年（モ）第　　　　号

収入印紙

支払保証委託契約原因消滅証明申請書

令和　　年　　月　　日

○○地方裁判所民事第○○部　御中

申立人代理人弁護士　○　○　○　○　印

当事者の表示　別紙当事者目録記載のとおり

上記当事者間の御庁令和○○年（ヨ）第○○号債権仮差押命令申立事件について，申立人が令和○○年○○月○○日株式会社□□銀行（○○支店）との間で締結した金○○○○円也を限度とする支払保証委託契約による担保は，担保取消決定がなされ，同決定は確定したので，令和　　年　　月　　日支払保証委託原因が消滅したことを証明してください。

▶　収入印紙150円を正本に貼付し，副本とともに提出する。

3−125 受　書

受　　　書

令和　　年　　月　　日

○○地方裁判所民事第○○部　御中

申立人代理人弁護士　　○　○　○　○　　印

1　支払保証委託契約原因消滅証明書　　　　　1通

ただし，御庁令和　　　　年（モ）第　　　　　　号担保取消申立事件について，正にお受けいたしました。

▶　日付欄は空白のまま提出する。

3−126 担保事由消滅による担保取消決定申立書①

担保取消決定申立書

令和○○年○○月○○日

○○地方裁判所民事第○○部　御中

申立人代理人弁護士　○　○　○　○　印

当事者の表示　別紙当事者目録記載のとおり

御庁令和○○年（ヨ）第○○号債権仮差押命令申立事件について，申立人は，担保として令和○○年○○月○○日○○地方法務局○○出張所に対し金○○○○円也を令和○○年度（金）第○○号をもって供託しているところ，このたび

□　申立人全部勝訴の本案判決が確定し，

□　本案訴訟で当事者間で勝訴的内容の和解が成立し，

□　本案訴訟において被告である被申立人が申立人の請求を全て認諾し，

担保の事由がやんだので，担保取消決定をされたく申し立てる。

▶　担保事由消滅による担保取消決定申立には，判決（和解調書，認諾調書）の正本または謄本および判決確定証明書が必要である。判決正本は，原本と照合後，写しを提出する。

これ以外に，供託（支払保証委託契約）原因消滅申請書正本・副本，受書が必要である。

3－127 担保事由消滅による担保取消決定申立書②

担保取消決定申立書

令和○○年○○月○○日

○○地方裁判所民事第○○部　御中

申立人代理人弁護士　　○　○　○　○　　印

当事者の表示　　別紙当事者目録記載のとおり

御庁令和○○年（ヨ）第○○号債権仮差押命令申立事件について，申立人は，担保として令和○○年○○月○○日株式会社□□銀行（○○支店）との間で金○○○○円也を限度とする支払保証委託契約を締結しているところ，このたび

□　申立人全部勝訴の本案判決が確定し，

□　本案訴訟で当事者間で勝訴的内容の和解が成立し，

□　本案訴訟において被告である被申立人が申立人の請求を全て認諾し，

担保の事由がやんだので，担保取消決定をされるよう申し立てる。

▶ 3－126 参照。

3−128　権利行使催告による担保取消決定申立書①

権利行使催告による担保取消決定申立書

令和〇〇年〇〇月〇〇日

〇〇地方裁判所民事第〇〇部　御中

申立人代理人弁護士　〇　〇　〇　〇　印

当事者の表示　別紙当事者目録記載のとおり

御庁令和〇〇年（ヨ）第〇〇号債権仮差押命令申立事件について，申立人は，担保として令和〇〇年〇〇月〇〇日〇〇地方法務局〇〇出張所に対し金〇〇〇〇円也を令和〇〇年度（金）第〇〇号をもって供託しているところ，このたび

□　本案訴訟において申立人の全部又は一部敗訴の判決が確定し，
□　本案訴訟において申立人の敗訴的内容の和解が成立し，
□　本案訴訟において申立人が請求を放棄し，
□　本案訴訟において申立人が訴えを取り下げ，
□　本案訴訟が未提起であり，

かつ，上記仮差押命令の申立てを取り下げ，執行が解放された。しかるに担保権利者たる被申立人はまだその権利の行使をしないから，被申立人に対し一定の期間内に上記担保についてその権利を行使するよう催告され，もし同人がその権利を行使しないときは担保取消決定をされるよう申し立てる。

▶　権利行使催告による担保取消決定申立には，保全命令の失効および保全執行の解放を証する書面のほか，①本案訴訟において申立人の全部又は一部敗訴の判決が確定した場合は，判決正本または謄本および判決確定証明書，②敗訴的和解，請求放棄の場合は，調書の正本または謄本，③訴えの取下げの場合は，訴え取下証明書，④本案未提起の場合は，その旨記載した上申書――が必要である。判決正本は，原本照合後，写しを提出する。

これ以外に，供託（支払保証委託契約）原因消滅申請書正本・副本，受書が必要である。

3−129 権利行使催告による担保取消決定申立書②

権利行使催告による担保取消決定申立書

令和〇〇年〇〇月〇〇日

〇〇地方裁判所民事第〇〇部　御中

申立人代理人弁護士　　〇　〇　〇　〇　　印

当事者の表示　　　別紙当事者目録記載のとおり

御庁令和〇〇年（ヨ）第〇〇号債権仮差押命令申立事件について，申立人は，担保として令和〇〇年〇〇月〇〇日株式会社□□銀行（〇〇支店）との間で金〇〇〇〇円也を限度とする支払保証委託契約を締結しているところ，

□　本案訴訟において申立人の全部又は一部敗訴の判決が確定し，

□　本案訴訟において申立人の敗訴的内容の和解が成立し，

□　本案訴訟において申立人が請求を放棄し，

□　本案訴訟において申立人が訴えを取り下げ，

□　本案訴訟が未提起であり，

かつ，上記仮差押命令の申立てを取り下げ，執行が解放された。しかるに担保権利者たる被申立人はまだその権利の行使をしないから，被申立人に対し一定の期間内に上記担保についてその権利を行使するよう催告され，もし同人がその権利を行使しないときは担保取消決定をされるよう申し立てる。

▶ **3−128** 参照。

3−130 担保取消決定申立書（第三者が転付命令を得た場合）

担保取消決定申立書

令和○○年○○月○○日

○○地方裁判所民事第○○部　御中

申立人代理人弁護士　○　○　○　○　印

当事者の表示　　別紙当事者目録記載のとおり

御庁令和○○年（ヨ）第○○号債権仮差押命令申立事件について，被承継人は，担保として令和○○年○○月○○日○○地方法務局○○出張所に金○○○○円也を令和○○年度（金）第○○号をもって供託しているところ，申立人は，同供託金取戻請求権について差押・転付命令を得た。このたび上記仮差押命令申立事件の当事者間の本案訴訟で被承継人勝訴の判決がなされ，同判決は令和○○年○○月○○日確定し，担保の事由が消滅したから担保取消決定をされるよう申し立てる。

▶　第三者が担保取戻請求権を承継した場合の記載例であり，他の事由でこれを承継した場合は，「同供託金取戻請求権について差押・転付命令を得た」の部分を適宜書き換えればよい。この場合，担保取戻請求権を承継したことの疎明資料を添付する。

【2】担保取戻

1　担保取戻の明文化

民事保全法が制定される以前には，法の明文はなかったが，相手方に損害を与えるおそれがないような場合には，実務上，相手方に告知もせず，不服申立の機会も与えない簡易な担保取戻という方法が認められていた。全国の裁判所で取扱いがまちまちであったが，民事保全規則17条で担保の取戻しが明文化され，その際，最高裁により運用基準が示され，統一的な運用が図られることになった。

2　運用基準

東京地方裁判所民事第9部では，下記のような「担保取戻の運用基準」を作成している。

3　添付書類

担保取戻許可申立書には，次頁の「担保取戻許可申立書の添付書類一覧表」の添付書類を添付する。

担保取戻の運用基準

保全命令の類型	執行方法等	許可の要件（注1）
全件共通		Ⓐ担保提供後保全命令発令前の申立て（注2）の取下 Ⓑ債務者（担保権利者）が担保取戻請求権を承継（相続，法人の合併，債権譲渡，差押転付命令）（注3）
仮差押え 処分禁止の仮処分	登記または登録	Ⓐ登記（登録）嘱託前の申立ての取下 Ⓑ登記（登録）嘱託が却下されⓐ申立ての取下，ⓑ執行期間経過
	第三債務者またはこれに準ずる者への送達	Ⓐ送達着手前の申立ての取下 Ⓑ送達不能で，ⓐ申立ての取下，ⓑ執行期間経過
仮差押え 占有移転禁止の仮処分	執行官による執行	Ⓐ執行申立て前 Ⓑ執行着手前 ｝のⓐ申立ての取下，ⓑ執行期間経過
処分禁止，占有移転禁止以外の作為または不作為を命ずる仮処分	間接強制，代替執行	債務者への不送達の場合の申立ての取下
	執行官による執行	①債務者への不送達 ②Ⓐ執行申立て前 Ⓑ執行着手前 ｝のⓐ申立ての取下，ⓑ執行期間経過
仮の地位を創設する仮処分（間接強制，授権決定または執行官による執行を予定していないもの）	多様	①債務者への不送達 ②Ⓐ申立ての取下，Ⓑ執行期間経過 ③(債務者への送達以外に当該仮処分の効力の実現の手段が予定されているときは，その着手がなかったことも必要)

（注1）　ⒶⒷやⓐⓑは択一的要件，①②③は重畳的要件
（注2）　本表で単に「申立て」とは，保全命令の申立てを指す。
（注3）　この場合の担保取戻許可の申立権者は，債務者

担保取戻許可申立書（注1）の添付書類一覧表

担保取戻事由	添付書類	該当項
保全命令発令前の保全命令申立ての取下	○保全命令申立ての取下書	
保全命令発令後執行申立前の 保全命令申立ての取下	○保全命令申立ての取下書 ○保全命令の決定正本（注2） ○執行機関の不受理証明書	
執行申立て後執行着手前の 保全命令申立の取下	○保全命令申立ての取下書 ○保全命令の決定正本 ○執行者手前執行取下げ証明書	
保全命令発令後執行期間の経過	○保全命令申立ての取下書 ○保全命令の決定正本 ○執行機関の不受理証明書	民事保全規則17条 1項，同17条3項
不動産仮差押え，同仮処分（処分禁止） 登記嘱託の却下	○保全命令申立ての取下書 ○保全命令の決定正本	
第三債務者に対する債権仮差押命令の 不送達	○保全命令申立ての取下書 ○保全命令の決定正本	
債務者に対する単純な作為・不作為を命じた 仮処分命令の不送達	○保全命令申立ての取下書 ○保全命令の決定正本	
債務者による担保取戻請求権の承継	（差押え・転付命令） ○差押え・転付命令正本とその確定証明書 （相続） ○相続関係図 ○戸籍謄本 ○遺産分割協議書と印鑑証明書 ○相続放棄申述受理証明書 ○住民票 （法人の合併） ○法人登記事項証明書（全部） （債権譲渡） ○譲渡を証する書面 （契約書と譲渡人の印鑑証明書） ○対抗要件具備を証する書面 （内容証明郵便及びその配達証明書）	同17条4項 同17条5項

（注1）　担保取戻許可申立書については，民事保全規則17条2項に掲げる事項を記載する。
（注2）　保全命令の決定正本については，民事保全規則17条3項1号但書，2号の例外がある。

3−131 担保取戻許可申立書①

担保取戻許可申立書

令和○○年○○月○○日

○○地方裁判所民事第○○部　御中

申立人代理人弁護士　　○　○　○　○　　印

当事者の表示　　　別紙当事者目録記載のとおり

御庁令和○○年（ヨ）第○○号債権仮差押命令申立事件について，申立人は，担保として令和○○年○○月○○日○○地方法務局○○出張所に対し金○○○○円也を令和○○年度（金）第○○号をもって供託しているところ，このたび○○○○○○○○（※取戻事由を具体的に記載する）ことによって債務者に損害が生じないことが明らかであるので，担保取戻許可をされるよう申し立てる。

▶ 担保取戻の運用基準や申立てに必要な添付書類は，500 頁・501 頁の表のとおりである。

▶ 印紙は不要である。正本・副本の合計 2 通を提出する。

▶ 取戻事由は500 頁を参照。

3－132 担保取戻許可申立書②

担保取戻許可申立書

令和○○年○○月○○日

○○地方裁判所民事第○○部　御中

申立人代理人弁護士　○　○　○　○　印

当事者の表示　別紙当事者目録記載のとおり

御庁令和○○年（ヨ）第○○号債権仮差押命令申立事件について，申立人は，担保として令和○○年○○月○○日株式会社□□銀行（○○支店）との間で金○○○○円を限度とする支払保証委託契約を締結しているところ，このたび，○○○○○○○○（※取戻事由を具体的に記載する）ことにより債務者に損害が生じないことが明らかであるので，担保取戻許可をされるよう申し立てる。

▶ 3－131 参照。

3−133 解放金取戻許可申立書

解放金取戻許可申立書

令和○○年○○月○○日

○○地方裁判所民事第○○部　御中

申立人代理人弁護士　○　○　○　○　印

当事者の表示　別紙当事者目録記載のとおり

御庁令和○○年（ヨ）第○○号債権仮差押命令申立事件について，申立人は，執行取消しのための解放金として，○○地方法務局に対し令和○○年○○月○○日金○○○○円也を令和○○年度（金）第○○号をもって供託しているところ，このたび

□　仮差押命令の申立ての取下げ

□　仮差押命令の取消し

により仮差押命令が効力を失ったから，解放金の取戻しを許可されたく申し立てる。

【3】取下等

債権者は，任意に保全命令および保全執行の申立てを取り下げることができる。保全命令の発令裁判所が執行機関となる保全執行については，保全命令の申立ての取下げによって，保全執行の申立ても取り下げたものとして取り扱われる。執行官が執行機関となる保全執行については，執行官に対し保全執行の申立てを取り下げる。取下げにあたって提出する書類は，下記のとおり。

債権者申立による保全処分申請取下に伴う執行取消手続一覧表　　東京地方裁判所民事第9部

執行取消しの対策	提出書類等
□　不動産 （抹消登記が必要な時）	●　取下書… 正本1通（当事者目録，物件目録を合綴したもの） 副本（正本と同様のもの）×債務者の数 ●　登記権利者義務者目録（法務局用）… 法務局1箇所につき　2通 （債権者が登記義務者，債務者が登記権利者になります。） ●　物件目録（法務局用）… 法務局1箇所につき　2通 ※　上記法務局用の目録の数字は，平成16年11月1日から，A4横書きの場合にはアラビア数字使用可。 ●　予納郵券… 法務局1箇所につき　519円×1組，529円×1組 ※　登記権利者義務者目録及び物件目録の枚数が計8枚以上になる場合は，取消係にご相談ください。 債務者の数×84円（94円） ※　取下書の枚数が3枚以内の場合，84円 4～9枚の場合，94円 10枚以上になる場合は，取消係にご相談ください。 ●　登録免許税（収入印紙）… 物件1個（区分所有建物につき，敷地権は1筆につき1個と数える）につき　1,000円。 但し，物件が法務局1箇所につき20筆以上の場合については定額20,000円 ●　不動産全部事項証明書 （保全処分発令後3年を経過した事件，及び，登記に変更がある場合に必要です。不動産全部事項証明書は1か月以内のもの）
滞納処分庁がある場合	（滞納処分庁への通知のため） ●　物件目録……2通 ●　当事者目録…2通 ●　予納郵券……84円
□　不動産 （抹消登記が「不要」の時。例，占有移転禁止，競売により抹消済み等）	●　取下書… 正本1通（当事者目録，物件目録《図面がある場合は図面も》を合綴したもの） 副本（正本と同様のもの）×債務者の数 ●　予納郵券… 債務者の数×84円（94円） ※　取下書の枚数が3枚以内の場合，84円，4～9枚の場合，94円 ※　10枚以上になる場合は，取消係にご相談ください。 ●　不動産全部事項証明書（交付日は1か月以内のもの）… 競売により抹消されているときは必要です。
□　債権等	●　取下書… 正本1通（当事者目録，仮差押債権目録を合綴したもの） 副本（正本と同様のもの）×債務者・第三債務者の数 ●　予納郵券… 債務者・第三債務者の数×84円（94円） ※　取下書の枚数が3枚以内の場合，84円，4～9枚の場合，94円 ※　10枚以上になる場合は，取消係にご相談ください。
滞納処分庁がある場合	（滞納処分庁への通知のため） ●　仮差押債権目録…2通 ●　当事者目録………2通 ●　予納郵券…………84円

3−134 取下書

令和○○年（ヨ）第○○号　債権仮差押命令申立事件

取　下　書

令和○○年○○月○○日

○○地方裁判所民事第○○部　御中

債権者代理人弁護士　○　○　○　○　印

当事者の表示　　　別紙当事者目録記載のとおり

仮差押債権の表示　別紙仮差押債権目録記載のとおり

債権者は，上記当事者間の頭書事件について，都合により申立て全部を取り下げます。

▶　債権仮差押の場合，取下書に当事者目録と仮差押債権目録を合綴し，契印する。

▶　不動産仮差押（仮処分）の場合，取下書に当事者目録と物件目録を合綴し，契印する。

3－135　執行取下書

令和○○年（執ハ）第○○号

執　行　取　下　書

令和○○年○○月○○日

○○地方裁判所　執行官　殿

債権者代理人弁護士　　○　○　○　○　　印

当事者の表示　　別紙当事者目録記載のとおり

債権者は，上記当事者間の頭書事件について，都合により執行の申立てを取り下げます。

▶　執行機関が執行官の場合，担保取消手続をするには執行官に執行取下を行い，その証明書を裁判所に提出することが必要である。

3−136 証明申請書

令和〇〇年（執ハ）第〇〇号

証　明　申　請　書

令和〇〇年〇〇月〇〇日

〇〇地方裁判所　執行官　殿

債権者代理人弁護士　　〇　〇　〇　〇　　印

当事者の表示　　別紙当事者目録記載のとおり

上記当事者間の不動産仮処分執行事件は，令和〇〇年〇〇月〇〇日執行の取消しがあったことを証明されたく申請します。

3−137 解放金供託による執行取消申立書

解放金供託による執行取消申立書

令和○○年○○月○○日

○○地方裁判所民事第○○部　御中

申立人（債務者）代理人弁護士　○　○　○　○　印

当事者の表示　別紙当事者目録記載のとおり

上記当事者間の御庁令和○○年（ヨ）第○○号不動産仮差押命令申立事件について御庁が令和○○年○○月○○日なした仮差押決定に対し，申立人は請求債権額全額を供託したので，別紙物件目録記載の不動産に対してなされた執行は，これを取り消すよう申し立てる。なお、本件仮差押は本執行に移行しておりません。

▶　保全命令に解放金の定めがある場合には（民保法22条1項，25条1項），解放金を供託したことを証明して執行の取消しを求めることができる（同法51条1項，57条1項）。

▶　予納郵券が必要である。印紙は不要である。

3−138 委任状（供託金取戻）

委　任　状

令和○○年○○月○○日

住　所　　〒

氏　名　　　　　　　　　　　　　　　　　　印

私は，次の弁護士を代理人と定め，下記の事項を委任します。

○○弁護士会所属

弁護士　　○　○　○　○

住　所　　〒○○○－○○○○

○○県○○市○○町○○丁目○○番○○号

TEL　　○○○（○○○）○○○○

FAX　　○○○（○○○）○○○○

記

1　債権者○○○○，債務者○○○○間の○○地方裁判所令和○○年（ヨ）第○○号債権差押命令申立事件の保証として○○法務局○○出張所に供託した金○○○○円也（令和○○年度（金）第○○号）の供託金の取戻し，利息の請求及び受領をなす件。

2　原本の還付請求及び受領をなす件。

3　復代理人選任の件。

▶　供託金を取り戻すには，供託物払渡請求書，供託原因消滅証明書，資格証明書（法人の場合）のほか，代理人が請求する場合は委任状が必要である。

▶　供託物払渡請求書または委任状に押された印鑑につき，原則として印鑑証明書の添付が必要であるが(供託規 26 条 1 項本文)，一定の場合は不要になる（同条 3 項)。

3−139 仮処分命令更正決定申立書

仮処分命令更正決定申立書

令和○○年○○月○○日

○○地方裁判所民事第○○部　御中

債権者代理人弁護士　○　○　○　○　印

当事者の表示　別紙当事者目録記載のとおり

申　立　て　の　趣　旨

上記当事者間の令和○○年（ヨ）第○○号不動産仮処分命令申立事件について令和○○年○○月○○日なされた仮処分決定の登記目録中「○○○○○○」とあるのを「○○○○○○」と更正する。

との決定を求める。

申　立　て　の　理　由

上記仮処分決定における保全仮登記に係る権利の表示は，上記当事者間の御庁令和○○年（ワ）第○○号事件について令和○○年○○月○○日言い渡された判決における権利の表示と符合しないので，申立ての趣旨記載の更正決定を求める。

添　付　書　類

1　判決正本　1通

▶　本案の債務名義に表示された保全すべき権利と保全仮登記に表示された権利とが，内容は同一であっても表示に若干の相違がある場合，債権者は本登記申請に先立ち，保全仮登記の更正をしておく必要がある（民保法60条）。

▶　保全仮登記の更正は，不動産登記法66条の権利の更正の登記に当たるので，登記上の利害関係を有する第三者がある場合，当該第三者の承諾書（印鑑証明書添付）または当該第三者に対抗することができる裁判の謄本を添付して登記嘱託をしてもらわないと，仮登記の順位の保全ができなくなるので注意する必要がある。

3−140 通知書（仮処分登記後の登記の抹消通知）

通　知　書

令和○○年○○月○○日

○○県○○市○○町○○丁目○○番○○号
　○　○　○　○　殿

○○県○○市○○町○○丁目○○番○○号
○　○　○　○

　前略　貴殿は，下記物件について，当方の処分禁止仮処分登記後に，下記登記をされました。
　当方は，このたび，民事保全法第５８条第１項，第２項に基づき，貴殿の下記登記を抹消致しますので，その旨ご通知致します。

草々

記

（物件の表示）
　所　在　　○○県○○市○○町○○丁目
　地　番　　○○番○○
　地　目　　宅地
　地　積　　○○平方メートル
（抹消すべき貴殿の登記）
　○○地方法務局令和○○年○○月○○日受付第○○号○○○○登記

▶　所有権につき仮処分の登記（保全仮登記とともにしたものを除く）をした後，その仮処分の債権者が仮処分債務者を登記義務者として所有権の登記（仮登記を除く）を申請する場合においては，これと同時に申請するときに限り，その債権者は，単独でその仮処分の登記に後れる登記の抹消を申請することができる（民保法58条，不登法111条）。このような申請をする場合，仮処分債権者は仮処分の登記に後れる登記の権利者に対し，あらかじめその登記を抹消する旨の通知をしたことを証する書面を添付しなければならない（民保法59条，不登令3条13号別表71項）。その通知は内容証明郵便によることが必要である（法務省民3第5000号平成2年11月8日通達第3の1）。

MEMO

民事編

第4章
公示催告・公示送達

【1】公示催告

公示催告には，一般の公示催告，証書の無効宣言を目的とする公示催告，失踪宣告を目的とする公示催告――の3つがある。

民事関係手続の改善のための民事訴訟法等の一部を改正する法律により，公示催告手続に関する法律を廃止して，非訟事件手続法に公示催告手続に関する新たな編が設けられた(第四編)。これには，一般の公示催告と有価証券の無効宣言のための公示催告があり，本章ではこれを扱う。

この規定では，公示催告期間の下限を2カ月に短縮するとともに申立人の出頭を義務付けていた公示催告期日を廃止し，除権の裁判の手続きを決定手続に改め，公示催告手続開始から除権決定までの手続きを一元化し，審理の迅速化を図った。

なお，失踪宣告を目的とする公示催告は民法30条に規定があり，家庭裁判所の審判でなされる(家事事件手続法148条)。

(1) 一般の公示催告

一般の公示催告とは，登記登録した権利が消滅しているにもかかわらず，その登記登録の抹消手続をなすべき義務者が行方不明の場合に，その登記登録を抹消するための手続きである(非訟事件手続法99条)。

(2) 有価証券の無効宣言のための公示催告手続

公示催告の対象となる有価証券は，盗取され，紛失し，または滅失した有価証券のうち，法令の規定により無効とすることができるものである(非訟事件手続法114条)。

法令の規定により無効とすることができる有価証券としては，民法施行法57条に定める指図証券，無記名証券，民法471条に掲げる証券，新株予約権証券(会社法291条)，社債券(同法699条)等がある。

旧商法上，公示催告の対象となるべき旨を定めた有価証券は，株券，端株券，新株引受権証書だけであったが，平成14年法律第44号の商法等の一部を改正する法律が平成15年4月1日から施行され，株券等については発行会社が公示催告手続における裁判所の役割に近い役割を果たす株券失効制度が新たに設けられ，株券は公示催告手続の対象から除外されている(会社法233条)。

【2】意思表示の公示送達

相手方のある意思表示において，その相手方が変更されて誰が現在の相手方か不明の場合や相手方がわかっていてもその所在が不明の場合には，相手方に意思表示を到達させ，意思表示の効力を発生させることができない(民法97条1項)。このような表意者の困難を救うため，相手方に意思表示が到達しなくても，その意思表示が有効になされたと扱う制度が必要であり，これが意思表示の公示送達である(同法98条)。ここではこれを扱うが，公示送達には，他に訴状や競売開始決定正本等の書類を送達するときに用いるものがある。

4−001 公示催告の申立て（一般の公示催告）

収入印紙

公示催告の申立て

令和○○年○○月○○日

○○簡易裁判所　御中

申立人代理人弁護士　○○○○　印

〒○○○−○○○○

○○県○○市○○町○○丁目○○番○○号

申立人　○○○○

（送達場所）

〒○○○−○○○○

○○県○○市○○町○○丁目○○番○○号

○○法律事務所

上記代理人弁護士　○○○○

ＴＥＬ　○○○（○○○）○○○○

ＦＡＸ　○○○（○○○）○○○○

失権すべき権利の表示

申立人所有の○○県○○市○○町○○丁目○○番○○号　宅地　○○平方メートル（○○坪）につき，○○県○○市○○町○○丁目○○番地○○○○のため，○○法務局○○出張所令和○○年○○月○○日受付第○○号，同日地上権設定契約，地上権の範囲土地全部，地上権の目的普通建物所有，存続期間５０年，地代１年につき金○○○○円，毎年末支払いとする地上権設定登記。

▶　失権すべき権利として，本例は地上権設定登記を表示した。

▶　疎明方法として添付書類に掲げる書類が必要である。管轄裁判所は当該土地所在地を管轄する簡易裁判所である。

なお，本例のような場合，公示催告の申立てによらないで，行方不明者を被告として抹消登記手続訴訟を提起することも多い。その場合，被告に対する送達は公示送達による。

申立ての趣旨

前記の権利につき公示催告のうえ除権決定を求める。

申立ての理由

前記地上権は存続期間の満了により消滅しているので，申立人は前記地上権設定登記の抹消登記を申請したいのであるが，登記義務者である○○○○は令和○○年○○月以来行方不明につき，登記申請に協力を求めることができない。

よって，公示催告のうえ除権決定を得たく，本申立てをする次第である。

添付書類

1	不動産登記全部事項証明書	1通
2	不在証明書	1通
3	調査報告書	1通

（4−001 公示催告の申立て（一般の公示催告））

▶ 印紙1,000円の貼付が必要である。

調　査　報　告　書

申立人　○　○　○　○

相手方　○　○　○　○

上記当事者間の令和○○年（サ）第○○号意思表示の公示送達申立事件について，相手方の所在を調査した結果は下記のとおりですので，報告します。

1　調査をした担当者

氏名　○○○○（申立人との関係　○○○○）

2　調査をした日時　令和○○年○○月○○日　午前○○時○○分

3　調査をした場所

⑴住所

⑵相手方との関係

4　調査先の人物

⑴氏名

⑵相手方との関係

5　調査内容

⑴現在の状況

⑵居住形態について

⑶転居の日時・転居先について

令和○○年○○月○○日

申立人　○　○　○　○　印

（4―001 公示催告の申立て（一般の公示催告））

4−002 公示催告の申立て（約束手形の遺失の場合）

収入
印紙

公示催告申立書

令和○○年○○月○○日

○○簡易裁判所　御中

申立人代理人弁護士　○　○　○　○　印

〒○○○−○○○○
○○県○○市○○町○○丁目○○番○○号
申立人　○　○　○　○

〒○○○−○○○○
○○県○○市○○町○○丁目○○番○○号
○○法律事務所（送達場所）
ＴＥＬ　○○○（○○○）○○○○
ＦＡＸ　○○○（○○○）○○○○
上記代理人弁護士　○　○　○　○

申立ての趣旨

別紙物件目録記載の有価証券について公示催告を求める。

申立ての理由

申立人は，別紙目録記載の有価証券の最終所持人であるが，下記事由により上記有価証券を喪失し，現在に至るも発見できないので，除権決定を求めるために公示催告の申立てをする。

記

1　喪失年月日　令和○○年○○月○○日　○○時頃

▶ 約束手形を紛失した場合の例である。証券の内容および申立権を証明する書面として約束手形振出証明書が必要である。裏書がある場合は裏書人による裏書譲渡証明書も必要である。証券の喪失を証明する書面として，所轄警察署による遺失（盗難）等届出受理証明書が必要である。警察署から証明書がもらえない場合は，陳述書にその旨を記載する。

申立人の資格を証明する書面として，個

2　喪失場所　　　○○○○

3　喪失事由　　　紛失

添　付　書　類

1	約束手形振出証明書	1通
2	紛失届出証明書	1通
3	委任状	1通

人の場合は住民票（発行日から3カ月以内），法人の場合は商業登記事項証明書（発行日から3カ月以内）が必要である。その他に官報掲載用の当事者目録および証券目録が必要である。

▶　1,000円分の印紙を貼付する。

4−003 約束手形振出証明書

捨印

約束手形振出証明書

手形番号	
金　　額	円
支払期日	令和　　年　　月　　日
支 払 地	
支払場所	
振 出 日	令和　　年　　月　　日
振 出 地	
振 出 人	会　社　名 役職　氏名
受 取 人	

上記約束手形を作成し，＿＿＿＿＿＿＿＿＿＿＿＿＿＿＿＿に交付したことを証明します。

令和　　年　　月　　日

住　　所

会 社 名

役職　氏名　　　　　　　　　　　　実印

▶ 約束手形に記載のなかった項目については，「白地」と記載する。

4−004 証券目録（約束手形裏書なし）

官報公告定型番号第25号

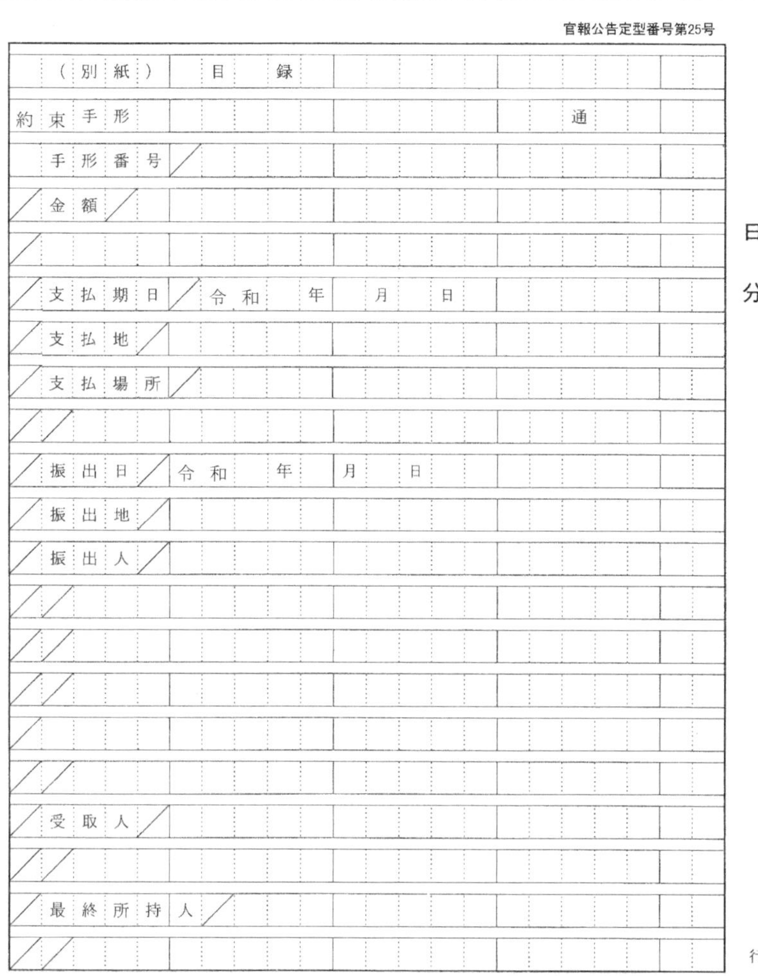

（別紙）　目録

約束手形　　通

手形番号

金額

支払期日　令和　年　月　日

支払地

支払場所

振出日　令和　年　月　日

振出地

振出人

受取人

最終所持人

日

分

行

記載要領

1　年月日、手形番号、金額は、アラビア数字とし、１升に２文字を記載する。

2　手形の種類を明らかにするため、「手形」欄に「約束」・「為替」の文字を記載し、また、不要の欄は二線で抹消する。

3　数通の手形を公告する場合には、最初の目録用紙に「約束手形５通」のように記載し、それぞれの目録用紙の手形番号欄の左に（　）を付し、括弧内に当該手形が何通目であるかを示す数字を記載して２通目以下の目録の「手形　通」の欄は、二線で抹消する。なお、この場合において、記載事項の同一のものが多いときには、最初の１通のみに定型の目録用紙を使用し、２通目以下については、継続用紙に、各証書の個々に記載する必要のある事項のみを記載して作成する。

4　受取人、最終所持人の欄には、受取人、最終所持人が申立人であるときは、申立人と記載する。ただし、申立人が複数の場合には、申立人の氏名を記載する。

5　特に間違いやすい、Ｉｱｲ、１ｲﾁ、０ｾﾞﾛ、Ｏｵｰ、乙ｵﾂ、Ｚｾﾞｯﾄ等は、例えば、「乙」を朱色の○で囲み、「甲乙の乙」のように欄外に朱書して指定する。

（Ａ４）

公催

4−005 証券目録（約束手形裏書あり）

官報公告定型番号第25号

（別紙）	目　録	
約束手形		通
手形番号		
金額		
支払期日	令和　年　月　日	
支払地		
支払場所		
振出日	令和　年　月　日	
振出地		
振出人		
受取人		
裏書人		
被裏書人		
最終所持人		

日
分
行

記載要領

1　年月日、手形番号、金額は、アラビア数字とし、１升に２文字を記載する。

2　手形の種類を明らかにするため、「手形」欄に「約束」・「為替」の文字を記載し、また、不要の欄は二線で抹消する。

3　数通の手形を公告する場合には、最初の目録用紙に「約束手形５通」のように記載し、それぞれの目録用紙の手形番号欄の左に（　）を付し、括弧内に当該手形が何通目であるかを示す数字を記載して２通目以下の目録の「手形　通」の欄は、二線で抹消する。なお、この場合において、記載事項の同一のものが多いときには、最初の１通のみに定型の目録用紙を使用し、２通目以下については、継続用紙に、各証書の個々に記載する必要のある事項のみを記載して作成する。

4　受取人、最終所持人の欄には、受取人、最終所持人が申立人であるときは、申立人と記載する。ただし、申立人が複数の場合には、申立人の氏名を記載する。

5　特に間違いやすい、Ｉｱｲ、１ｲﾁ、０ｾﾞﾛ、Ｏｵｰ、乙ｵﾂ、Ｚｾﾞｯﾄ等は、例えば、「乙」を朱色の○で囲み、「甲乙の乙」のように欄外に朱書して指定する。

（Ａ４）

4－006 遺失届受理証明申請

遺失届受理証明申請

令和○○年○○月○○日

○○警察署長　殿

〒○○○－○○○○
東京都○○区○○町○○丁目○○番○○号
○　○　○　○

〒○○○－○○○○
東京都○○区○○町○○丁目○○番○○号
○○法律事務所
上記代理人弁護士　○　○　○　○
電話　○○○（○○○）○○○○

１　遺失物件　約束手形　１通
手形番号　○○○○
額　　面　金○○○○円
支払期日　令和○○年○○月○○日
支 払 地　東京都○○区
支払場所　株式会社○○銀行○○支店
振 出 地　東京都○○区
振 出 日　令和○○年○○月○○日
振 出 人　株式会社○○
受 取 人　○○○○

２　遺失年月日　令和○○年○○月○○日

３　遺失場所　東京都○○区○○町○○丁目○○番○○号○○銀行○○支店付近

４　証明を必要とする理由
上記約束手形につき公示催告申立を行うため。

上記のとおり遺失の届が貴署にあり受理されたことを証明してください。

▶　遺失届受理証明書は，申立ての理由にある証券所持の喪失が，遺失したことを証明するものである。公示催告の申立てを行うには，所轄警察署への届出が必要であり，添付書類として求められる。警察署に提出すると，上記遺失の届出があり受理されたことを証明するとの奥書を付けて交付される。しかし，自宅で遺失した場合など警察署で遺失届を受理しない場合がある。警察署で証明をもらえなかった場合には，受付

捨印

陳　述　書

令和　　年　　月　　日

東京簡易裁判所　御中

申立人 ＿＿＿＿＿＿＿＿＿＿＿＿＿＿＿＿＿＿＿＿ 印

本件申立てにかかる証券の喪失状況は以下のとおりです。

1．申立人が，いつ，どのようにして本件証券の所持人となったか，その経緯。

2．誰がどのような方法で本件証券を保管していたか。

3．最後に本件証券を確認したのはいつか。

4．いつ，どのようなことから本件証券がないことに気付いたか。

5．どのような方法で探したか。

6．いつ，どうして喪失したものと思われるか。警察に届出をしたか。

7．今回，公示催告の申立てをすることになったのはどういう理由か。

※印鑑は，申立書に使用する印鑑を使用してください。記載にあたっては，具体的な名称等を用い，できるだけ詳細に記載してください。申立人が法人の場合は，代表者の役員名及び指名を記載してください。

（4－006 遺失届受理証明申請）

票を提出するほかに，「令和○○年○○月○○日に○○警察署へ遺失等届出をしたが，受理証明はもらえなかった。」と陳述書に書いて裁判所に提出する。

4−007 意思表示の公示送達申立（賃貸借解除）

収入印紙

意思表示の公示送達申立

令和○○年○○月○○日

○○簡易裁判所　御中

申立人代理人弁護士　○　○　○　○　印

〒○○○−○○○○
○○県○○市○○町○○丁目○○番○○号
申立人　○　○　○　○

〒○○○−○○○○
○○県○○市○○町○○丁目○○番○○号
申立人代理人弁護士　○　○　○　○
電　話　○○○（○○○）○○○○
FAX　○○○（○○○）○○○○

（最後の住所）
〒○○○−○○○○
○○県○○市○○町○○丁目○○番○○号
相手方　○　○　○　○

申　立　て　の　趣　旨

申立人から相手方に対する意思表示を記載した別紙通知書を，公示の方法によりなすことを許可するとの命令を求める。

申　立　て　の　理　由

1　申立人は相手方に対し，令和○○年○○月○○日○○県○○市○○町○○番地家

▶ 意思表示の公示送達とは，相手方のある意思表示について，相手方を知ることができない場合，または相手方の所在を知ることができない場合に認められた送達手続である。民法98条に規定されている。

▶ 賃貸借契約の貸主が借主に対し，停止条件付解除の意思表示をなす場合，借主が所在不明のため公示送達を申し立てた例である。管轄裁判所は相手方の最後の住所の普通裁判籍を有する簡易裁判所である。

屋番号○○番木造平家建居宅一棟床面積○○平方メートルを居住する目的で，賃貸借期間○○年間とし，賃料は月額金○○○○円，毎月末日限り申立人方へ持参して支払う約定で賃貸した。

2　相手方は，上記賃借建物を自宅として使用していたが，令和○○年○○月相手方の経営する商会が倒産した後行方をくらまし，上記建物は誰も住まず空屋となっている。相手方は以来賃料を支払わないので，申立人は，相手方に対し上記賃貸借契約を条件付きで解除したいのであるが，相手方は，上記倒産以来全く消息を絶ちその所在を知ることができない。

よって，本申立てをする。

添　付　書　類

1	相手方に宛てた（条件付契約解除通知書）内容証明返戻郵便物	1通
2	住民票の写し	1通
3	建物賃貸借契約証書	1通
4	建物登記事項証明書	1通
5	調査報告書	1通

（4－007 意思表示の公示送達申立（賃貸借解除））

▶　賃貸人が所在不明の賃借人に契約解除の上，建物明渡請求訴訟を提起する場合，旧民事訴訟法では，訴状に相手方に対する私法上の意思表示（契約の解除，解約，予約完結，相殺等）が記載されても公示送達で送達されたときには意思表示が到達したことまでは認められず，別途民法 98 条の意思表示の公示送達の手続きをとらなければならないというのが実務の大勢であった。

民事訴訟法 113 条では，その訴訟の目的

調　査　報　告　書

申立人　○　○　○　○

相手方　○　○　○　○

上記当事者間の令和○○年（サ）第○○号意思表示の公示送達申立事件について，相手方の所在を調査した結果は下記のとおりですので，報告します。

1　調査をした担当者

氏名　○○○○（申立人との関係　○○○○）

2　調査をした日時　令和○○年○○月○○日　午前○○時○○分

3　調査をした場所

(1)住所

(2)相手方との関係

4　調査先の人物

(1)氏名

(2)相手方との関係

5　調査内容

(1)現在の状況

(2)居住形態について

(3)転居の日時・転居先について

令和○○年○○月○○日

申立人　○　○　○　○　印

（4−007 意思表示の公示送達申立（賃貸借解除））

である請求または防御の方法に関する意思表示に限って，訴訟上の公示送達の手続きをとることにより，相手方に対する意思表示が到達したものとみなされることになった。民事訴訟法においても請求や防御の方法に関係のない事項については，訴状や準備書面に記載があり，それが公示送達により送達されても，それだけでは意思表示が到達したことにはならず，別途民法98条の意思表示の公示送達手続が必要である。

4−008 通知書

通　　知　　書

通知人は被通知人に対し，令和〇〇年〇〇月〇〇日通知人の所有にかかる〇〇県〇〇市〇〇町〇〇丁目〇〇番地家屋番号〇〇番木造平屋建居宅一棟床面積〇〇平方メートルを，賃料を月額金〇〇〇〇円，当月分を毎月末日限り通知人方へ持参し，期間を〇〇年の約定で賃貸しましたが，被通知人は，上記賃料を令和〇〇年〇〇月〇〇日以降支払わないので，本書到達後二週間以内に滞納賃料全額をお支払い下さい。もし，上記支払いのないときは，本書をもって上記賃貸借契約を解除するものとします。

令和〇〇年〇〇月〇〇日

〇〇県〇〇市〇〇町〇〇丁目〇〇番〇〇号
通知人　　〇　〇　〇　〇

住　　所（最後の住所）
〇〇県〇〇市〇〇町〇〇丁目〇〇番〇〇号
被通知人　　〇　〇　〇　〇　殿

▶　この書式は，**4−007** の公示送達をする通知書である。通知の内容は正確に記載する。

4－009 意思表示が到達した旨の証明申請

意思表示が到達した旨の証明申請

令和〇〇年〇〇月〇〇日

〇〇簡易裁判所　御中

申立人代理人弁護士　〇　〇　〇　〇　印

〒〇〇〇－〇〇〇〇
〇〇県〇〇市〇〇町〇〇丁目〇〇番〇〇号
申立人　〇　〇　〇　〇

（最後の住所）
〒〇〇〇－〇〇〇〇
〇〇県〇〇市〇〇町〇〇丁目〇〇番〇〇号
相手方　〇　〇　〇　〇

上記当事者間の貴庁令和〇〇年（サ）第〇〇号意思表示の公示送達申立事件について，意思表示を記載した別紙通知書が，公示の方法により，令和〇〇年〇〇月〇〇日相手方に到達したものと看做された旨御証明くだされたく申請致します。

▶　この書式は意思表示が公示送達によって到達したものとみなされた年月日の証明を申請するものである。到達年月日は民法98条３項に規定があり，掲示を始めた日から２週間経過後である。年月日は裁判所で確認してから記入する。

第5章

破産・会社更生・民事再生・特定調停

1 破　産

破産法は，平成16年5月25日に成立し，同年6月2日に公布され，平成17年1月1日から施行された。破産法の特色としては，形式面では条文がすべて口語化されたことであり，実質面では，①手続きの迅速化および合理化，②手続きの公正さの確保，③破産手続における各種債権の優先権の見直し，④個人破産者の自由財産の範囲の拡大，⑤破産手続開始前の債務者の財産保全の措置——などが挙げられる。その後，若干の改正はなされているが，主要な部分については変更，改正はなされていない。

手続きの迅速化および合理化として，管轄裁判所の拡大と移送の規定の整備（5条，7条），債権者集会の非開催と書面等投票制度（31条4項，135条，139条），破産債権の届出・調査・確定の合理化（112条，116条～120条，125条など），配当手続の迅速化（204条～207条）などがある。

手続きの公正さの確保としては，文書等の閲覧等の制度（11条），説明義務の強化（40条），債権者委員会制度の導入（144条～147条）などがある。

各種債権の優先権の見直しとしては，租税等の請求権の一部の破産債権化（148条1項3号），労働債権の一部の財団債権化（149条）などがある。

破産者の自由財産となる金銭の範囲については，その額を必要生計費の3カ月分とすることにより，破産者の生活保障を図るとともに，経済生活の再生に資するようにしている。

債務者の財産の散逸を防止し債権者間の公平を確保するため，債務者の財産に対する強制執行等を一律に禁止する包括的禁止命令や債務者の財産の管理処分権を保全管理人に委ねる保全管理命令を導入している（24条～29条，91条～96条）。また，否認権を保全するための保全処分が設けられた（171条，172条）。

1　破産申立手続一般について

(1)　破産手続の概要

破産とは，債務者（自然人，法人）の財産状態が悪化し，総債権者に対する債務を完済できなくなった場合に，裁判所の監督のもと，債務者の総財産を破産財団として，それを管理換価して，総債権者に公平な満足を与えることを目的とする裁判上の手続きである。

破産手続は，債務者あるいは債権者が，裁判所に破産の申立てをすることから始まる。申立てを受けた裁判所は，申立てが適法かどうか，費用の予納があるかなど手続きの不備がないかを調べ，さらに債務者に破産原因（支払不能，債務超過等）があるかどうかを確認し，破産原因があると認める場合には破産手続開始決定を出す。

債務者にある程度の財産があれば管財事件となり，そうでなければ同時廃止事件となる。ただし，一旦は管財事件となっても，破産手続費用も捻出できないことがわかれば，破産手続は異時廃止される。管財事件は，債権の確定，破産財団の換価，配当の完了によって終結となる。なお，従前は同時廃止手続における手持現金の上限は20万円とされていたが，平成29年4月から33万円に変更された（東京地裁の場合）。

債務者が残余の債務から解放されるためには，免責手続が必要となる。免責手続は，債務者が裁判所に免責の申立てをすることによって開始され，裁判所は免責不許可事由の有無について任意的に債務者審尋を行い，不許可事由がないと認められれば免責決定がなされる。なお，免責は自然人のみに認められ，法人には認められない。

(2)　破産原因

破産法15条は，一般の破産手続開始の原因として，支払不能（債務者の弁済資力が乏しく，即時に弁済すべき債務を一般的かつ継続的に弁済できない財産状態），支払停止（外部に対し支払いの不能となることを表示する債務者の行為）を挙げている。

また，法人の破産手続開始の原因として，債務超過（消極財産が積極財産を上回る財産状態）がある（同法16条）。

(3)　提出書類

以下に，東京地方裁判所民事第20部における提出書類を掲げる。東京地方裁判所以外の裁判所に申し立てる場合には，提出書類が異なる可能性があるので，裁判所に問い合わせる必要がある。

①　個人自己破産

Ⅰ　必須書類

1　破産手続開始・免責申立書

2　住民票（世帯全員，本籍地記載のもの）

3　委任状

4　債権者一覧表

5　資産目録

6　報告書（陳述書）

7　家計の状況一覧（2カ月分）

8　債権者送付用宛名入り封筒（裁判所に備え置いてある）

※マイナンバーの記載のある書類（住民票等）は提出できない。

Ⅱ　所有不動産について

1　オーバーローン上申書

2　不動産登記簿謄本（3カ月以内）／ローン残高証明／不動産評価書類

Ⅲ　自営業の場合

1　事業に関する陳述書（事業内容，負債内容，従業員状況・法人申立の有無等）

2　税金申告書控のコピー（2期分）

Ⅳ　資産等について

1　生活保護／年金／各種扶助の受給証明書のコピー

2　給料明細書のコピー（2カ月分）

3　源泉徴収票／課税証明書のコピー

4　退職金計算書

5　差押・仮差押決定正本のコピー

6　預貯金通帳のコピー（2年分）

7　生命保険証書／解約返戻金計算書のコピー

8　車検証・登録事項証明書のコピー

9　処分済み不動産の登記簿謄本

②　法人自己破産

1　破産手続開始申立書

2　商業登記簿謄本（3カ月以内のもの）（全部事項証明書でも可）

3　破産申立に関する取締役会議事録または取締役の同意書

4　委任状

5　債権者一覧表…一般債権，優先債権，財団債権に分け，それぞれ債権者名，住所および債権額を記載し，さらに区分ごとに債権者数，債権合計額を記載したもの（通し番号入り）。

6　債務者一覧表…債務の種類別に分け，債務者名，住所および債務額を記載し，区分ごとに債務者数，債務合計額を記載したもの（通し番号入り）。

7　債権者・債務者送付用宛名入り封筒（裁判所に備え置いてある）

8　代表者の陳述書

(1)　業務内容，倒産に至る経緯

(2)　資産・負債の概要，整理・清算の概要，事業用施設の処理状況，在庫等資産の処分状況，帳簿・代表印の保管状況

(3)　従業員の状況，労働組合の有無，解雇の有無，給料・解雇予告手当・退職金の支払状況

(4)　係属訴訟の事件番号，事件名，当事者名，裁判所（係属部），経過・見込み

9　財産目録

10　貸借対照表・損益計算書（直近2期分）

11　清算貸借対照表（破産申立日現在）

12　税金の申告書控え（直近２期分）
13　不動産登記簿謄本（3カ月以内のもの）
14　賃貸借契約書の写し
15　預貯金通帳の写し（2年分）（裁判所には提出不要）
16　車検証／登録事項証明書の写し
17　会員権証書の写し
18　有価証券の写し
19　生命保険証書／解約返戻金計算書の写し
20　訴訟関係書類の写し
21　申立書・疎明書類の副本１組（破産管財人用）

⑷　**手続費用**　東京地方裁判所民事第20部

①　申立手数料（貼付印紙額）
個人自己破産および免責申立　1,500円
法人自己破産申立　1,000円
債権者破産申立　20,000円

②　予納金基準額
同時廃止事件　11,859円
管財事件（自己破産申立事件）
法人管財事件　最低20万円および法人1件につき14,786円
個人管財事件　最低20万円および個人1名につき18,543円

管財事件（債権者破産申立事件および本人申立事件）

負債総額(単位:円)	法人	自然人
5000万円未満	70万円	50万円
5000万～1億未満	100万円	80万円
1億～5億未満	200万円	150万円
5億～10億未満	300万円	250万円
10億～50億未満	400万円	
50億～100億未満	500万円	
100億～	700万円～	

※予納金額は，事案に応じて変更される場合がある。

③　予納郵券
自己破産申立
210円×８枚
84円×29枚
10円×６枚
2円×10枚
1円×４枚　合計4,200円
※ただし，大型合議事件は6,000円。

債権者破産申立
500円×４枚
100円×15枚
84円×25枚
50円×４枚
10円×15枚
5円×５枚
2円×10枚
1円×５枚　合計6,000円

2　個人管財手続

⑴　**意　義**

代理人申立による個人の自己破産申立事件のうち，管財人を付する必要がある事件の標準的手続であり，最低20万円の引継予納金で申立てを受理し，申立人と管財人の協働と連携（破産規26条２項参照）のもと事件の進行を図る点に特徴がある。

⑵　**対　象**

対象は，自己破産申立事件で，管財人を付する必要のある事件（次の類型に該当するもの）で，負債総額の多寡，不動産所有の有無は問わないが，代理人申立事件に限定される。

⑶　**類　型**

①　偏頗弁済型…偏頗弁済行為による否認権の行使の可能性がある場合
②　不当利得型…過払いによる不当利得返還請求の行使の可能性がある場合

③　免責調査型…免責不許可事由の存在が明らかであって，裁量免責の相当性について管財人の調査が必要とされる場合
④　生保等清算型…管財事件の最低予納金額（20万円）以上の生命保険の解約返戻金などの換価容易な財産がある場合
⑤　資産等調査型…不動産を所有していること，個人事業者であること，負債総額が5,000万円以上であること，多数の債権者が存在することなどから，管財人による調査が必要と判断される場合

(4)　破産手続の概要

▶　原則として2カ月後に指定される第1回財産状況報告集会までに換価を終えるか，終局の目処が立てられるよう，申立代理人および管財人に協力が求められている。

▶　換価の対象については，東京地裁民事第20部と東京三弁護士会の協議に基づき，法定の自由財産の他，ⅰ残高が20万円以下の預貯金，ⅱ見込額が20万円以下の生命保険契約解約返戻金（数口ある場合は合計額），ⅲ処分見込額が20万円以下の自動車，ⅳ居住用家屋の敷金債権（20万円を超えるものであっても，財団を構成しない）ⅴ電話加入権，ⅵ支給見込額の8分の1相当額が20万円以下の退職金債権等は，原則として，換価または取立てをしないものとして扱っている。

▶　管財手続の運用に関し，申立代理人と少額管財人との間で理解が異なり，協議を尽くしても見解の一致をみず，裁判所の意見を確認する必要が生じた場合には，面接時に裁判所で渡される申立代理人連絡書に疑問点または意見を記載して，副本を管財人に直送した上，東京地裁民事第20部に送信する。

(5)　破産申立の手続き，申立代理人が行うべき事項

Ⅰ　申立てから審問まで

▶　申立当初から少額管財手続を予定している場合，申立当日，予納前に面接ができる（受付に当日面接希望と伝える）。当日面接を希望しない場合は，申立日（受付日）の翌日から3日以内（休日は除く）に，即日面接係カウンターに直接出向けばよく，本人の同行は不要である。

▶　予納金等
・引継予納金（最低20万円・分割可）
→管財人に直接引き継がれる
・印紙1,500円（破産申立分1,000円＋免責申立分500円），郵券4,200円（210円×8枚，84円×29枚，10円×6枚，2円×10枚，1円×4枚），裁判所予納金（官報公告費用1万8,543円）
→面接後に裁判所に納付する

Ⅱ　審問から集会まで

▶　審問後，裁判所から管財人候補者および第1回財産状況報告集会および免責審尋期日の連絡があるので，速やかに次の手続きを行う必要がある。
①　申立書（追完書類も含め裁判所に提出した全書類）の副本と打合せ補充メモを作成し，遅くとも破産手続開始決定日までに管財人候補者の事務所に直送する。
②　直ちに管財人候補者に連絡して，ⅰ開始決定日以降，破産者本人と申立代理人が管財人事務所等に出向いて打合せをするので，その期日を調整する，ⅱ引継予納金は宣告後（分割の場合は遅くとも債権者集会の1週間前まで）に管財人口座等に引き継ぐ必要があるので，その引継ぎの時期および方法を確認する。

▶　破産手続開始決定は，原則として，面接した日の翌週の水曜日午後5時付けで宣告される。決定正本等は裁判所から後日送付されるので，裁判所へ来庁する必要はない。書面が届いたら，申立代理人から破産者に注意事項を指示する。

▶　管財人から手続きの進行のために必要な

協力の要請（事実関係の補充調査など）があれば，協力する（破産規26条2項参照）。

Ⅲ　第1回財産状況報告集会・免責審尋期日

▶　第1回財産状況報告集会では，免責審尋期日を兼ねるので，必ず破産者本人も出頭させる必要がある。正当な理由により出頭できない場合，免責審尋期日当日にその理由を記載した報告書を提出する必要がある。裁判所への事前連絡は不要である。

▶　意見申述期間の満了日は，免責審尋期日当日となる。

▶　開始決定後に新たな債権者が判明した場合には，管財人および裁判所に報告する必要がある。裁判所に報告する際は，管財人に連絡済みであることを書面上明らかにする。

3　法人管財手続

(1)　申立てから審問まで

申立当初から管財手続を予定している場合，申立当日，予納前に面接ができる（受付に当日面接希望と伝える）。当日面接を希望しない場合は，申立日（受付日）の翌日から3日以内（休日は除く）に，即日面接係のカウンターに直接出向けばよく，本人の同行は不要である。

(2)　予納金等

▶　引継予納金（法人と個人を合わせて最低20万円・分割可）

→管財人に直接引き継がれる

▶　法人申立については，印紙1,000円，郵券4,200円（210円×8枚，84円×29枚，10円×6枚，2円×10枚，1円×4枚）は申立時に，裁判所予納金（官報公告費用1万4,786円）は面接後に，裁判所に納付する（代表者等については印紙1,500円，郵券4,200円，裁判所予納金1万8,543円を裁判所へ別途納付することになる）。裁判所予納金については，申立時に納付する必要はなく，予納を待たずに直ちに面接できる。また，銀行振込も利用できる。

(3)　審問から集会まで

▶　審問後，裁判所から管財人候補者および財産状況報告集会および免責審尋期日の連絡があるので，速やかに次の手続きを行う必要がある。

①　申立書（追完書類も含め，裁判所に提出した全書類）の副本と打合せ補充メモを作成し，遅くとも破産宣告日までに管財人候補者の事務所に直送する。

②　直ちに管財人候補者に連絡して，ⅰ手続開始日以降，破産者本人と申立代理人が管財人事務所等に出向いて打合せをするので，その期日を調整する，ⅱ引継予納金は宣告後（分割の場合は遅くとも財産状況報告集会の1週間前まで）に管財人口座等に引き継ぐ必要があるので，その引継ぎの時期および方法を確認する。

▶　破産手続開始決定は，原則として，面接した日の翌週の水曜日午後5時付けで宣告される。決定正本等は裁判所から後日送付されるので，裁判所へ来庁する必要はない。書面が届いたら，申立代理人から，破産者に注意事項を指示する必要がある。

▶　管財人から手続きの進行のために必要な協力の要請（事実関係の補充調査など）があれば，協力する（破産規26条2項参照）。

▶　開始決定後に新たな債権者が判明した場合，管財人および裁判所に報告する必要がある。裁判所に報告する際は，管財人に連絡済みであることを書面上明らかにする。管財人には，報告書と一緒に，新たな債権者宛ての封筒も直送する。

(4)　財産状況報告集会・免責審尋期日

▶　財産状況報告集会では，免責審尋期日を兼ねるので，申立代理人だけではなく，必ず破産者本人も出頭させる必要がある。正当な理由により出頭できない場合，免責審尋期日当日にその理由を記載した報告書を提出する必要がある。裁判所への事前連絡は不要である。

なお，免責についての意見申述期間は，免責審尋期日までとなる。

5−001 個人自己破産申立書

破産手続開始・免責許可申立書

印紙　1500円 郵券　4200円	
係 印	備 考

印紙 1500円

令和　　年　　月　　日

(ふりがな)
申立人氏名：＿＿＿＿＿＿＿＿＿＿
(ふりがな)　　　　　(ふりがな)
(□旧姓＿＿＿＿＿　□通称名＿＿＿＿＿＿　旧姓・通称で借入した場合のみ)
生年月日　：大・昭・平＿＿年＿＿月＿＿日生（＿＿歳）
本籍：別添住民票記載のとおり
現住所：□別添住民票記載のとおり（〒　　−　　　）※郵便番号は必ず記入すること
　　　　□住民票と異なる場合：〒　　−＿＿＿＿＿＿＿＿＿＿
現居所（住所と別に居所がある場合）〒　　−＿＿＿＿＿＿＿＿

申立人代理人（代理人が複数いる場合には主任代理人を明記すること）
　事務所（送達場所），電話，ファクシミリ，代理人氏名・印

申立ての趣旨

1　申立人について破産手続を開始する。
2　申立人（破産者）について免責を許可する。

申立ての理由

申立人は，添付の債権者一覧表のとおりの債務を負担しているが，添付の陳述書及び資産目録記載のとおり，支払不能状態にある。

手続についての意見：□同時廃止　　□管財手続
即日面接（申立日から３日以内）の希望の有無：□希望する　□希望しない
　生活保護受給【無・有】→□生活保護受給証明書の写し
　所有不動産　【無・有】→□オーバーローンの定形上申書あり（　　倍）
　破産・個人再生・民事再生の関連事件（申立予定を含む）　□無　□有（事件番号　　　　）
管轄に関する意見
　□住民票上の住所が東京都にある。
　□大規模事件管轄又は関連事件管轄がある。
　□経済生活の本拠が東京都にある。
　　勤務先の所在地　〒＿＿＿＿＿＿＿＿＿＿＿＿
　□東京地裁に管轄を認めるべきその他の事情がある。

▶　個人の破産手続開始申立および免責申立を兼ねたものである。
▶　旧法では，管轄は専属管轄であり，自然人については，債務者の普通裁判籍所在地を管轄する地方裁判所，即ち，債務者の住所地を管轄する地方裁判所・支部とされていた。
▶　破産法でも，この管轄の基本はそのまま維持されているが（破産法４条），多様な管轄を認める規定を新設し，管轄を選択

できる範囲を大幅に拡大している（同法５条)。

▶　当事者は，裁判所からの書類の送達を受ける場所（送達場所）を届け出ることを要する。本書式は，代理人弁護士による申立てであり，弁護士事務所が送達場所となっている。

5−002 法人自己破産申立書

収入
印紙

破　産　申　立　書

令和○○年○○月○○日

○○地方裁判所民事部　御中

申立人（債務者）代理人弁護士　　○　○　○　○　　印

〒○○○−○○○○

東京都○○区○○町○○丁目○○番○○号

申立人（債務者）　　　　□□株式会社

上記代表者代表取締役　　　　○　○　○　○

〒○○○−○○○○

東京都○○区○○町○○丁目○○番○○号○○ビル○階

○○法律事務所（送達場所）

上記申立人代理人　弁護士　　○　○　○　○

ＴＥＬ　○○（○○○○）○○○○

ＦＡＸ　○○（○○○○）○○○○

申　立　て　の　趣　旨

債務者について，破産手続を開始する。

との決定を求める。

申　立　て　の　理　由

1　債務者の業務内容

別紙陳述書記載のとおり

2　破産手続開始原因の存在

▶　法人（株式会社）の破産手続開始申立の書式例である。

▶　旧法では，法人の自己破産申立の管轄は，主たる営業所の所在地であり，通常の場合は，会社等の本店所在地を管轄する地方裁判所・支部とされていた。

▶　破産法でも，この管轄の基本はそのまま維持されているが（破産法４条），多様な管轄を認める規定を新設し，管轄を選択できる範囲を大幅に拡大している（同法５

別紙陳述書記載のとおり

3　債務者の申立時における状況

別紙陳述書記載のとおり

よって，破産手続開始の申立てをします。

添　付　書　類

1	会社の商業登記現在事項全部証明書	○通
2	取締役会議事録	○通
3	陳述書	○通
4	債権者一覧表	○通
5	債務者一覧表	○通

（以下，省略）

条)。

5−003 準自己破産申立書

収入印紙

（準自己）破産手続開始申立書

令和○○年○○月○○日

○○地方裁判所民事部　御中

申立人代理人弁護士　○　○　○　○　印

〒○○○−○○○○　東京都○○区○○町○○丁目○○番○○号

申立人　□□株式会社取締役

○　○　○　○

〒○○○−○○○○　東京都○○区○○町○○丁目○○番○○号

○○法律事務所（送達場所）

申立人代理人　弁護士　○　○　○　○

ＴＥＬ　○○（○○○○）○○○○

ＦＡＸ　○○（○○○○）○○○○

〒○○○−○○○○　東京都○○区○○町○○丁目○○番○○号

被申立人（債務者）　□□株式会社

上記代表者代表取締役　○　○　○　○

申　立　て　の　趣　旨

被申立人について，破産手続を開始する。

申　立　て　の　理　由

被申立人は，添付の債権者一覧表のとおり，○○○○○○○○

▶　法人の破産申立において，債務者に準ずる者（法人の理事や取締役等，破産法19条参照）が申し立てる場合（準自己破産），債務者（法人）は，被申立人となる。

▶　申立書の当事者の表示や申立ての趣旨等の記載は，自己破産の申立書の記載とは異なるので，注意する。

5−004 債権者破産申立書

収　入
印　紙

破産手続開始申立書

令和○○年○○月○○日

○○地方裁判所民事部　御中

申立人代理人弁護士　　○　○　○　○　　印

〒○○○−○○○○　東京都○○区○○町○○丁目○○番○○号
申立人（債権者）　　□□株式会社
上記代表者代表取締役　　○　○　○　○
〒○○○−○○○○　東京都○○区○○町○○丁目○○番○○号
○○法律事務所（送達場所）
上記申立人代理人　弁護士　　○　○　○　○
ＴＥＬ　○○（○○○○）○○○○
ＦＡＸ　○○（○○○○）○○○○
〒○○○−○○○○　東京都○○区○○町○○丁目○○番○○号
債　務　者　　株式会社□□
上記代表者代表取締役　　○　○　○　○

申立ての趣旨

債務者株式会社□□について，破産手続を開始する。
との決定を求める。

申立ての理由

1　債権の存在

債務者は○○の販売等を主たる目的とする会社であるが，債権者は令和○

▶　本文例は，債権者から株式会社（債務者）の破産手続開始申立を行うものである。債務者のみならず債権者も破産申立権者となる（破産法18条１項）。債権者が破産手続開始申立をするときは，その有する債権の存在，破産手続開始の原因となる事実の疎明を要する（同条２項）。

▶　管轄は，**5−002**（法人自己破産申立書）と同様である。

○年○○月○○日から同年○○月○○日までの間債務者に対し○○○○等を別紙売掛金一覧表のとおり金○○○○円で売り渡した。債務者は債権者に対し上記売掛金の支払いのため，別紙約束手形一覧表のとおり約束手形○通額面合計○○○○円を振り出し，債権者はこれらの約束手形を所持している。

2　破産手続開始原因の存在

債務者は営業上の失敗のため，令和○○年○○月○○日現在において債務総額約○○○○円であり，これに対し，財産総額は次項記載のように約○○○○円にすぎず，著しく債務超過の現状にあり，令和○○年○○月○○日第一回目の不渡手形を出し，同年○○月○○日第二回目の不渡手形を出して手形交換所における取引停止処分も受け，業界の信用を全く失墜し，到底その債務の支払いをすることができない。

3　破産財団に属すべき財産の見積額　計○○○○円

土地建物	○○○○円	什器備品	○○○○円
商　　品	○○○○円	売 掛 金	○○○○円
受取手形	○○○○円	権 利 金	○○○○円
保 証 金	○○○○円	敷　　金	○○○○円
株　　券	○○○○円	預金現金	○○○○円

4　よって債務者に対し破産手続開始の決定をされたく，この申立てをいたします。

添付書類

1　売掛金一覧表及び納品書写し

2　約束手形一覧表及び手形写し

3　債権者会社商業登記現在事項全部証明書　　1通

4　債務者会社商業登記現在事項全部証明書　　1通

（以下，省略）

（5−004 債権者破産申立書）

5−005 債務者陳述書（報告書）

申立人債務者＿＿＿＿＿＿＿＿＿＿＿＿に関する

□ 陳述書（作成名義人は申立人　＿＿＿＿＿＿＿＿＿＿＿＿印）

□ 報告書（作成名義人は申立代理人＿＿＿＿＿＿＿＿＿＿＿＿印）

＊いずれか書きやすい形式で本書面を作成してください。

＊適宜，別紙を付けて補充してください。

1　過去10年前から現在に至る経歴　　□ 補充あり

就　業　期　間	□自営 □勤め □パート・バイト □無 □他（　　）
就業先（会社名等）	地位・業務の内容
年　月～　年　月	□自営 □勤め □パート・バイト □無 □他（　　）
年　月～　年　月	□自営 □勤め □パート・バイト □無 □他（　　）
年　月～　年　月	□自営 □勤め □パート・バイト □無 □他（　　）
年　月～　年　月	□自営 □勤め □パート・バイト □無 □他（　　）

＊流れがわかるように時系列に記載します。

＊破産につながる事情を記載します。10年前というのは一応の目安にすぎません。

＊過去又は現在，法人の代表者の地位にある場合は，必ず記入します。

2　家族関係等　　□ 補充あり

氏　名	続柄	年齢	職　業	同居

＊申立人の家計の収支に関係する範囲で書いてください。

＊続柄は申立人から見た関係を記入します。

＊同居の場合は，同居欄に○印を記入します。

▶ 個人と法人の自己破産申立に共通して利用することができる。ただし，本書式は主に個人自己破産申立を想定しているので，法人の自己破産申立については，5−006のような補充が必要となる。

3　現在の住居の状況　　　　　　　　　　　　□ 補充あり

ア 申立人が賃借　イ 親族・同居人が賃借　ウ 申立人が所有・共有

エ 親族が所有　オ その他（＿＿＿＿＿＿＿＿＿＿＿＿＿＿）

＊ア，イの場合は，次のうち該当するものに○印をつけてください。

a 民間賃借　b 公営賃借　c 社宅・寮・官舎

d その他（＿＿＿＿＿＿＿＿＿＿＿＿＿＿＿＿＿＿）

4　今回の破産申立費用（弁護士費用を含む）の調達方法　□ 補充あり

□ 申立人自身の収入　□ 法律扶助協会

□ 親族・友人・知人・（＿＿＿＿＿）からの援助・借入

（→その者は，援助金・貸付金が破産申立費用に使われることを

□ 知っていた　□ 知らなかった）

□ その他（＿＿＿＿＿＿＿＿＿＿＿＿＿＿＿＿＿＿＿）

5　破産申立てに至った事情　　　　　　　□ 補充あり

＊債務発生・増大の原因，支払不能に至る経過及び支払不能となった時期を，時系列でわかりやすく書いてください。

＊事業者又は事業者であった人は，事業内容，負債内容，整理・清算の概況，資産の現況，帳簿・代表者印等の管理状況，従業員の状況，法人の破産申立ての有無などをここで記載します。

（5－005 債務者陳述書（報告書））

６　免責不許可事由　　　　　　　　　□ 有　□ 無　□不明

＊有又は不明の場合は，以下の質問に答えてください。

問１　本件破産申立てに至る経過の中で，申立人が，当時の資産・収入に見合わない過大な支出（本旨弁済を除く）又は賭博その他の射幸行為をしたことがありますか（破産法２５２条１項４号）。　□ 補充あり

□ 有（→次の①～⑥に答えます）　□ 無

①内容　ア 飲食　イ 風俗　ウ 買物（対象＿＿＿＿＿）　エ 旅行
オ パチンコ　カ 競馬　キ 競輪　ク 競艇　ケ 麻雀
コ 株式投資　サ 商品先物取引
シ その他（＿＿＿＿＿＿＿＿＿＿＿＿＿＿＿＿＿＿＿）

＊①の内容が複数の場合は，その内容ごとに②～⑥につき答えてください。

②時期　＿＿＿＿年＿＿月ごろ～＿＿＿＿＿年＿＿月ごろ

③「②の期間中にその内容に支出した合計額」
ア 約＿＿＿万円　イ 不明

④「同期間中の申立人の資産及び収入（ギャンブルや投資投機で利益が生じたときは，その利益を考慮することは可）からみて，その支出に充てることができた金額」　ア 約＿＿＿万円　イ 不明

⑤「③－④」の差額　ア 約＿＿＿万円　イ 不明

⑥「②の終期時点の負債総額」　ア 約＿＿＿万円　イ 不明

（5－005 債務者陳述書（報告書））

破産

問２　破産手続の開始を遅延させる目的で，著しく不利益な条件で債務を負担したり，又は信用取引により商品を購入し著しく不利益な条件で処分してしまった，ということがありますか（破産法２５２条１項２号）。

□ 補充あり

□ 有（→次の①～③に答えます）　□ 無

①内容　ア 高利借入（→次の②に記入）　イ 換金行為（→次の③に記入）
ウ その他（＿＿＿＿＿＿＿＿＿＿＿＿＿＿＿＿）

②高利（出資法違反）借入　（単位：円）

借 入 先	借入時期	借入金額	約定利率

③換金行為　（単位：円）

品　名	購入価格	購入時期	換金価格	換金時期

問３　一部の債権者に特別の利益を与える目的又は他の債権者を害する目的で，非本旨弁済をしたことがありますか（破産法２５２条１項３号）

□補充あり

□ 有（→以下に記入します）　□ 無

（単位：円）

時　期	相手の名称	非本旨弁済額

（5−005 債務者陳述書（報告書））

問４　破産手続開始の申立てがあった日の１年前の日から破産手続開始の決定があった日までの間に，他人の名前を勝手に使ったり，生年月日，住所，負債額及び信用状態等について誤信させて，借金したり，信用取引をしたことがありますか（破産法２５２条１項５号）。　□補充あり

□ 有（→以下に記入します）　□ 無　（単位：円）

時期	相　手　方	金　額	内　　容

問５　破産手続開始（免責許可）申立前７年内に以下に該当する事由がありますか（破産法２５２条１項１０号関係）。

□ 有（番号に○をつけてください）　□ 無

１　免責決定の確定　免責決定日　平成　年　月　日
（決定書写しを添付）

２　給与所得者等再生における再生計画の遂行
再生計画認可決定日　平成　年　月　日
（決定書写しを添付）

３　ハードシップ免責決定（民事再生法２３５条１項，２４４条）の確定
再生計画認可決定日　平成　年　月　日
（決定書写しを添付）

問６　その他，破産法所定の免責不許可事由に該当すると思われる事由がありますか。　□ 補充あり

□ 有　□ 無

有の場合は，該当法条を示し，その具体的事実を記載してください。

（5−005 債務者陳述書（報告書））

破産

問７　①　破産申立てに至る経過の中で，申立人が商人（商法４条。小商人［商法８条，商改施法３条<資本金５０万円未満の非会社>］を除く。）であったことがありますか。

□ 有（→次の②に答えます）　　□ 無

②　申立人が業務及び財産の状況に関する帳簿（商業帳簿等）を隠滅したり，偽造，変造したことがありましたか（破産法２５２条１項６号）。

□ 補充あり

□ 有　　□ 無

有の場合は，ａその時期，ｂ内容，ｃ理由を記載してください。

問８　本件について免責不許可事由があるとされた場合，裁量免責事由として考えられるものを記載してください。

以　上

（5−005 債務者陳述書（報告書））

5－006 債務者陳述書（補充用）

陳　述　書（補充用）

令和　　年　　月　　日

○○地方裁判所　民事第○○部御中

本店所在地
申立人（債務者）　　　　　　　　　　　印

次のとおり陳述します。

1．事業内容
（1）設　立・　　　　　年　　　月　　　日
（2）資本金・　　　　　　　　　　円
（3）事業目的（実際の営業の具体的内容を記載する。）

（4）支店・営業所・工場
　無
　　所在地
　有・規　　模
　　作業内容
（5）従業員
　総人数・　　　　　　　名
　労働組合　有・無（名　称　　　　　　　　　　　　　　）

2．破産手続開始原因の存在
（1）支払不能・支払停止の事実
　第１回不渡り・　　　　年　　　月　　　日
　取引停止日時・　　　　年　　　月　　　日
　廃業閉店・　　　　　　年　　　月　　　日
　不渡り理由（資産不足・取引なし等）

（2）債務超過の事実
　資産総額・　金　　　　　　　　円
　負債総額・　金　　　　　　　　円

3．破産手続開始原因の生じた事情
（債務者の事業が不振に至った経緯，債務が増大した理由を記載する。）

▶ 5－005 参照。

4．債務者の破産手続開始申立時における状況

（1）私的整理実行の有無とその経過

有　・　無

債権者集会開催の日時，場所，出席の有無，出席者数，議題，決議，配当率等の状況

（2）帳簿，有価証券，手形小切手帳，印鑑類の保管状況

（3）資産の処分状況（売却日，代金，使途明細。契約書を添付してください）

（4）従業員の処遇と動静（退職・解雇の有無，労働組合の状況）

5．資産と負債の状況

（1）資産の内容

申立時における債務者の資産の内容は別紙記載の資産目録のとおりであり，その合計は帳簿価額をもってすれば金　　　　　　　円であるが，これが実有価額（正味の処分価額）にすれば約金　　　　　　　円であると見込まれる。

（2）負債の内容

申立時における債務者の負債の内容は別紙記載の負債目録のとおりであり，その合計は債権者総数　　　　　　名で総額金　　　　　　　円である。

6．訴訟等の係属の有無

有　・　無

裁判所　　　　　　　　　　　年（　）第　　　　　　号

以上

（5−006 債務者陳述書（補充用））

5−007　資産目録

資産目録（一覧）

下記１から１６の項目についてはあってもなくてもその旨を確実に記載します。
【有】と記載したものは，別紙（明細）にその部分だけを補充して記載します。
＊預貯金は，解約の有無及び残額の多寡にかかわらず，過去２年以内の取引の明細がわかるように，各通帳の表紙を含め全ページの写しを提出します。
＊現在事業を営んでいる人又は過去２年以内に事業を営んでいたことがある人は過去２年度分の所得税の確定申告書の写しを，会社代表者の場合は過去２年度分の確定申告書及び決算書の写しを，それぞれ提出します。

1	申立時に３３万円以上の現金がありますか。	【有　無】
2	預金・貯金 □過去２年以内に口座を保有したことがない。	【有　無】
3	公的扶助（生活保護，各種扶助，年金など）の受給	【有　無】
4	報酬・賃金（給料・賞与など）	【有　無】
5	退職金請求権・退職慰労金	【有　無】
6	貸付金・売掛金等	【有　無】
7	積立金等（社内積立，財形貯蓄，事業保証金など）	【有　無】
8	保険（生命保険，傷害保険，火災保険，自動車保険など）	【有　無】
9	有価証券（手形・小切手，株券，転換社債），ゴルフ会員権など	【有　無】
10	自動車・バイク等	【有　無】
11	過去５年間において，購入価格が２０万円以上の物 （貴金属，美術品，パソコン，着物など）	【有　無】
12	過去２年間に処分した評価額又は処分額が２０万円以上の財産	【有　無】
13	不動産（土地・建物・マンション）	【有　無】
14	相続財産（遺産分割未了の場合も含みます）	【有　無】
15	事業設備，在庫品，什器備品等	【有　無】
16	その他，破産管財人の調査によっては回収が可能となる財産 □過払いによる不当利得返還請求権　□否認権行使　□その他	【有　無】

▶　東京地方裁判所の定型様式である。

▶　資産目録の一覧表および別紙（債務者の有する個別資産を記載したもの）を提出する。

▶　同時廃止手続における手持現金の上限は20万円とされていたが，東京地方裁判所では平成29年4月から33万円に変更された。

資産目録（明細）

＊　該当する項目部分のみを記載して提出します。記入欄に記載しきれないときは，適宜記入欄を加えるなどして記載してください。

1　現　金　　　　　　　　　　　　　　　　　　　＿＿＿＿＿＿円

＊申立時に３３万円以上の現金があれば全額を記載します。

2　預金・貯金

＊解約の有無及び残額の多寡にかかわらず各通帳の表紙を含め，過去２年以内の取引の明細がわかるように全ページの写しを提出します。

金融機関・支店名（郵便局，証券会社を含む）	口座の種類	口座番号	申立時の残額
			円

3　公的扶助（生活保護，各種扶助，年金など）の受給

＊生活保護，各種扶助，年金などをもれなく記載します。

＊受給証明書の写しも提出します。

＊金額は，一か月に換算してください。

種　類	金　　額	開　始　時　期	受給者の名前
	円／月	年　　月　　日	

4　報酬・賃金（給料・賞与など）

＊給料・賞与等の支給金額だけでなく，支給日も記載します（月払いの給料は，毎月○日と記載し，賞与は，直近の支給日を記載します）。

＊最近２か月分の給与明細及び源泉徴収票又は過去２年度分の確定申告書の各写しを提出します。源泉徴収票のない人，確定申告書の控えのない人，給与所得者で副収入のあった人又は修正申告をした人はこれらに代え又はこれらとともに課税（非課税）証明書を提出します。

種　類	支　給　日	支　給　額
		円

（5−007 資産目録）

５　退職金請求権・退職慰労金
＊退職金の見込額を明らかにするため，使用者又は代理人作成の退職金計算書を添付します。
＊退職後に退職金を未だ受領していない場合は４分の１相当額を記載します。

種　類	総支給額（見込額）	８分の１（４分の１）相当額
	円	円

６　貸付金・売掛金等
＊相手の名前，金額，発生時期，回収見込の有無及び回収できない理由を記載します。
＊金額は，回収可能な金額です。

相　手　方	金　額	発　生　時　期	回収見込	回収不能の理由
	円	年　月　日	□有　□無	

７　積立金等（社内積立，財形貯蓄，事業保証金など）
＊給与明細等に財形貯蓄等の計上がある場合は注意してください。

種　類	金　額	開　始　時　期
	円	年　月　日

８　保険（生命保険，傷害保険，火災保険，自動車保険など）
＊申立人が契約者で，未解約のもの及び過去２年以内に失効したものを記載します（出捐者が債務者か否かを問いません。）。
＊源泉徴収票，確定申告書等に生命保険料の控除がある場合や，家計や口座から保険料の支出をしている場合は，調査が必要です。解約して費消していた場合には，「・　過去２年間に処分した財産」に記載することになります。
＊保険証券及び解約返戻金計算書の各写し，失効した場合にはその証明書（いずれも保険会社が作成します。）を提出します。

保険会社名	証券番号	解約返戻金額
		円

（5−007　資産目録）

破産

9　有価証券（手形・小切手，株券，転換社債），ゴルフ会員権など
＊種類，取得時期，担保差入及び評価額を記載します。
＊証券の写しも提出します。

種　類	取　得　時　期	担保差入	評価額
	年　月　日	□有　□無	円

10　自動車・バイク等
＊車名，購入金額，購入時期，年式，所有権留保の有無及び評価額を記載します。
＊駐車場代・ガソリン代を家計から支出している人は調査が必要です。
＊自動車検査証又は登録事項証明書の写しを提出します。

車　名	購入金額	購入時期	年式	所有権留保	評価額
	円	年　月　日	年	□有　□無	円

11　過去５年間において，購入価格が２０万円以上の物
（貴金属，美術品，パソコン，着物など）
＊品名，購入価格，取得時期及び評価額（時価）を記載します。

品　名	購入金額	取　得　時　期	評　価　額
	円	年　月　日	円

12　過去２年間に処分した評価額又は処分額が２０万円以上の財産
＊過去２年間に処分した財産で，評価額又は処分額のいずれかが２０万円以上の財産をすべて記入します。
＊不動産の売却，自動車の売却，保険の解約，定期預金の解約，ボーナスの受領，退職金の受領，敷金の受領，離婚に伴う給付などを記入します。
＊処分に関する契約書・領収書の写しなど処分を証明する資料を提出します。
＊不動産を処分した場合には，処分したことがわかる不動産登記事項全部証明書を提出します。

財産の種類	処　分　時　期	評価額	処分額	相手方	使途
	年　月　日	円	円		

（5―007　資産目録）

13　不動産（土地・建物・マンション）
＊不動産の所在地，種類（土地・借地権付建物・マンションなど）を記載します。
＊共有などの事情は，備考欄に記入します。
＊不動産登記全部事項証明書を提出します。
＊オーバーローンの場合は，定形の上申書とその添付資料を提出します。
＊遺産分割未了の不動産も含みます。

不動産の所在地	種　類	備　考

14　相続財産
＊被相続人，続柄，相続時期及び相続した財産を記入します。
＊遺産分割未了の場合も含みます。

被相続人	続　柄	相　続　時　期	相続財産
		年　月　日	

15　事業設備，在庫品，什器備品等
＊品名，個数，購入時期及び評価額を記載します。
＊評価額の疎明資料も添付します。

品　名	個　数	購　入　時　期	評　価　額
		年　月　日	円

16　その他，破産管財人の調査によっては回収が可能となる財産
＊相手方の名前，金額及び時期などを記載します。
＊現存していなくても回収可能な財産は，同時破産廃止の要件の認定資料になります。
＊債務者又は申立代理人によって回収可能な財産のみならず，破産管財人の否認権行使によって回収可能な財産も破産財団になります。
＊ほかの項目に該当しない財産（敷金，過払金，保証金など）もここに記入します。

相手方	金　額	時　期	備　考
		年　月　日	

（5－007　資産目録）

破産

5−008 債権者一覧表 （Excel）

債権者一覧表（一般用）（　　枚中　　枚目）※　　　　（最初の受任通知の日　　　年　　月　　日）

番号	債権者名	債権者住所（送達先）	電話番号	借入時期	現在の残高（円）	原因 使途	保証人 （保証人名）	最終返済日	備考（別除権，差押等がある場合は，注記してください）
		（〒　　）		年　月　日 ～ 年　月　日		原因　A・B・C・D 使途・内容 （　　）	□ 無 □ 有 （　　）	□ 最終返済日 年　月　日 □ 一度も返済していない	
		（〒　　）		年　月　日 ～ 年　月　日		原因　A・B・C・D 使途・内容 （　　）	□ 無 □ 有 （　　）	□ 最終返済日 年　月　日 □ 一度も返済していない	
		（〒　　）		年　月　日 ～ 年　月　日		原因　A・B・C・D 使途・内容 （　　）	□ 無 □ 有 （　　）	□ 最終返済日 年　月　日 □ 一度も返済していない	
		（〒　　）		年　月　日 ～ 年　月　日		原因　A・B・C・D 使途・内容 （　　）	□ 無 □ 有 （　　）	□ 最終返済日 年　月　日 □ 一度も返済していない	
		（〒　　）		年　月　日 ～ 年　月　日		原因　A・B・C・D 使途・内容 （　　）	□ 無 □ 有 （　　）	□ 最終返済日 年　月　日 □ 一度も返済していない	
		（〒　　）		年　月　日 ～ 年　月　日		原因　A・B・C・D 使途・内容 （　　）	□ 無 □ 有 （　　）	□ 最終返済日 年　月　日 □ 一度も返済していない	
		（〒　　）		年　月　日 ～ 年　月　日		原因　A・B・C・D 使途・内容 （　　）	□ 無 □ 有 （　　）	□ 最終返済日 年　月　日 □ 一度も返済していない	
		（〒　　）		年　月　日 ～ 年　月　日		原因　A・B・C・D 使途・内容 （　　）	□ 無 □ 有 （　　）	□ 最終返済日 年　月　日 □ 一度も返済していない	

「原因」欄は，A=現金の借り入れ，B=物品購入，C=保証，D=その他，のいずれかの記号を○で囲む。

※1枚に収まる場合，または2枚以上使用する場合の最終頁は，この様式を使用せず，必ず「最終頁用」の別様式をご使用下さい。

▶ 東京地方裁判所の定型様式である。

▶ 1枚目と2枚目は債権者一覧表（一般用），3枚目は債権者一覧表（公租公課用），4枚目は債権者一覧表の記入方法となっている。

▶ 3枚目の最後に，債権者合計（公租公課を含む）の人数と合計額を記載する。

(Excel)

債権者一覧表（一般用）（　　枚中　　枚目）（最終頁用）　　　　（最初の受任通知の日　　　年　　月　　日）

番号	債権者名	債権者住所（送達先）	電話番号	借入時期	現在の残高（円）	原因 使途	保証人 （保証人名）	最終返済日	備考（別除権，差押等がある場合は，注記してください）
		（〒　　　）		年　月　日 ～ 年　月　日		原因　A・B・C・D 使途・内容 （　　　）	□ 無 □ 有 （　　　）	□ 最終返済日 年　月　日 □ 一度も返済していない	
		（〒　　　）		年　月　日 ～ 年　月　日		原因　A・B・C・D 使途・内容 （　　　）	□ 無 □ 有 （　　　）	□ 最終返済日 年　月　日 □ 一度も返済していない	
		（〒　　　）		年　月　日 ～ 年　月　日		原因　A・B・C・D 使途・内容 （　　　）	□ 無 □ 有 （　　　）	□ 最終返済日 年　月　日 □ 一度も返済していない	
		（〒　　　）		年　月　日 ～ 年　月　日		原因　A・B・C・D 使途・内容 （　　　）	□ 無 □ 有 （　　　）	□ 最終返済日 年　月　日 □ 一度も返済していない	
		（〒　　　）		年　月　日 ～ 年　月　日		原因　A・B・C・D 使途・内容 （　　　）	□ 無 □ 有 （　　　）	□ 最終返済日 年　月　日 □ 一度も返済していない	
		（〒　　　）		年　月　日 ～ 年　月　日		原因　A・B・C・D 使途・内容 （　　　）	□ 無 □ 有 （　　　）	□ 最終返済日 年　月　日 □ 一度も返済していない	
		（〒　　　）		年　月　日 ～ 年　月　日		原因　A・B・C・D 使途・内容 （　　　）	□ 無 □ 有 （　　　）	□ 最終返済日 年　月　日 □ 一度も返済していない	
		（〒　　　）		年　月　日 ～ 年　月　日		原因　A・B・C・D 使途・内容 （　　　）	□ 無 □ 有 （　　　）	□ 最終返済日 年　月　日 □ 一度も返済していない	
債権者数合計（一般用）　　名			総債権額		円				

「原因」欄は，A=現金の借り入れ，B=物品購入，C=保証，D=その他，のいずれかの記号を○で囲む。

破産

(Excel)

債権者一覧表(公租公課用)(　　枚中　　枚目)

番号	債権者名	債権者住所(送達先)	電話番号	種別	現在の滞納額
		(〒　　　　　)			
		(〒　　　　　)			
		(〒　　　　　)			
		(〒　　　　　)			
		(〒　　　　　)			
公租公課合計		庁	現在の滞納額合計		円

債権者合計(公租公課を含む)　名	現在の残金額合計	円

＊合計欄は，債権者一覧表(一般用)と同(公租公課用)の総合計(債権者数，残金額)を記載して下さい。

(5−008 債権者一覧表)

(Excel)

（記入の方法）

債権者一覧表（一般用）（2枚中1枚目）　　（最初の受任通知の日　平成　17年4月3日）

番号	債権者名	債権者住所（送達先）	電話番号	借入時期	現在の残高（円）	原因 使途	保証人 （保証人名）	最終返済日	備考（別除権，差押等がある場合は，注記してください）
1	債権者　太郎	（〒100-0013） 千代田区霞が関1－1－1　〇〇ビル	03-0000-0000	平11年3月1日 ～ 平14年10月9日	236,300	原因　A 使途・内容 （生活費）	□ 無 ■ 有 （甲野太郎）	■ 最終返済日 平成16年1月31日 □ 一度も返済していない	自宅土地建物に抵当権設定 物上保証（甲野太郎） 公正証書有り

債権者一覧表（一般用）（2枚中2枚目）（最終頁用）

番号	債権者名	債権者住所（送達先）	電話番号	借入時期	現在の残高（円）	原因 使途	保証人 （保証人名）	最終返済日	備考
12	債権者　花子	（〒100-0004） 千代田区大手町2-1-20　〇〇ビル	03-0000-0000	平10年6月16日 ～ 平15年3月3日	343,200	原因　B 使途・内容 （パソコン購入）	□ 無 ■ 有 （甲野花子）	■ 最終返済日 平15年11月30日 □ 一度も返済していない	
債権者数合計（一般用）　12名			総債権額		532万6400円				

＊借入・購入年月日の古いものから記載します。

＊同じ債権者から何回も借り入れている場合には，初めて借り入れた時期に，金額，使途などをまとめて記載します。

＊債権者住所は，破産開始決定等の書面の送達先を記載します。

＊借入時期及び現在の残高は，基本的に代理人が行った債権調査の結果（返送された債権調査表のままということではありません。）を記載します。

＊保証人がいる場合の保証人に対する求償債務，公共料金，勤務先からの借入，家賃の滞納分，生命保険会社からの契約者貸付，親族からの借入なども忘れずに記載します。

①「原因」欄には，A＝現金の借り入れ，B＝物品購入，C＝保証，D＝その他，のいずれかの記号を記入します（手書きの場合は〇で囲みます。）。

②「使途」欄には，借入金を何に使ったのか，何を買ったのか，誰の債務を保証したのかなど，具体的に記入します。

③「保証人」欄には，保証人がある場合の保証人氏名を記載します。

④「備考」欄には，具体的な担保の種類，債務名義（公正証書も含む）の有無・種類，訴訟係属の有無，差押，仮差押の有無を記載します。また，これらがある場合には，その関係書類の写しを提出します。

＊弁済代位により債権者が代わっている場合には，新債権者の名称，住所を記載します。但し，「原因」等の欄には，旧債権者から借り入れたときの事情を記載します。

＊公租公課（国税徴収法または同法の例により徴収することのできる請求権）は，公租公課用の一覧表に記入して下さい。「種別」欄には，所得税，住民税，預かり消費税，固定資産税，自動車税，国民健康保険料，国民年金保険料などを具体的に記載します。

＊1枚に収まる場合，または2枚以上使用する場合の最終頁には，最終頁用を使用します。公租公課がある場合には，公租公課用の一覧表に，公租公課を含む債権者の総合計人数及び現在の残金の総合計を記入します。

（5－008　債権者一覧表）

破産

5－009 家計全体の状況 (Excel)

家計全体の状況①

（令和　　　年　月分）

＊**申立直前の２カ月分**の状況を提出します。

＊「交際費」「娯楽費」その他多額の支出は，具体的内容も記入します。

＊「保険料」のある人は，（　）に保険契約者の名前も記入します。

＊「駐車場代」「ガソリン代」のある人は、（　）に車両の名義人も記入します。

収　入			支　出		
費　目		金額（円）	費　目		金額（円）
給料・賞与	申立人		家賃（管理費も含む）		
給料・賞与	配偶者		地代		
給料・賞与			食費		
自営収入	申立人		水道光熱費		
自営収入	配偶者		電話代		
自営収入			新聞代		
年金	申立人		保険料（　　　　　）		
年金	配偶者		駐車場代（　　　　　）		
年金			ガソリン代（　　　　　）		
生活保護			医療費		
児童手当			教育費		
他の援助	（援助者名）		交通費		
その他			被服費		
			交際費		
			娯楽費		
			返済（対業者）		
			返済（対親戚・知人）		
			返済		
			日用品		
			その他		
収入合計			支出合計		

▶ 破産手続開始申立直前２カ月分の家計全体の状況について記載する。給与や賞与，年金や各種公的扶助の額，自営の場合の自営収入，家賃・地代・食費・水道光熱費等の生活費，借金の返済額など，破産手続開始申立時の生活状況がわかるような事項を記載する。

（Excel）

家計全体の状況②

（令和　　　年　月分）

＊**申立直前の２カ月分**の状況を提出します。
＊「交際費」「娯楽費」その他多額の支出は，具体的内容も記入します。
＊「保険料」のある人は，（　）に保険契約者の名前も記入します。
＊「駐車場代」「ガソリン代」のある人は，（　）に車両の名義人も記入します。

収　入			支　出		
費　目		金額（円）	費　目		金額（円）
給料・賞与	申立人		家賃（管理費も含む）		
給料・賞与	配偶者		地代		
給料・賞与			食費		
自営収入	申立人		水道光熱費		
自営収入	配偶者		電話代		
自営収入			新聞代		
年金	申立人		保険料（　　　　　）		
年金	配偶者		駐車場代（　　　　　）		
年金			ガソリン代（　　　　）		
生活保護			医療費		
児童手当			教育費		
他の援助	（援助者名）		交通費		
その他			被服費		
			交際費		
			娯楽費		
			返済（対業者）		
			返済（対親戚・知人）		
			返済		
			日用品		
			その他		
収入合計			支出合計		

5—010 オーバーローン上申書

令和○○年○○月○○日

東京地方裁判所民事第２０部　御中

債　務　者　　　○　○　○　○

代理人弁護士　　○　○　○　○　　印

上　　申　　書

債務者は，不動産を所有しておりますが，以下のとおり，１．５倍以上のオーバーローンの状況にありますので，当該不動産に関しては同時破産廃止に支障がないことを上申します。

$$\frac{\text{（被担保債務残額）}}{\text{（評　価　額）}} = \frac{\qquad\text{円}}{\qquad\text{円}} = \text{約}\qquad\text{倍}$$

なお，算出の根拠は下記のとおりです。

記

１　不動産の特定

添付の不動産登記簿謄本

２　被担保債務の残額

添付のローン残高証明書

３　評価額

添付の書面（下記の□に✓をつけたもの）

□ 近隣の取引事例についての複数の取引業者からの電話聴取書

□ 複数の取引業者の査定（査定書，電話聴取書）

□ 競売の最低売却価格がわかる資料（評価書・期間入札の通知書の写し等）

□ 独自の鑑定評価書（正式鑑定・簡易鑑定）

▶ 弁護士が代理人となっている個人破産申立事件専用のものであり，即日面接を希望するときは，この書面の添付が必要となる。

▶ 債務者が1.5倍以上のオーバーローンである不動産を所有する事案について対象となる。

5－011 同時廃止決定後の新債権者への通知書

令和○○年（フ）第○○号

令和○○年○○月○○日

債権者　○○○○　殿

通　知　書

〒○○○－○○○○
東京都○○区○○町○○丁目○○番○○号
破産者　○　○　○　○
（平成○○年○○月○○日生）
〒○○○－○○○○
東京都○○区○○町○○丁目○○番○○号
申立代理人　○　○　○　○
ＴＥＬ　○○（○○○○）○○○○
ＦＡＸ　○○（○○○○）○○○○

上記破産者は，貴殿に対し，下記４記載の債務を負担しているところ，令和○○年○○月○○日午後５時，東京地方裁判所民事第２０部において，破産手続開始・同時廃止決定（令和○○年○○月○○日申立て）を受けましたので通知いたします。

また，破産者の免責について意見を述べることができる期間及び免責審尋期間が下記１及び３のとおり定められました。破産者について免責不許可事由（破産法２５２条１項）に該当する事実があれば，「免責についての意見申述書」を下記１の期間内に下記２の部署へ提出してください。

- 同時廃止決定後に債権者の変更・追加があったときは，①裁判所に上申書を提出した上で，②代理人から適宜の方法により（変更後の・追加の）債権者に通知する。
- 通知内容は，①事件番号，②破産者の住所・氏名および生年月日，③同時廃止決定があったことおよびその決定日，④免責意見申述期間および意見があるときは意見書の提出先，⑤免責審尋の期日および場所――である。

記

1　免責意見申述期間　下記３免責審尋期日まで

2　免責意見書提出先　〒１００－８９２０

東京都千代田区霞が関１－１－２

東京地方裁判所民事第２０部即日面接係

3　免責審尋期日　日時　令和○○年○○月○○日午後○時

場所　東京都千代田区霞が関１－１－４

東京高等・地方・簡易裁判所合同庁舎○階

※不明な点は上記申立代理人にご連絡ください。

4　債務の表示　金額　○○○○円

債権の発生原因　○○○○○○○○○

（5－011 同時廃止決定後の新債権者への通知書）

5－012　動産仮差押命令申立書

収入印紙

動産仮差押命令申立書

令和〇〇年〇〇月〇〇日

〇〇地方裁判所　御中

債権者訴訟代理人　弁護士　〇　〇　〇　〇　印

当事者の表示　　別紙当事者目録記載のとおり
請求債権の表示　別紙請求債権目録記載のとおり

第1　申立ての趣旨

債務者所有の一切の動産は仮にこれを差し押さえる。
との裁判を求める。

第2　申立ての理由

1　被保全権利

（1）　当事者

債権者はパソコン機械等の売買等を業とする株式会社であり，債務者は化学肥料等の貿易，売買等を業とする株式会社である。

（2）　債権者・債務者間の売買契約

債権者は債務者と下記のとおり売買契約を締結し，令和〇〇年〇〇月〇〇日に売買物件を引き渡した。売買代金の支払期日は令和〇〇年〇〇月〇〇日となっているが，債務者は債権者に対して売買代金を支払っていない。

記

①　当 事 者：売主　債務者，買主　債権者

▶　破産法28条1項。裁判所は，破産手続開始の申立てがあった場合には，利害関係人の申立てによってまたは職権をもって，破産手続開始の申立てにつき決定があるまでの間，債務者の財産に関して，その財産の処分禁止の仮処分その他の必要な保全処分を命ずることができる。

▶　破産手続開始申立後から破産手続開始決定まで，裁判所による破産管財人の選定など，ある程度日数を要するため，その間に

② 契 約 日：令和○○年○○月○○日

③ 売買物件：□□株式会社製パソコン一式

④ 売買代金：○○○○円（うち消費税○○○○円）

⑤ 納入場所：債務者会社□□営業所

⑥ 納　　期：令和○○年○○月○○日

⑦ 売買代金支払期日：令和○○年○○月○○日

2　保全の必要性

債権者より債務者に対する破産手続開始申立事件は貴庁令和○○年（フ）第○○号事件として審理中であるが，債務者は最近その所有の不動産を○○○○に売却してその所有権移転登記を完了した。○○市○○町○○丁目○○番地○○○○から聞知するところによれば，その所有の商品その他の動産も捨て売りし，逃走しようとする気配がうかがわれる。

そこで，今直ちにそれを差し押さえなければ破産手続開始決定がなされてもその財団は皆無となり債権者は配当を全く得られないと考えられるので，至急仮差押えの決定を求める次第である。

疎　明　方　法

1．疎第１号証（売買契約書）

2．疎第２号証（物件受領証）

（5−012 動産仮差押命令申立書）

債務者が財産（将来破産財団を構成するもの）の隠匿，散逸等を行うことを防止するための制度である。

▶ この保全処分の発令にあたっては，保証を立てさせていない。

5－013 不動産仮差押命令申立書

収入印紙

不動産仮差押命令申立書

令和○○年○○月○○日

○○地方裁判所　御中

債権者訴訟代理人　弁護士　○　○　○　○　印

当事者の表示　　別紙当事者目録記載のとおり

請求債権の表示　　別紙請求債権目録記載のとおり

第１　申立ての趣旨

債務者所有の別紙目録記載の不動産は仮にこれを差し押さえる。

との裁判を求める。

第２　申立ての理由

１　被保全権利

（1）　当事者

債権者はパソコン機械等の売買等を業とする株式会社であり，債務者は化学肥料等の貿易，売買等を業とする株式会社である。

（2）　債権者・債務者間の売買契約

債権者は債務者と下記のとおり売買契約を締結し，令和○○年○○月○○日に売買物件を引き渡した。売買代金の支払期日は令和○○年○○月○○日となっているが，債務者は債権者に対して売買代金を支払っていない。

記

①　当 事 者：売主　債務者，買主　債権者

▶ 5－012 参照。

破産

② 契 約 日：令和○○年○○月○○日

③ 売買物件：□□株式会社製パソコン一式

④ 売買代金：○○○○円（うち消費税○○○○円）

⑤ 納入場所：債務者会社□□営業所

⑥ 納　　期：令和○○年○○月○○日

⑦ 売買代金支払期日：令和○○年○○月○○日

2　保全の必要性

債権者は債務者に対し，令和○○年○○月○○日破産手続開始の申立てをなし，同年（フ）第○○号として御庁において審理中である。

然るに，債務者は唯一の財産ともいうべき別紙目録記載の不動産を目下他に売却しようと企てているので，もしこのまま経過するときは同不動産が他に売却されることは間違いない。

よって，破産手続開始決定前の保全処分をもって，破産財団の散逸を防ぐ必要から本申立てに及ぶものである。

疎　明　方　法

1．疎第1号証（売買契約書）

2．疎第2号証（物件受領証）

（5−013 不動産仮差押命令申立書）

5−014 保全処分申立書

令和○○年（フ）第○○号

保　全　処　分　申　立　書

令和○○年○○月○○日

○○地方裁判所　御中

申立人代理人　弁護士　　　○　○　○　○　　印

当事者の表示　　　別紙当事者目録記載のとおり
請求債権の表示　　別紙請求債権目録記載のとおり

申立ての趣旨

債務者はその所有に属する別紙目録記載の不動産に対し，譲渡，質権，抵当権，賃借権の設定その他一切の処分行為をしてはならない。
との裁判を求める。

申立ての理由

1　債権者は債務者に対し令和○○年○○月○○日破産手続開始の申立てをなし，同年（フ）第○○号として御庁において審理中である。
2　然るところ，債務者会社は唯一の財産ともいうべき別紙目録記載の不動産を目下他に売却，担保提供等しようと企てているから，若し破産宣告あるまでこのままこれを放置するときは遂に同不動産は他に売却されること必定である。
3　よって，債務者の財産に関する保全処分（破産法２８条）をもって，財産の散逸を防止しようとする必要から本申立てに及ぶ。

疎　明　方　法

1．疎第１号証（不動産登記全部事項証明書）

▶ 5−012 参照。

2．疎第２号証（売却を企図している事実を疎明する）

添付書類

1．疎明書類　各１通

2．委任状　１通

（5－014 保全処分申立書）

5−015 管財人資格証明等交付申立書（ファクシミリ用）

管財□□係　　御中

破産管財人の資格証明等交付申立書（ファクシミリ用）

令和　　年　　月　　日

年（フ）第　　　号
破産者
破産管財人

次のとおり証明書の交付を申請します。

□　管財人資格証明書（自宅住所あり）　　　通
□　管財人資格証明書（自宅住所なし）　　　通
□　管財人印鑑証明書（自宅住所あり）　　　通
□　管財人印鑑証明書（自宅住所なし）　　　通
□　管財人資格及び印鑑証明書（自宅住所あり）　　　通
□　管財人資格及び印鑑証明書（自宅住所なし）　　　通

5−016 知れたる債権者発送報告書

令和○○年○○月○○日

令和○○年(フ)第○○号

破産者　○　○　○　○　殿

破産管財人　○　○　○　○　印

知れたる債権者発送報告書

上記事件につき，新たに次の債権者が判明し，当職において開始決定通知及び債権届出書を発送（発信）済みであるので報告する。

債権者名	住所	発送年月日	事由
			□新たに判明 □所在判明
			□新たに判明 □所在判明
			□新たに判明 □所在判明
			□新たに判明 □所在判明
			□新たに判明 □所在判明
			□新たに判明 □所在判明

▶ 破産管財人は，申立書の債権者一覧表に記載されていない新たな債権者が判明したときは，破産手続開始決定の通知および債権届出書を発送する必要がある。本文例は，知れたる債権者にそれらの書類を発送した旨の報告書である。

5−017 債務者への通知書および回答書

令和〇〇年〇〇月〇〇日

〇　〇　〇　〇　殿

株式会社□□破産管財人
弁護士　　〇　〇　〇　〇　　印
〒〇〇〇−〇〇〇〇
東京都〇〇区〇〇町〇〇丁目〇〇番〇〇号
TEL　〇〇−〇〇〇〇−〇〇〇〇
FAX　〇〇−〇〇〇〇−〇〇〇〇

通　知　書

拝啓　皆様，益々ご清栄のこととお慶び申し上げます。

さて，株式会社□□は，令和〇〇年〇〇月〇〇日午前〇〇時〇〇分東京地方裁判所民事第２０部において破産手続開始決定を受け（事件番号・令和〇〇年（フ）第〇〇号），当職が同社の破産管財人に選任されました。これにより同破産会社の売掛金債権等はすべて破産財団を構成し，弁済受領等の破産財団管理権は法律上当職に帰属しました。

当職の調査によりますと，株式会社□□の貴社に対する売掛金等の残債権は合計金〇〇〇〇円となっております。したがって，今後の買掛金等のお支払いは，当職宛にされるよう（具体的には下記管財人名義口座にお振り込みくださるよう）に御通知いたします。

破産会社の債権者等の第三者に支払われた場合には，法律上弁済の効果が生ぜず，二重払いをしていただくことになりかねませんので，当職以外の方に対するお支払いはおやめください。万一，違法あるいは強硬な支払要求を受ける等してお困りの場合は，遠慮なく当管財人に御一報くださるようお願い申し上げます。

なお，債権確認のため，お手数ながら別紙回答書により令和〇〇年〇〇月〇〇日までに当職宛に郵送又はＦＡＸにて御回答を賜りたくお願いいたします。

敬具

記

□□銀行〇〇支店　普通預金・口座番号×××××××番
名義・破産者株式会社□□破産管財人〇〇〇〇

▶　破産管財人は，破産者の有する売掛金，貸付金等の債権を回収して，破産財団の増殖に努める。本文例は，その債務者に対する通知書および債務者の回答書である。

破産

回答書

1　株式会社□□に対する債務の有無

有　　　　　無　（いずれかに○印をつけてください。）

2　債務金額　　　金　　　　　　　　　　円也

3　支払方法および支払期日

□約束手形（手形は当職事務所宛に御郵送いただきたくお願い申し上げます。）

支払期日

□現　　金（下記口座宛にお振り込みいただきたくお願い申し上げます。）

□そ の 他（全部または一部の支払いを拒絶される場合には，その具体的理由ならびにその理由の裏付けとなる資料を添付のうえ明細等をお書きください。）

記

（送金口座）

□□銀行○○支店　　　普通預金・口座番号×××××××番

名義・株式会社□□破産管財人○○○○

以上のとおり私（当社）の株式会社□□に対する債務について回答します。

令和　　年　　月　　日

住　　所

電　　話

氏　　名

担当者名

株式会社□□破産管財人

○○○○　殿

（5－017 債務者への通知書および回答書）

5−018 破産管財人代理選任許可申請書

○○地方裁判所　民事第○○部○○係　御中

令和○○年（フ）第○○号
破　産　者　　○○○○

本件につき 認可する。 ○○地方裁判所民事○○部 裁判官	本件につき 認可があったことを証明する。 前同日　○○地方裁判所民事○○部 裁判所書記官

破産管財人代理選任許可申請書

破産者○○○○に対する令和○○年（フ）第○○号破産手続開始申立事件につき，下記の者を破産管財人代理として許可していただきたく申請いたします。

記

〒○○○－○○○○
○○県○○市○○町○○丁目○○番○○号
弁護士　　○　○　○　○
TEL　○○○－○○○－○○○○
FAX　○○○－○○○－○○○○

令和○○年○○月○○日

破産管財人　弁護士　　○　○　○　○　　印

▶　破産法では，破産管財人の代理人選任を緩やかな要件で認めている。

▶　代理人の選任は，裁判所の許可を得て行われるので，破産管財人の代理人も費用の前払いおよび裁判所が定める報酬を受けることができる（破産法87条1項・3項）。

▶　本文例は，許可申請・許可・証明を1つの文書で済ませるものである。なお，書式については裁判所に問い合わせる必要がある。

破産

5−019 告示書

告　示　書

破産者　　○　○　○　○

上記の者に対し令和○○年○○月○○日午前○○時○○分○○地方裁判所において破産宣告がされ，当職が破産管財人に選任されました。

本件建物及び建物内の一切の動産は，当職が占有管理するものですから，みだりに立入りあるいは搬出等する者は，刑法により処罰されることがあります。

令和○○年○○月○○日

破産管財人　　○　○　○　○

▶　破産管財人は就職後直ちに破産財団に属する財産の管理に着手しなければならない（破産法79条）。文例は，破産者所有の建物および建物内の一切の動産について,「破産管財人が占有管理すること，みだりに立入りあるいは搬出等する者は刑法により処罰されること」を告示する文書である。

5−020 封印申立書

令和○○年（フ）第○○号

封　印　申　立　書

令和○○年○○月○○日

○○地方裁判所民事第○○部書記官　殿

破産管財人　○　○　○　○　印
破　産　者　○　○　○　○

上記の者に対する破産事件について，破産者所有の財産について封印することを申し立てます。

▶ 破産管財人は，必要と認めるときは，裁判所書記官，執行官または公証人をして破産財団に属する財産に封印をすることができる（破産法155条１項）が，裁判所書記官に申請するのが通例とされる。これは，迅速な封印をすること，現場の状況を裁判所が把握することにより，管財業務の円滑なる遂行を図るためである。

▶ 本文例は，許可申請・許可・証明を１つの文書で済ませるものである。なお，書式については裁判所に問い合わせる必要がある。

5−021 転居許可申立書

○○地方裁判所民事第○○部○○係　御中

令和　　　年(フ)第　　　号
破　産　者

本件につき 許可する。 ○○地方裁判所民事○○部 　裁判官	本件につき 許可があったことを証明する。 前同日　○○地方裁判所民事○○部 　裁判所書記官

転居許可申立書

破産者（代表者）は，下記住所に移転したいので，許可願います。

記

(新住所)
(転居理由)

令和　　年　　月　　日

破産者(代表者)

代理人弁護士　　　　　　　印

上記転居について，破産管財業務には差し支えありません。

破産管財人　　　　　　　印

▶　破産者は，裁判所の許可を得なければ，その居住地を離れることはできない（破産法 37 条 1 項）。本文例は，破産者代理人から裁判所に対し，破産者の転居の許可を求める申立書である。

▶　本文例は，許可申請・許可・証明を 1 つの文書で済ませるものである。なお，書式については裁判所に問い合わせる必要がある。

5－022 出張許可申立書

○○地方裁判所民事第○○部○○係　御中

令和　　年(フ)第　　　号

破　産　者

本件につき 許可する。 ○○地方裁判所民事○○部 裁判官	本件につき 許可があったことを証明する。 前同日　○○地方裁判所民事○○部 裁判所書記官

出張許可申立書

破産者（代表者）は，下記のとおり出張したいので，許可願います。

記

（出張先・出張中の連絡先）　(TEL　　　)

(FAX　　　)

（出張理由）

（出張期間）　令和　　年　　月　　日から令和　　年　　月　　日まで（　日間）

令和　　年　　月　　日

破産者(代表者)

代理人弁護士　　　　印

上記出張について，破産管財業務には差し支えありません。

破産管財人　　　　印

▶　破産者は，裁判所の許可を得なければ，その居住地を離れることはできない（破産法37条1項）。本文例は，破産者代理人から裁判所に対し，破産者の出張の許可を求める申立書である。

▶　本文例は，許可申請・許可・証明を1つの文書で済ませるものである。なお，書式については裁判所に問い合わせる必要がある。

5－023 財団債権承認許可申立書

○○地方裁判所民事第○○部○○係　御中

令和　　年(フ)第　　　　号

破産者

本件につき 許可する。 ○○地方裁判所民事○○部 裁判官	本件につき 許可があったことを証明する。 前同日　○○地方裁判所民事○○部 裁判所書記官

財団債権承認許可申立書

1　財団の現在高　　　　　　　　　　金　　　　　　　　円

2　財団債権承認の表示

金　　　　　　　　円

3　財団債権の具体的内容

□　財団に属する不動産の賃料・共益費
　　物件名：

□　履行補助者の給与
　　履行補助者の氏名：
　　給与の内容：

□　公租公課
　　具体的内容：

□　原状回復費用
　　具体的内容：

□　配当金
　　中間配当・最後配当の別：

□　管財人報酬

□　その他

4　管財人が保有する疎明資料

□　別紙のとおり（　　　　　　　）

5　備考

令和　　年　　月　　日

破産管財人弁護士　　　　　　　　　　印

以上

▶　破産債権者の共同の利益のためにする裁判上の費用，破産財団の管理・換価・配当に関する費用などは財団債権とされている（破産法148条）。財団債権は，破産財団から優先的に破産手続によらずに，随時弁済することができる（同法2条7項，151条）。

▶　破産管財人は，財団債権の支払いにつき，裁判所の許可が必要であるが，100万円以下の財団債権の承認は許可が不要であ

る（破産法78条２項13号，同条３項１号，破産規25条）。

▶　また，破産管財人が，要許可行為をしようとするときは，遅滞を生ずるおそれのある場合と許可不要とされる場合を除き，破産者の意見を聞かなければならない（破産法78条６項）。

▶　本文例は，許可申請・許可・証明を１つの文書で済ませるものである。なお，書式については裁判所に問い合わせる必要がある。

5−024 取戻権承認許可申立書

○○地方裁判所民事第○○部○○係　御中

令和　　年(フ)第　　　号

破　産　者

本件につき 許可する。 ○○地方裁判所民事○○部 　裁判官	本件につき 許可があったことを証明する。 前同日　○○地方裁判所民事○○部 　裁判所書記官

取戻権承認許可申立書

1　申立ての趣旨

下記内容の取戻権を承認することの許可を求める。

記

①　取戻権の目的物　後記「物件の表示」記載のとおり

②　取戻権者　　住　所

　　　　　　　　氏　名

③　取戻権の内容　　☐所有権

☐譲渡担保

☐所有権留保

☐リース契約

☐その他（　　　　　　　　　　　　　　　　　　　）

2　申立ての理由

☐上記取戻権者が取戻権を有すること

内容（　　　　　　　　　　　　　　　　　　　　　　　　　　）

☐取戻権を承認する場合の経済的利益

内容（　　　　　　　　　　　　　　　　　　　　　　　　　　）

3　管財人が保有する疎明資料

☐契約書（内容　　　　　　　　　　　　　　　　　　　　　　）

☐その他（内容　　　　　　　　　　　　　　　　　　　　　　）

4　物件の表示

令和　　年　　月　　日

破産管財人　　　　　　　　　　　　印

以上

▶　破産財団は，破産手続開始の時に破産者に属する一切の財産をもって構成されるべきところ（破産法34条1項），破産管財人が占有管理する財産に破産者に属さないものが混入していることがある。破産宣告は，破産者に属さない財産を破産財団から取り戻す権利には影響を及ぼさない。

▶　取戻権（破産法62条）の行使方法や手続きについて，特に法は定めていない。破産管財人に対する取戻権の行使は，破産手続によらないでもよく，第三者異議の訴えのように訴訟による必要もない。破産管財人が事実上支配している財産について取戻権を主張し，これを取り戻すというのが通常の行使態様である。

▶　破産管財人が取戻権を承認するには，裁判所の許可が必要である（破産法78条2項13号)。本文例は，取戻権の承認（個別的）の許可を求める申立書である。

▶　本文例は，許可申請・許可・証明を1つの文書で済ませるものである。なお，書式については裁判所に問い合わせる必要がある。

5−025 資産売却許可申立書

○○地方裁判所民事第○○部○○係　御中

令和　　年(フ)第　　　号

破　産　者

本件につき 許可する。 ○○地方裁判所民事○○部 裁判官	本件につき 許可があったことを証明する。 前同日　○○地方裁判所民事○○部 裁判所書記官

資産売却許可申立書

1　申立ての趣旨

財団に属する後記「物件の表示」記載の資産を以下の内容で売却すること。

2　資産の区分

□　自動車　□　電話加入権　□　什器備品　□　商品在庫

□　その他

3　売却の内容

①　買主の表示

□　特定可能：住所

氏名

□　特定不能　（理由）

②　売買代金額

□　特定可能　金　　　　　　円

□　特定不能

a　簿価基準　　　　　b　最低額基準

4　申請を必要とする理由及び事情

□　換価の緊急性

□　個別許可申請が困難

□　その他

5　管財人が保有する疎明資料

□　別紙のとおり（　　　　　）

6　備考

記

物件の表示

令和　　年　　月　　日

破産管財人弁護士　　　　　　　　印

以上

▶　破産管財人は，不動産，商品，動産等の資産の任意売却につき，裁判所の許可が必要である（破産法78条2項1号・4号・7号)。ただし，100万円以下の動産の任意処分については，許可を要しない（同法78条3項1号，破産規25条)。

▶　また，破産管財人が要許可行為をしようとするときは，遅滞を生ずるおそれのある場合と許可不要とされる場合を除き，破産者の意見を聞かなければならない（破産法

78条６項)。

▶　本文例は，自動車，電話加入権，什器備品，商品在庫などの売却の許可を求める申立書，不動産の売却の許可を求める申立書である。

▶　本文例は，許可申請・許可・証明を１つの文書で済ませるものである。なお，書式については裁判所に問い合わせる必要がある。

5−026 不動産売却許可申立書

○○地方裁判所民事第○○部○○係　御中

令和　　年(フ)第　　　号

破　産　者

本件につき 許可する。 ○○地方裁判所民事○○部 裁判官	本件につき 許可があったことを証明する。 前同日　○○地方裁判所民事○○部 裁判所書記官

不動産売却許可申立書

1　申立ての趣旨

財団に属する別紙「物件の表示」記載の不動産を以下の内容で別紙売買契約書（案）により売却し，所有権移転登記手続をすること。

売買代金から，後記のとおり別除権者に金員を支払って，別除権を受け戻すこと。

2　売買契約の内容

①　買主の表示　住所：

氏名：

②　売買代金額・諸費用（下記６）

③売買契約の内容：別紙売買契約書記載のとおり

3　別除権者の表示

別除権者：

現存被担保債権額：金　　　　円　　弁済額：金　　　　円

4　財団組入れ額　　金　　　　　円

5　管財人が保有する疎明資料

□不動産登記全部事項証明書　　通　　□買付証明書　　　　通

□競売の評価書　　　　　　　　通　　□固定資産評価証明書　通

□その他

6　売買経費等計算書

売買代金額（外税）	円
財団組入額	円
固定資産税・都市計画税	円
司法書士費用	円
仲介手数料	円
消費税	円
その他	円
別除権者への弁済金	円

7　備考

令和　　年　　月　　日

破産管財人弁護士　　　　　　　印

▶ 5−025 参照。

▶ 本文例は，許可申請・許可・証明を１つの文書で済ませるものである。なお，書式については裁判所に問い合わせる必要がある。

5－027　不動産放棄許可申立書及び破産登記抹消嘱託の上申書

○○地方裁判所民事第○○部○○係　御中　　　　令和　　年(フ)第　　　号
破　産　者

本件につき 許可する。 東京地方裁判所民事２０部 　裁判官	本件につき 許可があったことを証明する。 前同日　東京地方裁判所民事２０部 　裁判所書記官

(別除権設定物件用)

不動産放棄許可申立書及び破産登記抹消嘱託の上申書

1　申立ての趣旨
　別紙登記用物件目録記載の不動産を財団から放棄することにつき許可を求める。
2　上申
　上記放棄許可がなされたときは，御庁の嘱託によってなされた破産登記の抹消を所轄法務局に嘱託されたく上申いたします。
　(なお，別除権者に対する所定の通知は，令和　　年　　月　　日に発送済み)
3　申立ての理由
(1) 放棄の必要性
□オーバーローン　□回収額を上回るコスト　□換価困難　□その他
(2) 放棄の許容性
□管財人の社会的責任なし　　□別除権者に対する規則５６条の通知
4　添付資料
①　不動産登記全部事項証明書　　通　　②登記用物件目録　　部
5　管財人が保有する疎明資料
①　本件不動産の処分見込価格：　　　　　　　円
□不動産競売事件の評価書写し（最低売却価額：　　　　　　　　円
□買取見積書　（　　　　　　円）　　　□その他
②　本件不動産に対して優先権をもつ債権
□債権認否表（本件不動産に係る別除権の被担保債権額合計　　　　円）
□滞納処分による差押書（　　　　円）　□交付要求書（　　　　円）
③　管理等コスト
□固定資産税・都市計画税等通知書（　　　　　　円）
□管理費見積書（　　　　　　円）　　　□その他
6　備　考
令和　　年　　月　　日
破産管財人　　　　　　　　　　印
以上

▶　担保余剰のない不動産についても，破産管財人はまず任意売却を試み，財産の増殖を図る努力をする。しかし，抵当権者が任意売却に応じない場合，任意売却が望めない場合，固定資産税・地価税や管理費等の負担が実価を上回る場合は，不動産を財団から放棄せざるを得ない。

▶　破産管財人は，裁判所の許可を得て，不動産を財団から放棄することができる（破産法78条2項12号）。本文例は，不動産を破産財団から放棄する許可の申立て，それに伴う破産登記抹消の嘱託に関する上申を兼ねた書式である。

▶ 破産管財人が不動産を破産財団から権利放棄するときは，その2週間前までに，担保権者に対し，放棄する旨を通知する必要がある（破産規56条）。

▶ 本文例は，許可申請・許可・証明を1つの文書で済ませるものである。なお，書式については裁判所に問い合わせる必要がある。

5－028 不動産放棄の事前通知書

別除権者　各位

令和○○年○○月○○日

不動産放棄の事前通知書

破　産　者　　○　○　○　○
破産管財人　　弁護士　　○　○　○　○　　　印
電　話　○○○（○○○）○○○○
ＦＡＸ　○○○（○○○）○○○○

拝啓　貴社ますますご清栄のこととお慶び申し上げます。

さて，破産者○○○○に係る破産財団に属する後記不動産の表示記載の不動産（以下，「本件不動産」といいます。）につきましては，令和○○年○○月○○日に破産裁判所に対し不動産放棄許可申立てをなし，放棄の手続をとる予定であります。

つきましては，各位が本件不動産に設定を受けておられる別除権について放棄の手続きをとられる場合には，不動産放棄許可申立予定日（令和○○年○○月○○日）の３日前までに放棄手続に必要な書類を用意され当職宛ご連絡頂きたくお願い申し上げます。

敬具

不動産の表示
土地　所在　○○県○○市○○町○丁目○番
　　　地番　○番○号
　　　地目　○○
　　　地積　○○平方メートル

▶ 5－027 参照。
▶ 不動産放棄許可申立予定日は，本通知書発送日の２週間以上後を設定すること。

5−029 債権放棄許可申立書

〇〇地方裁判所民事第〇〇部〇〇係　御中

令和　　年(フ)第　　　　号
破　産　者

本件につき 許可する。 〇〇地方裁判所民事〇〇部 裁判官	本件につき 許可があったことを証明する。 前同日　〇〇地方裁判所民事〇〇部 裁判所書記官

債権放棄許可申立書

1　申立ての趣旨
後記「債権の表示」記載の債権を放棄することの許可を求める。

2　申立ての理由
- □　倒産（内容　　　　　　　　　　　　　　　　　）
- □　所在不明（内容　　　　　　　　　　　　　　　）
- □　資産不明（内容　　　　　　　　　　　　　　　）
- □　資力なし（内容　　　　　　　　　　　　　　　）
- □　回収を上回るコストが予想される（内容　　　　）
- □　換価困難（内容　　　　　　　　　　　　　　　）
- □　その他

3　管財人が保有する疎明資料
- □　不渡処分通知（内容　　　　　　　　　　　　　）
- □　破産宣告決定（内容　　　　　　　　　　　　　）
- □　転居先不明の返送郵便
- □　住所地の不動産登記全部事項証明書（内容　　　）
- □　報告書（内容　　　　　　　　　　　　　　　　）
- □　その他

4　債権の表示
- ・債務者名　　＿＿＿＿＿＿
- ・債権の種類　売掛債権
- ・債権の金額　金　　　　　円

令和　　年　　月　　日

破産管財人　　　　　　　　　　　印

以上

▶　破産管財人はまず財産の増殖を図る努力をするが，破産財団を構成する財産であっても，債務者が無資力で金銭的価値がない債権，換価価値が全く見込めない資産などについては，権利を放棄し，早期に破産手続を終結したほうが破産債権者の利益になることが多い。

▶　破産管財人は，裁判所の許可を得て，債権や資産を財団から放棄することができる（破産法78条2項12号）。

▶　本文例は，許可申請・許可・証明を１つの文書で済ませるものである。なお，書式については裁判所に問い合わせる必要がある。

5−030 資産放棄許可申立書

○○地方裁判所民事第○○部○○係　御中

令和　　年(フ)第　　　　号
破　産　者

本件につき 許可する。 ○○地方裁判所民事○○部 裁判官	本件につき 許可があったことを証明する。 前同日　○○地方裁判所民事○○部 裁判所書記官

資産放棄許可申立書

1　申立ての趣旨
後記「資産の表示」記載の資産を放棄することの許可を求める。

2　申立ての理由
(1) 放棄の必要性
□　換価困難（内容　　　　　　　　　　　　　　　　　　　　）
□　回収を上回るコストが予想される（内容　　　　　　　　　）
□　その他
(2) 放棄の許容性
□　管財人の社会的責任の見地において放棄に支障がないこと
（内容　　　　　　　　　　　　　　　　　　　　　　　　　　）

3　管財人が保有する疎明資料
□　買取見積書（内容　　　　　　　　　　　　　　　　　　　）
□　廃棄処分見積書（内容　　　　　　　　　　　　　　　　　）
□　報告書（内容　　　　　　　　　　　　　　　　　　　　　）
□　その他

4　資産の表示

令和　　年　　月　　日
破産管財人　　　　　　　　　　　　　　印
以上

▶ 5−029 参照。

▶ 本文例は，許可申請・許可・証明を１つの文書で済ませるものである。なお，書式については裁判所に問い合わせる必要がある。

5−031 和解許可申立書

○○地方裁判所民事第○○部○○係　御中

令和　　年(フ)第　　　号
破　産　者

本件につき 許可する。 ○○地方裁判所民事○○部 裁判官	本件につき 許可があったことを証明する。 前同日　○○地方裁判所民事○○部 裁判所書記官

和　解　許　可　申　立　書

1　申立ての趣旨
　後記「相手方の表示」記載の相手方との間で別紙和解条項のとおり（訴訟上の）和解をすることの許可を求める。

2　申立ての理由
①　和解しない場合の見込

②　和解した場合の実益

③　その他

3　管財人が保有する疎明資料
①
②
③

4　相手方の表示
・住所
・名称

令和　　年　　月　　日
破産管財人　　　　　　　　　　　　印
以上

▶　破産管財人は，裁判所の許可を得て，売掛先等と和解契約・示談契約・仲裁契約等ができる（破産法78条2項11号）。

▶　本文例は，許可申請・許可・証明を1つの文書で済ませるものである。なお，書式については裁判所に問い合わせる必要がある。

5－032 事前の包括的和解許可申立書

○○地方裁判所民事第○○部○○係　御中

令和　　年(フ)第　　　　号
破　産　者

本件につき 許可する。 ○○地方裁判所民事○○部 　裁判官	本件につき 許可があったことを証明する。 前同日　○○地方裁判所民事○○部 　裁判所書記官

事前の包括的和解許可申立書

1　申立ての趣旨

別紙一覧表記載の相手方との間で別紙一覧表記載の和解条件を満たすことを条件として（訴訟上の）和解をすることの許可を求める。

2　申立ての理由

①　和解しない場合の見込

②　和解した場合の実益

③　その他

3　管財人が保有する疎明資料

①

②

③

令和　　年　　月　　日

破産管財人　　　　　　　　　　　　　印

以上

▶ **5－031** 参照。

▶ 本文例は，許可申請・許可・証明を１つの文書で済ませるものである。なお，書式については裁判所に問い合わせる必要がある。

5－033 訴え提起許可申立書

○○地方裁判所民事第○○部○○係　御中

令和　　年(フ)第　　　　号
破　産　者

本件につき 許可する。 ○○地方裁判所民事○○部 裁判官	本件につき 許可があったことを証明する。 前同日　○○地方裁判所民事○○部 裁判所書記官

訴え提起許可申立書

１　申立ての趣旨
　別紙訴状により訴え提起をすること
の許可を求める。

２　申立ての理由
□請求の原因が認められるにもかかわらず，被告が任意に履行しない。
□その他（内容　　　　　　　　　　　　　　　　　　　　　　　　　）

令和　　年　　月　　日
破産管財人　　　　　　　　　　　　　　印
以上

▶　破産管財人は，裁判所の許可を得て，売掛先に対する取立訴訟などを提起することができる（破産法78条2項10号）。

▶　本文例は,. 許可申請・許可・証明を１つの文書で済ませるものである。なお，書式については裁判所に問い合わせる必要がある。

5−034 破産管財人の報告書

○○地方裁判所民事第○○部○○係　御中

令和　　年（フ）第　　　　号
破産者

破産法１５７条の報告書

第１　破産手続開始決定に至った事情
　１　財務内容悪化の原因とその具体的内容

　２　破産原因（①債務超過，②支払不能，③両者）とその具体的内容

　３　その他（任意整理先行の有無，訴訟係属の有無）

第２　破産財団の管理・換価

第３　破産財団の収支の状況

第４　今後の管財方針

第５　配当の有無及び予想配当率

令和　　年　　月　　日

破産管財人　　　　　　　　　　　　印

以上

▶　破産管財人は，裁判所に対し，破産手続開始後遅滞なく，①破産手続開始に至った事情，②破産者および破産財団に関する経過と現状，③役員の財産に対する保全処分または役員責任査定決定を必要とする事情の有無，④その他破産手続に必要な事項について，報告書を提出しなければならない（破産法 157 条１項）。

▶　また，裁判所の定めるところにより，破産財団に属する財産の管理および処分の状況その他裁判所の命ずる事項を報告しなければならない（破産法 157 条２項）。

5−035 財産目録 (Excel)

財産目録

令和〇〇年(フ)〇〇号　破産者　〇〇〇〇
破産管財人　〇〇〇〇
(作成日：令和〇〇年〇〇月〇〇日現在)

資産の部　単位：円

番号	枝番	科目	簿価 又は申立書記載金額	時価評価額	財団組入(見込)額	備　考	残務(〇:未了)
1		現金	12,000,000	12,000,000	12,000,000	財団組入済予納金を含む	
2		預金	23,000,000	23,000,000	23,000,000		
3		受取手形	5,552,345	3,500,000	3,500,000	不渡り手形を控除	〇
4		売掛金	24,500,000	13,000,000	13,000,000	回収見込額	〇
5		製品／仕掛品	7,000,000	1,000,000	1,000,000	大部分が不良在庫	〇
6		原材料	12,000,000	2,400,000	2,400,000	保管状況悪い	〇
7		貸付金	13,500,000	0	0	破産した代表取締役に対する貸付金	〇
8		退職金相当額組入金	1,000,000	1,000,000	1,000,000	毎月1回10カ月の分割均等支払	〇
9		建物					
	1	本社建物	10,000,000	3,000,000	0	抵当権4,000万円	〇
	2	世田谷建物	15,000,000	7,000,000	0	抵当権5,000万円	〇
10		土地					
	1	本社土地	30,000,000	15,000,000	0	抵当権4,000万円・10の1の土地と9の1の建物は共同担保	〇
	2	世田谷土地	40,000,000	20,000,000	0	抵当権6,000万円・10の2の土地と9の2の建物は5,000万円の限度で共同担保	〇
11		機械装置	23,000,000	1,200,000	1,200,000	汎用性がなく，市場性乏しい	
12		車両運搬具	1,500,000	750,000	250,000	所有権留保売買・未払金50万円	
13		什器備品	1,000,000	100,000	100,000		〇
14		電話加入権	75,000	30,000	25,000	未払電話料5,000円	
15		ゴルフ会員権	40,000,000	0	0	ゴルフ場破産／配当見込みなし	〇
		合計	259,127,345	102,980,000	57,475,000		

破産財団の現在残高	25,185,000

負債の部

番号	科目	届出債権額	評価額(異議のない債権額)	備　考
3	公租公課	3,550,000	3,550,000	
2	優先債権	12,300,000	12,250,000	
1	普通破産債権(別除権付債権を除く)	666,000,000	555,000,000	
4	別除権予定不足額	80,000,000	60,000,000	
	(別除権付債権)	122,000,000	105,000,000	合計に含まず
	合計		630,800,000	

［注］

＊1	簿価は，破産者の帳簿上の価額(例えば，原則として土地の場合取得価格，建物の場合取得価格から減価償却累計額を控除した残額)
＊2	申立書記載金額は，破産申立書記載の評価額。簿価のない場合は，申立書記載金額を記載する。
＊3	時価評価額は，破産管財人の評価した現在時価(土地なら，土地の現在の売却可能価額)
＊4	財団組入(見込)額は，破産管財人が換価した場合に現実に破産財団に帰属する(見込)金額。財団債権及び破産債権の配当原資となる金額。〔例えば，土地の場合，売買代金から売買に関する諸経費(仲介手数料，売買契約書印紙代，領収書印紙代，登記費用，司法書士費用等)及び別除権者に対する弁済金等を控除した残額〕

▶　破産管財人は，破産手続開始後遅滞なく，破産財団に属する一切の財産につき，破産手続開始の時における価額を評定しなければならない（破産法153条１項）。また，その評定を完了したときは，直ちに破産手続開始の時における財産目録，貸借対照表を作成し，これらを裁判所に提出しなければならない（同条２項）。これらの書類は，破産管財人の報告書に，別紙として添付されることが多い。

▶ 財産目録の留意事項は次のとおり。

① 債権者に対し，破産宣告時に存在した財産の状況を報告するという観点から，科目は宣告日現在を基準とし，金額は作成日現在を基準として記載する。たとえば，電話加入権が宣告後作成日までに売却済みの場合でも，科目は電話加入権として記載し，金額は売却価格を記載する。

② 不動産のように1つの科目の中に複数の資産を記載する場合は，枝番を記載する。

③ 簿価は，破産者の帳簿上の価額（たとえば，原則として土地の場合は取得価格，建物の場合は取得価格から減価償却累計額を控除した残額）である。

④ 申立書記載金額は，破産申立書記載の評価額である。簿価のない場合に，申立書記載金額を記載する。

⑤ 時価評価額は，破産管財人の評価した現在時価（土地ならば，土地の現在の売却可能価額）である。

⑥ 財団組入（見込）額は，破産管財人が換価した場合に現実に破産財団に帰属する（見込）金額である。財団債権および破産債権の配当原資となる金額であり，たとえば，土地の場合，売買代金から売買に関する諸経費（仲介手数料，売買契約書印紙代，領収書印紙代，登記費用，司法書士費用等）および別除権者に対する弁済金等を控除した残額である。

⑦ 作成日までに予納金の財団組入が行われている場合，現金には，財団組入れした予納金を含む。

⑧ 退職金相当額組入金は，退職金見込額の8分の1相当額を記載する（ただし，その額が20万円以下の場合は記入不要）。民事執行法152条2項では，4分の1が差押可能だが，会社の倒産，本人の懲戒免職等，現実に回収できなくなる可能性等を考慮して8分の1を財団組入額とする。

⑨ 不動産の表示は，債権者が見て識別可能な簡素な表示で足りる。たとえば「本社土地」とか「世田谷土地」等でよく，所在や家屋番号を記載する必要はない。

⑩ 不動産については，備考欄に担保権の内容を，たとえば「抵当権4,000万円」というように記載する。なお、共同担保関係にある担保権については，その旨を記載する。

⑪ 未処理の事項については，残務欄に○を記載する。

5－036 破産貸借対照表 (Excel)

破産貸借対照表

令和〇〇年（フ）第〇〇号　破産者　〇〇〇〇
破産管財人　〇〇〇〇
（作成日：令和〇〇年〇〇月〇〇日現在）

〔破産〕貸借対照表

資産の部　負債の部　単位：円

番号	科目	財団組入（見込）額	番号	科目	評価額（異議のない債権額）
1	現金	12,000,000	1	一般破産債権（別除権付債権を除く）	555,000,000
2	預金	23,000,000	2	優先債権	12,250,000
3	受取手形	3,500,000	3	公租公課	3,550,000
4	売掛金	13,000,000	4	別除権予定不足額	60,000,000
5	製品／仕掛品	1,000,000	5	（別除権付債権）	105,000,000
6	原材料	2,400,000			
7	貸付金	0			
8	退職金相当額組入金	1,000,000			
9	建物	0			
10	土地	0			
11	機械装置	1,200,000			
12	車両運搬具	250,000			
13	什器備品	100,000			
14	電話加入権	25,000			
15	ゴルフ会員権	0			
	資産合計	57,475,000		負債合計	630,800,000

一般破産債権配当率（見込）計算【参考】

一般破産債権配当原資の計算	
財団組入（見込）額	57,475,000
▲財団債権見込額	9,550,000
破産債権配当原資	47,925,000
▲優先破産債権	12,250,000
一般破産債権配当原資①	35,675,000

一般破産債権の配当率の計算（%）	①÷②×100%
5.80 %	

配当すべき一般破産債権額の計算	
一般破産債権	555,000,000
別除権予定不足額	60,000,000
合計②	615,000,000

【注】一般破産債権の配当率は，あくまでも債権者の便宜のための参考としての計算であり，今後の資産換価の状況及び債権調査等の状況により大きく変動することがあります。

財団債権見込額には，公租公課及び管財業務に関する費用等を含みます。

▶ 5－035 参照。

▶ 破産貸借対照表の留意事項は次のとおり。

① 債権者に対し，破産宣告時に存在した財産の状況を報告するという観点から，科目は宣告日現在を基準とし，金額は作成日現在を基準として記載する。たとえば，電話加入権が宣告後作成日までに売却済みの場合でも，科目は電話加入権として記載し，金額は売却価格を記載する。

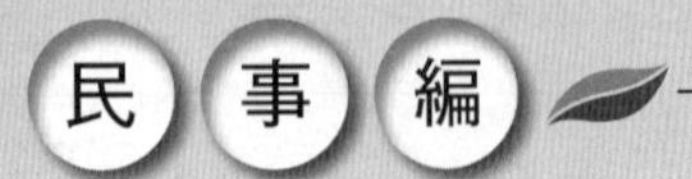

② 異時廃止の目途の経った場合等，配当の見込みがない場合は，一般破産債権配当率（見込）計算は作成を留保する。

③ 破産管財人の報酬額を含めた財団債権の見込額を示すのは困難である。したがって，予想配当率まで示すことができるのは，第一回債権者集会の時点までに最後配当の目途が立った事件等に限られると考えられる。予想配当率を示すことができない事案では，一般債権配当率（見込）計算を，貸借対照表とともに掲載するのではなく，破産管財人の報告書の中で簡単に明示するなどの扱いになることが多いと考えられる。

5−037 債権認否一覧表（債権者閲覧用）　(Excel)

令和○○年(フ)第○○号　破産者 ○○○○

債権認否一覧表（債権者閲覧用）

債権者番号	枝番号	届出債権者	債権の種類	届出債権額	異議ある債権額（円）	異議のない債権額（円）	異議理由	備　考
1		Aクレジット（株）	リース損害金	1,543,500	488,000	1,055,500	4	
2		Bメンテナンス㈱	その他	1,102,500	0	1,102,500		
3		（株）C商事	売掛金	2,625,000	0	2,625,000		
4	1	D銀行㈱	手形貸付	4,620,000	0	4,620,000		
4	2	D銀行㈱	利息	128,347	47,086	81,261	3	
4	3	D銀行㈱	証書貸付	73,570,000	0	73,570,000		別除権（抵当権4,000万円）
4	4	D銀行㈱	利息	80,985	80,985	0	3	
5	1	E設計事務所	請負代金	31,500	0	31,500	1	
5	2	E設計事務所	請負代金	126,000	126,000	0		
5	3	E設計事務所	請負代金	693,000	693,000	0		
5	4	E設計事務所	約束手形	599,755	0	599,755		
6	1	㈱F設備	売掛金	1,890,000	210,000	1,680,000	1	
6	2	㈱F設備	約束手形	735,000	0	735,000		
6	3	㈱F設備	約束手形	840,000	0	840,000		
		～ 中　略 ～						
37	1	G建設㈱	前払金利息	22,625	0	22,625		
37	2	G建設㈱	前払金利息	13,674	0	13,674		
38	1	㈱Hコンサルタンツ	請負代金	3,150,000	3,150,000	0	1	
38	2	㈱Hコンサルタンツ	請負代金	4,200,000	4,200,000	0	1	
38	3	㈱Hコンサルタンツ	約束手形	3,400,000	0	3,400,000		
38	4	㈱Hコンサルタンツ	約束手形	485,000	485,000	0	2	
38	5	㈱Hコンサルタンツ	利息	79	0	79		
39		㈱I産業	売掛金	180,600	0	180,600		
40		㈱Jサービス	売掛金	5,880	0	5,880		
41	1	㈱K商事	売掛金	3,948,000	0	3,948,000		
41	2	㈱K商事	約束手形	2,142,000	2,142,000	0	2	
41	3	㈱K商事	約束手形	532,784	0	532,784		
42		L工業㈱	違約金	367,500	0	367,500		
43	1	M土木事務所	利息	216,159	0	216,159		
43	2	M土木事務所	違約金	2,310,000	0	2,310,000		
44		㈱N技建	売掛金	3,885,000	0	3,885,000		
45		㈱O百貨店	売掛金	142,142	0	142,142		
46		P不動産㈱	家賃	62,300	7,300	55,000	5	
47		㈱Q測量設計	約束手形	682,500	0	682,500		
		総合計		788,000,000	128,000,000	660,000,000		

〔別除権予定不足額については，債権届出書記載の通り。別除権予定不足額について，異議なし。（ただし，○番及び△番は異議あり）〕
異議の理由　1証拠不十分 2手形要件不備 3劣後債権 4債権なし 5その他

▶　破産管財人は，債権届出期間内に届出のあった破産債権について，一定の事項についての認否を記載した認否表を作成し，一般調査期日前の裁判所の定める期限までに提出しなければならない（破産法117条1項・3項）。

▶　債権認否一覧表（債権者閲覧用）の留意事項は次のとおり。

①　債権届出書を破産管財人が整理する場合は，債権者番号は，債権届出順でも，

アイウエオ順でも，申立書の記載の順でも，破産管財人の選択により任意の便宜な番号を付す扱いとする。

② 債権認否の場合，作業としては各債権者の各債権ごとに認否を行うこととなる。その後各債権者ごとの小計のみを抽出して表を作成するのは，手数がかかるので一債権一行の形式とした。

③ 各債権者ごとの小計が存在すると全体の合計の表計算の支障となるため，省略した。

④ 劣後債権の「額未定」が入ると表計算で合計が出ない。また，劣後債権について配当がある場合には，別途劣後債権の計算の届出を受けることになる。したがって，原則として劣後債権に関する認否は行わない，または認否一覧表に記載しない扱いとした。なお，異議の理由の「３劣後債権」は，劣後債権を一般債権または優先債権として届け出てきた場合の，異議の理由である。

⑤ 優先債権を別番号にしない場合には，優先債権である旨を備考欄に記載する。優先債権について，労働債権等の優先債権を別番号（たとえば，5001 番から）とする扱いをすれば，備考欄の優先債権である旨の記載は不要となる。

⑥ 一人の債権者が複数の債権を届け出ている場合には，異議撤回，届出の取下げ等の場合の便宜を考慮して，枝番を付す。

⑦ 別除権予定不足額については，認否の実質的意義がない。したがって，認否一覧表の下部に〔 〕書きして，個別の認否の記載をしない扱いとした。ただし，特に異議を述べる必要のある場合は，「(ただし，○番及び△番は異議あり。)」のように記載する。

5−038　破産債権名義変更届

破産債権名義変更届

令和　　年（フ）第　　　号
破　産　者
旧債権者
新債権者
下記のとおり破産債権者の名義変更の届出をします（正副２通提出）。
１　変更の原因　令和　　年　　月　　日　債権譲渡／代位弁済
２　添付書類

令和　　年　　月　　日

記

旧債権者　住所
氏名　　　　　　　　　　印
新債権者　住所
氏名　　　　　　　　　　印
○○地方裁判所民事第○○部○○係　御中

債権表番号		事務担当者名	
		連絡電話番号	（　　　）

債権番号	債権の種類	届出債権額	変更額	備考

▶　代位弁済，債権譲渡等によって破産債権者の名義が変更する場合に，裁判所に提出する名義変更届である（破産法 113 条１項，破産規 34 条）。

5−039 債権届出取下書

令和　　年　　月　　日

○○地裁民事○○部○○係　御中

債権届出取下書

債権者
住所＿＿＿＿＿＿＿＿＿＿
氏名＿＿＿＿＿＿＿＿＿＿印

代理人
住所＿＿＿＿＿＿＿＿＿＿
氏名＿＿＿＿＿＿＿＿＿＿印

私は破産者　　　　　に対する令和　　年(フ)第　　　号破産事件について先般届け出た下記債権を取り下げます（正副２通）。

連絡先　電話番号　　－　　－

事務担当者

債権表番号	

取下債権の表示				
債権番号	債権の種類	届出債権額・円	取下額・円	備考
	取下債権額合計			

▶　破産債権者は，一旦債権届出をした後に，その届出を取り下げることができる。取下書は，正副２通を裁判所に提出する。

5-040 収支計算書（期間ごと） (Excel)

令和○○年（フ）第○○号　破産者　○○○○

収支計算書

（期間　令和○○年○○月○○日　～　○○年○○月○○日）

破産管財人　○○○○
TEL：○○-○○○○-○○○○
FAX：○○-○○○○-○○○○

収入の部
（番号は第1回債権者集会報告書中の財産目録に対応している。科目欄の※はその後発見した財産）

番号	枝番	科　目	金　額	明　細
		破産予納金	1,430,000	○○年○○月○○日財団組入
1		現金	355,256	破産者代理人から引き継ぐ
2	1	銀行預金受戻（含銀行利息	100,000	○○銀行東口支店定期預金　○○年○○月○○日解約
	2		218	○○信用金庫北支店普通預金　○○年○○月○○日解約
3		受取手形回収金	1,250,000	○○年○○月○○日回収
4		売掛金回収	18,663,989	別紙売掛金回収一覧表のとおり
5		製品売却代金	350,000	在庫品一括　○○年○○月○○日売却許可
6		和解金	1,000,000	材料搬出業者○○株式会社との否認訴訟和解金 ○○年○○月○○日和解許可
7		出資金回収　※	20,000	○○信用金庫　○○年○○月○○日付報告書
8		預金利息（管財人寄託金）	68,770	○○年○○月○○日の配当実施日までの利息を含む
9	1	不動産売却代金	190,000,000	○○区土地建物
	2		7,000,000	○○市山林　○○年○○月○○日売却許可
11	1	機械装置売却代金	120,000	コンピューター　○○年○○月○○日売却許可
	2		85,000	印刷機・製版機　○○年○○月○○日売却許可
12	1	車両売却代金	50,000	軽ライトバン　○○年○○月○○日売却許可
	2		0	フェラーリは清算金なし　○○年○○月○○日付報告書
	3	※	950,000	アルファロメオ１５５　○○年○○月○○日許可
13	1	什器備品売却代金	100,000	事務機器等一括　○○年○○月○○日売却許可
	2		80,000	応接セット　○○年○○月○○日売却許可
14		電話加入権売却代金	78,897	○○年○○月○○日　売却許可
15	1	ゴルフ会員権売却代金	2,000,000	○○ロイヤルＧＣ　○○年○○月○○日売却許可
	2		4,000,000	○○パークヒルズＣＣ　○○年○○月○○日許可
16		管財人口座開設費用	1,000	管財人において立替
17	1	貸付金　※	0	○○株式会社分　○○年○○月○○日放棄許可
	2	※	0	○○○○分　○○年○○月○○日放棄許可
		合　計	227,703,130	

▶ 破産管財人が財産状況報告集会において持参する，収支計算書のひな型である。

支出の部

番号	枝番	科　目	金　額	明　細
1	1	封印執行費用	33,578	錠交換費用　○○年○○月○○日許可
	2		1,470	交通費　同日許可
2	1	補助者人件費	30,000	売掛金回収のため２日間使用　○○年○○月○○日許可
3	2	出張費用	79,880	不動産売却のため○○市出張　○○年○○月○○日許可
4		交通費	6,890	預金回収，別除権者との交渉
5		通信費	46,780	売掛金回収，郵便物転送等
6		訴訟費用	18,500	印紙12,100円，郵券6,400円　○○年○○月○○日許可
7		動産売却費用	9,064	レンタカー（トラック）代　○○年○○月○○日許可
8		不動産売却費用	396,654	○○市山林売却の諸費用　○○年○○月○○日許可
9		立替金	1,000	管財人口座開設費用　○○年○○月○○日許可
10		別除権支払	140,000,000	○○年○○月○○日許可
11	1	公租公課	3,000,000	金○○○○円　○○税務署　消費税
	2			金○○○○円　○○税務署　法人都民税
	3			金○○○○円　○○労働基準局　労働保険料
12		配当公告費用	27,000	○○年○○月○○日最後配当許可
13		配当通知費用	21,500	430円×50名分
14	1	最後配当金	70,060,000	優先債権（10名分）金5,000,000円
	2			一般債権（40名分）金65,060,000円
15		管財人報酬	13,000,000	
16		事務雑費	814	
		合　計	226,733,130	

差引残高 金０円

※収支０の解約済みの預金通帳写し又は残高証明書添付

（5－040 収支計算書（期間ごと））

5－041 中間配当許可申立書

○○地方裁判所民事第○○部○○係　御中

令和　　年(フ)第　　　号
破　産　者

本件につき 許可する。 ○○地方裁判所民事○○部 裁判官	本件につき 許可があったことを証明する。 前同日　○○地方裁判所民事○○部 裁判所書記官

中 間 配 当 許 可 申 立 書

頭書事件につき，現在下記の現金がありますので，第一回の配当をしたく，許可願います。

記

財団収入額　　金　　　　　円　財団からの支出額　金　　　　　円
差引残高　　　　　　金　　　　　円

配当に加える債権
優先破産債権者　名　債権額　金　　　　　円　予想配当率　　　%程度
一般破産債権者　名　債権額　金　　　　　円　予想配当率　　　%程度
（なお，このほかに，別除権予定不足額として金　　　　円が見込まれるため，その分の留保が必要となります。）

上記収支の明細は別紙収支計算書のとおりです。

なお，本件に関する不動産の処分状況，係属した訴訟の件数，その経過及び結果については別紙記載のとおりです。

今後の財団への収入としては，　　　　　により約　　　円，　　　により約　　　円，合計約　　　円が，支出としては，　　　　　により約　　　円が見込まれ，残業務の終了までには約　　箇月を要する予定です。したがって，次回の配当は令和　　年　　月ころに最後配当をしたく考えております。

令和　　年　　月　　日

破産管財人弁護士　　　　　　　　　　　印

以上

▶ 中間配当とは，債権調査終了後で，破産財団の換価終了前に破産財団に配当するに適当なる金銭があるときに実施する配当である（破産法209条）。中間配当は，いつ，何回実施してもよい。

▶ 本文例は，許可申請・許可・証明を１つの文書で済ませるものである。なお，書式については裁判所に問い合わせる必要がある。

5−042 最後配当許可申立書

○○地方裁判所民事第○○部○○係　御中

令和　　年(フ)第　　号
破　産　者

本件につき 許可する。 ○○地方裁判所民事○○部 裁判官	本件につき 許可があったことを証明する。 前同日　○○地方裁判所民事○○部 裁判所書記官

最後配当許可申立書（□通知型，□官報公告型）

頭書事件につき，破産財団に属する財産は全部換価を終了し，下記のとおり現金がありますので，最後配当の許可を願います。

記

財団収入額　金　　　　円　財団からの支出額　金　　　　円
差引残高　　　　金　　　　円

配当に加える債権

優先破産債権者　　名　債権額　金　　　　円　予想配当率　　　%程度
一般破産債権者　　名　債権額　金　　　　円　予想配当率　　　%程度

上記収支の明細は別紙収支計算書のとおりです。

なお，本件に関する不動産の処分状況，係属した訴訟の件数とその結果，別除権を有する債権，管財人又は債権者において異議を述べた債権及び調査期日後に届出のあった債権の各処理については別紙記載のとおりです。

令和　　年　　月　　日
破産管財人弁護士　　　　　　　　　印
以上

▶　最後配当とは，破産財団の換価が終了して最終的に実施する配当である。破産管財人が最後配当をするには，裁判所書記官の許可が必要である（破産法195条）。

▶　本文例は，許可申請・許可・証明を１つの文書で済ませるものである。なお，書式については裁判所に問い合わせる必要がある。

令和　　年(フ)第　　　　　号　破産者

破産債権者・破産債権額等の変更に関する届出一覧表

債権者番号	文書の日付	債権者	届出書の種類	変更事項	変更後債権額
	. .		□名義変更　□異議撤回 □取下　□（　　　）		
	. .		□名義変更　□異議撤回 □取下　□（　　　）		
	. .		□名義変更　□異議撤回 □取下　□（　　　）		
	. .		□名義変更　□異議撤回 □取下　□（　　　）		
	. .		□名義変更　□異議撤回 □取下　□（　　　）		
	. .		□名義変更　□異議撤回 □取下　□（　　　）		
	. .		□名義変更　□異議撤回 □取下　□（　　　）		
	. .		□名義変更　□異議撤回 □取下　□（　　　）		
	. .		□名義変更　□異議撤回 □取下　□（　　　）		
	. .		□名義変更　□異議撤回 □取下　□（　　　）		

この書面及び記載された各書面は，債権表と一体となるものである。

破産

5−043 配当表 (Excel)

配当表

令和○○年（フ）第○○号　破産者　○○○○
破産管財人　○○○○

債権者番号	届出債権者	〒	住　所	配当に加えるべき債権の額	配当額	備　考
1						
2						
3						
4						
5						
6						
7						
8						
9						
10						
11						
12						
13						
14						
15						
16						
17						
18						
19						
20						
21						
22						
23						
24						
25						
27						
28						
29						
30						
31						
32						
33						
34						
35						
36						
37						
38						
39						
40						
			総合計	0	0	

▶ 破産管財人は，最後配当の許可があったときは，遅滞なく，次に掲げる事項を記載した配当表を作成して，裁判所に提出しなければならない（破産法196条1項）。

① 最後配当の手続きに参加することのできる破産債権者の氏名または名称および住所

② 最後配当の手続きに参加することができる債権の額

③ 最後配当をすることができる金額

▶ 備考欄には，取下げ，名義変更等の債権の変動事由を記載する。

▶ 配当率の確認のため，次のような計算書（メモでよい）を提出する。

〔配当金額の計算根拠について〕

1　配当日をＸ年Ｘ月 22 日・23 日の両日と決め，前日のＸ月 21 日に預金を解約することを前提に預金利息（定期預金，普通預金）を計算

普通預金	901,633 円
定期預金	＋ 44,800,176 円
	計 45,701,809 円 ………Ａ

2　破産予納金残額の財団組入金　29,101 円 ………Ｂ

（※組入れ未了でも財団組入請求書に記載した金額で計算する）

3　配当費用を算出

官報公告費	27,525 円
債権者宛通知	＋ 10,730 円（＝ 290 円× 37 名）
	計 38,255 円

4　今後発生する事務手数料をあらかじめ控除する。

概算	3,000 円

（コピー代，用紙代，通信費，転居先不明等の債権者の住所の調査費用）

5　管財人報酬　4,000,000 円

6　上記１～５から配当金を算出

（１＋２）－（３＋４＋５）＝ 41,689,655 円

7　配当率を計算

41,689,655 円÷債権額 841,558,427 円＝ 0.04953863411

この配当率で各債権者ごとの配当金を計算すると 41,689,635 円となり，20 円の誤差が生じるので，この 20 円を事務手数料に算入する。

8　最終的に，これから支出する額は，

配当費用	38,255 円
配当金	＋ 41,689,635 円
事務手数料	＋ 3,020 円
管財人報酬	＋ 4,000,000 円
	計 45,730,910 円 ………Ａ＋Ｂ

（利息計算の誤差は，事務手数料に算入して調整の予定）

5−044 最後配当の通知書（官報公告型）

最後配当の御通知

令和〇〇年〇〇月〇〇日

破産債権者　　〇〇〇〇　殿

破産者　　　〇　〇　〇　〇

破産管財人　〇　〇　〇　〇　　印

（TEL00-0000-0000／事務担当 〇〇）

上記破産者に対する東京地方裁判所令和〇〇年（フ）第〇〇号破産事件について最後配当を実施いたしますので，破産法１９７条１項により，御通知いたします。

貴殿に対する配当額は，下記のとおりです。

また，配当金のお支払いは，銀行口座への振込送金により行いますので，下記の要領に従って必要書類を当職まで送付してください。

御不明の点は，お気軽に当職までお問い合わせください。

記

１．貴殿配当金額　　　金　　　〇〇〇〇円也

２．配当金振込実施日　令和〇〇年〇〇月〇〇日（〇曜日）

※配当金の受領について

・必要書類（令和〇〇年〇〇月〇〇日までに当職宛てに送付してください。）

①振込送金依頼書（記名捺印のこと。印鑑は債権届出書と同じものを使用してください。）

②手形金・小切手金債権を届け出た方は手形・小切手の原本

③破産債権届出以後，住所変更，商号変更，印鑑届出の変更があった場合は，そのことを証する資格証明書・印鑑証明書・住民票

④代理人によって配当金を受領するときは，配当金受領に関する委任状及び本人の印鑑証明書

・注意事項

①必要書類に不備がありますと，配当金のお支払いができないときがあります。

②振込送金手数料は貴殿の負担になりますので，御了承ください。

③提出された必要書類につき，返還を希望される方は，返信用封筒（郵便切手貼付）をお送りください。

以上

▶ 最後配当には，官報公告型と通知型がある（破産法 197 条 1 項）。

▶ 通知型の場合，最初の通知の際に，振込送金依頼書を同封しておくと便宜である。送金を希望する者に対しては，送金料を差し引いた金額を送金すればよい。なお，配当が確定した時点で再度通知する。

5−045 最後配当公告掲載報告書

令和○○年○○月○○日

○○地方裁判所民事第○○部○○係　御中

令和○○年（フ）第○○号
破産者　○　○　○　○
破産管財人弁護士　○　○　○　○　印

最後配当公告掲載報告書

頭書事件につき，別紙のとおり，令和○○年○○月○○日の官報に掲載して最後配当の公告をしましたので，ご報告いたします。

以上

▶ 5−044 参照。

5−046 最後配当の実施及び配当額の通知書（通知型）

最後配当の実施及び配当額の御通知

令和○○年○○月○○日

破産債権者　　○○○○　殿

破産者　　　　○　○　○　○

破産管財人　　○　○　○　○　　印

（℡00-0000-0000／事務担当　○○）

上記破産者に対する東京地方裁判所令和○○年（フ）第○○号破産事件について最後配当を実施いたしますので，破産法１９７条１項により，御通知いたします。

なお，異議なく配当表が確定した場合は，確定した配当額を再度通知いたします。

その後の配当金のお支払いは，銀行口座への振込送金により行いますので，下記の要領に従って必要書類を当職まで送付してください。

記

１．最後配当の手続きに参加することができる債権の総額　　金　　○○○○円

２．最後配当することができる金額　　金　　○○○○円

３．貴殿配当見込金額　　金　　○○○○円

※配当金の受領について

・必要な書類（令和○○年○○月○○日までに当職宛てに送付してください。）

①振込送金依頼書（記名捺印のこと。印鑑は債権届出書と同じものを使用してください。）

②手形金・小切手金債権を届け出た方は手形・小切手の原本

③破産債権届出以後，住所変更，商号変更，印鑑届出の変更があった場合は，そのことを証する資格証明書・印鑑証明書・住民票

④代理人によって配当金を受領するときは，配当金受領に関する委任状及び本人の印鑑証明書

・注意事項

①必要書類に不備がありますと，配当金のお支払いができないときがあります。

②振込送金手数料は貴殿の負担になりますので，御了承ください。

③提出された必要書類につき，返還を希望される方は，返信用封筒（郵便切手貼付）をお送りください。

以上

▶ **5−044** 参照。

5－047 振込送金依頼書

振込送金依頼書

令和　　年　　月　　日

債権者番号　　　　　番

破産者　　　　　○○○○

破産管財人　　　○○○○　殿

（住所）

（氏名）　　　　　　　　　　　　　　　印

私に対する破産者○○○○（令和○○年（フ）第○○号）の最後配当金は，振込送金手数料を差し引いた上，下記の銀行口座に振込送金してください。

記

1．銀行名　　　　　　　　銀行　　　　支店

2．預金種目（いずれかに○をつけてください。）
　　普通預金　　・　　当座預金

3．口座番号

4．預金者名義（上記の氏名欄と異なるときのみ記入してください。）

以　上

▶ 5－044 参照。

5−048 配当実施及び任務終了計算報告書

令和○○年○○月○○日

○○地方裁判所民事第○○部○○係　御中

令和○○年(フ)第○○号

破　産　者　　　　　○　○　○　○

破産管財人　弁護士　○　○　○　○　印

配当の実施及び任務終了の計算報告書

頭書事件について，配当表記載のとおり配当を実施し，破産管財人の任務が終了しましたので，前回債権者集会で提出済みの収支計算書のとおり報告いたします。

なお，上記配当のうち破産法２０２条に基づき供託したものは，別紙供託書正本のとおりです。

以上

▶ 破産管財人は，任務終了の計算報告集会の1週間前までに，配当の実施及び任務終了の計算報告書を裁判所に提出することが必要である（破産法88条1項，破産規63条）。

5－049　異時廃止の申立書

令和○○年○○月○○日

○○地方裁判所民事第○○部○○係　御中

令和○○年（フ）第○○号
破産者　○　○　○　○
破産管財人弁護士　○　○　○　○　印

異時廃止の申立書

頭書破産事件につき，破産財団をもって破産手続の費用を支弁するのに不足すると認めますので，破産廃止を申し立てます。

なお，上記破産廃止に関する意見聴取のための債権者集会を招集する場合，同集会で異議がないときは，併せて任務終了の計算報告のための債権者集会の招集を申し立てます。

1　破産財団の現状　別紙収支計算書のとおり
2　交付要求のあった公租公課の総額　○○○○円
3　確定破産債権の明細
　①　優先債権者　○名
　　　優先債権額　○○○○円
　②　一般債権者　○名
　　　一般債権額　○○○○円
4　添付資料
　①　収支計算書
　②　交付要求書（写し）

以　上

▶　破産財団が貧弱で，その財産では破産手続の費用を償うに足りない場合には，それ以上破産手続を実行する実益がないので，破産を廃止すべきものとされる。異時廃止は，破産手続開始決定後一応破産手続をある程度進行させたが，その段階で，破産財団が破産手続の費用を償うに足りないと判明した場合になされる。

▶　異時廃止は，破産管財人の申立てまたは破産裁判所の職権をもって，あらかじめ債

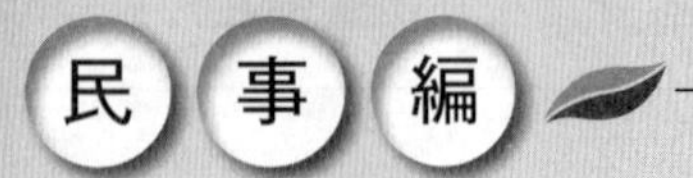

権者集会の期日において破産債権者の意見を聴いた上で（相当と認めるときは書面で），決定がなされる（破産法217条1項）。

ただし，破産手続の費用を償うに足るべき金額の予納があった場合には，異時廃止決定をすることはできない（同条3項）。

2　会社更生

会社更生手続は，大規模株式会社の倒産が及ぼす社会的・経済的影響が大きいことに鑑み，強力な手法を用いて企業の立て直しを図る制度である。同手続は，窮境にはあるが再建の見込みのある株式会社について，債権者，株主その他利害関係人の利害を調整しつつ，その事業の維持更生を図ることを目的としている（会社更生法第1条，以下「会更法」という）。平成4年頃までの会社更生申立は，そのほとんどが，不動産や株式等への投資・投機を主な原因とするバブル型倒産であった。これに対して，平成5年以降の申立事件は，世相を反映して，概ね，販売不振，累積赤字，売掛金回収難等を原因とする不況倒産が主となっている。

会社更生手続と同様に，会社再建型の倒産手続として，民事再生手続が創設され，民事再生法が平成12年4月1日から施行された。民事再生法の目的は，「債務者の事業又は経済生活の再生を図ること」とされている。民事再生法は，法人のみならず個人も利用可能であり，債務者あるいは債務者会社の役員に，継続して財産管理権を保有させ，事業または経済生活の再建を図らせる再建型の法的倒産手続である。これに対して，会社更生手続では，手続きが開始されると，裁判所が選任する管財人が会社の事業経営に当たることになる。また，会社更生手続では，民事再生手続と比べて，再建計画案で変更可能な範囲が広くなっている。

改正会社更生法が平成15年4月1日から施行され，手続きの合理化・迅速化，再建手法の強化が図られた。手続きの合理化としては，土地管轄規定の緩和，更生計画による弁済期限を原則15年に短縮，更生計画案の決議方法として書面投票，書面決議の制度の導入――などがある。また，手続きの迅速化としては，手続きの開始要件の緩和，更生計画案の早期提出の義務化，手続きの終結時期の早期化――などがある。さらに，再建手法の強化としては，経営責任のない取締役等を管財人等に選任できること，裁判所の許可による更生計画認可前の営業譲渡の制度を導入，担保付物件の早期売却を可能とする担保権消滅制度の創設――などがある。

その後，改正破産法が平成17年1月1日から施行されたことに伴い，会社更生法も一部改正された（平成16年法律第76号）。また，会社法の全面改正・施行との整合性を保たせるために，会社更生法も一部改正された（平成17年法律第87号）。

1　手続きの被申立資格（申立ての要件）

1　株式会社であること

2　破産手続開始の原因となる事実が生ずるおそれがある場合あるいは弁済期にある債務を弁済することとすればその事業の継続に著しい支障を来たすおそれのある場合（会更法17条1項）。

3　次に掲げる棄却事由がないこと（会更法41条1項）

①　更生手続の費用の予納がないとき。

②　裁判所に破産手続，再生手続または特別清算手続が係属し，その手続きによることが債権者の一般の利益に適合するとき。

③　事業の継続を内容とする更生計画案の作成もしくは可決の見込みまたは事業の継続を内容とする更生計画の認可の見込みがないことが明らかであるとき。

④　不当な目的で更生手続開始の申立てがなされたとき，その他申立てが誠実にされたものではないとき。

2　申立権者（会更法17条1項・2項）

1　株式会社（債務者）

2　債権者（被申立会社の資本の額の10分の1以上に当たる債権を有する債権者）

3　株主（被申立会社の総株主の議決権の10分の1以上を有する株主）

債権者および株主は，破産手続開始の原因となる事実が生ずるおそれがある場合に限って，申立権が認められる。

3 管　轄

被申立会社の主たる営業所の所在地を管轄する地方裁判所のほか（会更法5条1項），種々の競合管轄が認められており，土地管轄規定が大幅に緩和されている（同条2項～7項）。

なお，会社更生法の裁判所の管轄は，専属管轄とされており（同法6条），管轄合意による管轄も応訴管轄も生じない。

4 申立書の記載事項

会社更生手続開始の申立ては，書面でしなければならない（会更規1条）。更生手続開始の申立書には，会社更生規則11条，12条1項所定の事項を記載する。同規則11条各号所定の事項は必要的記載事項であり，これらの記載を欠く申立書は，補正命令，申立書却下の対象となる。原因となる事実とは，支払不能と債務超過である。

5 添付書類

更生手続開始の申立書には，被申立会社の登記事項証明書をはじめ，次のような所定の書類を添付する（会更規13条）

① 被申立会社の定款
② 法令の規定に基づき作成された被申立会社の貸借対照表および損益計算書（申立前の3年分）
③ 株主名簿，新株予約権原簿および社債原簿
④ 労働協約または就業規則
⑤ 更生債権者一覧表
⑥ 更生担保権者一覧表
⑦ 財産目録
⑧ 資金繰り表（申立前1年間の実績と申立後6カ月の見込み）

6 保全処分の申立

更生手続開始の申立ての際，同時に，保全措置が取られることがほとんどである。保全措置には，中止命令（会更法24条），包括的禁止命令(同法25条),保全処分(同法28条),保全管理命令（同法30条），監督命令（同法35条），調査命令（同法39条）がある。

7 申立てに際しての注意事項

・裁判所との事前打合せ
・債権者への事前説明の必要とその時期
・運転資金の確保
・資産の保全
・連鎖倒産の防止

8 費用

申立書の貼用印紙額　　　2万円
裁判所が定めた更生手続の費用の予納（会更法21条1項）

5−050 更生手続開始の申立て（自己申立）

収　入
印　紙

更生手続開始の申立て

令和○○年○○月○○日

○○地方裁判所　御中

申立人　□□株式会社
上記代表者代表取締役　○　○　○　○　印

〒○○○−○○○○
東京都○○区○○町○○丁目○○番○○号（送達場所）
申立人　□□株式会社
上記代表者代表取締役　○　○　○　○
ＴＥＬ　○○（○○○○）○○○○
ＦＡＸ　○○（○○○○）○○○○

申 立 て の 趣 旨

□□株式会社につき更生手続を開始する。

申 立 て の 原 因

第１　更生手続開始の原因たる事実

１　申立会社は，事業の継続に著しい支障を来たすことなく弁済期にある債務を弁済することができない状態にある。

２　申立会社は下記「目的及び業務の状況」に記載の如く，令和○○年頃までは順調に経営してきたが，令和○○年○○月より住宅需要の冷え込みに伴う売上低下により，資金の円滑を欠く徴候が現れ始めた。

3　令和○○年に入ってますます景気が悪化し，一般消費者の住宅・マンションの買い控えにより，申立会社の受注も激減し，同業者間の注文奪い合いから採算を度外視しての受注競争が行われるようになった。

4　最近2年間の貸借対照表の数字は次のとおりである。

決　算　期	差引利益金	銀行預金	受取手形	支払手形
令和○○年○○月○○日	○○○○円	○○○○円	○○○○円	○○○○円
令和○○年○○月○○日	○○○○円	○○○○円	○○○○円	○○○○円
令和○○年○○月○○日	○○○○円	○○○○円	○○○○円	○○○○円
令和○○年○○月○○日	○○○○円	○○○○円	○○○○円	○○○○円

5　申立会社における令和○○年○○月○○日現在で，今後満期の到来する支払手形の合計額は○○○○円であり，これの財源としての現金は○○○○円であり，銀行普通預金は○○○○円で，定期預金は借入金の担保に供せられ直ちに使用できるものは当座預金の○○○○円である。

上記現金以外に財源としては，売掛金，貸付金，前渡金等も考えられるが，いずれも早急に回収することが不可能な状態にある。

第2　申立会社の目的及び業務の状況

1　会社の目的

大型マンション，分譲住宅の建築販売並びにこれに付随する業務

2　経歴及び業界における地位

（略）

3　申立会社の主たる株主

令和○○年○○月現在の○○○○株以上の株主はつぎのとおりである。

（略）

4　申立時における会社の役員

（略）

（5−050 更生手続開始の申立て（自己申立））

5　申立時における会社の従業員

従業員合計○○名（男性○○名，女性○○名）。給与ベースは，現在同業の平均を若干上回る月額○○○○円前後である。

6　発行済株式の総数は○○○○株であり，資本の額は○○○○円である。

7　会社の資産負債及び損益

申立会社の申立時直前の決算期（令和○○年○○月○○日）における貸借対照表，損益計算表から主要な数字を示せばつぎのとおりである。

（略）

8　債権者（令和○○年○○月末現在）

（略）

9　申立会社所有不動産

疎甲○○号証乃至○○号の登記簿謄本のとおりである。

第3　会社財産に関してされている他の手続等

疎甲○○号証記載の不動産については，滞納処分のため財務省より差押えを受けている。

第4　更生計画に対する意見等

1　意見

○○○○○○○○

2　更生の能否に対する見通し

○○○○○○○○

（5−050　更生手続開始の申立て（自己申立））

破産

疎 明 方 法

1　疎甲１号証　　　　定款

2　疎甲２号証　　　　商業登記現在事項全部証明書

（以下，省略）

添 付 書 類

1　疎甲号証の原本又は写し　　　　　　各１通

（5－050 更生手続開始の申立て（自己申立））

5−051 保全処分の申立書

保全処分の申立書

令和○○年○○月○○日

○○地方裁判所　御中

申立人　□□株式会社
上記代表者代表取締役　○　○　○　○　印

〒○○○−○○○○
東京都○○区○○町○○丁目○○番○○号（送達場所）
申立人　□□株式会社
上記代表者代表取締役　○　○　○　○
TEL　○○（○○○○）○○○○
FAX　○○（○○○○）○○○○

申立ての趣旨

1　開始前会社は令和○○年○○月○○日以前の原因に基づいて生じた金銭債務（ただし，従業員の雇用関係上のものを除く。）の弁済をしてはならない。

2　開始前会社は，その所有する別紙目録記載の物件について所有権の譲渡，担保権の設定，その他一切の処分をしてはならない。

3　前各項の場合において，あらかじめ裁判所の許可を受けたときはこの限りでない。

との決定を求める。

申立ての理由

1　開始前会社は，令和○○年○○月○○日御庁に対し，会社更生手続の申立てをなし，御庁令和○○年（ミ）第○○号事件として現に審理中である。

2　開始前会社としては会社財産の保全，業務の遂行に当たり慎重公正な態度で処理する予定であるが，開始前会社の窮境，更生手続申立の事実が一般に知れわたると，債権者が我先に担保権の実行あるいは仮差押え，仮処分等の手段に出る可能性があり，そうなれば会社更生手続が頓挫するおそれがある。

3　よって会社財産の保全を期するために，申立ての趣旨記載の決定を求めて，本申立てに及んだ次第である。

添　付　書　類

1　不動産登記全部事項証明書　　5通

（以下，省略）

（5－051 保全処分の申立書）

5－052 強制執行の中止命令の申立て

中　止　命　令　申　立

令和○○年○○月○○日

○○地方裁判所　御中

申立人（開始前会社）　□□株式会社
上記代表者代表取締役　○　○　○　○　印

〒○○○－○○○○
東京都○○区○○町○○丁目○○番○○号（送達場所）
申立人（開始前会社）　□□株式会社
上記代表者代表取締役　○　○　○　○
TEL　○○（○○○○）○○○○
FAX　○○（○○○○）○○○○

〒○○○－○○○○
○○県○○市○○町○○丁目○○番○○号
相手方　□□株式会社
上記代表者代表取締役　○　○　○　○

申　立　て　の　趣　旨

相手方が申立人（開始前会社）に対し○○法務局所属公証人○○○○作成にかかる令和○○年第○○号金銭消費貸借公正証書の執行力ある正本に基づき別紙目録記載の物件についてなした強制執行は，これを中止する。
との決定を求める。

申　立　て　の　理　由

1　申立人（開始前会社）は令和○○年○○月○○日御庁に対し会社更生手続開始の

申立てをなし，御庁令和〇〇年（ミ）第〇〇号事件として審理中である。

2　相手方は，令和〇〇年〇〇月〇〇日，申立ての趣旨に記載した公正証書の執行力ある正本により，別紙物件目録記載の不動産を差し押さえた。その競売期日は令和〇〇年〇〇月〇〇日午前〇〇時と指定された。もし同競売期日において同不動産が競売されれば，申立人（開始前会社）の更生に回復できない支障をきたすおそれが十分にある。

3　よって，会社更生法第２４条第１項に従い，申立ての趣旨記載の裁判を求めて本申立てをする。

疎　明　方　法

添付書類により申立ての理由の事実を疎明する。

添　付　書　類

1　定款　　1通

2　会社の商業登記現在事項全部証明書　　1通

3　有体動産差押調書謄本　　1通

4　競売期日通知書　　1通

（5−052 強制執行の中止命令の申立て）

5－053 調査報告書（会更法 84 条）

令和○○年（ミ）第○○号会社更生事件

令和○○年○○月○○日

○○地方裁判所民事第○○部　御中

更生会社　□　□　株　式　会　社

管 財 人　弁護士　○　○　○　○　印

調　査　報　告　書

更生会社□□株式会社について，会社更生法第８４条により次のとおり調査結果を報告する。

第１　更生手続開始に至った事情

１　会社の経歴

（1）　創　立

（2）　組織の推移

（3）　事業所の増設等

（4）　事業内容の推移等

２　更生手続開始申立時の会社の事情

（1）　業　績

（2）　収益性について

（3）　資金繰りについて

（4）　経営態度について

３　更生手続の開始申立

（1）　経　過

（2）　申立理由

第２　会社の業務及び財産に関する経過及び現状

１　会社の業務の経過と現状

（1）　会社資本の増加，役員，株主等

（2）　会社の事業所等

（3）　会社の事業用不動産

（4）　会社のその他の設備及び施設

（5）　従業員

（6）　会社の業務の現状

２　会社財産の経過と現状

第３　会社更生法第９９条第１項の保全処分又は第１００条第１項に規定する役員等責任査定決定を必要とする事情の有無

目下調査中であり，その必要な事実が発見されたときには，直ちに所要の措置を講ずる予定である。

第４　その他更生手続に関し必要な事項

（1）　今後の事業経営について

（2）　事業経営上の留意事項

第５　結　語

添　付　書　類

（5−053 調査報告書（会更法84条））

5−054 少額更生債権弁済許可申請（会更法47条5項）

令和○○年（ミ）第○○号　会社更生事件

令和○○年○○月○○日

○○地方裁判所民事第○○部　御中

更　生　会　社　　　□□株式会社
管　　財　　人　　　○　○　○　○　印

少額更生債権弁済許可申請

上記会社更生事件について，未だ更生計画認可決定前ではあるが，管財人は，更生手続を円滑に遂行させるために，１件１０万円未満の少額更生債権を早期に弁済いたしたく，会社更生法第４７条第５項により次のとおり弁済許可の申請をいたします。

申　請　の　趣　旨

1　弁済の対象

（1）　1件の金額　　金１０万円未満の少額更生債権

（2）　合計○○件

この金額合計金○○○○円也　　内訳別紙記載のとおり

2　弁済の時期

資金繰りを見て管財人の判断とするが，なるべく早期としたい（本年○○月○○日から１カ月間を予定する）。

3　上記につき弁済許可ありたい。

申　請　の　理　由

1　本件における更生債権者の数は約○○名と見られるところ，上記少額債権を早期に弁済することにより，更生債権者の数は半減し，手続進行の円滑化を図ることができる。

2　総額の資金負担と，減少する債権者の数との兼ね合いから１件の金額を金１０万円未満に限定した。

3　本日現在における会社流動資産として活用し得るものは、現預金手許現在高約〇〇〇〇万円、割引性ある短期受取手形手許現在高約〇〇〇〇円であり，上記弁済総額は会社の業務に影響を及ぼすことなく弁済可能と認められる。

4　上記の弁済は，会社の規模，負債総額から見て，他の更生債権者又は更生担保権者等との均衡を欠くと認められるような事情はないものと思料される。

以　上

（5－054 少額更生債権弁済許可申請（会更法47条５項））

5－055 資産売却の許可申請書（会更法72条2項1号）

令和○○年（ミ）第○○号会社更生事件

令和○○年○○月○○日

○○地方裁判所民事第○○部　御中

更　生　会　社　　□□株式会社

管　財　人　○　○　○　○　印

資産売却許可申請書

申　請　の　趣　旨

下記記載の業務用電話につき，金○○○○円で売却処分することを許可する。
との決定を求める。

申　請　の　理　由

1　下記の業務用電話は，令和○○年○○月○○日○○営業所の開設に伴い，市販の電話を金○○○○円にて購入したものであるが，去る○○月○○日で人員整理の必要性から同営業所を廃止したため，不要となった。

2　電話の基本料金が月額○○○○円と無駄な支出があるため，買手を募ったところ，今般，下記の者から金○○○○円にて買い入れる旨申入れがあったので，この際売却したい。

3　なお，本件電話の架設してある○○区内の電話加入権は，概ね，金○○○○円前後の値段で取引されており，売却価格金○○○○円は妥当なものと思料される。

記

1　売却電話番号

○○－○○○○局○○○○番

1　買取希望者の住所氏名

住　所　　東京都○○区○○町○○丁目○○番○○号

氏　名　　○○○○

1　代金支払方法

金○○○○円を令和○○年○○月○○日現金にて受領予定。

（5－055 資産売却の許可申請書（会更法72条２項１号））

3　民事再生

民事再生法は平成12年4月1日から施行され，その目的は，「債務者の事業又は経済生活の再生を図ること」とされている。同日から施行された民事再生法は，法人のみならず個人も利用可能であり，債務者あるいは債務者会社の役員に，継続して財産管理権を保有させ，事業または経済生活の再建を図らせる再建型の法的倒産手続である。

近年は，中小企業のみならず，上場企業などの大企業も，会社更生法を利用しないで，民事再生法を利用している。しかし，手続きが煩わしく，コストも高いために，個人債務者が従来の民事再生手続を利用する例はほとんどなかった。

そこで，民事再生法を改正し，従来の民事再生手続の特則として，「個人版民事再生制度」が創設され，個人債務者が利用しやすいように手続きを簡単なものとされた（改正民事再生法は平成13年4月1日から施行されている）。同制度の導入によって，多重債務を抱える個人債務者は，自己破産申立をする方法，あるいは，住宅などの財産を持ち続けながら再生する方法を選択できるようになった。

その後，改正会社更生法が平成15年4月1日から施行され，手続きの合理化，手続きの迅速化，再建手法の強化が図られた。手続きの合理化としては，土地管轄規定の緩和，更生計画による弁済期限を原則15年に短縮，更生計画案の決議方法として書面投票，書面決議の制度の導入――などがある。また，手続きの迅速化としては，手続きの開始要件の緩和，更生計画案の早期提出の義務化，手続きの終結時期の早期化――などがある。さらに，再建手法の強化としては，経営責任のない取締役等を管財人等に選任できること，裁判所の許可による更生計画認可前の営業譲渡の制度を導入，担保付物件の早期売却を可能とする担保権消滅制度の創設――などがある。

民事再生法についても，改正会社更生法の施行に合わせて改正することが望ましい最小限度の規定を中心として改正された。主要な改正点としては，①保全管理人の開始前の借入金等の共益債権化（民再法120条4項），②少額債権の弁済要件の拡大（同法85条5項），③住宅資金貸付債権の弁済許可（同法197条3項）――がある。

さらに，平成17年1月1日から新破産法が施行されたことに伴い，民事再生法についても，新破産法と整合性をとっただけではなく，独自の改正がなされている。主な改正点としては，①再生債権総額上限の拡大（同法221条1項，231条2項2号），②非免責債権の創設（同法229条3項，232条4項･5項），③知れたる開始後債権の再生計画案への記載（同法154条1項3号），④議決権の不統一行使（同法169条2項，172条2項），⑤罰則の整備――がある。

1　民事再生手続一般について

(1)　民事再生手続の概要

民事再生申立には，①通常の民事再生の申立て，②小規模個人再生，③給与所得者等再生がある。このうち，②，③は，あくまで民事再生法の特則として創設された「個人版民事再生制度」である。なお，「住宅資金貸付債権に関する特則」は，個人版民事再生の独自の制度とはされておらず，上記①～③の申立てに併用して申立てがなされる。

小規模個人再生（民再法221条以下）とは，将来，継続または反復して収入を得る見込みのある個人が，住宅ローン等を除く債務の総額が5,000万円以下である場合に，再生計画に基づいて，将来の収入から債務の一定割合を分割して支払い，残りの債務を免除してもらう手続きである。

給与所得者等再生（同法239条以下）とは，基本的には小規模個人再生と同じであるが，給与やそれに類する定期的な収入を得る見込みがあり，その額の変動が小さい

と見込まれる個人が対象とされる。

住宅資金貸付債権に関する特則は，支払いが滞った住宅ローンの返済について，再生計画に特別の条項を定めて，現実に支払可能な内容にするための制度である。

(2) 申立原因

再生手続開始の申立原因は，再生債務者に次のいずれかの事由が生じていることである。

① 破産手続開始の原因たる事実の生じるおそれがあること（民再法21条1項前段）

破産手続開始の原因たる事実は，支払不能（債務者の弁済資力が乏しく，即時に弁済すべき債務を一般的かつ継続的に弁済できない財産状態），または，債務超過（消極財産が積極財産を上回る財産状態）である。

② 事業の継続に著しい支障を来たすことなく弁済期にある債務を弁済することができないこと（同法21条1項後段）

会社等の事業者の運転資金が不足し，これを調達して債務を弁済しようとすれば，必然的に事業の継続に重大な支障が生ずるとき，あるいは，現在の債務については自己資金で弁済することが可能であっても，その弁済をした場合にはその後の運転資金が枯渇するときなどをいう。これは，債務者が破産状態に至らない段階で，再生手続開始の申立てを行えるようにして，破産を予防し，債務者の再建を図りやすくするための配慮である。

(3) 個人版民事再生制度

個人版民事再生制度の概要は，下表のとおりである。

	小規模個人再生	給与所得者等再生
利用資格	個人のみ利用可（主に個人事業者を対象とする） ①将来，継続または反復して収入を得る見込みがあること ②住宅ローンなどを除く債務の総額が5,000万円以下であること	個人のみ利用可（主にサラリーマンを対象とする） ①給料またはこれに類する定期的な収入を得る見込みがあり，その額の変動幅が小さいと見込まれること ②住宅ローンなどを除く債務の総額が5,000万円以下であること
再生計画案の決議	書面による決議のみ	決議は不要（債権者の意見聴取のみ）
可決・認可の方法	不同意が債権者数の2分の1に満たず，かつ債権の総額の2分の1以下で可決	届出再生債権者の意見聴取の期間が経過した場合には，裁判所は，不認可事由がある場合を除いて，再生計画の認可決定をする
最低弁済基準	債務の額に応じて次のように決められている。 ①基準債権総額が100万円未満のときは全額 ②基準債権総額が100万円以上500万円未満のときは100万円 ③基準債権総額が500万円以上1,500万円未満のときは5分の1 ④基準債権総額が1,500万円以上3,000万円以下のときは300万円 ⑤基準債権総額が3,000万円を超え5,000万円以下のときは10分の1	左記の最低弁済基準と過去2年間の可処分所得の，いずれか多いほう
弁済期間・方法	原則3年（5年まで延長可） 3カ月に1回以上の分割払い	原則3年（5年まで延長可） 3カ月に1回以上の分割払い

※住宅資金貸付債権に関する特則の適用条件（民再法196条以下）

1　住宅の所有者であること
　①　自己の居住用として所有している建物であること
　②　事務所や店舗と兼用している場合は住宅部分の床面積が２分の１以上であること
　③　建物が２つ以上あるときは，再生債務者が主として居住の用に供する１つの建物に限る
2　住宅資金貸付債権の負担者であること
3　住宅資金貸付債権の担保として住宅に抵当権が設定されていること
4　保証会社による代位弁済から６カ月が経過していないこと
5　住宅資金特別条項付きの再生計画が実現可能であること

(4)　提出書類（東京地方裁判所の場合）

①　通常再生事件（法人用）

Ⅰ　1　再生手続開始申立書
　　2　委任状
　　3　定款の写し
　　4　取締役会の議事録の写し
　　5　商業登記簿謄本
　　　（申立日から１カ月以内）
　　6　債権者一覧表
　　7　貸借対照表・損益計算書

Ⅱ　1　資金繰り実績表
　　　（月別，過去１年分）
　　2　資金繰り実績表
　　　（今後６カ月間のもの）
　　3　今後の事業計画書
　　4　会社の概要説明書(パンフレット等)
　　5　労働協約または就業規則
　　6　営業所および工場の所在一覧表
　　7　支店・営業所の管轄法務局名が記載された一覧表（それらが登記されている場合）

　※Ⅰの書類についてはそのままで，Ⅱの書類については別のファイルにより整理して提出する。
　※申立書原本および写し２部（監督委員，主任裁判官用各１部）ならびに添付書類原本および写し１部（監督委員用）を提出する。

②　個人再生事件

Ⅰ　申立書類一式
　1　申立書　正本・副本
　2　収入一覧および主要財産一覧　正本・副本
　3　債権者一覧表　正本・副本・債権者の人数分の写し
　4　委任状　正本・副本
　5　住民票（取得後６カ月以内のもの，マイナンバーの入っていないもの）
　　原本・副本

Ⅱ　添付書類
　・申立時に提出する場合，正本・副本各１通を裁判所に提出する。
　・申立時に提出できない場合，速やかに正本を裁判所に提出し，副本を個人再生委員に直送する。
　・マイナンバーの入っている書類は，当該部分をマスキングしたコピーを提出する。
　1　民事再生規則14条１項各号所定の添付書類
　　財産目録　清算価値算出シート
　2　確定申告書，源泉徴収票その他債務者の収入の額を明らかにする書面
　　小規模個人再生の場合
　　→確定申告書または源泉徴収票（直近１年分）
　　　給与明細書（直近２カ月分）
　　給与所得者等再生の場合
　　→源泉徴収票（直近２年分）
　　　課税証明書（直近２年分）
　　　給与明細書（直近２カ月分）
　　可処分所得額算出シート
　3　住宅資金特別条項を定める場合の住宅および同敷地の登記事項証明書

（発行日から3カ月以内の原本，コピー不可，共同担保目録付き）

4　家計全体の状況（直近2カ月分）

(5)　**手続費用**

①　申立手数料（貼付印紙額）

通常再生事件　　10,000円

個人再生事件　　10,000円

②　予納金基準額

Ⅰ　通常再生事件（東京地方裁判所の場合）

ア　法人　下記の法人基準表のとおり

負債総額（単位：円）	基準額
5,000万円未満	200万円
5,000万円～　1億円未満	300万円
1億円～　5億円未満	400万円
5億円～　10億円未満	500万円
10億円～　50億円未満	600万円
50億円～　100億円未満	700万円
100億円～　250億円未満	900万円
250億円～　500億円未満	1,000万円
500億円～　1,000億円未満	1,200万円
1,000億円以上	1,300万円

イ　個人

ⅰ　再生会社の役員または役員とともに会社の債務を保証している者の申立て

25万円（ただし，会社について債権者集会の決議がなされた後の申立ての場合は35万円～50万円）

ⅱ　会社について民事再生の申立てをしていない会社役員の申立て

会社について法的整理・清算の申立てがなされた後の申立て　　50万円

会社について法的整理・清算を行っていない場合

負債額5,000万円未満　　80万円

負債額5,000万円以上　　100万円

負債額　50億円以上　　200万円

※ただし，債権者申立の破産手続が先行している場合，公認会計士の補助を得て会社帳簿の調査を要する場合などにおいては，金額が増額される。

ⅲ　非事業者（ⅰまたはⅱに該当する場合を除く）

負債額5,000万円未満　　50万円

負債額5,000万円以上　　80万円

ⅳ　従業員を使用していないか，または従業員として親族1人を使用している事業者100万円

ⅴ　親族以外の者または2人以上の親族を従業員として使用している事業者（従業員が4人以下である場合に限る）

負債額1億円未満　　200万円

負債額1億円以上

法人基準表の基準額から100万円を控除した額

ⅵ　5人以上の従業員を使用している事業者

法人基準表のとおり

※なお，法人・個人とも申立時6割，開始決定後2カ月以内に4割の分納を認める。

Ⅱ　個人再生事件（東京地方裁判所の場合）

裁判所予納金　　13,744円

（3回分の官報公告費用）

③　予納郵券

Ⅰ　通常再生事件

320円×1枚

290円×2枚

100円×1枚

84円×10枚

10円×5枚

1円×5枚

合計1,895円（自己申立）

※個人の場合，予納郵便切手は原則不要

Ⅱ　個人再生事件

1,620円（120円×2枚，84円×10枚，20円×20枚，10円×13枚，1円×10枚）

5－056 民事再生手続開始申立書

収入印紙

再生手続開始申立書

令和○○年○○月○○日

○○地方裁判所民事部　御中

申立人代理人弁護士　○　○　○　○　印

〒○○○－○○○○
東京都○○区○○町○○丁目○○番○○号
申立人（債務者）　□□株式会社
代表者代表取締役　○　○　○　○

〒○○○－○○○○
東京都○○区○○町○○丁目○○番○○号○○ビル○階
○○法律事務所（送達場所）
上記申立人代理人　弁護士　○　○　○　○
ＴＥＬ　○○（○○○○）○○○○
ＦＡＸ　○○（○○○○）○○○○

第１　申立ての趣旨

申立人について，再生手続を開始する。
との決定を求める。

第２　再生手続開始の原因たる事実

１　開始原因事実

※債務超過，支払不能のおそれ，あるいは事業の継続に著しい支障を来

▶ 通常再生事件の再生手続開始申立書の書式である。申立ては書面で行わなければならず，口頭での申立ては許されない（民再規２条１項）。申立書に記載されるべき事項は，民事再生規則12条，13条に規定されている。

▶ 管轄は専属管轄（民再法６条）であり，再生債務者が営業者である場合はその主たる営業所の所在地を管轄する地方裁判所である。再生債務者が非営業者である場合ま

たすことなく弁済期にある債務を弁済できない事実を具体的に記載する。

2　開始原因事実を生ずるに至った事情

※会社の業績が悪化し，資金繰りに窮するに至った経緯を具体的に記載する。

第３　会社の事業の状況及び概要等

1　会社の目的

（1）　定款の内容

（2）　事業の内容

2　会社の経歴及び業界における地位

3　事業の状況

（1）　過去１年間の状況

詳細については別紙資金繰り状況表記載のとおり

（2）　会社の役員

（3）　会社の従業員

（4）　営業所，支店，事業所及び工場等の状況

第４　会社の資本，資産，負債その他財産の状況

1　会社の発行済株式の総数

2　資本の額

3　会社の株主

令和〇〇年〇〇月〇〇日現在の株主数は〇〇〇名である。

株主の内訳は，別紙株主名簿記載のとおり

4　会社の資産，負債及び財産の状況

別紙財産目録，比較貸借対照表，比較損益計算書のとおり

（5－056　民事再生手続開始申立書）

たは営業所を有しない場合は，再生債務者の普通裁判籍所在地を管轄する地方裁判所となる（債務の所在地を管轄する地方裁判所・支部である）。それらによる管轄裁判所がない場合には，債務者の財産の所在地を管轄する裁判所となる（同法５条２項）。

なお，民事再生法の改正（平成16年，17年）により，土地管轄規定が大幅に緩和されている（同法５条３項～10項）。

▶　当事者は，裁判所からの書類の送達を受

5　会社に対する債権者
（1）　担保権付債権者　別紙債権者一覧表Ⅰ記載のとおり
（2）　租税公課関係債権者　同Ⅱ記載のとおり
（3）　従業員関係（賃金，退職金等）　同Ⅲ記載のとおり
（4）　その他の債権者　同Ⅳ記載のとおり
6　会社の主要取引先

第５　会社財産に関してなされている他の手続き又は処分

第６　労働組合の有無
1　名称
2　代表者氏名
3　従業員の加入状況
4　その他

第７　監督官庁（許認可の有無）

第８　再生計画案作成の方針についての申立人の意見
1　事業の再生の方法
2　今後の資金繰りの予定
3　債権者，従業員及び主要取引先の協力の見込み
4　申立人の意見

疎　明　方　法

（略）

（5−056 民事再生手続開始申立書）

ける場所（送達場所）を届け出ることを要する。本書式は，代理人弁護士による申立てを行う場合の例であり，弁護士事務所が送達場所となっている。

添　付　書　類

1	疎甲号証写	各１通
2	資格証明書	１通
3	取締役会議事録	１通
4	委任状	１通

（5−056 民事再生手続開始申立書）

5－057 債権者一覧表

債権者一覧表

種　　類	金　　額
支払手形，裏書手形	
買掛債務	
短期借入金	
未払賃金	
従業員退職引当金不足額	
その他流動負債	
未払税金	
長期借入金	
その他固定負債	
保証債務	
合　計	

▶　申立書に添付する債権者一覧表のひな型である。

支払手形及び裏書手形債権者

番号	債権者名	債権金額	〒	住　所	電話番号	FAX	担当者
1							
2							
3							
4							
5							
6							
7							
8							
合 計							

買掛債務

番号	債権者名	債権金額	〒	住所	電話番号	FAX	担当者
1							
2							
3							
4							
5							
6							
7							
8							
合 計							

短期借入金

番号	債権者名	債権金額	〒	住所	電話番号	FAX	担当者
1							
2							
3							
4							
5							
6							
7							
8							
合 計							

（以下，略）

（5－057 債権者一覧表）

5−058 債務者一覧表

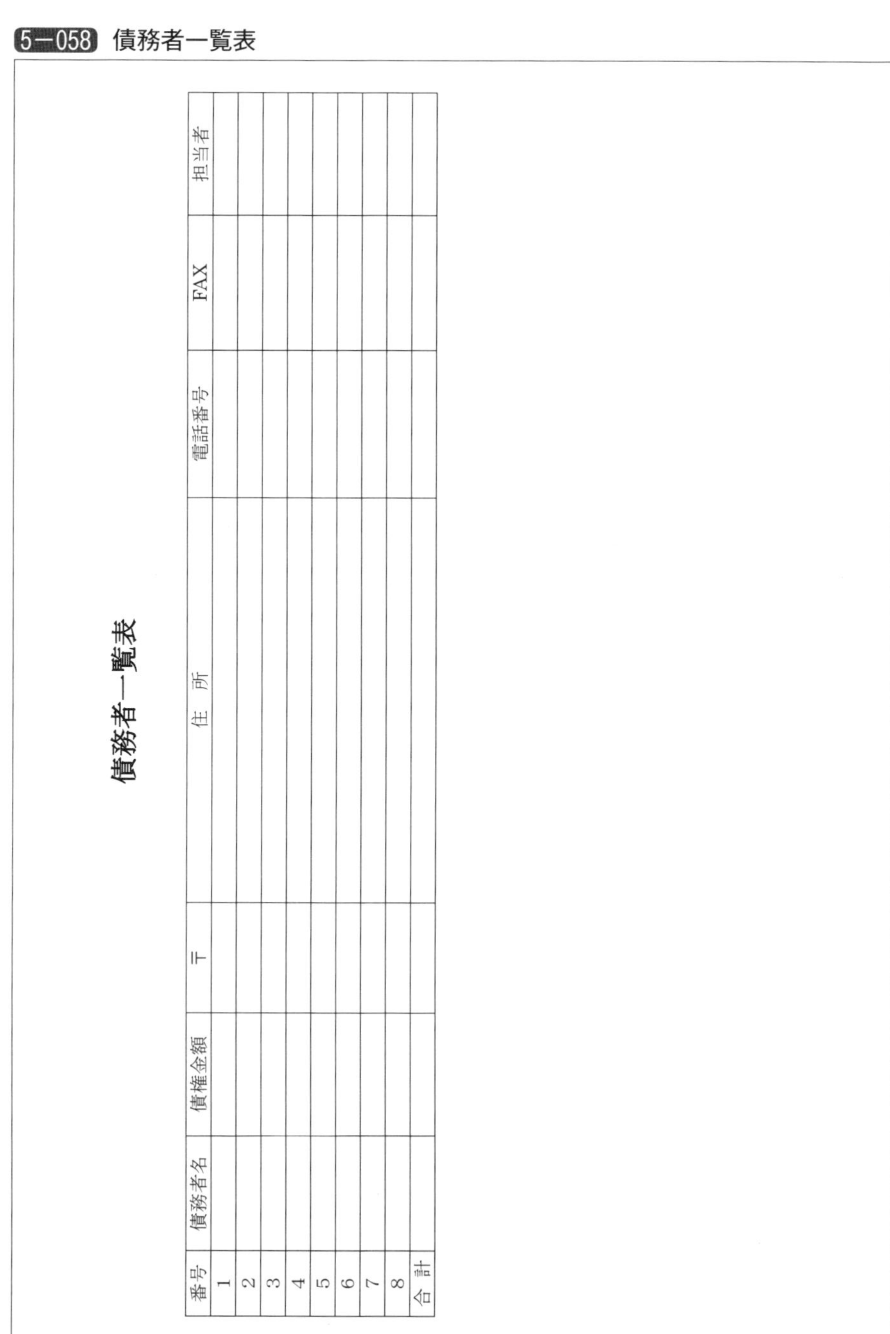

債務者一覧表

番号	債務者名	債権金額	〒	住　所	電話番号	FAX	担当者
1							
2							
3							
4							
5							
6							
7							
8							
合計							

▶　申立書に添付する債務者一覧表のひな型である。

5－059 資金繰り表（実績）

資金繰り表（実績）

単位：千円

		1月	2月	3月	4月	5月	6月	7月	8月	9月	10月	11月	12月	合計
収入	現金売上													
	売掛金回収													
	受手取立													
	商手割引													
	その他													
	収入合計													
支出	現金仕入													
	買掛金支払													
	人件費													
	販管費													
	その他													
	支出合計													
差引過不足														
前月繰越														
翌月繰越														

▶ 申立書には，申立前過去１年間の月別の資金繰り実績を記載した表，申立後６カ月間の資金繰り見込みを記載した表の添付が必要とされる（民再規14条１項６号）。

5−060 資金繰り表（見込み）

資金繰り表（見込み）

単位：千円

		1月	2月	3月	4月	5月	6月	合　計
収入	現金売上							
	売掛金回収							
	受手取立							
	商手割引							
	その他							
	収入合計							
支出	現金仕入							
	買掛金支払							
	人件費							
	販管費							
	その他							
	支出合計							
差引過不足								
前月繰越								
翌月繰越								

▶ **5−059** 参照。

破産

5−061 委任状

委　任　状

令和　　年　　月　　日

委任者　　住　所　〒

氏　名　　　　　　　　　　　　印

私は，次の弁護士を訴訟代理人と定め，下記の事件に関する各事項を委任します。

弁護士　○　○　○　○　（○○弁護士会所属）
住　所　〒○○○−○○○○
東京都○○区○○町○○丁目○○番○○号
○○法律事務所
ＴＥＬ　○○（○○○○）○○○○
ＦＡＸ　○○（○○○○）○○○○

記

1　株式会社□□について，○○地方裁判所に対し，再生手続開始の申立てをする件，及び，その取下げをする件
2　上記に関し，保全処分申立，他の手続きの中止命令の申立て，包括的禁止命令の申立て，及び担保権実行として競売手続の中止命令の申立てをする件，及びその取下げをする件
3　その他上記に関する一切の件
4　復代理人を選任する件

以　上

▶ 代理人弁護士によって申立てがなされる場合の委任状のひな型である。

5-062 保全処分申立書（弁済禁止）

令和○○年（再）第○○号　民事再生手続開始申立事件

保　全　処　分　申　立　書

令和○○年○○月○○日

○○地方裁判所民事第○○部　御中

申立人代理人　弁護士　　○　○　○　○　　印

〒○○○－○○○○
東京都○○区○○町○○丁目○○番○○号
申立人（再生債務者）　　□□株式会社
代表者代表取締役　　　　○　○　○　○

〒○○○－○○○○
東京都千代田区○○町○○丁目○○番○○号　○○ビル○階
○○法律事務所（送達場所）
上記申立人代理人　弁護士　　○　○　○　○
TEL　○○（○○○○）○○○○
FAX　○○（○○○○）○○○○

申　立　て　の　趣　旨

申立人は，下記の行為をしてはならない。

記

保全処分発令の日の前日までの原因に基づいて生じた債務（次のものを除く。）の弁済及び担保の提供

□租税その他国税徴収法の例により徴収される債務

□再生債務者とその従業員との雇用関係により生じた債務

□再生債務者の事業所の賃料，水道光熱費，通信に係る債務

▶　再生手続開始の申立てがなされた後も，債務者は，業務遂行や財産の管理処分を行う。そのため，債務者において財産を隠匿・処分，偏頗弁済のおそれがあり，また，債権者による強硬な取立騒ぎが起こるおそれもある。

▶　そこで，債務者の財産を保全するため，裁判所は，再生手続開始決定がなされるまでの間，再生債務者を名宛人として，必要な保全処分を命ずることができる（民再法

□１０万円以下の債務
との決定を求める。

申　立　て　の　理　由

1　申立人は，本日，御庁に対して，再生手続開始の申立てを行った。

2　申立人は，令和○○年○○月○○日，金○○○○円の手形の決済を予定しているが，その決裁資金の手当ができていない。これが不渡りとなると事業の継続は困難になる。また，一部の債権者に対し，債務の弁済，担保提供をなせば，申立人の資金繰りは破綻し，あるいは，他の債権者との公平が阻害され，再生計画の作成及び成立を困難にするおそれがある。

3　よって，手続きの公平を確保し債権者全体の利益を守るべく，民事再生法３０条第1項に基づき，申立ての趣旨記載の決定を求める。

添　付　書　類

1　委任状　　　1通

（5−062 保全処分申立書（弁済禁止））

30条1項)。

▶ 保全処分は申立てまたは職権によって発令される。申立権者は，再生手続開始の申立人，再生債務者，個々の再生債権者などである。本文例は，再生手続開始の申立人（再生債務者）による弁済禁止・担保提供禁止の保全処分の申立てである。通常，保全処分申立は，再生手続開始申立と同時になされることが多いので，再生手続開始申立の疎明資料（民再法23条1項）とは別に，保全処分のための疎明資料を提出する必要はない。

▶ 保全命令の管轄裁判所は，再生事件の管轄裁判所となる。

5－063 破産手続中止命令の申立書

令和○○年（再）第○○号　民事再生手続開始申立事件

破産手続中止命令の申立書

令和○○年○○月○○日

○○地方裁判所民事第○○部　御中

申立人代理人　弁護士　　○　○　○　○　　印

〒○○○－○○○○
東京都○○区○○町○○丁目○○番○○号
申立人（再生債務者）　　□□株式会社
代表者代表取締役　　○　○　○　○

〒○○○－○○○○
東京都千代田区○○町○○丁目○○番○○号　○○ビル○階
○○法律事務所（送達場所）
上記申立人代理人　弁護士　　○　○　○　○
ＴＥＬ　○○（○○○○）○○○○
ＦＡＸ　○○（○○○○）○○○○

〒○○○－○○○○
東京都○○区○○町○○丁目○○番○○号
相手方　　□□株式会社
代表者代表取締役　　○　○　○　○

申　立　て　の　趣　旨

申立人□□株式会社についての○○地方裁判所令和○○年（フ）第○○号破産申立事件による破産手続は，御庁令和○○年（再）第○○号民事再生手続開始申立事件の申立てにつき決定があるまでの間，中止する。

▶　再生手続開始の申立てがなされた後も，同開始決定が発令されるまでの間，債権者は破産手続，強制執行手続，仮差押等の各種の権利実現手段を行使することができる．しかし，これらの手続きを遂行させれば，債務者財産が減少し，再生債務者の再建は困難となる。

▶　そこで，債務者の財産を保全するため，裁判所が，再生手続開始決定がなされるまでの間，再生債権者に対し，これらの手続

との決定を求める。

申　立　て　の　理　由

1　申立人は，令和〇〇年〇〇月〇〇日御庁に対し，民事再生手続開始の申立てをなし，令和〇〇年（再）第〇〇号事件として係属審理中である。

2　相手方は，令和〇〇年〇〇月〇〇日，申立人に対し破産申立をなし，御庁民事第〇〇部において，令和〇〇年（フ）第〇〇号事件として係属中である。

3　申立人については，民事再生手続により事業の再建が十分に可能であり，再生手続で再建すれば破産手続よりも債権者に多くの弁済ができる見込みである。しかし，一旦破産宣告がなされると，もはや会社の再建が不可能となることは自明である。

4　よって，申立人は，民事再生法第２６条に基づき，申立ての趣旨記載の決定を求める。

添　付　書　類

1	破産申立書写し	1通
2	資格証明書	1通
3	再生手続開始申立書添付書類	各1通

（5−063 破産手続中止命令の申立書）

きの中止を命ずることができる手続中止命令の制度が定められている（民再法26条1項1号・2号）。本文例は，破産手続の中止命令を求める申立てである。

▶　手続中止命令の管轄裁判所は，再生事件の管轄裁判所である。

5－064 競売手続中止命令の申立書

令和○○年（再）第○○号　民事再生手続開始申立事件

競売手続中止命令の申立書

令和○○年○○月○○日

○○地方裁判所民事第○○部　御中

申立人代理人　弁護士　○　○　○　○　印

〒○○○－○○○○
東京都○○区○○町○○丁目○○番○○号
申立人（再生債務者）　□□株式会社
代表者代表取締役　○　○　○　○

〒○○○－○○○○
東京都千代田区○○町○○丁目○○番○○号　○○ビル○階
○○法律事務所（送達場所）
上記申立人代理人　弁護士　○　○　○　○
ＴＥＬ　○○（○○○○）○○○○
ＦＡＸ　○○（○○○○）○○○○

〒○○○－○○○○
東京都○○区○○町○○丁目○○番○○号
相手方　□□株式会社
代表者代表取締役　○　○　○　○

申　立　て　の　趣　旨

相手方が申立人に対し，別紙物件目録記載の不動産につきなした○○地方裁判所令和○○年（ケ）第○○号不動産競売申立事件の手続きはこれを中止する。
との決定を求める。

▶　裁判所は，再生手続開始の申立てがあった場合において，再生債権者の一般の利益に適合し，かつ，競売申立人に不当な損害を及ぼすおそれがないものと認めるときは，利害関係人の申立てによりまたは職権で，相当の期間を定めて，再生債務者の財産の上に存する担保権の実行としての競売手続の中止を命ずることができる（民再法31条１項）。再生債務者自身の債務を担保するために設定した担保権に限られず，再

申 立 て の 理 由

1　申立人は，令和○○年○○月○○日御庁に対し，民事再生手続開始の申立てをなし，令和○○年（再）第○○号事件として係属し，令和○○年○○月○○日に民事再生手続開始決定がなされた。

2　相手方は，申立人所有の別紙物件目録記載の不動産（以下「本物件」という。）について，令和○○年○○月○○日競売の申立てをなし，同事件は御庁令和○○年（フ）第○○号事件（以下「本件競売事件」という。）として係属し，令和○○年○○月○○日に開始決定がなされ，入札期日が迫っている。

3　申立人は，現在再生計画を策定中であるが，債権者，主要取引先の協力も得られる見込みであり，民事再生手続により事業の再建が十分に可能である。しかるに，本物件は申立人の主力工場であって，本件競売手続が続行されて申立人が所有権を喪失することになれば，事業の再建が不可能になることは必至である。

　他方，相手方は十分な資力を有する金融機関であり，本件競売手続による回収が多少遅れても資金繰りに窮することはなく，今後，本物件の価値が急減するような事情も存しない。相手方は，再生手続下で適正な弁済を受けることが期待でき，不当な損害を及ぼす可能性はない。

4　よって，申立人は，民事再生法第３１条に基づき，申立ての趣旨記載の決定を求める。

疎 明 方 法

1	不動産競売開始決定正本	1通
2	不動産登記全部事項証明書	各1通
3	再生手続開始申立書添付書類	各1通

添 付 書 類

1	疎甲号証	各1通

（5−064 競売手続中止命令の申立書）

生債務者が第三者の債務を担保するために物上保証人として設定した担保権も含む。

▶　競売手続中止命令を発令するにあたっては，必ず競売申立人の意見を聴取しなければならない（民再法31条2項）。競売手続の中止を命ずる決定に対しては，競売申立人に限り，即時抗告をすることができるが，これには執行停止の効力はない（同条3項・4項）。

▶　競売手続中止命令が効力を有する期間

2	資格証明書	1通
3	委任状	1通

（5－064 競売手続中止命令の申立書）

は，中止命令において定められた一定の期間（通常は数カ月程度）であり，再生手続開始決定によってその効力が失われることはない。

5－065 包括的禁止命令の申立書

令和○○年（再）第○○号　民事再生手続開始申立事件

包括的禁止命令の申立書

令和○○年○○月○○日

○○地方裁判所民事第○○部　御中

申立人代理人　弁護士　○　○　○　○　印

〒○○○－○○○○
東京都○○区○○町○○丁目○○番○○号
申立人（再生債務者）　□□株式会社
代表者代表取締役　○　○　○　○

〒○○○－○○○○
東京都千代田区○○町○○丁目○○番○○号○○ビル○階
○○法律事務所（送達場所）
上記申立人代理人　弁護士　○　○　○　○
ＴＥＬ　○○（○○○○）○○○○
ＦＡＸ　○○（○○○○）○○○○

申　立　て　の　趣　旨

申立人の御庁令和○○年（再）第○○号民事再生手続開始申立事件につき，決定があるまでの間，すべての再生債権者に対し，申立人の財産に対する民事再生法第２６条第１項第２号に規定する再生債権に基づく強制執行等を禁止する。
との決定を求める。

申　立　て　の　理　由

１　申立人は，令和○○年○○月○○日，御庁に対し，民事再生手続開始の申立てを

▶ 5－063 の手続中止命令によっては再生手続の目的を十分に達成することができないおそれがあると認めるべき特別の事情があるときには，包括的禁止命令が認められる（民再法 27 条 1 項）。これは，債務者財産の散逸を防止して，現状を保全するという目的を達成するための強力な手段として，再生手続開始の申立てにつき決定があるまでの間，全再生債権者に対し，再生債権に基づく再生債務者のすべての財産に対

なし，令和○○年（再）第○○号事件として係属審理中である。なお，同日，監督委員による監督を命ずる監督命令が発令されている。

2　申立人は，現在再生計画を策定中であるが，大多数の債権者，主要取引先の協力も得られる見込みであり，民事再生手続により事業の再建が十分に可能である。申立人が今後事業を継続するに当たっては運転資金の確保が必要であり，売掛先からの売掛金回収が必要不可欠である。

3　ところが，□□株式会社は，申立人の売掛金の一部に仮差押えを行ってきた。申立人は，民事再生法第２６条第１項に基づき，手続中止命令の申立てをなし，御庁からその発令を受けた。しかしながら，□□株式会社などごく一部の債権者が，売掛金に対して仮差押え，強制執行などを申し立て，再生手続を妨害してくる可能性が高い。

4　今後，売掛金に対して仮差押え，強制執行がなされた場合，売掛金の回収が途絶えて資金繰りが悪化して，再生手続が頓挫するおそれがある。また，申立人がこれに対処するために，第三債務者に対し，中止命令の発令を受けたことを説明するなど信用回復に努めているが，それに費やす労力と時間は膨大であり，その点でも申立人の業務遂行の重大な支障となっている。

5　以上より，民事再生法第２６条第１項に基づく手続中止命令という個別対応では再生手続の目的を達することはできないので，同法第２７条第１項に基づき，申立ての趣旨記載の決定を求める。

疎　明　方　法

1　債権仮差押命令正本　　1通
2　報告書　　1通
3　再生手続開始申立書添付書類　　各1通

する権利の行使を包括的に禁止する制度である。

▶　包括的禁止命令は，申立てまたは職権によって発令される。申立権者は，再生手続開始の申立人，再生債務者，個々の再生債権者などである。包括的禁止命令の管轄裁判所は，再生事件の管轄裁判所となる。

添付書類

1	疎甲号証	各１通
2	委任状	１通

（5－065 包括的禁止命令の申立書）

5−066 開始決定に対する即時抗告申立書

令和○○年（再）第○○号　民事再生手続開始申立事件

収入印紙

即時抗告申立書

令和○○年○○月○○日

○○地方裁判所民事第○○部　御中

申立人代理人　弁護士　○　○　○　○　印

〒○○○−○○○○
東京都○○区○○町○○丁目○○番○○号
抗告人　□□株式会社
代表者代表取締役　○　○　○　○

〒○○○−○○○○
東京都千代田区○○町○○丁目○○番○○号○○ビル○階
○○法律事務所（送達場所）
上記抗告人代理人　弁護士　○　○　○　○
TEL　○○（○○○○）○○○○
FAX　○○（○○○○）○○○○

〒○○○−○○○○
東京都○○区○○町○○丁目○○番○○号
相手方（再生債務者）　□□株式会社
代表者代表取締役　○　○　○　○

抗告人は，○○地方裁判所令和○○年（再）第○○号民事再生手続開始申立事件について，同裁判所が令和○○年○○月○○日午前○○時に相手方に対してなした再生手続開始決定は全部不服であるから即時抗告をなす。

▶　裁判所は，民事再生法21条に規定する要件（申立原因）を満たす再生手続開始の申立てがあったときは，同法25条の規定によって棄却する場合を除いて，再生手続開始決定をする（同法33条1項）。

▶　再生手続開始の申立てについての裁判に対しては，即時抗告をすることができる（民再法36条1項）。即時抗告は，抗告状を原裁判所に提出することによって行う。抗告期間は，開始決定については官報記載日の

原決定の主文

□□株式会社について再生手続を開始する。

抗告の趣旨

原決定を取り消す。

相手方の再生手続開始の申立てを棄却する。

抗告費用は相手方の負担とする。

との決定を求める。

抗告の理由

1　原審裁判所は，相手方に対し，相手方の申し立てた民事再生手続開始申立事件について，令和〇〇年〇〇月〇〇日，再生手続開始決定をなした。再生手続開始決定の官報掲載日は，令和〇〇年〇〇月〇〇日である。

2　抗告人は相手方に対し，下記の売掛金を有する再生債権者である。

記

(略)

3　相手方のなした再生手続開始の申立てには，次のとおり，民事再生法第２５条第３号及び第４号に定める申立棄却事由が存在する。

第１に，相手方については，再生計画案の作成または可決の見込みのないことが明らかである。(その事実を具体的に記載する)

第２に，相手方のなした民事再生手続開始の申立ては，誠実になされたものではない。(その事実を具体的に記載する)

以上の事実に鑑みれば，相手方のなした民事再生手続開始の申立ては，取込詐欺的な計画倒産であって，誠実になされたものではない。

4　よって，原審裁判所のなした原決定は不当であるから，これを取り消して，相手方の民事再生手続開始の申立てを棄却する決定を求める。

（5−066 開始決定に対する即時抗告申立書）

翌日から２週間，棄却・却下決定については決定の公告の日から１週間である。

証　拠　書　類

1　報告書　1通

2　その他，必要に応じて追完する。

添　付　書　類

1　甲号証写し　各1通

2　資格証明書　1通

3　委任状　1通

（5－066 開始決定に対する即時抗告申立書）

5－067 強制執行手続中止の上申書

令和○○年（ル）第○○号　債権差押命令申立事件

強制執行手続中止の上申書

令和○○年○○月○○日

○○地方裁判所民事第○○部　御中

〒○○○－○○○○

東京都千代田区○○町○○丁目○○番○○号○○ビル○階

○○法律事務所（送達場所）

再生債務者　□□株式会社

上記代理人　弁護士　○　○　○　○　印

ＴＥＬ　○○（○○○○）○○○○

ＦＡＸ　○○（○○○○）○○○○

債　権　者　○　○　○　○

債　務　者　○　○　○　○

第三債務者　○　○　○　○

上記当事者間の御庁頭書事件につき，債務者は，令和○○年○○月○○日午前○○時，御庁より再生手続開始決定を受けましたので（令和○○年（再）第○○号民事再生手続開始申立事件），民事再生法第３９条第１項に基づいて，強制執行手続を中止されるよう上申します。

添　付　書　類

１　再生手続開始決定写し　１通

２　資格証明書　１通

３　委任状　１通

▶　再生手続の開始決定があったときは，破産，再生手続開始，整理開始もしくは特別清算開始の申立てはすることができず，また，再生債務者の財産に対してすでになされている再生債権に基づく強制執行等の申立てはすることができない（民再法 39 条 1 項前段）。

▶　破産手続および再生債務者の財産に対してすでになされている強制執行等の手続きは中止し，整理手続および特別清算手続はその効力を失う（民再法 39 条 1 項後段）。

5－068 強制執行手続取消の申立書

強制執行手続取消の申立書

令和○○年○○月○○日

○○地方裁判所民事第○○部　御中

申立人（再生債務者）　　□□株式会社

上記申立人代理人弁護士　○　○　○　○　印

第１　申立ての趣旨

御庁令和○○年（ル）第○○号債権差押命令申立事件（債権者○○○○，債務者○○○○）の執行手続を取り消す

との決定を求める。

第２　申立ての理由

申立人は，令和○○年○○月○○日午前○○時，御庁より再生手続開始決定を受けて（令和○○年（再）○○号民事再生手続開始申立事件），同日，御庁令和○○年（ル）第○○号債権差押命令申立事件（債権者○○○○，債務者○○○○）について，民事再生法第３９条第１項に基づき強制執行手続の中止がなされている。

ところで，本件執行の対象となる債権は，再生債務者の売掛債権であり，その回収は事業の継続，再建のために不可欠である。

よって，民事再生法第３９条第２項後段に基づいて，本件執行手続の取消しを求める。

添　付　書　類

１　再生手続開始決定写し　　１通
２　強制執行手続中止の上申書　　１通
３　委任状　　１通

▶　再生のために必要があると認めるときは，再生債務者等の申立てによりまたは職権で，担保を立てさせ，または立てさせないで，中止した強制執行等の手続きの取消しを命ずることができる（民再法39条２項前段）。

▶　ただし，民再法39条１項により強制執行等の手続きが中止していることが前提となる。

5−069 担保権消滅の許可申立書

令和○○年（再）第○○号

担保権消滅の許可申立書

令和○○年○○月○○日

○○地方裁判所民事第○○部　御中

申立人（再生債務者）　□□株式会社

申立人代理人弁護士　○　○　○　○　印

当　事　者　　別紙当事者目録記載のとおり

目的不動産　　別紙物件目録記載のとおり

担保権・被担保債権　　別紙紙担保権・被担保債権目録記載のとおり

申　立　て　の　趣　旨

申立人が，裁判所に対し，金○○○○円を納付したときは，相手方らのために別紙物件目録記載の不動産に設定されている別紙担保権・被担保債権目録記載の担保権を消滅させること

の許可を求める。

申　立　て　の　理　由

1　申立人は，令和○○年○○月○○日御庁に対し，民事再生手続開始の申立てをなし，令和○○年（再）第○○号事件として係属し，令和○○年○○月○○日に民事再生手続開始決定がなされた。

2　申立人は，前記目的不動産を所有しているが，同不動産には相手方らの前記被担保債権のために前記担保権が設定されている。

3　申立人は，現在再生計画を策定中であるが，債権者，主要取引先の協力も得られる見込みであり，民事再生手続により事業の再建が十分に可能である。前記不動産

▶　再生手続開始当時，再生債務者の財産の上に担保権（民再法53条1項）が存在する場合，当該財産が再生債務者の事業の継続に欠くことができないものであるときは，再生債務者等は，裁判所に対し，当該財産の価額に担当する金額を裁判所に納付してその上に存するすべての担保権を消滅させる許可を申し立てることができる（同法148条1項）。

▶　担保権消滅の許可の申立ては，法定の事

は申立人の主力工場であって，申立人の事業継続にとって必要不可欠である。もし，同不動産に設定されている前記担保権が実行された場合，事業の再建が不可能になることは必至である。

4　よって，申立人は，民事再生法第１４８条に基づき，別紙担保権・被担保債権目録記載の抵当権を消滅させることの許可を申し立てる。

添　付　書　類

1	建物登記事項証明書	1通
2	土地登記事項証明書	1通
3	固定資産税評価額証明書	各1通
4	見積書	各1通

項を記載した書面でなければならない（民再規 70 条）。申立書の添付書類は民事再生規則 71 条に規定されている。担保権者全員分の副本を提出する。

5−070 価額決定請求書

令和○○年（再）第○○号

価　額　決　定　請　求　書

令和○○年○○月○○日

○○地方裁判所民事第○○部御中

請求者　□□株式会社

上記請求者代理人弁護士　○　○　○　○　印

当　事　者　　別紙当事者目録記載のとおり

目的不動産　　別紙物件目録記載のとおり

請　求　の　趣　旨

別紙物件目録記載の不動産の価額の決定を求める。

請　求　の　趣　旨

1　令和○○年（再）第○○号民事再生手続開始申立事件について，請求者は，相手方が民事再生法第１４８条第１項に基づいて担保権消滅許可申立書に記載した別紙物件目録記載の不動産の価額金○○○○円に対して異議がある。

2　請求者が，本物件に根抵当権を設定する際に評価した結果や，不動産鑑定士による最近の本物件の取引事例等を参考とした報告書に鑑みても，本物件の価額は金○○○○円を下らない。

3　よって，請求者は，民事再生法第１４９条第１項に基づき，本物件の価額の決定を請求する。

添　付　書　類

1　建物登記事項証明書　　1通

▶　担保権者は，再生債務者等が許可申立書に記載した申出額について異議があるときは，申立書の送達を受けた日から1カ月以内に，再生裁判所に対し，担保権の目的である財産について価額の決定を請求することができる（民保法149条1項)。

▶　同請求書の記載事項，添付書類等については民事保全規則75条で規定されている。同請求があった場合は，評価人の便宜のために，再生債務者等は再生裁判所に対し，

2　土地登記事項証明書　1通
3　担保権消滅の許可申立書写し　1通
4　担保権消滅の許可決定書　1通
5　請求者による評価書　1通
6　不動産鑑定士の報告書　1通

登記事項証明書，不動産登記法17条の地図および建物所在図の写し，固定資産評価証明書等を提出しなければならない（民保規76条）。

5-071 再生債権届出書

事件番号　令和　年（再）第　号
再生債務者

再生債権届出書

上記事件について再生手続に参加するため，下記の通り再生債権の届出をします。

令和　年　月　日（届出書作成日）

地方裁判所民事第　部　係　御中

債権者の表示	住所 氏名　　　印	代理人の表示	住所 氏名　　　印

連絡先　電話番号　－　－

事務担当者

裁判所受付日

届出債権の表示					
債権の種類	債権の金額	債権の内容及び原因		備考	
債権合計額（議決権額）	金　円		別除権行使により弁済を受けられない見込額	金　円	
別除権の種類及び目的物					
再生債権につき再生手続開始当時係属する訴訟等及びその対象となる債権					
執行力ある債務名義又は終局判決の有無及びその対象となる債権					

▶ 再生債権とは，再生債務者に対し再生手続開始前の原因に基づいて生じた財産上の債権をいう（民再法84条1項）。再生債権は，原則として，再生計画の定めるところによらなければ，弁済をし，弁済を受け，その他これを消滅させる行為をすることができない（同法85条）。

▶ 再生手続に参加しようとする再生債権者は，裁判所の定めた債権届出期間内に，所定の事項を記載した債権届出書を裁判所に

5－072 再生債権届出書（別除権者の予定不足額）

事件番号　令和　年（再）第　号
再生債務者

再生債権届出書

上記事件について再生手続に参加するため，下記の通り再生債権の届出をします。

令和　年　月　日（届出書作成日）

　地方裁判所民事第　部　係　御中

債権者の表示
住所
氏名　印

代理人の表示
住所
氏名　印

連絡先　電話番号　－　－

事務担当者

裁判所受付日

届出債権の表示			
債権の種類	債権の金額	債権の内容及び原因	別除権がある場合はその旨及び予定不足額
別除権の種類及び目的物	□抵当権（順位　番）　□根抵当権（極度額　円，順位　番） □その他（　） □別紙のとおり		
再生債権につき再生手続開始当時係属する訴訟等及びその対象となる債権			
執行力ある債務名義又は終局判決の有無及びその対象となる債権			

提出しなければならない（民再法94条1項，民再規31条）。債権届出書には副本を添付しなければならない(同規32条1項)。

5−073 再生債権の名義変更届出書

事件番号　令和○○年（再）第○○号
再生債務者　□□株式会社

再生債権名義変更届出書

令和○○年○○月○○日

○○地方裁判所民事第○○部　御中

〒○○○−○○○○
東京都○○区○○町○○丁目○○番○○号
再生債権者　□□株式会社
代表取締役　○　○　○　○　印

上記事件について，届出済みの再生債権（受付番号○○番）につき，代位弁済により債権を取得し，下記のように名義人に変更を生じましたので届出します。

記

旧再生債権者　住所　東京都○○区○○町○○丁目○○番○○号
　　　　　　　氏名　○　○　○　○
新再生債権者　住所　東京都○○区○○町○○丁目○○番○○号
　　　　　　　氏名　○　○　○　○
取得した権利　金○○○○円也
　ただし，○○○○が令和○○年○○月○○日付をもって御庁へ届け出た再生債権（届出番号○○番）
取得年月日及び原因　令和○○年○○月○○日代位弁済

添付書類

1　保証委託契約書写し　1通
2　代位弁済金領収書写し　1通

▶ 届出をした再生債権を，債権譲受，代位弁済等の原因によって取得した者は，債権届出期間が経過した後でも，届出名義の変更を受けることができる。本文例は，その名義変更届出の書式である。

5−074 再生債権に対する異議申立書

事 件 番 号　　令和○○年（再）第○○号

再生債務者　　□□株式会社

異　議　申　立　書

上記事件について，下記の再生債権者に対し，民事再生法第１０２条第１項により，下記異議額欄記載のとおり異議を述べる。

令和○○年○○月○○日

〒○○○−○○○○

東京都○○区○○町○○丁目○○番○○号

異　議　者　　　□□株式会社

代表取締役　　　○　○　○　○　　印

○○地方裁判所民事第○○部　御中

記

異議の相手方（再生債権者）　　□□株式会社

民事再生法１０１条１項に規定する債権

受付番号	債権の種類	届出債権額	異議額	異議の具体的理由
５−１	売掛代金	50,000 円	50,000 円	債権不存在 再生債務者と債権者との通謀による
６−１	貸付金	1,300,000 円	1,300,000 円	債権不存在 既に相殺処理されている

▶　届出再生債権者は，一般調査期間内に，裁判所に対して，再生債権の内容または議決権ならびに民事再生法 101 条 3 項により認否書に記載された再生債権の内容（自認債権）について，書面で，異議を述べることができる（同法 102 条 1 項）。再生債務者も，一般調査期間内に，再生債権の内容について，書面で，異議を述べることができる（同条 2 項）。

▶　異議申立書には，異議を述べる事項および理由を記載しなければならず，正副 2 通の提出を要する（民再規 39 条）。

5−075 再生手続開始申立書（小規模個人再生）

再生手続開始申立書（小規模個人再生）

	収入印紙 10,000 円

○○地方裁判所民事第○○部　御中
令和＿＿年＿＿月＿＿日

（ふりがな）
申立人氏名：＿＿＿＿＿＿＿＿＿＿＿＿
（ふりがな）（ふりがな）
（□旧姓＿＿＿＿＿□通称名＿＿＿＿＿旧姓・通称で借入れした場合のみ）
生年月日　：大・昭・平＿＿年＿＿月＿＿日生（＿＿歳）
職　　業　：＿＿＿＿＿＿＿＿＿＿＿＿＿
現住所：□別添住民票記載のとおり（〒＿＿－＿＿＿）※郵便番号は必ず記入すること
　□住民票と異なる場合：〒＿＿－＿＿＿　＿＿＿＿＿＿＿＿＿＿＿＿
現居所（住所と別に居所がある場合）〒＿＿－＿＿＿　＿＿＿＿＿＿＿＿＿＿＿＿
　□住民票上の住所が東京都外である場合：別紙「管轄についての意見書」のとおり
申立人代理人（代理人が複数いる場合には主任代理人を明記すること）
　事務所（送達場所）〒＿＿－＿＿＿　＿＿＿＿＿＿＿＿＿＿＿＿＿＿＿＿
　電話＿＿（　）＿＿＿＿ファクシミリ＿＿（　）＿＿＿＿
　代理人氏名＿＿＿＿＿＿＿＿＿＿＿印

印紙　10,000 円	
郵券　1,620 円	
係印	備考

申立ての趣旨

申立人について，小規模個人再生による再生手続を開始する。

申立ての理由等

1（申立要件及び手続開始要件）

申立人は，本申立書添付の債権者一覧表のとおりの債務を負担しているが，収入及び主要財産は別紙収入一覧及び主要財産一覧に記載のとおりであり，破産手続開始の原因となる事実の生じるおそれがある。

申立人は，将来においても継続的に又は反復して収入を得る見込みがあり，また，民事再生法25条各号に該当する事由はない。

2（再生計画案作成についての意見）

申立人は，各再生債権者に対する債務について，相当部分の免除を受けた上，法律の要件を満たす額の金銭を分割して支払う方針である。

なお，現時点での計画弁済予定額は，月額＿＿＿＿＿円であり，この弁済の準備及び手続費用支払の準備のため，申立て後1週間以内の日を第1回とし，以後毎月＿＿日までに個人再生委員の銀行口座に同額の金銭を入金する。

3（他の再生手続に関する申述）

申立人は，法律が定める他の再生手続開始を求めない。

4 関連申立ての有無　□関連当事者の破産事件　□関連当事者の再生事件　□申立人の過去の再生事件
　事件番号等　　地方裁判所　　令和　　年（　　）第　　号
　申立人名・続柄（　　　・　　）

▶ 小規模個人再生の再生手続開始申立書のひな型である。

▶ 住宅資金特別条項を定める場合は，独自の申立書は必要なく，小規模個人再生の申立てをするときに，債権者一覧表 **5−078** にその旨を記載する。具体的には，「債権の種類」の欄に「住宅資金貸付債権」，備考欄に「住宅資金特別条項を定めた再生計画を提出する意思があります」と記入する（民再法221条3項3号・4号）。

5−076 再生手続開始申立書（給与所得者等再生）

再生手続開始申立書（給与所得者等再生）

収入印紙 10,000円

○○地方裁判所民事第○○部　御中
令和　　年　　月　　日

（ふりがな）
申立人氏名：＿＿＿＿＿＿＿＿＿＿
（ふりがな）　　　　（ふりがな）
（□旧姓＿＿＿＿□通称名＿＿＿＿旧姓・通称で借入れした場合のみ）
生年月日　：大・昭・平＿＿年＿＿月＿＿日生（＿＿歳）
職　　業　：＿＿＿＿＿＿＿＿＿＿
現住所：□別添住民票記載のとおり（〒＿＿−＿＿）※郵便番号は必ず記入すること
　　　　□住民票と異なる場合：〒＿＿−＿＿　＿＿＿＿＿＿＿＿＿＿
現居所（住所と別に居所がある場合）〒＿＿−＿＿　＿＿＿＿＿＿＿＿＿＿
　　　　□住民票上の住所が東京都外である場合：別紙「管轄についての意見書」のとおり
申立人代理人（代理人が複数いる場合には主任代理人を明記すること）
　事務所（送達場所）〒＿＿−＿＿　＿＿＿＿＿＿＿＿＿＿
　電話＿＿（　）＿＿＿ファクシミリ＿＿（　）＿＿＿
　代理人氏名＿＿＿＿＿＿＿＿＿＿印

印紙 10,000円	
郵券 1,620円	
係印	備考

申立ての趣旨

申立人について，給与所得者等再生による再生手続を開始する。

申立ての理由等

1　（申立要件及び手続開始要件）
　申立人は，本申立書添付の債権者一覧表のとおりの債務を負担しているが，収入及び主要財産は別紙収入一覧及び主要財産一覧に記載のとおりであり，破産手続開始の原因となる事実の生じるおそれがある。
　申立人は，給与又はこれに類する定期的収入を得る見込みがあり，かつ，その変動の幅が小さいと見込まれ，また，民事再生法25条各号及び239条5項各号に該当する事由はない。

2　（再生計画案作成についての意見）
　申立人は，各再生債権者に対する債務について，相当部分の免除を受けた上，法律の要件を満たす額の金銭を分割して支払う方針である。
　なお，現時点での計画弁済予定額は，月額＿＿＿＿円であり，この弁済の準備及び手続費用支払の準備のため，申立て後1週間以内の日を第1回とし，以後毎月＿＿日までに個人再生委員の銀行口座に同額の金銭を入金する。

3　（他の再生手続に関する申述）
　申立人は，法律が定める他の再生手続開始を求めない。

4　関連申立ての有無　□関連当事者の破産事件　□関連当事者の再生事件　□申立人の過去の再生事件
　事件番号等　　　地方裁判所　　　令和　　年（　）第　　　号
　申立人名・続柄（　　　　・　　　）

▶　給与所得者等再生の再生手続開始申立書のひな型である。

▶　住宅資金特別条項を定める場合は，5−075と同様である（民再法244条で準用）。

5−077 収入一覧及び主要財産一覧

収入一覧及び主要財産一覧

申立日現在

収入一覧

収入の別	金　額	備　　　　考
給与（月額）	円	
賞与（年額）	円	
		年収　約＿＿＿＿＿＿円

主要財産一覧

財産の別	金　額	備　　　　考
	円	
		主要財産の総額（担保差し入れ分を含む）　約＿＿＿＿＿＿円

▶ 個人債務者再生手続 5−075，5−076 の申立書の別紙として必要となる。

5−078 債権者一覧表

債　権　者　一　覧　表

再生債務者＿＿＿＿＿＿＿＿＿＿＿

債務合計額＿＿＿＿＿＿＿＿＿＿円（申立て後の利息・損害金を除いた額）
異議を留保する再生債権は，異議留保欄に○を付した。

債権者番号	債　権　者　名	債　権　者　住　所	備　　考	異議留保
	債権の種類	債　権　の　金　額		
1		〒		○
	□貸付金 □立替金 □	金　　　　円　及び　　　　に 対する　　年　月　日から完済まで 年　　%の金員		
2		〒		○
	□貸付金 □立替金 □	金　　　　円　及び に対する　　年　月　日から完済ま で年　　%の金員		
3		〒		○
	□貸付金 □立替金 □	金　　　　円　及び に対する　　年　月　日から完済ま で年　　%の金員		
4		〒		○
	□貸付金 □立替金 □	金　　　　円　及び に対する　　年　月　日から完済ま で年　　%の金員		
5		〒		○
	□貸付金 □立替金 □	金　　　　円　及び に対する　　年　月　日から完済ま で年　　%の金員		

▶ 申立書に添付する債権者一覧表のひな型である。

破産

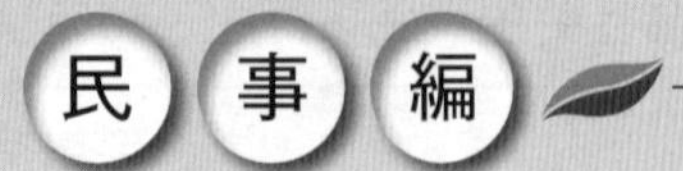

5－079 債権者一覧表（継続用紙）

債権者一覧表（継続用紙）

債権者番号	債権者名	債権者住所	備考	異議留保
	債権の種類	債権の金額		
		〒		
	□貸付金 □立替金 □	金　　　　　　　円及び　　　　　　に対する 年　月　日から完済まで年　　%の金員		
		〒		
	□貸付金 □立替金 □	金　　　　　　　円及び　　　　　　に対する 年　月　日から完済まで年　　%の金員		
		〒		
	□貸付金 □立替金 □	金　　　　　　　円及び　　　　　　に対する 年　月　日から完済まで年　　%の金員		
		〒		
	□貸付金 □立替金 □	金　　　　　　　円及び　　　　　　に対する 年　月　日から完済まで年　　%の金員		
		〒		
	□貸付金 □立替金 □	金　　　　　　　円及び　　　　　　に対する 年　月　日から完済まで年　　%の金員		

▶ 5－078 参照。

<table>
<tr><td rowspan="2">債権者番号</td><td colspan="2">債権者名</td><td>債権者住所</td><td rowspan="2">備　考</td><td rowspan="2">異議留保</td></tr>
<tr><td>債権の種類</td><td colspan="2">債権の金額</td></tr>
<tr><td rowspan="2"></td><td colspan="2"></td><td>〒</td><td rowspan="2"></td><td rowspan="2"></td></tr>
<tr><td>□貸付金
□立替金
□</td><td colspan="2">金　　　　　　円及び　　　　に対する
年　月　日から完済まで年　　%の金員</td></tr>
<tr><td rowspan="2"></td><td colspan="2"></td><td>〒</td><td rowspan="2"></td><td rowspan="2"></td></tr>
<tr><td>□貸付金
□立替金
□</td><td colspan="2">金　　　　　　円及び　　　　に対する
年　月　日から完済まで年　　%の金員</td></tr>
<tr><td rowspan="2"></td><td colspan="2"></td><td>〒</td><td rowspan="2"></td><td rowspan="2"></td></tr>
<tr><td>□貸付金
□立替金
□</td><td colspan="2">金　　　　　　円及び　　　　に対する
年　月　日から完済まで年　　%の金員</td></tr>
<tr><td rowspan="2"></td><td colspan="2"></td><td>〒</td><td rowspan="2"></td><td rowspan="2"></td></tr>
<tr><td>□貸付金
□立替金
□</td><td colspan="2">金　　　　　　円及び　　　　に対する
年　月　日から完済まで年　　%の金員</td></tr>
<tr><td rowspan="2"></td><td colspan="2"></td><td>〒</td><td rowspan="2"></td><td rowspan="2"></td></tr>
<tr><td>□貸付金
□立替金
□</td><td colspan="2">金　　　　　　円及び　　　　に対する
年　月　日から完済まで年　　%の金員</td></tr>
</table>

5−080 財産目録

再生債務者　　　氏　名
同代理人弁護士　氏　名　　　　　　印

財産目録（一覧）

＊1から17までの項目について，あってもなくてもその旨を確実に記載します。
【有】と記載したものは，別紙（細目）にその部分だけを補充して記載します。

1	申立て時に現金があるかどうか。	【有　無】
2	弁護士預り金	【有　無】
3	預金・貯金	【有　無】
	□　過去2年以内に口座を保有したことがない。	
4	公的扶助（生活保護，各種扶助，年金など）の受給	【有　無】
5	報酬・賃金（給料・賞与など）	【有　無】
6	退職金請求権・退職慰労金	【有　無】
7	貸付金・売掛金等	【有　無】
8	積立金等（社内積立，財形貯蓄，事業保証金など）	【有　無】
9	保険（生命保険，傷害保険，火災保険，自動車保険など）	【有　無】
10	有価証券（手形・小切手，株券，転換社債），ゴルフ会員権など	【有　無】
11	自動車・バイク等	【有　無】
12	過去5年間において，購入価格が20万円以上の物（貴金属，美術品，パソコン，着物など）	【有　無】
13	過去2年間に処分した評価額又は処分額が20万円以上の財産	【有　無】
14	不動産（土地・建物・マンション）	【有　無】
15	相続財産（遺産分割未了の場合も含みます）	【有　無】
16	事業設備，在庫品，什器備品等	【有　無】
17	その他，回収が可能となる財産	【有　無】
	□　過払による不当利得返還請求権　□　その他	

▶　個人再生の再生手続開始申立て時または申立て後速やかに提出することが望ましいとされる書類である。

財産目録（細目）

＊該当する項目部分のみを記載して提出します。記入欄に記載し切れないときは，適宜記入欄を加えるなどして記載します。

1　現　金　　　　　　　　　　　　　　　　　　　　　　　　　　円

＊申立て時に現金があれば全額記載します。

2　弁護士預り金　　　　　　　　　　　　　　　　　　　　　　　円

＊1の現金とは別に再生債務者代理人に預り金がある場合には全額を記載します。

3　預金・貯金

＊解約の有無及び残額の多寡にかかわらず，各通帳の表紙を含め，過去2年以内の取引の明細が分かるように全ページの写しを提出します。

金融機関・支店名（郵便局・証券会社を含む）	口座の種類	口座番号	申立時の残額
			円
			円

4　公的扶助（生活保護，各種扶助，年金など）の受給

公的扶助の受給は申立書添付の収入一覧記載のとおりです。

5　報酬・賃金（給料・賞与など）

報酬・賃金は申立書添付の収入一覧記載のとおりです。

6　退職金請求権・退職慰労金

＊退職金の見込額を明らかにするため，使用者作成の退職金計算書を添付します。

＊使用者作成の退職金計算書が取得できない場合は，再生債務者代理人が退職金規程に基づいて作成した退職金の計算書を提出します。

種　類	総支給額（見込額）
	円

7　貸付金・売掛金等

＊相手の名前，金額，発生時期，回収見込みの有無及び回収できない理由を記載します。

破産

＊金額は，回収可能な金額です。

相　手　方	金　額	発生時期	回収見込み	回収不能の理由
	円	年　月　日	□有 □無	
	円	年　月　日	□有 □無	

8　積立金等（社内積立，財形貯蓄，事業保証金など）
＊給与明細等に財形貯蓄の計上があるものを記載します。

種　類	金　額	開　始　時　期
	円	年　月　日
	円	年　月　日

9　保険（生命保険，傷害保険，火災保険，自動車保険など）
＊再生債務者が契約者で，未解約のもの及び過去2年以内に失効したものを必ず記載します（出捐者が再生債務者か否かを問いません。）。
＊保険証券及び解約返戻金計算書の各写し，失効した場合にはその証明書（いずれも保険会社が作成します。）を提出します。
＊解約して費消していた場合には，「13　過去2年間に処分した評価額又は処分額が20万円以上の財産」に記載します。

保険会社名	証券番号	解約返戻金額
		円
		円

10　有価証券（手形・小切手，株券，転換社債），ゴルフ会員権など
＊種類，取得時期，担保差し入れの有無及び評価額を記載します。
＊証券の写しも提出します。

種　類	取　得　時　期	担保差し入れ	評価額
	年　月　日	□有 □無	円
	年　月　日	□有 □無	円

11　自動車・バイク等
＊ 車名，購入金額，購入時期，年式，所有権留保の有無及び評価額を記載します。
＊自動車検査証又は登録事項証明書の写しを提出します。
＊業者の評価書（査定書）を提出します。

（5－080 財産目録）

＊所有権が留保されている動産については，評価額（査定額）から被担保債権残額（ローン残額）を控除したものを評価額に記載します。

車　名	購入金額	購入時期	年　式	所有権留保	評価額
	円	年　月　日	年	□有 □無	円
	円	年　月　日	年	□有 □無	円

12　過去５年間において，購入価格が 20 万円以上の物
（貴金属，美術品，パソコン，着物など）
＊品名，購入価格，取得時期及び評価額（時価）を記載します。

品　名	購入金額	取　得　時　期	評　価　額
	円	年　月　日	円
	円	年　月　日	円

13　過去２年間に処分した評価額又は処分額が 20 万円以上の財産
＊過去２年間に処分した財産で，評価額又は処分額のいずれかが 20 万円以上の財産を全て記載します。
＊不動産の売却，自動車の売却，保険の解約，定期預金の解約，ボーナスの受領，退職金の受領，敷金の受領，離婚に伴う給付などを記載します。
＊処分に関する契約書・領収書の写しなど処分を証明する資料を提出します。
＊不動産を処分した場合には，処分したことが分かる登記事項証明書を提出します。

財産の種類	処　分　時　期	評価額	処分額	相手方	使途
	年　月　日	円	円		
	年　月　日	円	円		

14　不動産（土地・建物・マンション）
＊不動産の所在地，種類（土地・借地権付建物・マンションなど）を記載します。
＊共有などの事情は，備考欄に記入します。
＊登記事項証明書を提出します。
＊複数の業者が査定した不動産の評価書（査定書）を提出します。
＊不動産の評価額は複数の評価額の平均値を記載します。
＊遺産分割未了の不動産も含みます。

（5−080 財産目録）

破産

不動産の所在地	種　類	評価額	備　考
		円	
		円	

15　相続財産

＊被相続人，続柄，相続時期及び相続した財産を記載します。

＊遺産分割未了の場合も含みます。

＊相続関係の分かる資料（戸籍謄本，相続関係図等）を提出します。

＊相続財産の分かる資料を提出します。

被相続人	続柄	相　続　時　期	相　続　財　産	評　価　額
		年　月　日		円
		年　月　日		円

16　事業設備，在庫品，什器備品等

＊品名，個数，購入時期及び評価額を記載します。

＊評価額の疎明資料を提出します。

品名	個数	購　入　時　期	評　価　額
		年　月　日	円
		年　月　日	円

17　その他，回収が可能となる財産

＊相手方の名前，金額及び時期などを記載します。

＊現存していなくても回収可能な財産は，清算価値算定の基礎となります。

＊他の項目に該当しない財産（敷金，過払金，保証金など）もここに記入します。

相手方	金　額	時　期	備　考
	円	年　月　日	
	円	年　月　日	

（5−080　財産目録）

5−081 債権認否一覧表

債権認否一覧表

令和　　年　　月　　日
令和　　年（再　　）第　　　　　　　号
再生債務者
同代理人弁護士　　　　　　　　　　　印

債権者番号	届出債権			認否の種類		備考（異議の理由等）
	債権者	種類	債権額	認める額	認めない額	
						債権届出書の提出 □あり　□なし
						債権届出書の提出 □あり　□なし
						債権届出書の提出 □あり　□なし
						債権届出書の提出 □あり　□なし
						債権届出書の提出 □あり　□なし
合計						

（注1）債権届出書の提出がない場合には，みなし届出として，債権者一覧表に記載した金額を記載し，附帯請求がある場合には開始決定日の前日までの金額を算出し，合計額を記載する。
（注2）提出時に認否の方針が確定していない場合は，認否欄を空欄とし，備考欄に認否留保と記載する。
（注3）債権者からの債権届出書の提出の有無を，備考（異議の理由等）の欄に記載する。

▶ 債務者代理人は，所定の期限までに，債権認否一覧表（民再法 101 条 1 項）および報告書（**5−083**。民再法 124 条 2 項および 125 条 1 項に基づく書面）を提出し，これらの写しを個人再生委員に直送する。

5−082 報告書

令和　年（再　）第　　号

報告書（民事再生法 124 条 2 項，125 条 1 項）

令和　年　月　日

○○地方裁判所民事第○○部　御中

再生債務者

同代理人弁護士　　　　　　印

民事再生法 124 条 2 項及び 125 条 1 項に基づき，以下のとおり報告します。

1　過去 10 年前から現在に至る経歴　　□　補充あり

就業期間	□自営 □勤め □パート・バイト □無 □他（　　）
就業先（会社名等）	地位・業務の内容
年　月〜　年　月	□自営 □勤め □パート・バイト □無 □他（　　）
年　月〜　年　月	□自営 □勤め □パート・バイト □無 □他（　　）
年　月〜　年　月	□自営 □勤め □パート・バイト □無 □他（　　）
年　月〜　年　月	□自営 □勤め □パート・バイト □無 □他（　　）

＊時系列に記載します。10 年前というのは一応の目安です。

2　家族関係等　　□　補充あり

氏　名	続柄	年齢	職　業	同居

＊再生債務者の家計の収支に関係する範囲で記載します。
＊続柄は再生債務者から見た関係を記載します。

▶　債務者代理人は，所定の期限までに，債権認否一覧表（5−081）および報告書（民再法 124 条 2 項および 125 条 1 項に基づく書面）を提出し，これらの写しを個人再生委員に直送する。

▶　本文例は報告書の一つのひな型である。

＊同居の場合は，同居欄に○印を記載します。

3　現在の住居の状況　□　補充あり

ア　再生債務者が賃借　イ　親族・同居人が賃借　ウ　再生債務者が所有・共有

エ　親族が所有　オ　その他（＿＿＿＿＿＿＿＿＿＿＿＿＿＿＿＿）

＊ア，イの場合は，次のうち該当するものに○印をつけます。

a　民間賃借　b　公営賃借　c　社宅・寮・官舎

d　その他（＿＿＿＿＿＿＿＿＿＿＿＿＿＿＿＿＿＿）

4　個人再生手続を申し立てるに至った事情　□　補充あり

＊債務発生・増大の原因，破産手続開始の原因となる事実が生じるおそれが発生した時期を，時系列で記載します。

5　財産

□　添付の財産目録記載のとおり

□　申立て時に提出した財産目録を引用する

6　債務

別途提出する債権認否一覧表記載のとおり

7　申立て前７年内の免責等の有無

(1)　破産又は再生手続による免責の有無

□　有（→免責決定書又は再生計画認可決定写し添付）　□　無

(2)　給与所得者等再生における再生計画の遂行の有無

□　有（→再生計画認可決定写し添付）　□　無

5－083 異議申述書

令和　　年（再　）第　　　　号
再生債務者

令和　　年　　月　　日

○○地方裁判所民事第○○部　御中

異　議　申　述　書

再生債務者
同代理人弁護士　　　　　　　　　印

再生債務者は，下記の再生債権者の届出債権について，異議を述べる。

記

債権者番号	債　権　者　名	異議の内容及び理由
		債権認否一覧表記載のとおり
		債権認否一覧表記載のとおり
		債権認否一覧表記載のとおり

・　一般（特別）異議申述期間　令和　　年　　月　　日まで
・　上記の再生債権者に対して，異議を述べた旨を，令和　　年　　月　　日普通郵便により通知した。

以上

▶　債務者代理人は，届出債権について異議を述べるときは，再生債務者から再生債権者に通知の上，裁判所に異議申述書の正本を提出し，個人再生委員に写しを直送する。
▶　債権認否一覧表と同時に提出して差し支えないが，その場合にも，作成日付欄には一般異議申述期間内の日を記載する。

5-084 再生計画案

○○地方裁判所　令和　　年（再　）第　　　　号

再　生　計　画　案

令和　　年　　月　　日

再　生　債　務　者　　氏　名　＿＿＿＿＿＿＿＿＿＿＿＿

再生債務者代理人　　氏　名　＿＿＿＿＿＿＿＿＿＿＿印

第１　再生債権に対する権利の変更

再生債権の元本のうち＿＿＿＿＿%を後記第２の弁済方法のとおり弁済し（各弁済期日ごとに生ずる１円未満の端数は切り捨てる。），残元本及び利息・損害金の全額について免除を受ける。

第２　再生債権に対する弁済方法

再生債務者は，各再生債権者に対し，第１の権利の変更後の再生債権について，次のとおり分割弁済をする。

（分割弁済の方法）

再生計画認可決定の確定した日の属する月の翌月から

□　＿＿＿年＿＿＿カ月間は，毎月＿＿＿日限り，＿＿＿＿%の割合による金員（１円未満の端数は切り捨てる。）（合計＿＿＿回）

□　毎年＿＿＿＿＿＿＿＿の＿＿＿＿＿＿回限り，＿＿＿＿%の割合による金員（１円未満の端数は切り捨てる。）（合計＿＿＿回）

□　その他

第３　共益債権及び一般優先債権の弁済方法

共益債権及び一般優先債権は，随時支払う。

▶　債務者代理人は，所定の期限までに，再生計画案を作成して裁判所に提出し，その写しを個人再生委員に直送する。

▶　個人債務者再生計画案における再生計画案は，通常の再生計画案に比べて権利関係が単純であり，また，認可決定が確定してもそのまま強制執行ができるものではないので，簡素なもので足りる。

1　特定調停申立手続について

(1)　特定調停法の概要

特定調停法（「特定債務等の調整の促進のための特定調停に関する法律」）は，平成12年2月17日，民事調停法の特例として施行された。その目的は，「支払不能に陥るおそれのある債務者等の経済的再生に資するため」と規定されている（特調法1条）。そのために，民事調停法の特例として特定調停手続を定めて，債務者が負っている金銭債務に係る利害関係の調整を促進することにより，その目的を達成しようとするものである。特定調停法は，あくまで民事調停法の特例であり，裁判所が指定する調停委員のもとで（8条），債権者と債務者の話合いでの互譲により，元利金の一部免除，返済期間の延長等を実現し，債務者の破産を回避し，経済的再生を支援しようとするものである。

特定調停法は，①民事執行手続の停止の要件を緩和したこと（7条），②当事者の責務を拡充した（相手方も含むとした）こと（10条），③調停手続費用が安いこと，④取引経過の開示等のために文書の提出を法制化し違反には過料の制裁を課したこと（12条，24条），⑤調停条項案の書面による受諾，調停委員会による仲裁的な条項案の裁定を認めたこと（16条，17条）に特徴がある。

特定調停では，破産手続や民事再生手続のような大幅な債務額のカットは見込めないが，債務者本人が低廉な費用で手続きをすることができるというメリットがある。しかしながら，債権者との話合い・互譲の拒否による目的不達，将来利息・遅延損害金についての不利な取扱い，過払金への別途対応の必要などを理由として，特定調停申立件数は減少傾向にある。

(2)　特定調停申立手続の概要

①　申立人　特定債務者(特調法2条1項)

特定債務者とは，金銭債務を負っている者で，

1)　支払不能に陥るおそれのあるもの

2)　事業の継続に支障をきたすことなく弁済期にある債務を弁済することが困難であるもの

3)　債務超過に陥るおそれのある法人

である。自然人，法人を問わず，経済的破綻に瀕していれば，申立てが可能である。なお，債権者からの申立ては認められない。

②　相手方

債権者全員を相手方とする必要はなく，一部の債権者を相手方として特定調停を申し立てることも可能である。

③　管　轄

原則として，関係権利者の住所等を管轄する簡易裁判所となる（特調法22条，民調法3条前段）。ただし，自庁処理が適当と認めるときは自庁処理ができ（民調法4条），一部関係権利者に管轄がない場合であっても，同一簡易裁判所で受け付ける運用が広くなされている。

④　費　用

1)　貼用印紙額

支払方法を定める特定調停の申立ては，調停を求める価格（元金×6％または5％）を基準として印紙額を定める。個人の特定債務者は，一社当たりの債務額が比較的僅少であるので，多くの場合は500円となる。

当初から債務不存在を求める特定調停の申立ては，不存在を求める債務額が調停を求める価格となる。基本的には，民事調停申立の印紙額と同じであるが，各裁判所で取扱いを異にすることがあるので，申立時に裁判所に確認するとよい。

2)　予納郵便切手

相手方の数によって異なる。申立時に裁判所に確認するとよい。

なお，令和２年４月現在の東京簡易裁判所では次のとおりである。裁判所によって異なるので，裁判所に確認するとよい。

相手方１名の場合

84円×５枚，10円×１枚

合計430円

相手方が１人増えるごとに上記と同様を加える。

⑤　提出書類

提出書類については，各簡易裁判所で取扱いを異にする場合があるので，申立前に確認する必要がある。

1　特定調停申立書２部（相手方が複数ある場合には，相手方ごとに，それぞれ２部必要となる）

2　財産の状況を示すべき明細書その他特定債務者であることを明らかにする資料　１部

3　関係権利者一覧表　１部

4　資格証明書　１部（申立人，相手方が会社等法人である場合は，各法人の本店所在地，名称および代表者名が表示されている現在事項全部証明書または代表者事項証明書のいずれかを提出する）

⑥　手続きの進行

特定調停の申立てがあると，裁判所は相手方（債権者）に申立書（副本）および申立受理通知等を郵送する。その際，裁判所は相手方に対し，申立人との間の金銭消費貸借契約書写しや取引履歴に基づく利息制限法所定の制限利率による引き直し計算書の提出を依頼してくる。

調停期日の進め方は，通常は，最初に申立人（債務者）から事情を聴取する期日（これを「事情聴取期日」という）を開いて，その後に相手方と債務額の確定や返済方法を調整する期日（これを「調整期日」という）を開く。

事情聴取期日では，申立人のみが裁判所に出頭し，調停委員が申立人から，生活状況や収入，今後の返済方法などについて聴取される。調整期日には，相手方も出頭し，返済方法などを調整することになる。相手方が裁判所に出頭しないときは，調停委員が相手方と電話で調整を行う。調停委員は，相手方が提出した契約書写しや債権額計算書をもとに，申立人との総債務額を確定し，申立人が返済可能な弁済計画案を立てて，申立人と相手方の意見を聴いた上で，公正かつ妥当な返済方法の調整を行う。

調整の結果，合意に達した場合は，調停成立（相手方が出頭していないときは合意した内容の特定調停に代わる決定がなされる）により手続きは終了し，その後は合意した内容どおりに返済していくことになる。双方の話合いがつかないときは，合意ができないまま特定調停手続は終了する。

以上の手続きが終了するまでに，通常，申立てからおおよそ２カ月程度の期間がかかり，申立人は２回くらい裁判所に出向くことになる。

5-085 特定調停申立書（個人一般用）

<table>
<tr><td colspan="2">特　定　調　停　申　立　書
令和　　年　　月　　日
○ ○ 簡 易 裁 判 所　御　中
特定調停手続により調停を行うことを求めます。</td></tr>
<tr><td>申　立　人</td><td>住　所　〒　　－

（送達場所）□同上　　□次のとおり

フリガナ
氏　　名　　　　　　　　　　　印
（契約時の氏名）□同上　　□
（契約時の住所）□同上　　□
生年月日　昭・平　　年　　月　　日生
電話番号　　－　　－　　　（FAX番号　　－　　－　　）</td></tr>
<tr><td>相　手　方</td><td>住所（法人の場合は本店）　〒　　－

氏名（法人の場合は会社名・代表者名）

（支店・営業所の名称・所在地）〒　　－

（電話番号　　－　　－　　FAX番号　　－　　－　　）</td></tr>
<tr><td>申立ての趣旨</td><td>債務額を確定したうえ債務支払方法を協定したい。</td></tr>
<tr><td>紛争の要点</td><td>1　債務の種類
□　借受金債務　　　□保証債務（仮受人　　　　）
□　立替金　　　　　□その他（　　　　）
2　契約の状況等
⑴　契約日　　　　　年　　月　　日
⑵　借受金額等　　　金　　　　　円
⑶　現在の債務額（残元金）金　　　　　円
（契約番号　　　　　　）
□　別紙のとおり</td></tr>
</table>

<table>
<tr><td rowspan="4">貼用印紙欄</td><td colspan="2">調停事項の価額　100,000円

手　　数　　料　　500円</td><td rowspan="4">受付印欄</td></tr>
<tr><td>貼用印紙　　　500円</td><td></td></tr>
<tr><td>予納郵便切手　　　円</td><td></td></tr>
</table>

（一般個人用）

▶　一般個人用の特定調停申立書の書式である。特定調停の申立書には，特定調停により調停を行うことを求める旨の申述を記載することを要し（特調法3条2項），申立てと同時に（やむを得ない理由がある場合には申立後遅滞なく），財産の状況を示すべき明細書その他特定債務者であることを明らかにする資料および関係権利者の一覧表を提出しなければならない（同法3条3項）。

▶　申立ての趣旨は，通常は，「債務の額を確定した上で，債務の支払方法の協定を求める。」となる。若干の過払いがある場合や消滅時効が成立している場合には，「債務の存在しないことの調停を求める。」となる。

▶　紛争の争点には，①債務の種類，②借受金額等，③返済状況等を記載する。これによって，債権者との間で，いかなる債務がどの程度存在するのかを明確にする。

5－086 特定債務者の資料等（一般個人用）

特定債務者の資料等（一般個人用）

1　申立人
（ふりがな）
氏　名 ＿＿＿＿＿＿＿＿＿＿＿＿＿＿＿＿＿＿＿＿

2　申立人の生活状況
⑴　職業（業種・担当等）＿＿＿＿＿＿＿＿＿＿＿＿＿＿＿＿
勤務先名称:＿＿＿＿＿＿＿＿＿＿＿＿＿＿＿＿＿＿＿＿
勤続期間：＿＿＿＿年＿＿＿＿月
⑵　月収（手取り）：＿＿＿＿＿＿円　　給料日：毎月＿＿＿＿日
⑶　その他:＿＿＿＿＿＿＿＿＿＿＿＿＿＿＿＿＿＿＿＿＿＿

3　申立人の資産・負債（該当する□に「レ」を記入すること。以下同じ。）
⑴　資産：
□土地　□建物　□マンション　□自動車　□その他（　　　　　）
⑵　その他の財産の状況：
□預貯金（　　　　　円）　□株式　□生命保険等（返戻金有）
□その他（　　　　　　　　　　　　）
⑶　負債：紛争の要点2及び関係権利者一覧表のとおり

4　家族の状況（申立人と生計を同一にする者を記入すること。）

氏　　名	続　柄	職　　業	月収(手取)	同居・別居
			円	□同　□別
			円	□同　□別
			円	□同　□別
			円	□同　□別
			円	□同　□別

5　その他返済額等について参考となる事項

6　返済についての希望
毎月＿＿＿＿＿万円くらいなら返済可能

▶　特定調停法3条3項の「財産の状況を示すべき明細書その他特定債務者であることを明らかにする資料」について，特定調停手続規則2条1項は，①申立人の資産，負債その他財産の状況，②申立人が事業を行っているときはその事業の内容および損益，資金繰りその他の事業の状況，③申立人が個人であるときは，職業・収入その他の生活の状況――と規定している。

▶　「資産」には，土地，建物，マンション，

申立人＿＿＿＿＿＿＿＿＿＿＿＿

関 係 権 利 者 一 覧 表

※　該当する□に「レ」を記入すること。

番号	債権者氏名又は名称	債務の内容等（当初借入日・当初借入金額・現在残高等）			担保権の内容等
	住　所	年月日	金　額	残　高	
1	申立書記載のとおり	．．	円	円	□（根）抵当権付 □（連帯）保証人付 （氏名　　　）
2		．．	円	円	□（根）抵当権付 □（連帯）保証人付 （氏名　　　）
3		．．	円	円	□（根）抵当権付 □（連帯）保証人付 （氏名　　　）
4		．．	円	円	□（根）抵当権付 □（連帯）保証人付 （氏名　　　）
5		．．	円	円	□（根）抵当権付 □（連帯）保証人付 （氏名　　　）
6		．．	円	円	□（根）抵当権付 □（連帯）保証人付 （氏名　　　）
7		．．	円	円	□（根）抵当権付 □（連帯）保証人付 （氏名　　　）
8		．．	円	円	□（根）抵当権付 □（連帯）保証人付 （氏名　　　）
9		．．	円	円	□（根）抵当権付 □（連帯）保証人付 （氏名　　　）
10		．．	円	円	□（根）抵当権付 □（連帯）保証人付 （氏名　　　）
11		．．	円	円	□（根）抵当権付 □（連帯）保証人付 （氏名　　　）
12		．．	円	円	□（根）抵当権付 □（連帯）保証人付 （氏名　　　）

※　「関係権利者」とは，特定債務者に対して財産上の請求権を有する者及び特定債務者の財産の上に担保権を有する者をいう。（特定調停法２条４項）
関係権利者の一覧表には，関係権利者の氏名又は名称及び住所並びにその有する債権又は担保権の発生原因及び内容を記載しなければならない。（特定調停手続規則２条２項）

車等の所有資産を記載する。「負債」は，紛争の争点および関係者一覧表の記載を援用する（例：「紛争の要点２及び関係権利者一覧表記載のとおり」)。「その他の財産の状況」には，預貯金，株式，生命保険等を記載する。

▶　本文書は，原則として，特定調停申立と同時に，裁判所に提出する必要がある。

5－087 特定調停申立書（個人事業者・法人用）

特定調停申立書

令和　　年　　月　　日

〇〇簡易裁判所　御中

特定調停手続により調停を行うことを求めます。

申立人	住　所（法人の場合は本店）　〒　　－ 氏　　名（法人の場合は会社名・代表者名） 印 電話番号　　－　　－　　　（FAX番号　　－　　－　　） （個人が申し立てる場合は生年月日　　　年　　月　　日生） 送達場所　□上記住所のとおり　　□次のとおり 送達受取人
相手方	住所（法人の場合は本店）　〒　　－ 氏名（法人の場合は会社名・代表者名） （支店・営業所の名称・所在地）〒　　－ （電話番号　　－　　－　　FAX番号　　－　　－　　）
申立ての趣旨	債務額を確定したうえ債務支払方法を協定したい。

貼用印紙欄			受付印欄
	調停事項の価額　　円		
	手　数　料　　円		
	貼用印紙　　円		
	予納郵便切手　　円		

（個人事業者・法人用）

▶　個人事業者・法人用の特定調停申立書の書式である。申立人が個人事業者・法人となっただけで，一般個人用の申立書と異なるところはない。

紛争の要点

１　債務の種類

□　借入金債務

□　保証債務（借受人氏名　　　　　　　　　　　　　　）

□　立替金

□　求償金

□　その他

２　借受金額等

契約日	借受金額	利息 年　％	損害金 年　％	備考

３　返済状況

期間	返済した金額	残元本	利息・損害金の残額	備考

添付書類
□契約書（写し）　□領収書（写し）
□貸借対照表（写し）　□損益計算書（写し）　□資金繰り表（写し）
□その他

5−088 特定債務者の資料等（個人事業者・法人用）

特定債務者の資料等（個人事業者・法人用）

1　申立人の資産等

(1)　資産

(2)　負債

紛争の要点２及び関係権利者一覧表記載のとおり

(3)　その他の財産の状況

2　申立人の事業の概要

(1)　事業の内容

(2)　損益，資金繰りその他事業の状況

3　関係権利者との交渉の経過

4　申立人の希望する調停条項の概要

5　（申立人が法人のときに記入する。）

□　従業者の過半数で組織する労働組合の名称

□　上記の労働組合がない場合は使用人その他の従業者の過半数を代表する者の氏名

▶　特定調停手続規則２条１項に規定するところにより，①申立人の資産，負債その他財産の状況，②申立人が事業を行っているときはその事業内容および損益，資金繰りその他の事業の状況——を記載する必要がある。

▶　また，申立人が事業を行っているときは，原則として，申立てと同時に，関係権利者との交渉の経過，申立人の希望する調停条項の概要を明らかにしなければならない（特調規１条１項）。

▶　さらに，申立人が法人であるときは，原則として申立てと同時に，①使用人その他の従業員の過半数で組織する労働組合があるときはその名称，②使用人その他の従業員の過半数で組織する労働組合がないときは，使用人その他の従業員の過半数を代表する者の氏名――を明らかにしなければならない（特調規１条２項）。

5−089 関係権利者一覧表（一般個人用，個人事業者・法人用に共通）

申立人＿＿＿＿＿＿＿＿＿＿

関 係 権 利 者 一 覧 表

※　該当する□に「レ」を記入すること。

番号	債権者氏名又は名称 / 住　所	債務の内容等（当初借入日・当初借入金額・現在残高等）年月日	金　額	残　高	担保権の内容等
1	申立書記載のとおり	.　.	円	円	□（根）抵当権付 □（連帯）保証人付 （氏名　　　　）
2		.　.	円	円	□（根）抵当権付 □（連帯）保証人付 （氏名　　　　）
3		.　.	円	円	□（根）抵当権付 □（連帯）保証人付 （氏名　　　　）
4		.　.	円	円	□（根）抵当権付 □（連帯）保証人付 （氏名　　　　）
5		.　.	円	円	□（根）抵当権付 □（連帯）保証人付 （氏名　　　　）
6		.　.	円	円	□（根）抵当権付 □（連帯）保証人付 （氏名　　　　）
7		.　.	円	円	□（根）抵当権付 □（連帯）保証人付 （氏名　　　　）
8		.　.	円	円	□（根）抵当権付 □（連帯）保証人付 （氏名　　　　）
9		.　.	円	円	□（根）抵当権付 □（連帯）保証人付 （氏名　　　　）
10		.　.	円	円	□（根）抵当権付 □（連帯）保証人付 （氏名　　　　）
11		.　.	円	円	□（根）抵当権付 □（連帯）保証人付 （氏名　　　　）
12		.　.	円	円	□（根）抵当権付 □（連帯）保証人付 （氏名　　　　）

※　「関係権利者」とは，特定債務者に対して財産上の請求権を有する者及び特定債務者の財産の上に担保権を有する者をいう。（特定調停法２条４項）
関係権利者の一覧表には，関係権利者の氏名又は名称及び住所並びにその有する債権又は担保権の発生原因及び内容を記載しなければならない。（特定調停手続規則２条２項）

▶　関係権利者一覧表には，すべての関係権利者，担保権者の住所，氏名，債権の種類，債権または担保権の発生原因および内容を記載しなければならない（特調規２条２項）。ただし，社会保険料，国税，地方税は特定調停の対象とならないので，一覧表に記載する必要はない。

▶　上記の事項を記載することにより，特定債務者の債務負担状況が正確に把握され，特定調停での債務支払方法の決定に役立つ。

▶　関係権利者一覧表は，原則として，特定調停申立と同時に，裁判所に提出する必要がある。

5−090 民事執行手続停止決定申立書

収入
印紙

民事執行手続停止決定申立書

令和○○年○○月○○日

○○簡易裁判所　御中

申立人　○ ○ ○ ○　印

東京都○○区○○町○○丁目○○番○○号
申立人　○ ○ ○ ○
電話　○○（○○○○）○○○○
東京都○○区○○町○○丁目○○番○○号
被申立人　□□株式会社
代表者代表取締役　○ ○ ○ ○

申 立 て の 趣 旨

申立人所有の別紙物件目録記載の建物に対する○○地方裁判所令和○○年（ケ）第○○号不動産競売事件の競売手続は，御庁令和○○年（特ノ）第○○号特定調停事件が終了するまで停止する
との決定を求める。

申 立 て の 理 由

1　被申立人は金融業を営むものであるが，申立人は令和○○年○○月○○日被申立人から○○○○円を借り受けた（利息年○○％，弁済期令和○○年○○月○○日）。その際，被申立人は，借入金の担保として別紙物件目録記載の建物（以下「本件建物」という。）につき、抵当権を設定した。

2　上記借入金については，元本○○○○円のうち○○○○円と令和○○年○○月○○

▶　特定調停法７条に基づく民事執行手続停止の申立書の一例である。

▶　申立書の記載事項および添付書類については特定調停手続規則３条１項に規定されている。その疎明資料としては，担保権実行に基づく競売の場合には，設定契約書写し，不動産登記全部事項証明書，競売開始決定正本の写しなどを提出する。

日までの約定利息を支払っているが，申立人が一時的に失業したためその後の支払いが遅滞している。

3　そのため，被申立人は上記抵当権の実行として本件建物に対する競売の申立てをし，○○地方裁判所は令和○○年○○月○○日競売開始決定をした。

4　本件建物は，申立人の唯一の資産であり，在居住して生活しており，これが競売されることになっては，生活の基盤が失われる。申立人は，現在，一部上場企業に再就職し，分割払いであれば残債務履行の見通しも立ったので，特定調停が成立する見込みも高い。しかしながら，上記競売手続が完了すれば特定調停の成立を著しく困難にするかまたは円満な進行が妨げられるおそれがある。

5　よって，本件競売手続の停止を求めるため，申立てに及んだ次第である。

添　付　書　類

1　金銭消費貸借契約書　　1通
2　領収書　　1通
3　競売開始決定正本　　1通
4　（別紙物件目録省略）

5−091 調停前の措置命令申立書

調停前の措置命令申立書

当事者の表示　　別紙当事者目録記載のとおり

申 立 て の 趣 旨

1　相手方は，別紙約束手形目録記載の約束手形につき，手形金を取り立て，又は裏書譲渡その他一切の処分をしてはならない。

2　利害関係人は上記約束手形に基づき相手方に対して支払いをしてはならない。

との調停前の措置命令を求める。

申 立 て の 理 由

1　申立人の事業の内容

〇〇〇〇〇〇〇〇

2　特定調停の申立て

申立人は，別紙関係権利者一覧表記載のとおり，現在金〇〇〇〇円以上の債務を負担し，その支払いに窮している特定債務者であり，令和〇〇年〇〇月〇〇日，御庁に対し，申立人の債務額を確定した上，上記各債務の支払方法を協定することを求める特定調停の申立てを行った（御庁令和〇〇年（特ノ）第〇〇〇〇号）。

3　約束手形の振出し

申立人は，令和〇〇年〇〇月〇〇日，別紙約束手形目録記載の一を，同年〇〇月〇〇日，同記載の二を振り出した。

4　調停前の措置命令の必要性

上記約束手形につき取立て等がなされると，申立人の事業が破綻し，弁済計画等の目処も立たなくなる。そのため，それらの行為の排除を求めなければ，調停の目的を達することはできない。

よって，申立人は，本件申立てに及んだ次第である。

▶ 民事調停法12条は，調停のために特に必要であると認めるときは，当事者の申立てにより，調停前の措置として，現状の変更および物の処分の禁止その他行為の排除を命ずることができる，と規定している。本文書は，その措置命令申立書の一例である。

▶ 特に，商工ローン業者相手に手形の取立てを止めるために利用できるので，効果がある。

疎　明　資　料

疎甲１　計算書

疎甲２　当座勘定照合表

疎甲３　決算書

疎甲４　陳述書

添　付　書　類

１　訴訟委任状	１通
１　資格証明書	１通

（別紙）約束手形目録

1	金　　額	金〇〇〇〇円
	支払期日	令和〇〇年〇〇月〇〇日
	支 払 地	東京都〇〇区
	支払場所	株式会社〇〇銀行〇〇支店
	振 出 日	令和〇〇年〇〇月〇〇日
	振 出 地	東京都〇〇区
	受 取 人	株式会社〇〇
	手形番号	〇〇〇〇〇〇
2	金　　額	金〇〇〇〇円
	支払期日	令和〇〇年〇〇月〇〇日
	支 払 地	東京都〇〇区
	支払場所	株式会社〇〇銀行〇〇支店
	振 出 日	令和〇〇年〇〇月〇〇日
	振 出 地	東京都〇〇区
	受 取 人	株式会社〇〇
	手形番号	〇〇〇〇〇〇

（5−091 調停前の措置命令申立書）

5－092 文書提出命令の申立書

令和○○年（特ノ）第○○号　特定調停事件
申立人　　○　○　○　○
相手方　　○　○　○　○

文書提出命令の申立書

令和○○年○○月○○日

○○簡易裁判所　御中

申立人　　○　○　○　○　　印

頭書事件について，申立人は，次のとおり文書提出命令の申立てをする。

申　立　て　の　内　容

１　証すべき事実
（１）　借入日，借入金額，弁済日，弁済金額等，相手方との全ての取引経過
（２）　残債務額の確定
２　文書の表示及び文書の趣旨
（１）　申立人と相手方との間の令和○○年○○月○○日の金銭消費貸借に関して作成された契約書，貸付に関する帳簿の一切
（２）　申立人と相手方との間の令和○○年○○月○○日からの受取りに関する証書の一切
３　文書の所持者
相手方

▶　取引経過の開示等のために文書の提出を法制化し，違反には過料の制裁を科したものである。

▶　実務上は，関係権利者からの任意の協力を得られない場合も少なくないが，書記官あるいは調停委員会での催告書によって提出される例がほとんどであり，文書提出命令まで発せられる例は少ない。

破産

5－093 債権届出書

令和○○年（特ノ）第○○号　特定調停事件
申立人　　○　○　○　○
相手方　　○　○　○　○

債　権　届　出　書

令和○○年○○月○○日

○○簡易裁判所　御中

〒○○○－○○○○
東京都○○区○○町○○丁目○○番○○号
相手方　　○　○　○　○　　印
ＴＥＬ　○○（○○○○）○○○○

頭書の事件について，関係権利者である相手方が申立人に対して有する債権は次のとおりである。

1　債権の表示		2　債権の発生原因及び内容
元金	金　　　円	
利息	金　　　円	
遅延損害金	金　　　円	
合計	金　　　円	

3　弁済期の充当及び残元金の算出方法								
支払日	支払金額（円）	利率	期　間	充当方法			残元金	遅滞額損害金等（円）
				利　息（円）	損害金（円）	元　本（円）		

▶　債権等の届出に関する文書例である。
▶　関係権利者は，相当な期間内に，債権または担保権の発生原因および内容等に関する書面およびその証拠書類を提出する必要がある（特調規４条）。

5−094 書面による調停条項案受諾の申立書

令和○○年（特ノ）第○○号　特定調停事件
申立人　　○　○　○　○
相手方　　○　○　○　○

書面による調停条項案受諾の申立書

令和○○年○○月○○日

○○簡易裁判所　御中

相手方　　○　○　○　○　　　　　印
連絡先　　ＴＥＬ　○○（○○○○）○○○○
　　　　　ＦＡＸ　○○（○○○○）○○○○

頭書事件について，相手方は遠方のため期日に出頭できないので，特定調停法第１６条により，調停委員会から提示の調停条項案を受諾しますので，同条により調停を成立されたく申し立てます。

以　上

▶ 特定調停事件の終了に関する文書例である。

▶ 遠隔地にいる当事者が出頭できない場合等において，その当事者があらかじめ調停委員会から提示された調停条項案を受諾する書面を提出し，他の当事者が期日に出頭してその案を受諾したときは，当事者間に合意が成立したものとみなされる（特調法16条）。

破産

5－095 調停条項案の受諾書

令和○○年（特ノ）第○○号　特定調停事件

申立人　　○　○　○　○

相手方　　○　○　○　○

調停条項案の受諾書

令和○○年○○月○○日

○○簡易裁判所　御中

相手方　　○　○　○　○　　印

頭書事件について，相手方は，令和○○年○○月○○日付けで調停委員会から提示された調停条項案を受諾します。

添　付　書　類

1　印鑑証明書　　　　1通

▶ **5－094** 参照。

MEMO

民事編

第6章
私的整理

第6章　私的整理

倒産処理手続は，裁判所が関与する手続き（清算型→特別清算・破産，再建型→会社更生・特定調停・民事再生），裁判所が関与しない手続き（私的整理）に分けられる。法人が利用する手続きは特別清算，破産，会社更生，一般民事再生，私的整理であり，個人が利用する手続きは破産，特定調停，個人民事再生，私的整理である。

私的整理とは，裁判所を通さずに，債権者と私的に話し合って，合意によって借金を圧縮・整理する方法であり，清算型と再建型の両方がある。

1　私的整理の利用の是非に関する一応の基準

私的整理（再建型）を利用するかどうかの一応の目安は，次のとおりである。

① 返済原資が確保できること（親族の援助，給料・売上など）
② 返済条件の変更によって借金を圧縮して概ね3年程度で全額返済できること
③ 債権者の数が比較的少ないこと
④ 暴力団，街金業者等からの借入れなどが少ないこと
⑤ 債権者，株主，従業員，適切な弁護士などの協力があること

2　私的整理の手続きの流れ

① 弁護士に依頼
② 受任通知の債権者への発達（一時返済中止，銀行口座の封鎖）
③ 債権者集会の実施（債権者委員会の選任），債権者との示談交渉
④ 債権の調査・確認（利息制限法に基づく引き直し）
⑤ 債務整理案の作成（一括返済案，分割返済案）
⑥ 債権者の承諾
⑦ 整理案の実行

貸金業法では，弁護士が受任通知書を郵送した場合には，貸金業者は債務者に対し直接連絡を取ることができない，と規定されている（貸金業法21条1項9号）。貸金業者がこれに違反した場合には，登録取消，または，1年以内の期間を定めて業務の全部もしくは一部の停止の命令を受ける可能性がある。

6−001　受任通知書（個人債務者）

令和○○年○○月○○日

債　権　者　各　位

受　任　通　知　書

住所　〒○○○−○○○○
東京都○○区○○町○○丁目○○番○○号
氏名　　債務者　　○　○　○　○
（昭和○○年○○月○○日生）

住所　〒○○○−○○○○
東京都○○区○○町○○丁目○○番○○号
氏名　上記債務者代理人弁護士　○　○　○　○
ＴＥＬ　○○（○○○○）○○○○
ＦＡＸ　○○（○○○○）○○○○

拝啓　時下益々ご清栄のこととお喜び申し上げます。

当職は債務者○○○○より，貴社等債権者に対する債務整理を受任致しましたのでご通知申し上げます。○○○○は貴社等合計○社のサラ金業者・信販会社等から合計約○○○○円の債務を負担しており，二進も三進もいかない状態でございます。当職が債務者本人から事情を聴取致しましたところ，○○○○はアルバイトで作業員をして生計を立てており身分が極めて不確定な状態であり，アルバイト料も手取りで十数万円程度でございます。○○○○は親類等から借り入れる当てもなく，財政状況は極めて深刻な状況であり，自己破産申立もやむを得ない事例でございます。しかしながら，自己破産申立をするよりも，一生懸命働いて債権者の皆様に少しずつでも返済したいと希望しております。

▶　個人債務者に関し，サラ金業者等債権者に対して出す受任通知書である。

▶　受任通知書には，①私的整理に至った経緯，②債務者の財政状況，③利息制限法による債務圧縮のお願い，④証拠書類，債権調査票の提出のお願い，⑤債務者への直接取立・連絡の禁止――などを記載しておくとよい。

▶　貸金業法では，貸金業者は，弁護士から受任通知を受けた場合は，正当な理由なく

そこで，当職と致しましては，○○○○のアルバイト料から無理のない範囲内で，長期で分割して返済するという債務整理案をご提示したいと考えております。なお，貴社の残債権金額については利息制限法によって引き直させていただいた上で，その残債権金額の多寡に応じて毎月の返済金額を調整させていただきたくお願い申し上げます。

つきましては，貴社の債権額を確定したいと思いますので，同封の「債権調査票」に所定事項をご記入の上（なお，貴社で作成した利息制限法に引き直した借入支払明細書に代えても結構です），金銭消費貸借契約書・借用証等のコピーを添付して，上記当職事務所宛てにご送付いただきたくお願いする次第です。必ず，切替え前の分，すでに完済となっている分もご記入ください。

貸金業法は，「債務処理に関する権限を弁護士に委任した旨の通知を受けた後に，正当な理由なく直接債務者本人に支払請求すること」を禁止しております。そこで，債務者本人等に対しては一切ご連絡なきよう，また，本件に関するお問い合わせは何卒前記当職事務所宛てに頂きますよう，お願い致します。

敬　具

（**6—001** 受任通知書（個人債務者））

債務者本人に直接支払請求をしてはならない，と規定されている（21条1項9号）。

▶　また，貸金業法は，債務者等は貸金業者に対し，当該債務者の取引履歴（取引明細）の閲覧または謄写を請求できる，と規定している（19条の2）。

6−002 債権者集会招集通知書（法人債務者）

債権者の皆様へのお知らせ
（ 債権者集会招集通知書 ）

拝啓　皆様には平素より格別のお引立てを賜り，厚く御礼申し上げます。

さて，誠に突然のことながら，去る令和○○年○○月○○日，当社は不渡手形を出し事実上倒産するに至りましたことを，報告申し上げます。

私どもは，このような事態を回避すべく可能な限りの努力を重ねて参りましたが，このような次第と相成りました。債権者の皆様には多年に亘りご支援を賜りながら誠に申し訳ない仕儀に至り，これも偏に私どもの不徳の致すところであり心からお詫び申し上げます。しかしながら，何分にも，債権者の数および債務総額が多額に及び，本来の支払いの約定にては完済不能であることは明らかでございます。

そこで，債権者の皆様には，ご多用のところ恐縮ですが，今回の倒産に至った経過および債務・資産の状況についてご説明申し上げ，具体的な再建の方途について皆様のご意向をお伺いし，その決定に従いたいと存じます。後記の日時に債権者集会を開催いたしますので，是非ともご参集の程をお願い申し上げます。

敬具

令和○○年○○月○○日

□□株式会社

代表取締役　○　○　○　○

債　権　者　各　位

日　時　　令和○○年○○月○○日　午後○時

代理人の出席の場合は同封の委任状をあらかじめ提出くださるようお願い申し上げます。

場　所　　東京都○○区○○町○○−○○−○○　○○ビル○階会議室

▶　代理人を立てずに法人（株式会社）自らが私的整理を行うケースでの債権者集会招集通知の例である。

▶　有力債権者に対し，あらかじめ十分な事情説明と協力を依頼して，できれば債権者の頭数，金額の過半数の出席を確保すべきである。

6−003 委任状（法人債務者私的整理用）

委　任　状

当社は，○○○○氏（住所　東京都○○区○○町○○丁目○○番○○号）を代理人として下記事項を委任する。

記

1　株式会社□□の倒産による債権回収に関する一切の件

2　株式会社□□が，法的手続によらない私的整理を行うにあたり，債務弁済の条件について交渉し，かつ，債務整理契約を締結し，その実行に関する一切の件

3　債権者委員選任に関する一切の件

4　復代理人選任の件

以　上

令和　　年　　月　　日

住　所

会社名

代表取締役　　　　　　　　　　　　印

▶　法人債務者から弁護士への私的整理の委任状の例である。

6－004 債権調査票

債　権　調　査　票

No.

令和　　年　　月　　日現在

債権者名		担当者	
住　　所		ＴＥＬ	
債務者名		（連帯）保証人名	

貸付年月日	貸付元金	約定返済期限	約定利率	受取年月日	受取元利金	元金残高	利息残高

▶　貸金業者等債権者に，当該債務者に関する帳簿記載事項に基づいて，作成・返送してもらう。

▶　当該債務者の過去の取引履歴をすべて記載させる必要があり，途中で債務の借換え等がある場合には（業者が意図的に記載しないことがある），それ以前の取引履歴も漏れなく記載させるように注意する。

6―005 債権者集会結果報告書

債権者集会結果報告書

前略　私どもは，先般開催されました株式会社□□の事実上の倒産による第１回債権者集会において債権者委員に選任された者でございます。

同社の突然の倒産により，私ども債権者は甚大な被害と多大の迷惑を被るに至りました。しかしながら，今回の件による損害を最小限にくい止めるために，債権者集会においては，別添「債権者集会議事録」のとおり私的整理による清算を実行することが決議されました。

私ども３名の債権者委員は，債務者財産の保全と拡充に努力し，倒産原因を究明するとともに可能な限り多くの財産を，同決議に沿って配当し，法的手続によらないで迅速・公平に債務の整理をしたいと考えております。

債権者の皆様には上述の趣旨を理解され，今後とも債権者委員会に対してご協力を賜りますようお願いする次第であります。

つきましては，私どもに債務者の財産の管理，換価，配当等に関する権限を付与していただきたく，同封の委任状・債権届に所定事項をご記入のうえご返送ください。

なお，債権者の皆様より，本件についてご意見，ご希望等がございますときはお気軽に債権者委員会宛てにお願い申し上げます。

草々

令和○○年○○月○○日

株式会社□□
債権者委員会
委員長　○○○○
委　員　○○○○
同　○○○○

債　権　者　各　位

▶ 債権者集会において選任された債権者委員会が，債権者に対して，債務者の財産の管理・換価・配当等に関する委任状を徴求し，あわせて，債権届の提出を求めるものである。

▶ 債権者委員への選任を明確にするために，債権者集会議事録（6―006）を添付している。

6－006 債権者集会議事録

債権者集会議事録

令和○○年○○月○○日　午後○時～○時

東京都○○区○○町○○丁目○○番○○号　○○会館会議室

出席者　○○名（内委任状提出者○○名）

議　　事

1　債務者代表者のお詫びと経過報告

2　債務者の財務諸表の説明

3　議長選任

債務者より議長選任の発言があり，互選により○○○○氏が議長に選任された。

4　債権者による討議

倒産処理の方法について債権者による討議が行われ，清算型（再建型）・私的整理（法的整理）とする決議がなされた（全員一致）。

5　債権者委員の選任及び同委員長の互選

債権者委員として，○○○○氏，○○○○氏，○○○○氏の３名が選任され，同人らは就任を承諾した。別室で債権者委員が協議し，○○○○氏を債権者委員長に選任，同人は就任を承諾した。

令和○○年○○月○○日

議事録署名者

議　長　○　○　○　○　印

債権者委員会

委員長　○　○　○　○　印

委　員　○　○　○　○　印

同　○　○　○　○　印

▶　債権者集会における，議事の内容，債権者委員の選任などが記載されている。

▶　議事録の署名押印者は，通常，議長，債権者委員（就任の承諾意思を明確にするため）となる。

私整

6−007 委任状（債権者委員会への権限付与）

委　任　状

当社は，令和○○年○○月○○日開催された株式会社○○の債権者集会の決議を承認し，同債権者委員会（委員長○○○○氏）に対し，次の事項を委任する。

1　株式会社○○の財産の管理，換価，配当等に関する権限

2　株式会社○○の事実上の倒産により同社の債権を回収するため，裁判手続によらず債務者と和解契約を締結し，その他関係人と交渉する一切の件

3　株式会社○○に対し破産の申立てをなす件

4　復代理人選任の件

令和　　年　　月　　日

住　所

会社名

代表取締役　　　　　　　　　　　　　　印

株式会社○○債権者委員会　御中

▶　債権者集会結果報告書（6−005）に同封する，債権者委員会宛ての委任状の例である。

▶　債権者委員会の法的性質，同委員長の権限，個別の債権者との法律関係などは必ずしも明確にされていないが，要は全債権者の要請に応えることが主眼であるから，全員から委任状を提出してもらえるように努力する。

6−008 債権届

債　権　届

私の株式会社○○に対する債権額及び原因は次のとおりである。

債権額　　　金　　　　　　円

債権の原因

令和　　年　　月　　日

住　所

氏　名

印

株式会社○○

債権者委員会　御中

▶　債権者集会結果報告書（**6−005**）に同封する債権届の例である。

▶　債権届記載の金額，原因については，債務者の帳簿記載事項（買掛債務，借入金等），証拠書類（請求書，注文書，注文請書，見積書，借用証等）からきちんと検証することが必要となる。

6－009 集金のご案内

集金のご案内

前略　愈々ご繁栄のことと拝察いたします。

早速ながら，先にご照会申し上げました株式会社○○の件につき，ご協力下さいまして有難うございました。そこで令和○○年○○月○○日開催の株式会社○○債権者委員会の決議に基づき，委員会として貴社に集金に参上いたしたくご案内申し上げます。

集金人には債権者委員会発行の身分証明書を携帯させますので，集金人本人の名刺等をご確認の上，お支払い下さいますようお願い申し上げます。

草々

令和○○年○○月○○日

株式会社○○債権者委員会

委員長　　○　○　○　○　　印

○　○　○　○　　殿

▶　債権者集会で選任された債権者委員会が，各債権者から権限付与の委任状を徴収し，付与された権限に基づいて，会社の売掛金等の回収集金を行う場合の案内文の例である。

6－010 配当通知書

配　当　通　知　書

前略　株式会社○○の私的整理について，私共債権者委員会は委員に選任され今日まで鋭意，債権取立と事務処理に努力して参りましたが，今日ようやく配当に充てる財源を確保できたため配当を実行いたしますので通知いたします。なお，配分基準については，私ども委員会におきまして債権者間の公平と実質的な平等を念頭に決定させていただきましたので，何とぞご納得ご了承のほどお願い申し上げます。

なお，ご了承いただける場合は，同封した配当金請求書・債権放棄書に署名押印の上，ご返送下さい。

1　配当率

（1）債権額金　○○○○円以下　　　全額

（2）債権額金　○○○○円まで　　　○○％免除

（3）債権額金　○○○○円まで　　　○○％免除

2　配当の日時

令和○○年○○月○○日より同月○○日　午前○○時から午後○時まで

3　場所

債務者本店所在地

なお，送金ご希望の方は，送金先，送金方法（銀行送金の場合は取引銀行名，口座番号，名義人）をお知らせ下さい。送金料差引きの上，送金いたします。

4　配当金

金○○○○円也

以　上

令和○○年○○月○○日

株式会社○○債権者委員会

委員長　　○　○　○　○　　印

債権者　　○　○　○　○　　殿

▶ 配当通知は，各債権者の理解のためにも，可能な限り詳細な債権の内訳と資産内容を明示すべきである。

▶ 特に，配当割合の決定に際して，債権者委員会が控除した委員会の手続費用の明細書をきちんと報告すべきである。

私整

6−011 配当金請求書・債権放棄書

配当金請求書・債権放棄書

金○○○○円

1　私は株式会社○○の債権者委員会の決議を承認し，同社に対する全債権金○○○○円の配当金として上記金額（100円未満切捨て）を請求いたします。

2　上記金額を委員会の定める日に以下の口座に振り込んでください。送金料は上記金額より差し引いてください。

銀行名・支店名　＿＿＿＿＿銀行＿＿＿＿＿支店

フリガナ
名　義　人　＿＿＿＿＿＿＿＿＿＿

口　座　番　号　当座・普通　№.＿＿＿＿＿

3　振込金受領を条件として，私の株式会社○○に対する残余の債権金○○○○円をすべて放棄するとともに，貴債権者委員会に対しその責任を解除します。

令和　　年　　月　　日

住　所

氏　名

印

ＴＥＬ

担当者

株式会社○○債権者委員会　御中

▶　配当通知書（**6−010**）に同封する配当金請求書兼債権放棄書の例である。配当金の受領を条件として残余の債権全額を放棄してもらうことが重要となる。

6−012 領収書

領　収　書

1　金　　　　　円也

但し，株式会社○○の事実上倒産による整理について，私的整理による方法を承認し，かつ貴委員会の令和○○年○○月○○日付の配当通知書に基づく配当金（弁済金）として受領する。

上記受領いたしました。

令和　　年　　月　　日

住　所

氏　名

印

株式会社○○債権者委員会

委員長　　○　○　○　○　　殿

▶　配当金の領収書の例である。

6−013 通知書（貸金業者への一括返済申入）

通　知　書

当職は，○○○○氏の債務整理の代理人として御通知申し上げます。

当職の債務状況の調査について，資料をお送り頂く等の御手数を煩わせ恐縮に存じます。さて，同氏の借入れ，返済の経過を調査し，利息制限法により計算しましたところ，同氏の貴社に対する残債務は令和○○年○○月○○日現在次のとおりです。

元　金　　○○○○円

利　息　　○○○○円

合　計　　○○○○円

そこで，上記金額を一括返済して本事案を解決したいと思いますので，同封の承諾書に必要事項を記入して記名押印の上，○○月○○日までに返送ください。到着次第速やかに送金致したいと存じます。

令和○○年○○月○○日

〒○○○−○○○○

東京都○○区○○町○○丁目○○番○○号

債務者　　○　○　○　○

〒○○○−○○○○

東京都○○区○○町○○丁目○○番○○号

上記債務者代理人弁護士　○　○　○　○　印

ＴＥＬ　○○（○○○○）○○○○

ＦＡＸ　○○（○○○○）○○○○

債権者　　□□株式会社　殿

▶　利息制限法に引き直した元利金について，貸金業者に一括返済を申し入れる通知書の例である。

6−014 通知書（貸金業者への一部債務免除を含む一括返済申入）

通　　知　　書

拝啓　当職は○○○○氏の債務整理の代理人として御通知申し上げます。

同氏の債務整理に関しては，資料を返送頂く等の御手数を煩わせ恐縮に存じます。当職が入手致しました資料を検討した結果，次のとおり提案したいと存じます。

1　同氏の債務は次のとおりです。

　　債権者数　○○件

　　債権総額　金○○○○円

2　同氏が生活費をぎりぎりに切りつめて準備し，また，同氏の親戚知人等可能なところ全てから借り受けて準備できる配当引当金は，金○○○○円です。

3　したがって，配当率は，○○○○円÷○○○○円＝○○となります。

4　同氏の貴社に対する残債務は，同氏の借入れ・返済の経過を調査し，利息制限法により計算したところ，令和○○年○○月○○日現在金○○○○円となります。

5　したがって，貴社に対する配当金は，３項の配当率により計算する金○○○○円となります。

6　前項の配当金を支払うことで残債権を放棄していただけるならば，貴社に対し，令和○○年○○月○○日までに配当金全額を一括してお支払いしたいと思います。

この弁済案は，債務者本人の資力，同人の親戚・知人等から援助を受けられる可能な限りの資金等を考慮した上でのぎりぎりの弁済案でありますので，何卒御了承を得たい

▶　利息制限法に引き直した元利金について，一部債務免除をしてもらった上で，残額の一括返済を申し入れる通知書の例である。

と考えている次第です。

上記弁済案に同意していただけるのであれば，同封の承諾書に必要事項を記入し，記名押印の上，令和○○年○○月○○日頃までに当職事務所まで御返送くださるようお願い申し上げます。承諾書到着次第，上記期日までにお支払い致します。

敬　具

令和○○年○○月○○日

東京都○○区○○町○○丁目○○番○○号
債務者　○　○　○　○
東京都○○区○○町○○丁目○○番○○号
上記債務者代理人弁護士　○　○　○　○　印

債権者　□□株式会社　殿

（6−014 通知書（貸金業者への一部債務免除を含む一括返済申入））

6−015 承諾書（一括返済申入に対する承諾書）

承　諾　書

1　貴職の令和○○年○○月○○日付通知書による提案を承諾します。

2　○○○○氏より下記送金指定口座に金○○○○円の支払いを受けた後は，同氏及びその親族，保証人，担保提供者などの関係人に対し，何らの請求権も存在しないことを確認します。

（送金指定口座）

銀行名・支店名　＿＿＿＿＿＿銀行＿＿＿＿＿＿支店

フ　リ　ガ　ナ
名　　義　　人　＿＿＿＿＿＿＿＿＿＿＿＿＿＿

口　座　番　号　当座・普通　No.＿＿＿＿＿＿＿＿

令和　　年　　月　　日

債権者　　住所

氏名　　　　　　　　　　　　　　　印

債務者○○○○氏代理人
弁護士　　○　○　○　○　殿

▶ **6−013** および **6−014** の通知書を送る際にあらかじめ同封する承諾書の例である。貸金業者が承諾すれば一括返済の完了によって債権債務関係がなくなる。

6−016 通知書（貸金業者への分割返済申入）

通　　知　　書

拝啓　当職は○○○○氏の債務整理の代理人として御通知申し上げます。

同氏の債務整理に関しては，資料を返送頂く等の御手数を煩わせ恐縮に存じます。同氏の借入れ，返済の経過を調査し，利息制限法により計算しましたところによれば，同氏の残債務は○○月○○日現在金○○○○円であります。

上記債務を早速返済すべきところですが，現在同氏は○○件○○○○円の負債を負っており，同氏の返済原資は毎月約○○○○円位でありますので，同氏の資力では一時に返済することは不可能な状態です。そこで，次のとおりの分割返済案を作成致しました。

1　和解金として総額金○○○○円を支払うものとする。

2　同和解金を令和○○年○○月から令和○○年○○月まで毎月月末○○○○円ずつ（合計○○回払い），分割して支払うものとする（最終回のみ○○○○円とする。）。

この返済計画は本人の生活費を切りつめたぎりぎりのものでありますので，何卒御了承を得たいと考えている次第です。同封の承諾書に必要事項を記入し，記名押印の上○○月○○日頃までに当職事務所まで御返送くださるようお願い申し上げます。承諾書到着次第，返済を開始致します。

敬具

令和○○年○○月○○日

債務者○○○○代理人

弁護士　○　○　○　○　印

債権者　○　○　○　○　殿

▶ 利息制限法に引き直した債務額について，一部免除した残額を分割支払とする申入書である。

6－017 承諾書（分割返済申入に対する承諾書）

承　諾　書

1　貴職の令和○○年○○月○○日付通知書による分割返済計画案を承諾します。

2　同返済計画に従って下記送金指定口座に弁済を受けた後は，同氏及びその親族，保証人，担保提供者などの関係人に対し，何らの請求権も存在しないことを確認します。

（送金指定口座）

銀行名・支店名　＿＿＿＿＿＿銀行＿＿＿＿＿＿支店

フリガナ
名　義　人　＿＿＿＿＿＿＿＿＿＿＿＿

口　座　番　号　当座・普通　No.＿＿＿＿＿＿

令和　　年　　月　　日

債権者　　住所

氏名　　　　　　　　　　印

債務者○○○○氏代理人
弁護士　○　○　○　○　殿

▶ **6－016** の通知書を送る際にあらかじめ同封する承諾書の例である。貸金業者が承諾すれば分割返済案が合意成立する。

6－018 和解契約書

和　解　契　約　書

債権者○○株式会社を甲とし，債務者○○○○を乙として，次のとおり和解が成立した。

1　甲及び乙は，乙の甲に対する金銭貸付債務が金○○○○円であることを確認する。

2　乙は甲に対し，前項の金員を次のとおり分割して支払う。

支払方法　令和○○年○○月から令和○○年○○月まで毎月月末金○○○○円

（合計○○回，但し最終回は金○○○○円）

振 込 先　○○銀行○○支店　普通　○○○○○○○　○○株式会社

3　乙が前項記載の支払いを２回怠った場合は，乙は当然に期限の利益を喪失し，残額及び残元金に対し期限の利益を喪失した日の翌日から支払済まで年○○%の遅延損害金を付して直ちに支払う。

4　甲及び乙は，甲乙間に本和解契約に定める他何らの債権債務がないことを確認する。

以上のとおり和解契約が成立したので，本契約書２通を作成し，甲乙記名押印の上，各自１通を保有する。

令和　　年　　月　　日

債権者（甲）　住所

氏名　　　　　　　　　　　　印

債務者（乙）　住所

氏名　　　　　　　　　　　　印

▶　債権者貸金業者と債務者との分割返済に関する和解契約書の例である。

6－019 直接請求に対する異議通知書

ご　通　知　書

拝啓　時下益々ご清栄のことと存じます。

当職は○○○○氏から債務整理を受任した代理人として本書を差し上げます。当職は，貴社を含む○○社の債権者の皆様に，本年○○月○○日付「受任通知書」を発送し，①債務整理を受任したこと，②債務総額を確定した後に長期分割返済案を提示する予定であること，をご通知申し上げました。

しかるに，その後，貴社は○○○○氏に対し，「期限までに支払いなき場合には法的手続を取る」旨催告書を送付され，電話でも直接本人に支払請求されました。ところで，貸金業法は，「債務処理に関する権限を弁護士に委任した旨の通知を受けた後に，正当な理由なく直接債務者本人に支払請求すること」を禁止しております。

そこで，今後，貴社が○○○○氏に対し文書，電話等で直接支払請求されることを厳に慎まれるよう要望します。また，貴社が実際に法的手続を取られますと，現在予定している債務整理の実現が不可能となり，自己破産の申立てを余儀なくされ，他の債権者の皆様に多大のご迷惑をお掛けすることになりますので，何卒ご協力の程宜しくお願い致します。なお，本件債務整理に関するご連絡は下記当職事務所宛てにお願い致します。

敬　具

令和○○年○○月○○日

東京都○○区○○町○○丁目○○番○○号　○○ビル○階
債務者○○○○氏代理人弁護士　　○　○　○　○　　印
ＴＥＬ　○○（○○○○）○○○○
ＦＡＸ　○○（○○○○）○○○○

債権者　　株式会社□□　殿

▶　弁護士が債権者に受任通知を発したにもかかわらず，債権者が文書・電話等で債務者に対して直接請求を行ったことに対して，異議を申し入れるための通知書の例である。

▶　貸金業法では，貸金業者等債権者が弁護士から受任通知を受けた場合は，正当な理由なく債務者本人に直接支払請求をしてはならない旨の規定があるので（21条1項9号），これを必ず明記する。

6−020 通知書（利息制限法を超える過払金返還請求）

通　知　書

拝啓　当職は債務者○○○○氏の債務整理の代理人として御通知申し上げます。

同氏の債務整理の件に関しては，資料を返送頂く等の御手数を煩わせ恐縮に存じます。同氏の借入れ，返済の経過を調査し，利息制限法により計算しましたところ，令和○○年○○月○○日現在，同氏は貴社に対し○○○○円を過払いしていることが判明致しました。同過払利息の全額につき不当利得返還請求ができることは昭和４３年１１月１３日の最高裁判決により確定しております。

そこで，当職は貴社に対し，過払金○○○○円を令和○○年○○月○○日限り，下記当職銀行口座に一括で支払うよう御請求申し上げます。万が一お振込みなき場合は，やむを得ず全額につき返還訴訟を提起するほかありませんので，悪しからず御了承下さい。なお，本通知書に対する異議等は下記当職事務所まで文書・電話にてお申し出下さい。

敬　具

記

○○銀行○○支店　普通　○○○○○○

弁護士○○○○預り口（ベンゴシ○○○○○○アズカリグチ）

以　上

令和○○年○○月○○日

東京都○○区○○町○○丁目○○番○○号　○○ビル○階

債務者○○○○氏代理人弁護士　○　○　○　○　印

ＴＥＬ　○○（○○○○）○○○○

ＦＡＸ　○○（○○○○）○○○○

債権者　○　○　○　○　殿

▶　最高裁昭和43年11月13日大法廷判決は,「利息制限法所定の制限を超える利息・損害金を任意に支払った場合において，制限超過部分の元本充当により計算上元本が完済になったときは，債務者はその後に債務の不存在を知らないで支払った金額につき返済を請求することができる」と判示している。そのため，利息制限法に従った引き直し計算をした後，過払金が発生しているときは，民法上の不当利得に基づく過払金の返還請求を行う。

▶　本通知書は，過払金返還請求を求め，銀行口座を指定し一括振込送金を要求するものである。このような通知書を送付した後に，示談交渉がなされることが多く，過払金返還請求訴訟の手間，費用等を考慮して，多少の減額により示談するケースもある。

▶　取引履歴開示の拒否，不十分な開示，みなし弁済の主張，明らかに不利な内容の和解提示などのケースでは，過払金返還請求訴訟を提起せざるを得ない。

第7章
和解調停

7－001 訴え提起前の和解申立書

収　入 印　紙

訴え提起前の和解申立書

令和○○年○○月○○日

○○簡易裁判所　御中

申立人代理人弁護士　　○　○　○　○　　印

当事者の表示　　　別紙当事者目録記載のとおり

建物明渡和解申立事件

申　立　て　の　趣　旨

相手方は申立人に対し，別紙目録記載の建物を明け渡し，かつ令和○○年○○月○○日から上記明渡済みまで一カ月金○○○○円の割合による金員を支払う。

との和解の勧告を求める。

申　立　て　の　原　因

1　申立人は相手方に対し，令和○○年○○月○○日申立人所有の別紙目録記載の建物を，賃料月額○○○○円，毎月末払い，期間○○年間と定めて賃貸した。

2　相手方が令和○○年○○月分以降の賃料を支払わないので，申立人は，同年○○月○○日付内容証明郵便で，同年○○月から○○月分までの賃料合計○○○○円を上記郵便到達後１０日以内に支払うよう催告し，上記支払いをしない場合には本件賃貸借契約を解除する旨の条件付契約和解の意思表示をし，この郵便は○○月○○日相手方に到達した。

3　しかしながら相手方は延滞賃料を払わず，上記契約は○○月○○日の経過により解除された。

▶　訴え提起前の和解については，民事訴訟法 275 条に規定されている。管轄裁判所は相手方の普通裁判籍所在の簡易裁判所である。和解が成立しない場合は訴えの提起とみなされるので，訴状の請求の趣旨と原因とほぼ同じ内容を記載するほか，争いの実情を記載して和解を求める。他の類型の事件は訴状の書式を参照して作成する。

▶　印紙 2,000 円を貼付する。

4　相手方は，申立人の要求に対し，家屋の賃貸と延滞賃料の月賦払いを主張しており，申立人としては相手方がこれまでも賃料を延滞したことがあり，家屋を直ちに明け渡すなら延滞賃料は免除してもよいからと再考を促したが，応じない。

5　よって請求の趣旨記載の事項について和解の勧告を求める。

添　付　書　類

1	申立書副本	1通
2	建物賃貸借契約書（写）	1通
3	建物登記全部事項証明書	1通
4	委任状	1通

7－002 調停申立書

収 入 印 紙

調 停 申 立 書

令和○○年○○月○○日

○○簡易裁判所　御中

申立人代理人弁護士　　○　○　○　○　　印

〒○○○－○○○○

○○県○○市○○町○○丁目○○番○○号

申立人　　　　　　　○　○　○　○

〒○○○－○○○○

○○県○○市○○町○○丁目○○番○○号

○○法律事務所

申立人代理人弁護士　○　○　○　○

ＴＥＬ　　○○○（○○○）○○○○

ＦＡＸ　　○○○（○○○）○○○○

〒○○○－○○○○

○○県○○市○○町○○丁目○○番○○号

相手方　　　　　　　○　○　○　○

貸金元金残請求調停事件

調停事項の価格　金○○○○円也

手数料額　　　　金○○○○円也

申 立 て の 趣 旨

相手方は，申立人に対して金○○○○円及び令和○○年○○月○○日より完済に至

▶　この書式は民事一般調停の申立書である。民事調停法に規定があり，管轄裁判所は当事者の合意の有無によって，地方裁判所の場合と簡易裁判所の場合がある。民事一般に含まれない宅地建物調停，農事調停，商事調停，鉱害調停，交通事故調停，公害等調停については特則がある。形式は訴状のそれとほとんど変わらないので，他の類型の事件は訴状の書式を参照する。

るまで，年○割の割合による金員を支払え。
との調停を求める。

紛　争　の　要　点

1　申立人は,相手方に対して,令和○○年○○月○○日金○○○○円を利息年○割,弁済期令和○○年○○月○○日，弁済期以降の損害金は年○割の特約のもとに，貸し渡した。

2　相手方は，令和○○年○○月○○日に上記貸金元金の内金○○○○円及び同日までの利息金○○○○円を支払ったのみで，その余の弁済をしない。

3　よって申立ての趣旨記載の調停をしてくだされたく，この申立てをする。

添　付　書　類

1　甲第１号証（契約書）　1通
2　訴訟委任状　1通

7―003 金銭債権に関する和解条項

和　解　条　項

1　被告らは，原告に対し，各自別紙約束手形目録記載の約束手形金〇〇〇〇円及びこれに対する令和〇〇年〇〇月〇〇日以降完済まで，年〇〇%の割合による利息金の支払義務のあることを認める。

2　被告Aは，前項の金〇〇〇〇円の内金〇〇〇〇円を，令和〇〇年〇〇月〇〇日限り原告に支払う。

3　被告らは，原告に対し，各自第1項の金〇〇〇〇円の内金〇〇〇〇円を分割して，令和〇〇年〇〇月から同〇〇年〇〇月まで1カ月金〇〇〇〇円ずつ毎月末日限り原告代理人〇〇法律事務所に持参又は送金して支払う。

4　被告Aが第2項の支払いを怠り，又は，被告らが前項の支払いを2カ月分以上怠ったとき，あるいは被告らが前項の最終回の支払いを期限内にしなかったときは，何らの通知催告を要せず当然に期限の利益を失い，被告らは原告に対し，各自金〇〇〇〇円から既に支払済みの金員を控除した残額及びこれに対する令和〇〇年〇〇月〇〇日以降完済まで，年〇〇%の割合による利息金を付して支払う。

5　原告は，被告Aが第2項の支払いをするのと引換えに，〇〇地方裁判所〇〇支部令和〇〇年（〇）第〇〇号，同裁判所同支部同年（〇）第〇〇号をもってなした債権差押命令申立を直ちに取り下げる。

6　原告は，被告らが第2項及び第3項の支払いをいずれも期限内に完済したときは，被告らに対しその余の債務の支払いを免除する。

7　被告Aは，原告に対する本和解条項の債務を担保するため，別紙物件目録記載の不動産に対し，債権額を金〇〇〇〇円，利息年〇〇%とする抵当権設定登記手続をなすことを承諾する。この抵当権設定登記費用は被告Aの負担とする。

8　被告Aは，前項の抵当権設定登記手続が完了するまで，原告が〇〇地方裁判所令和〇〇年（〇）第〇〇号不動産仮差押執行を維持することを承諾する。

被告Aは，上記事件に対し同裁判所令和〇〇年（〇）第〇〇号をもってなした

▶ 書式 **7―003** ～ **7―012** は裁判上の和解における和解条項で，このうち書式 **7―003** ～ **7―006** は金銭債権に関する和解条項である。和解調書に添付されるものである。調停条項もこれに準じて作成する。正式には裁判所が作成すべきものであるが，当事者が交渉を円滑に進めるため，また裁判所が作成する負担を軽減するために，しばしば作成する必要が生じる。

▶ 約束手形金と利息金の請求で，原告から

仮差押異議申立てを直ちに取り下げる。

９　被告Aは，原告に対し，第８項の不動産仮差押命令申立事件について，原告が供託した金○○○○円の担保（○○法務局令和○○年度（金）第○○号）の取消しに同意し，即時抗告権を放棄する。

１０　原告と被告両名間には，本和解条項に定めるほか何らの債権債務のないことを確認する。

１１　原告はその余の請求を放棄する。

１２　訴訟費用は各自の負担とする。

以　上

別に債権差押取立命令の申立てがあり，また保全処分として不動産仮差押手続がなされている事例である。本書式には，分割弁済，懈怠約款，残債務の免除，債権担保のため抵当権設定が盛り込まれている。当事者間の紛争は本和解ですべて解決とする確認条項など，金銭債権の和解で必要な条項は大体含まれている。

7－004 利害関係人参加の連帯保証による和解条項

和　解　条　項

1　被告は，原告（申立人。以下同じ）に対し，本件貸金債務金〇〇〇〇円の支払義務のあることを認める。

2　利害関係人は，原告に対し，前項の債務を連帯保証する。

3　被告と利害関係人は，原告に対し，各自第１項の金〇〇〇〇円を次のとおり分割して原告の〇〇銀行〇〇支店普通預金口座（口座番号〇〇〇〇〇〇〇）に送金して支払う。

①　令和〇〇年〇〇月〇〇日限り金〇〇〇〇円

②　令和〇〇年〇〇月から令和〇〇年〇〇月まで毎月末日限り金〇〇〇〇円ずつ，合計〇〇回

4　被告又は利害関係人が前項の金員の支払いを１回でも怠ったときは，当然に期限の利益を失い，被告及び利害関係人は，原告に対し直ちに第１項の金額から既払金を控除した残額及びこれに対する懈怠の日の翌日から完済まで年〇〇％の割合による損害金を支払う。

5　原告はその余の請求を放棄する。

6　訴訟費用は各自の負担とする。

以　上

▶ 貸金請求事件の和解条項である。利害関係人が連帯保証する場合の例である。

7－005　売掛代金支払についての和解条項

和　解　条　項

1　被告は原告に対し，被告が原告から令和○○年○○月○○日から令和○○年○○月○○日までの間買い受けた日舞用衣装及び道具類の代金○○○○円の支払義務のあることを認める。

2　被告は原告に対し，前項の金員を次のとおり分割して，原告の○○銀行○○支店普通預金口座（口座番号○○○○○○○○）に送金して支払う。

①　令和○○年○○月○○日　金○○○○円

②　令和○○年○○月○○日　金○○○○円

③　令和○○年○○月○○日残金○○○○円

3　被告が前項の金員の支払いを１回でも怠ったときは，当然に期限の利益を失い，原告に対し直ちに上記第１項の金○○○○円から既に支払済みの金員を控除した残額及びこれに対する懈怠の日の翌日から完済まで○○％の割合による損害金を支払う。

4　当事者双方は，本条項に定めるもののほか，何らの債権債務のないことを相互に確認する。

5　原告はその余の請求を放棄する。

6　訴訟費用は各自弁とする。

以　上

▶　継続的取引のあった被告に対する売掛金請求事件の和解条項である。

7−006 交通事故による損害賠償についての和解条項

和　解　条　項

1　被告らは連帯して原告に対し，各自本件交通事故による損害賠償として金○○○○円の支払義務のあることを認め，これを，次のとおり分割して原告代理人○○法律事務所に持参又は送金して支払う。

①　令和○○年○○月○○日限り金○○○○円

②　令和○○年○○月から令和○○年○○月まで毎月末日限り金○○○○円ずつ合計○○回

2　被告らが前項①の支払いを怠ったとき，又は同項②の支払いを○回分以上怠ったときは，当然に期限の利益を失い，被告らは，直ちに第1項の金額から既払金を控除した残額及びこれに対する懈怠の日の翌日から完済まで年○○%の割合による損害金を支払う。

3　原告及び被告ら間には，本件交通事故につき，本和解条項に定めたほか，何らの債権債務のないことを相互に確認する。

4　原告はその余の請求を放棄する。

5　訴訟費用は各自の負担とする。

以　上

▶　交通事故に基づく損害賠償請求事件で，自動車保有者と運転者を被告とした例である。

7－007 不動産売買についての和解条項

和　解　条　項

1　被告は原告に対し，被告の所有に係る別紙物件目録記載の土地（以下「本件土地」という。）につき，令和○○年○○月○○日，売主被告，買主原告，売買代金○○○○円の売買契約が成立したことを確認する。

2　原告は被告に対し，第１項の売買代金を令和○○年○○月○○日限り，被告が第３項の土地明渡し及び所有権移転登記手続をするのと引換えに支払う。

3　被告は原告に対し，前項の売買代金の支払いを受けるのと引換えに，本件土地を現状のまま明け渡し，かつ本件土地につき第１項の売買を原因とする所有権移転登記手続をする。右登記手続費用は原告の負担とする。

4　原告が第２項の期日までに売買代金を支払わない場合は，原告は，被告に対し右代金に対する遅滞の日の翌日から年○○％の割合による遅延損害金を支払う。

5　被告は，原告に対し，原告が本件土地に対してした，○○地方裁判所令和○○年（○）第○○号不動産仮処分命令申立事件の担保（○○法務局令和○○年度（金）第○○号）の取消しに同意し，即時抗告権を放棄する。

6　原告はその余の請求を放棄する。

7　訴訟費用は各自の負担とする。

以　上

▶ 書式 7－007 ～ 7－010 は，土地・建物に関する訴訟事件の和解条項である。

▶ 7－007 は土地売買契約に基づく所有権移転登記と明渡請求事件の和解条項である。被告が売買契約の成立を争ったため，第１項で売買契約を確認し，代金の支払い，所有権移転登記，土地明渡等を約定している。

7－008 賃貸借についての和解条項

和　解　条　項

1　原告は被告に対し，別紙物件目録記載の建物（以下「本件建物」という。）について，被告に賃借権のあることを認め，これを次の約定で引き続いて賃貸する。

（1）　期　　間　　本日より向う○年間

（2）　賃　　料　　1カ月金○○○○円。翌月分を毎月末日限り支払う。

（3）　使用目的　　居宅用

（4）　特　　約

次の場合は，被告は事前に原告から書面による承諾を受けること。

① 建物の模様替え又は造作その他を変更する場合

② 賃借権の譲渡若しくは転貸又は本件建物を第三者に使用させる場合

2　被告は原告に対し，本件延滞賃料金○○○○円を令和○○年○○月○○日限り，原告代理人○○法律事務所に持参又は送金して支払う。

3　被告が次の場合の一つに該当したときは，本件建物の賃貸借契約は，何らの通知催告を要せず当然に解除になり，被告は原告に対し，本件建物から退去して明け渡す。

（1）　第1項の賃料の支払いを○カ月分以上遅滞したとき

（2）　第2項の金員の支払いを怠ったとき

（3）　その他本条項の一つに違反したとき

4　当事者双方は，本条項に定めるほか，何らの債権債務のないことを確認する。

5　原告はその余の請求を放棄する。

6　訴訟費用は各自の負担とする。

以　上

▶ 建物の無断転借人に対する明渡請求事件の和解条項である。原告が被告の貸借権を認め，損害金を放棄する代わりに，被告は新規賃料を原告に支払うことで和解した例である。

7－009 建物明渡についての和解条項

和　解　条　項

1　原告及び被告は，別紙物件目録記載の建物（以下「本件建物」という。）に対する賃貸借契約を，本日，合意解除する。

2　被告は原告に対し，本件建物について，何らの占有権原のないことを認める。

3　被告は原告に対し，本件建物から退去して明け渡し，かつ本件建物に対する令和○○年○○月○○日以降の未払賃料合計金○○○○円及び本日以降明渡済みまで１カ月金○○○○円の割合による遅延損害金を支払う。

4　原告は被告に対し，本件建物の明渡しを令和○○年○○月○○日まで猶予する。

5　原告は被告に対し，被告が前項の明渡猶予期間内に明渡しを完了した場合，第３項記載の未払賃料及び賃料相当損害金の支払いを免除する。

6　被告が本件建物を猶予期間内に明け渡さないときは，被告は，前項の債務免除の利益を失う。

7　原告はその余の請求を放棄する。

8　訴訟費用は各自の負担とする。

以　上

和解

▶ 7－006 と同様，建物明渡請求事件の和解条項であるが，被告が明渡しを承諾した例である。本例では，原告は，被告が明渡猶予期間内に明け渡した場合は未払賃料と損害金の支払いを免除することとしている。

7－010 建物収去土地明渡請求についての和解条項

和 解 条 項

1　被告は原告に対し，別紙物件目録（1）記載の土地（以下「本件土地」という。）について，何らの占有権原のないことを認める。

2　被告は，原告に対し，令和〇〇年〇〇月〇〇日限り，別紙物件目録（2）記載の建物を収去して，本件土地を明け渡す。

3　原告は被告に対し，本件和解金合計〇〇〇〇円を次のとおり分割して支払う。

　①　令和〇〇年〇〇月〇〇日限り内金〇〇〇〇円

　②　令和〇〇年〇〇月〇〇日限り内金〇〇〇〇円

　③　前項の土地明渡しと引換えに残金〇〇〇〇円

4　被告が本件土地の明渡しを怠ったときは，被告は原告に対し，遅滞の日の翌日から明渡済みまで１カ月金〇〇〇〇円の割合による遅延損害金を支払う。

5　原告が第３項の和解金の支払いを怠ったときは，当該支払額について，年〇〇％の割合による遅延損害金を支払う。

6　原告及び被告は，本条項に定めるほか，何らの債権債務のないことを相互に確認する。

7　原告はその余の請求を放棄する。

8　訴訟費用は各自弁とする。

以　上

▶　建物収去土地明渡請求事件の和解条項である。原告が被告に和解金を支払うもので，明渡義務と和解金支払義務それぞれに懈怠約款がつけられている。

7−011 請求異議事件についての和解条項

和　解　条　項

1　原告と被告は，○○法務局所属公証人○○○○作成令和○○年第○○号金銭消費貸借契約公正証書に表示された債権，債務が存在しないことを相互に確認する。

2　原告は被告に対し，本件和解金として，本日金○○○○円を支払い，被告はこれを受領した。

3　被告は，被告と原告間の○○地方裁判所令和○○年（○）第○○号不動産強制競売申立事件を直ちに取り下げる。

4　被告は，原告に対し，原告による○○地方裁判所令和○○年（○）第○○号仮処分命令申立事件について原告が供託した担保（○○法務局○○年度（金）第○○号）の取消しに同意し，即時抗告権を放棄する。

5　原告及び被告は，当事者間において本条項に定めるほか，何らの債権債務のないことを相互に確認する。

6　原告は，本件請求異議の訴えを取り下げ，被告はこれに同意する。

7　訴訟費用は各自の負担とする。

以　上

▶　請求異議事件の和解条項である。

▶　請求異議事件は債務名義の執行力を排除する形成訴訟であって，形成訴訟では訴訟上の和解はできないとされている。しかし，実務上，本例のような和解条項で，和解成立後，訴えを取り下げる方法がとられている。訴訟物以外の権利関係についての裁判上の和解として有効であるとされている。

7－012 離婚訴訟事件についての和解条項

和　解　条　項

1　原告と被告は，両名間の長男○○（平成○○年○○月○○日生）の親権者を原告と定める協議離婚の届出をすることとし，被告は本日その旨記載した離婚届に署名捺印して原告に交付し，原告が速やかにその届出をする。

2　被告は原告に対し，原告の所有に係る別紙第１目録記載の物件を引き渡す。

3　被告は原告に対し，原，被告の離婚の効力が生ずることを条件として別紙第２目録記載の土地，建物を贈与し，右効力が生じた日から１０日以内に前項の土地，建物につき贈与による所有権移転登記手続をする。右登記手続費用は，〔原告／被告〕の負担とする。

4　原告は被告に対し，前項を除き，離婚による財産分与，慰謝料等一切の請求権を放棄する。

5　原告は，本日，本件離婚の訴えを取り下げ，被告はこれに同意した。

6　訴訟費用は各自弁とする。

以　上

▶　離婚訴訟事件の離婚を前提とした和解条項である。離婚は届出により成立するので，和解条項で離婚を合意するだけでは十分ではない。本例では未成年者の親権者指定，財産分与，慰謝料についても約定している。

▶　取得者に不動産取得税が発生する場合があるので，地方税徴収機関に確認の上，誰が負担するのか明記したほうがよい。

▶　贈与による移転の場合，離婚届出前なら法律上は夫婦なので，20年以上婚姻期間のある人は贈与税の特例を受けられる。

MEMO

民事編

第8章
家事事件

8−001 家事調停申立書

この申立書の写しは，法律の定めるところにより，申立ての内容を知らせるため，相手方に送付されます。

受付印		家事　□ 調停 □ 審判　申立書　事件名（　　　　）
		（この欄に申立て１件あたり収入印紙１，２００円分を貼ってください。） （貼った印紙に押印しないでください。）
収入印紙　　円		
予納郵便切手　　円		

家庭裁判所 御中 令和　　年　　月　　日	申立人 （又は法定代理人など） の記名押印	印

添付書類	（審理のために必要な場合は，追加書類の提出をお願いすることがあります。）	準口頭

申立人	本籍 （国籍）	（戸籍の添付が必要とされていない申立ての場合は，記入する必要はありません。） 都道 府県	
	住所	〒　　－ （　　方）	
	フリガナ 氏名		大正 昭和　　年　　月　　日生 平成 （　　歳）
相手方	本籍 （国籍）	（戸籍の添付が必要とされていない申立ての場合は，記入する必要はありません。） 都道 府県	
	住所	〒　　－ （　　方）	
	フリガナ 氏名		大正 昭和　　年　　月　　日生 平成 （　　歳）

（注）太枠の中だけ記入してください。

別表第二，調停（　／　）

（942150）

この申立書の写しは，法律の定めるところにより，申立ての内容を知らせるため，相手方に送付されます。

申　立　て　の　趣　旨

申　立　て　の　理　由

別表第二，調停（　／　）

8−002 家事審判申立書

受付印	家事審判申立書　事件名（　　　　　　　）
	（この欄に申立手数料として1件について８００円分の収入印紙を貼ってください。） （貼った印紙に押印しないでください。） （注意）登記手数料としての収入印紙を納付する場合は，登記手数料としての収入印紙は貼らずにそのまま提出してください。
収入印紙　　円 予納郵便切手　　円 予納収入印紙　　円	

準口頭		関連事件番号　平成・令和　　年（家　　）第　　　号

家庭裁判所 御中 令和　　年　　月　　日	申立人 （又は法定代理人など） の記名押印	印

添付書類	（審理のために必要な場合は，追加書類の提出をお願いすることがあります。）

申立人	本籍 （国籍）	（戸籍の添付が必要とされていない申立ての場合は，記入する必要はありません。） 都道 府県	
	住所	〒　　－　　電話　　（　　） （　　方）	
	連絡先	〒　　－　　電話　　（　　） （　　方）	
	フリガナ 氏名		大正 昭和　　年　　月　　日生 平成 （　　歳）
	職業		
※	本籍 （国籍）	（戸籍の添付が必要とされていない申立ての場合は，記入する必要はありません。） 都道 府県	
	住所	〒　　－　　電話　　（　　） （　　方）	
	連絡先	〒　　－　　電話　　（　　） （　　方）	
	フリガナ 氏名		大正 昭和　　年　　月　　日生 平成 （　　歳）
	職業		

（注）　太枠の中だけ記入してください。
※の部分は，申立人，法定代理人，成年被後見人となるべき者，不在者，共同相続人，被相続人等の区別を記入してください。

別表第一（ 1/ ）

(942210)

申　立　て　の　趣　旨

申　立　て　の　理　由

別表第一（　／　）

8−003 夫婦関係等調整調停申立書

この申立書の写しは，法律の定めるところにより，申立ての内容を知らせるため，相手方に送付されます。

受付印	夫婦関係等調整調停申立書　事件名（　　　　　）
	（この欄に申立て１件あたり収入印紙１，２００円分を貼ってください。）
収入印紙　　円	
予納郵便切手　　円	（貼った印紙に押印しないでください。）

家庭裁判所 御中 令和　年　月　日	申立人 （又は法定代理人など） の記名押印	印

添付書類	（審理のために必要な場合は，追加書類の提出をお願いすることがあります。） □ 戸籍謄本（全部事項証明書）（内縁関係に関する申立ての場合は不要） □ （年金分割の申立てが含まれている場合）年金分割のための情報通知書 □	準　口　頭

申立人	本籍（国籍）	（内縁関係に関する申立ての場合は，記入する必要はありません。） 都道 府県	
	住所	〒　－ （　　　方）	
	フリガナ 氏名		大正 昭和　年　月　日生 平成 （　　歳）
相手方	本籍（国籍）	（内縁関係に関する申立ての場合は，記入する必要はありません。） 都道 府県	
	住所	〒　－ （　　　方）	
	フリガナ 氏名		大正 昭和　年　月　日生 平成 （　　歳）
対象となる子	住所	□ 申立人と同居　／　□ 相手方と同居 □ その他（　　　）	平成　年　月　日生 令和 （　　歳）
	フリガナ 氏名		
	住所	□ 申立人と同居　／　□ 相手方と同居 □ その他（　　　）	平成　年　月　日生 令和 （　　歳）
	フリガナ 氏名		
	住所	□ 申立人と同居　／　□ 相手方と同居 □ その他（　　　）	平成　年　月　日生 令和 （　　歳）
	フリガナ 氏名		

（注）　太枠の中だけ記入してください。対象となる子は，付随申立ての(1)，(2)又は(3)を選択したときのみ記入してください。□の部分は，該当するものにチェックしてください。

夫婦（1/2）

▶　円満調整の場合も夫婦関係解消の場合も共通である。裁判所で使用されているもので，無用の空欄が多いが，一見して事案の内容がわかる。申立ての趣旨と申立ての動機は，あてはまる番号をマル（○）で囲む。申立ての実情が記入しきれない場合は，別紙を使用する。

この申立書の写しは，法律の定めるところにより，申立ての内容を知らせるため，相手方に送付されます。

受付印	夫婦関係等調整調停申立書　事件名（　　　　　　）
	（この欄に申立て１件あたり収入印紙１，２００円分を貼ってください。）
収入印紙　　円	
予納郵便切手　　円	（貼った印紙に押印しないでください。）

家庭裁判所 御中 令和　年　月　日	申立人 （又は法定代理人など） の記名押印	印

添付書類	（審理のために必要な場合は，追加書類の提出をお願いすることがあります。） □ 戸籍謄本（全部事項証明書）（内縁関係に関する申立ての場合は不要） □ （年金分割の申立てが含まれている場合）年金分割のための情報通知書 □	準口頭

申立人	本籍 （国籍）	（内縁関係に関する申立ての場合は，記入する必要はありません。） 都道 府県	
	住所	〒　　－ （　　　方）	
	フリガナ 氏名		大正 昭和　年　月　日生 平成 （　　歳）
相手方	本籍 （国籍）	（内縁関係に関する申立ての場合は，記入する必要はありません。） 都道 府県	
	住所	〒　　－ （　　　方）	
	フリガナ 氏名		大正 昭和　年　月　日生 平成 （　　歳）
対象となる子	住所	□ 申立人と同居　／　□ 相手方と同居 □ その他（　　　）	平成　年　月　日生 令和 （　　歳）
	フリガナ 氏名		
	住所	□ 申立人と同居　／　□ 相手方と同居 □ その他（　　　）	平成　年　月　日生 令和 （　　歳）
	フリガナ 氏名		
	住所	□ 申立人と同居　／　□ 相手方と同居 □ その他（　　　）	平成　年　月　日生 令和 （　　歳）
	フリガナ 氏名		

（注）　太枠の中だけ記入してください。対象となる子は，付随申立ての⑴，⑵又は⑶を選択したときのみ記入してください。□の部分は，該当するものにチェックしてください。

夫婦（1/2）

家事

8−004 婚姻費用の分担請求申立書

この申立書の写しは，法律の定めるところにより，申立ての内容を知らせるため，相手方に送付されます。

受付印	家事 □ 調停 □ 審判 申立書 事件名（□ 婚姻費用分担請求 □ 婚姻費用増額請求 □ 婚姻費用減額請求）
	（この欄に申立て１件あたり収入印紙１，２００円分を貼ってください。）
収入印紙　　円	
予納郵便切手　　円	（貼った印紙に押印しないでください。）

家庭裁判所 御中 令和　年　月　日	申立人（又は法定代理人など）の記名押印	印

添付書類	（審理のために必要な場合は，追加書類の提出をお願いすることがあります。） □ 戸籍謄本（全部事項証明書）（内縁関係に関する申立ての場合は不要） □ 申立人の収入に関する資料（源泉徴収票，給与明細，確定申告書，非課税証明書等の各写し） □

準　口　頭

申立人	住　所	〒　　－　　　（　　　方）	
	フリガナ 氏　名		大正 昭和 平成　年　月　日生（　　歳）
相手方	住　所	〒　　－　　　（　　　方）	
	フリガナ 氏　名		大正 昭和 平成　年　月　日生（　　歳）
対象となる子	住　所	□ 申立人と同居　／　□ 相手方と同居 □ その他（　　）	平成 令和　年　月　日生（　　歳）
	フリガナ 氏　名		
	住　所	□ 申立人と同居　／　□ 相手方と同居 □ その他（　　）	平成 令和　年　月　日生（　　歳）
	フリガナ 氏　名		
	住　所	□ 申立人と同居　／　□ 相手方と同居 □ その他（　　）	平成 令和　年　月　日生（　　歳）
	フリガナ 氏　名		

（注）　太枠の中だけ記入してください。　対象となる子は，申立人又は相手方が監護養育している子を記入してください。　□の部分は，該当するものにチェックしてください。

婚姻費用(1/2)

この申立書の写しは，法律の定めるところにより，申立ての内容を知らせるため，相手方に送付されます。

※　申立ての趣旨は，当てはまる番号を○で囲んでください。
　□の部分は，該当するものにチェックしてください。

申　立　て　の　趣　旨
（□ 相手方 ／ □ 申立人 ）は，（ □ 申立人 ／ □ 相手方 ）に対し，婚姻期間中の生活費として，次のとおり支払うとの（ □ 調停 ／ □ 審判 ）を求めます。 ※ 1　毎月（ □ 金＿＿＿＿円 ／ □ 相当額 ）を支払う。 2　毎月金＿＿＿＿円に増額して支払う。 3　毎月金＿＿＿＿円に減額して支払う。

申　立　て　の　理　由
同　居　・　別　居　の　時　期
同居を始めた日…昭和・平成・令和＿＿年＿＿月＿＿日　別居をした日…昭和・平成・令和＿＿年＿＿月＿＿日
婚 姻 費 用 の 取 決 め に つ い て
1　当事者間の婚姻期間中の生活費に関する取決めの有無 □あり（取り決めた年月日：平成・令和＿＿年＿＿月＿＿日）　□なし 2　1で「あり」の場合 (1)　取決めの種類 □口頭　□念書　□公正証書　→（＿＿＿＿家庭裁判所＿＿＿＿（□支部 ／ □出張所） □調停　□審判　□和解　→　平成・令和＿＿年（家＿＿）第＿＿＿＿号） (2)　取決めの内容 （□相手方 ／ □申立人）は，（□申立人 ／ □相手方）に対し，平成・令和＿＿年＿＿月から＿＿＿＿まで，毎月＿＿＿＿円を支払う。
婚　姻　費　用　の　支　払　状　況
□　現在，毎月＿＿＿＿円が支払われている（支払っている）。 □　平成・令和＿＿年＿＿月ころまで，毎月＿＿＿＿円が支払われていた（支払っていた）が，その後，（ □減額された（減額した）。 ／ □支払がない（支払っていない）。） □　支払はあるが，一定しない。 □　これまで支払はない。
婚姻費用の分担の増額又は減額を必要とする事情（増額・減額の場合のみ記載してください。）
□　申立人の収入が減少した。　□　相手方の収入が増加した。 □　申立人が仕事を失った。 □　申立人自身・未成年者にかかる費用（□学費　□医療費　□その他）が増加した。 □　その他（＿＿＿＿＿＿＿＿＿＿＿＿）

婚姻費用(2/2)

8−005 財産分与請求申立書

この申立書の写しは，法律の定めるところにより，申立ての内容を知らせるため，相手方に送付されます。

受付印	家事 □ 調停 □ 審判 申立書　事件名（ **財産分与** ）
	（この欄に申立て１件あたり収入印紙１，２００円分を貼ってください。） （貼った印紙に押印しないでください。）
収入印紙　　円	
予納郵便切手　　円	

家庭裁判所 御中 令和　年　月　日	申立人 （又は法定代理人など） の記名押印	印

添付書類	（審理のために必要な場合は，追加書類の提出をお願いすることがあります。）	準口頭

申立人	本籍 （国籍）	（戸籍の添付が必要とされていない申立ての場合は，記入する必要はありません。） 都道 府県
	住所	〒　－ （　　方）
	フリガナ 氏名	大正 昭和　年　月　日生 平成 令和　（　　歳）
相手方	本籍 （国籍）	（戸籍の添付が必要とされていない申立ての場合は，記入する必要はありません。） 都道 府県
	住所	〒　－ （　　方）
	フリガナ 氏名	大正 昭和　年　月　日生 平成 令和　（　　歳）

（注）太枠の中だけ記入してください。

別表第二，調停（　/　）

この申立書の写しは，法律の定めるところにより，申立ての内容を知らせるため，相手方に送付されます。

申　立　て　の　趣　旨

申　立　て　の　理　由

別表第二，調停（　/　）

8−006 財産目録（土地）

財　産　目　録（土　地）

番号	所　　在	地　番	地　目	面　積	備　考
		番		平方メートル	

（　/　）

8－007 財産目録（建物）

財　産　目　録（建　物）

番号	所　　在	家屋番号	種類	構　　造	床 面 積	備　考
					平方メートル	

（注）　建物１個ごとに番号を付けてください。

（　/　）

8−008 財産目録（現金，預・貯金，株式等）

財　産　目　録（現金，預・貯金，株式等）

番号	品　　　目	単位	数　量（金額）	備　考

（　/　）

8−009 年金分割の割合を定める調停（審判）の申立書

この申立書の写しは，法律の定めるところにより，申立ての内容を知らせるため，相手方に送付されます。

受付印	家事 □ 調停 □ 審判 申立書 事件名（請求すべき按分割合）
	（この欄に申立て１件あたり収入印紙１，２００円分を貼ってください。）
収入印紙　　円	
予納郵便切手　　円	（貼った印紙に押印しないでください。）

家庭裁判所 御中 令和　年　月　日	申立人（又は法定代理人など）の記名押印	印

添付書類	（審理のために必要な場合は，追加書類の提出をお願いすることがあります。） □年金分割のための情報通知書

準	口	頭

申立人	住所	〒　　－　　（　　　方）	
	フリガナ 氏名		大正 昭和 平成　年　月　日生（　　歳）
相手方	住所	〒　　－　　（　　　方）	
	フリガナ 氏名		大正 昭和 平成　年　月　日生（　　歳）

申　立　て　の　趣　旨
申立人と相手方との間の別紙（☆）記載の情報に係る年金分割についての請求すべき按分割合を，（□ ０．５ ／ □（　　　　　））と定めるとの（ □調停 ／ □審判 ）を求めます。

申　立　て　の　理　由
１　申立人と相手方は，共同して婚姻生活を営み夫婦として生活していたが，（□ 離婚 ／ □ 事実婚関係を解消）した。 ２　申立人と相手方との間の（□ 離婚成立日 ／ □ 事実婚関係が解消したと認められる日），離婚時年金分割制度に係る第一号改定者及び第二号改定者の別，対象期間及び按分割合の範囲は別紙のとおりである。

（注）　太枠の中だけ記入してください。　□の部分は，該当するものにチェックしてください。
☆　年金分割のための情報通知書の写しをとり，別紙として添付してください（その写しも相手方に送付されます。）。

年金分割（1/1）

（注）　審判の場合，下記の審判確定証明申請書（太枠の中だけ）に記載をし，収入印紙１５０円分を貼ってください。

審　判　確　定　証　明　申　請　書

（この欄に収入印紙１５０円分を貼ってください。）

（貼った印紙に押印しないでください。）

本件に係る請求すべき按分割合を定める審判が確定したことを証明してください。

令和　　年　　月　　日

申請人　　　　　　　　　　　㊞

上記確定証明書を受領した。 令和　　年　　月　　日 申請人　　　　　　㊞	上記確定証明書を郵送した。 令和　　年　　月　　日 裁判所書記官　　　　㊞

（8−009　年金分割の割合を定める調停（審判）の申立書）

8−010 親権者変更申立書

この申立書の写しは，法律の定めるところにより，申立ての内容を知らせるため，相手方に送付されます。

受付印	
	家事 □ 調停 □ 審判 申立書 〔 親権者の変更 〕
収入印紙　円	（この欄に未成年者１人につき収入印紙１，２００円分を貼ってください。）
予納郵便切手　円	（貼った印紙に押印しないでください。）

家庭裁判所 御中 令和　年　月　日	申立人（又は法定代理人など）の記名押印	印

添付書類	（審理のために必要な場合は，追加書類の提出をお願いすることがあります。） □ 申立人の戸籍謄本（全部事項証明書）　□ 相手方の戸籍謄本（全部事項証明書） □ 未成年者の戸籍謄本(全部事項証明書)　□	準口頭

申立人	本籍（国籍）	都道府県	
	住所	〒　− （　　方）	
	フリガナ 氏名		昭和 平成 （　歳）
相手方	本籍（国籍）	都道府県	
	住所	〒　− （　　方）	
	フリガナ 氏名		昭和 平成　年　月　日生 （　歳）
未成年者	未成年者(ら)の本籍(国籍)	□ 申立人と同じ　□ 相手方と同じ □ その他（　）	
	住所	□ 申立人と同居 ／ □ 相手方と同居 □ その他（　）	平成 令和　年　月　日生 （　歳）
	フリガナ 氏名		
	住所	□ 申立人と同居 ／ □ 相手方と同居 □ その他（　）	平成 令和　年　月　日生 （　歳）
	フリガナ 氏名		
	住所	□ 申立人と同居 ／ □ 相手方と同居 □ その他（　）	平成 令和　年　月　日生 （　歳）
	フリガナ 氏名		
	住所	□ 申立人と同居 ／ □ 相手方と同居 □ その他（　）	平成 令和　年　月　日生 （　歳）
	フリガナ 氏名		

（注）　太枠の中だけ記入してください。　□の部分は，該当するものにチェックしてください。

親権者変更（1/2）

この申立書の写しは，法律の定めるところにより，申立ての内容を知らせるため，相手方に送付されます。

※　申立ての趣旨は，当てはまる番号を○で囲んでください。
□の部分は，該当するものにチェックしてください。

申　立　て　の　趣　旨
※ 1　未成年者の親権者を，（　□相手方　／　□申立人　）から（　□申立人　／　□相手方　）に変更するとの（　□調停　／　□審判　）を求めます。 （親権者死亡の場合） 2　未成年者の親権者を，　（　□亡父　／　□亡母　） 氏名 本籍 から　申立人　に変更するとの　審判　を求めます。

申　立　て　の　理　由
現在の親権者の指定について
□　離婚に伴い指定した。 □　親権者の変更又は指定を行った。 その年月日　平成・令和　　年　　月　　日 （裁判所での手続の場合） 　　家庭裁判所　　（□支部／□出張所） 平成・令和　　年（家　　）第　　号
親権者指定後の未成年者の監護養育状況
□　平成・令和　　年　　月　　日から平成・令和　　年　　月　　日まで □申立人　／　□相手方　／　□その他（　　　　）　のもとで養育 □　平成・令和　　年　　月　　日から平成・令和　　年　　月　　日まで □申立人　／　□相手方　／　□その他（　　　　）　のもとで養育 □　平成・令和　　年　　月　　日から現在まで □申立人　／　□相手方　／　□その他（　　　　）　のもとで養育
親権者の変更についての協議状況
□　協議ができている。 □　協議を行ったが，まとまらなかった。 □　協議は行っていない。
親権者の変更を必要とする理由
□　現在，（□申立人／□相手方）が同居・養育しており，変更しないと不便である。 □　今後，（□申立人／□相手方）が同居・養育する予定である。 □　（□相手方／□未成年者）が親権者を変更することを望んでいる。 □　親権者である相手方が行方不明である。（平成・令和　　年　　月頃から） □　親権者が死亡した。（平成・令和　　年　　月　　日死亡） □　相手方を親権者としておくことが未成年者の福祉上好ましくない。 □　その他（　　　　　　　　　　）

親権者変更（2/2）

（**8－010** 親権者変更申立書）

8−011 当事者目録

<table>
<tr><td rowspan="3">※</td><td>本　　籍</td><td colspan="2">（戸籍の添付が必要とされていない申立ての場合は，記入する必要はありません。）
都 道
府 県</td></tr>
<tr><td>住　　所</td><td colspan="2">〒　　－
（　　　　方）</td></tr>
<tr><td>フリガナ
氏　　名</td><td></td><td>大正
昭和　　年　　月　　日生
平成
令和　　（　　　歳）</td></tr>
<tr><td rowspan="3">※</td><td>本　　籍</td><td colspan="2">（戸籍の添付が必要とされていない申立ての場合は，記入する必要はありません。）
都 道
府 県</td></tr>
<tr><td>住　　所</td><td colspan="2">〒　　－
（　　　　方）</td></tr>
<tr><td>フリガナ
氏　　名</td><td></td><td>大正
昭和　　年　　月　　日生
平成
令和　　（　　　歳）</td></tr>
<tr><td rowspan="3">※</td><td>本　　籍</td><td colspan="2">（戸籍の添付が必要とされていない申立ての場合は，記入する必要はありません。）
都 道
府 県</td></tr>
<tr><td>住　　所</td><td colspan="2">〒　　－
（　　　　方）</td></tr>
<tr><td>フリガナ
氏　　名</td><td></td><td>大正
昭和　　年　　月　　日生
平成
令和　　（　　　歳）</td></tr>
<tr><td rowspan="3">※</td><td>本　　籍</td><td colspan="2">（戸籍の添付が必要とされていない申立ての場合は，記入する必要はありません。）
都 道
府 県</td></tr>
<tr><td>住　　所</td><td colspan="2">〒　　－
（　　　　方）</td></tr>
<tr><td>フリガナ
氏　　名</td><td></td><td>大正
昭和　　年　　月　　日生
平成
令和　　（　　　歳）</td></tr>
</table>

（注）　太枠の中だけ記入してください。　※の部分は，申立人，相手方，法定代理人，不在者，共同相続人，被相続人等の区別を記入してください。

（　/　）

家事

8−012 養育費請求申立書

この申立書の写しは，法律の定めるところにより，申立ての内容を知らせるため，相手方に送付されます。

受付印	家事 □ 調停 □ 審判 申立書 事件名（子の監護に関する処分 □ 養育費請求 □ 養育費増額請求 □ 養育費減額請求）
	（この欄に子１人につき収入印紙１，２００円分を貼ってください。）
収入印紙　　円	（貼った印紙に押印しないでください。）
予納郵便切手　　円	

家庭裁判所 御中 令和　年　月　日	申立人（又は法定代理人など）の記名押印	印

添付書類	（審理のために必要な場合は，追加書類の提出をお願いすることがあります。） □ 子の戸籍謄本（全部事項証明書） □ 申立人の収入に関する資料（源泉徴収票，給与明細，確定申告書，非課税証明書の各写し等） □

準　口　頭

申立人	住所	〒　　－　　（　　　方）	
	フリガナ 氏名		昭和 平成　年　月　日生（　歳）
相手方	住所	〒　　－　　（　　　方）	
	フリガナ 氏名		昭和 平成　年　月　日生（　歳）
対象となる子	住所	□ 申立人と同居 ／ □ 相手方と同居 □ その他（　　）	平成 令和　年　月　日生（　歳）
	フリガナ 氏名		
	住所	□ 申立人と同居 ／ □ 相手方と同居 □ その他（　　）	平成 令和　年　月　日生（　歳）
	フリガナ 氏名		
	住所	□ 申立人と同居 ／ □ 相手方と同居 □ その他（　　）	平成 令和　年　月　日生（　歳）
	フリガナ 氏名		
	住所	□ 申立人と同居 ／ □ 相手方と同居 □ その他（　　）	平成 令和　年　月　日生（　歳）
	フリガナ 氏名		

（注）太枠の中だけ記入してください。□の部分は，該当するものにチェックしてください。

養育費（1/2）

この申立書の写しは，法律の定めるところにより，申立ての内容を知らせるため，相手方に送付されます。

※　申立ての趣旨は，当てはまる番号を○で囲んでください。　□の部分は，該当するものにチェックしてください。

申　立　て　の　趣　旨
（　□相手方　／　□申立人　）は，（　□申立人　／　□相手方　）に対し，子の養育費として，次のとおり支払うとの（　□調停　／　□審判　）を求めます。 ※　1　1人当たり毎月　（□　金……円　／　□　相当額　）　を支払う。 2　1人当たり毎月金……円に増額して支払う。 3　1人当たり毎月金……円に減額して支払う。

申　立　て　の　理　由
同　居　・　別　居　の　時　期
同居を始めた日…昭和・平成・令和……年……月……日　別居をした日…昭和・平成・令和……年……月……日
養　育　費　の　取　決　め　に　つ　い　て
1　当事者間の養育費に関する取決めの有無 □あり（取り決めた年月日：平成・令和……年……月……日）　□なし 2　1で「あり」の場合 (1)　取決めの種類 □口頭　□念書　□公正証書 □調停　□審判　□和解　□判決　→　（……家庭裁判所……（□支部／□出張所）　平成・令和……年(家……)第……号） (2)　取決めの内容 （□相手方／□申立人）は，（□申立人／□相手方）に対し，平成・令和……年……月から……まで，子1人当たり毎月……円を支払う。
養　育　費　の　支　払　状　況
□　現在，1人当たり1か月……円が支払われている（支払っている）。 □　平成・令和……年……月まで1人当たり1か月……円が支払われて（支払って）いたが，その後（□……円に減額された（減額した）。／□　支払がない（支払っていない）。） □　支払はあるが一定しない。 □　これまで支払はない。
養育費の増額又は減額を必要とする事情（増額・減額の場合のみ記載してください。）
□　申立人の収入が減少した。　□　相手方の収入が増加した。 □　申立人が仕事を失った。 □　再婚や新たに子ができたことにより申立人の扶養家族に変動があった。 □　申立人自身・子にかかる費用（□学費　□医療費　□その他）が増加した。 □　子が相手方の再婚相手等と養子縁組した。 □　その他（……）

養育費（2/2）

家事

8−013 面会交流申立書

この申立書の写しは，法律の定めるところにより，申立ての内容を知らせるため，相手方に送付されます。

受付印	家事 □ 調停 □ 審判 申立書 （子の監護に関する処分（面会交流））
収入印紙 円 / 予納郵便切手 円	（この欄に未成年者１人につき収入印紙１，２００円分を貼ってください。）（貼った印紙に押印しないでください。）

家庭裁判所 御中 令和 年 月 日	申立人（又は法定代理人など）の記名押印	印

添付書類	（審理のために必要な場合は，追加書類の提出をお願いすることがあります。）□ 未成年者の戸籍謄本（全部事項証明書）□	準口頭

申立人	住所	〒 − （ 方）	
	フリガナ 氏名		昭和 平成 年 月 日生 （ 歳）
相手方	住所	〒 − （ 方）	
	フリガナ 氏名		昭和 平成 年 月 日生 （ 歳）
未成年者	住所	□ 申立人と同居 ／ □ 相手方と同居 □ その他（ ）	平成 令和 年 月 日生 （ 歳）
	フリガナ 氏名		
	住所	□ 申立人と同居 ／ □ 相手方と同居 □ その他（ ）	平成 令和 年 月 日生 （ 歳）
	フリガナ 氏名		
	住所	□ 申立人と同居 ／ □ 相手方と同居 □ その他（ ）	平成 令和 年 月 日生 （ 歳）
	フリガナ 氏名		
	住所	□ 申立人と同居 ／ □ 相手方と同居 □ その他（ ）	平成 令和 年 月 日生 （ 歳）
	フリガナ 氏名		

（注） 太枠の中だけ記入してください。 □の部分は，該当するものにチェックしてください。

面会交流（1/2）

この申立書の写しは，法律の定めるところにより，申立ての内容を知らせるため，相手方に送付されます。

（注）□の部分は，該当するものにチェックしてください。

申　立　て　の　趣　旨

（ □申立人 ／ □相手方 ）と未成年者が面会交流する時期，方法などにつき
（ □調停 ／ □審判 ）を求めます。

申　立　て　の　理　由

申立人と相手方の関係

□ 離婚した。
□ 父が未成年者…………を認知した。
その年月日：平成・令和……年……月……日
□ 婚姻中→監護者の指定の有無 □あり（□申立人 ／ □相手方） ／ □なし

未成年者の親権者（離婚等により親権者が定められている場合）

□ 申立人 ／ □ 相手方

未成年者の監護養育状況

□ 平成・令和　年　月　日から平成・令和　年　月　日まで
　□申立人 ／ □相手方 ／ □その他（…………）のもとで養育
□ 平成・令和　年　月　日から平成・令和　年　月　日まで
　□申立人 ／ □相手方 ／ □その他（…………）のもとで養育
□ 平成・令和　年　月　日から現在まで
　□申立人 ／ □相手方 ／ □その他（…………）のもとで養育

面会交流の取決めについて

1　当事者間の面会交流に関する取決めの有無
　□あり（取り決めた年月日：平成……年……月……日）　□なし
2　1で「あり」の場合
⑴　取決めの方法
　□口頭　□念書　□公正証書
　□調停　□審判　□和解　□判決 →（……家庭裁判所……（□支部／□出張所）平成・令和……年（家……）第……号）
⑵　取決めの内容
　（…………………………）

面会交流の実施状況

□実施されている。
□実施されていたが，実施されなくなった。（平成・令和……年……月……日から）
□これまで実施されたことはない。

本申立てを必要とする理由

□ 相手方が面会交流の協議等に応じないため
□ 相手方と面会交流の協議を行っているがまとまらないため
□ 相手方が面会交流の取決めのとおり実行しないため
□ その他（…………………………）

面会交流（2/2）

8−014 子の氏の変更許可申立書

<table>
<tr><td colspan="2">受付印</td><td colspan="4">子の氏の変更許可申立書</td></tr>
<tr><td>収入印紙　　円</td><td rowspan="2"></td><td colspan="4" rowspan="2">（この欄に申立人1人について収入印紙800円分を貼ってください。）
（貼った印紙に押印しないでください。）</td></tr>
<tr><td>予納郵便切手　　円</td></tr>
<tr><td>準口頭</td><td></td><td colspan="4">関連事件番号　平成・令和　　年（家　　）第　　号</td></tr>
<tr><td colspan="2">家庭裁判所
御中
令和　年　月　日</td><td>申立人
（15歳未満の場合は法定代理人）
の記名押印</td><td colspan="3">印</td></tr>
<tr><td>添付書類</td><td colspan="5">（同じ書類は1通で足ります。審理のために必要な場合は，追加書類の提出をお願いすることがあります。）
□申立人（子）の戸籍謄本（全部事項証明書）　□父・母の戸籍謄本（全部事項証明書）
□</td></tr>
<tr><td rowspan="8">申立人（子）</td><td>本籍</td><td colspan="4">都道
府県</td></tr>
<tr><td>住所</td><td colspan="4">〒　−　　　　電話（　　）
（　　方）</td></tr>
<tr><td>フリガナ
氏名</td><td colspan="2"></td><td colspan="2">昭和
平成
令和　年　月　日生
（　　歳）</td></tr>
<tr><td>本籍
住所</td><td colspan="4">※　上記申立人と同じ</td></tr>
<tr><td>フリガナ
氏名</td><td colspan="2"></td><td colspan="2">昭和
平成
令和　年　月　日生
（　　歳）</td></tr>
<tr><td>本籍
住所</td><td colspan="4">※　上記申立人と同じ</td></tr>
<tr><td>フリガナ
氏名</td><td colspan="2"></td><td colspan="2">昭和
平成
令和　年　月　日生
（　　歳）</td></tr>
<tr><td colspan="5"></td></tr>
<tr><td rowspan="3">☆法定代理人
（父・母
後見人）</td><td>本籍</td><td colspan="4">都道
府県</td></tr>
<tr><td>住所</td><td colspan="4">〒　−　　　　電話（　　）
（　　方）</td></tr>
<tr><td>フリガナ
氏名</td><td></td><td>フリガナ
氏名</td><td colspan="2"></td></tr>
</table>

（注）　太枠の中だけ記入してください。　※の部分は，各申立人の本籍及び住所が異なる場合はそれぞれ記入してください。　☆の部分は，申立人が15歳未満の場合に記入してください。

子の氏（1/2）

（942010）

申　立　て　の　趣　旨
※ 申立人の氏（　　　　　）を　1 母 / 2 父 / 3 父母　の氏（　　　　　）に変更することの許可を求める。

（注）　※の部分は，当てはまる番号を○で囲み，（　　）内に具体的に記入してください。

申　立　て　の　理　由
父・母と氏を異にする理由
※ 1　父母の離婚　　　5　父の認知 2　父・母の婚姻　　6　父（母）死亡後，母（父）の復氏 3　父・母の養子縁組　　7　その他（　　　　　） 4　父・母の養子離縁 （その年月日　　平成・令和　　年　　月　　日）
申　立　て　の　動　機
※ 1　母との同居生活上の支障　　5　結婚 2　父との同居生活上の支障　　6　その他（　　　　　） 3　入園・入学 4　就職

（注）　太枠の中だけ記入してください。　※の部分は，当てはまる番号を○で囲み，父・母と氏を異にする理由の７，申立ての動機の６を選んだ場合には，（　　）内に具体的に記入してください。

子の氏（2/2）

8－015 名の変更許可申立書

受付印		名の変更許可申立書
		（この欄に収入印紙800円を貼ってください。）
収入印紙　　円		
予納郵便切手　　円		（貼った印紙に押印しないでください。）

準口頭		関連事件番号　平成・令和　　年（家　　）第　　号

家庭裁判所 御中 令和　年　月　日	申立人 （15歳未満の場合は法定代理人） の記名押印	印

添付書類	（同じ書類は1通で足ります。審理のために必要な場合は，追加書類の提出をお願いすることがあります。） □申立人の戸籍謄本（全部事項証明書） □名の変更の理由を証する資料 □

申立人	本籍	都道 府県	
	住所	〒　－ （　　方）	電話　（　）
	フリガナ 氏名		昭和 平成　年　月　日生 令和　（　歳）
	職業 又は 在校名		
※ 法定代理人 （父・母 後見人）	本籍	都道 府県	
	住所	〒　－ （　　方）	電話　（　）
	フリガナ 氏名		
	フリガナ 氏名		

（注）　太枠の中だけ記入してください。　※の部分は，申立人が15歳未満の場合に記入してください。

名（1/2）

（942020）

▶　名の変更の申立ては変更を必要とする具体的な事情を記入すること。記入しきれない場合は別紙を利用する。形式は裁判所の指定によるもので，無用の空欄が多いが，一見して事案の内容がわかる。

申　　立　　て　　の　　趣　　旨
申立人の名（　　　　　　　　）を（　　　　　　　　）と変更することの許可を求める。

申　　立　　て　　の　　理　　由	
※	
1　奇妙な名である。	5　外国人とまぎらわしい。
2　むずかしくて正確に読まれない。	6　平成・令和　　年　　月神官・僧侶となった（やめた）。
3　同姓同名者がいて不便である。	7　通称として永年使用した。 （使用を始めた時期　昭和・平成　　年　　月）
4　異性とまぎらわしい。	8　その他（　　　　　　　　　　　　　　　）
（名の変更を必要とする具体的な事情）	
（備　考）	

（注）　太枠の中だけ記入してください。　※の部分は，当てはまる番号を○で囲み，８を選んだ場合には，（　　）内に具体的に記入してください。

名（2/2）

家事

8−016 養子縁組許可申立書

受付印		養 子 縁 組 許 可 申 立 書
収 入 印 紙 　円		（この欄に収入印紙 800 円分を貼ってください。）
予納郵便切手 　円		（貼った印紙に押印しないでください。）

準口頭		関連事件番号　平成・令和　　年（家　　）第　　　号

家庭裁判所 御 中 令和　　年　　月　　日	申 立 人 〔養親となる者〕 の 記 名 押 印	印 印

添付書類	（同じ書類は 1 通で足ります。審理のために必要な場合は，追加書類の提出をお願いすることがあります。） □申立人（養親となる者）の戸籍謄本（全部事項証明書） □未成年者の戸籍謄本（全部事項証明書） □（未成年者が 15 歳未満の場合）代諾者の戸籍謄本（全部事項証明書） □

申立人	本 籍 （国 籍）	都 道 府 県	
	住 所	〒　　－　　　電話　（　　　） （　　　方）	
	フリガナ 氏 名 （養父となる者）		昭和 平成　　年　　月　　日生 令和 （　　　歳）
	フリガナ 氏 名 （養母となる者）		昭和 平成　　年　　月　　日生 令和 （　　　歳）
未成年者	本 籍 （国 籍）	都 道 府 県	
	住 所	〒　　－　　　電話　（　　　） （　　　方）	
	フリガナ 氏 名 （養子となる者）		平成　　年　　月　　日生 令和 （　　　歳）
	職 業 又は 在 校 名		
	養親となる者との関係	※ 養父の…1　おいめい　2　弟妹　3　そのほかの親族　4　被後見人　5　その他（　　　） 養母の…1　おいめい　2　弟妹　3　そのほかの親族　4　被後見人　5　その他（　　　）	

（注）　太枠の中だけ記入してください。　※の部分は，当てはまる番号を○で囲み，5 を選んだ場合には，（　　）内に具体的に記入してください。

養子（1/2）

（942030）

▶　未成年者を養子にするため裁判所の許可が必要な場合（民法 798 条本文）に使用する。縁組をしようとする事情，特に考慮してほしい事項などの欄が記入しきれない場合は，別紙を利用する。

申　立　て　の　趣　旨
申立人が未成年者を養子とすることの許可を求める。

申　立　て　の　理　由				
縁組をしようとする事情				
申立人の状況	結　婚　の　日……………… 年　月　日 未成年者と同居をはじめた日………… 平成・令和　年　月　日			
	養父となるものについて 子の有無　男　人・女　人 職　業 勤務先名 収　入　月収　約　円	養母となる者について 子の有無　男　人・女　人 職　業 勤務先名 収　入　月収　約　円		
備考	(特に考慮してほしい事項などを記入してください。)			
※未成年者の法定代理人 1 親権者　2 後見人	住　所	〒　－	電話　(　) (　方)	
	フリガナ 氏　名		職　業	
	住　所	〒　－	電話　(　) (　方)	
	フリガナ 氏　名		職　業	
親権者でない父母	住　所	〒　－	電話　(　) (　方)	
	フリガナ 氏　名		職　業	

(注)　太枠の中だけ記入してください。　※の部分は，当てはまる番号を○で囲んでください。

養子 (2/2)

家事

8-017 特別養子縁組申立書

受付印	特別養子縁組申立書
	（この欄に収入印紙800円分を貼ってください。）
収入印紙　円	
予納郵便切手　円	（貼った印紙に押印しないでください。）

準口頭		関連事件番号　平成・令和　年（家　）第　号

家庭裁判所 御中 令和　年　月　日	申立人〔養親となる者〕の記名押印	印
		印

添付書類	（同じ書類は1通で足ります。審理のために必要な場合は，追加書類の提出をお願いすることがあります。） □養親となる者の戸籍謄本（全部事項証明書） □養子となる者の戸籍謄本（全部事項証明書） □養子となる者の実父母戸籍謄本（全部事項証明書） □

申立人ら（養親となる者）	本籍（国籍）	都道府県	
	住所	〒　－　電話（　）（　方）	
	フリガナ 氏名（養父となる者）		昭和 平成　年　月　日生（　歳）
	フリガナ 氏名（養母となる者）		昭和 平成　年　月　日生（　歳）
養子となる者	本籍（国籍）	都道府県	
	住所	〒　－　電話（　）（　方）	
	フリガナ 氏名		平成 令和　年　月　日生（　歳）
養子となる者の父	本籍（国籍）	都道府県	
	住所	〒　－　電話（　）（　方）	
	フリガナ 氏名		昭和 平成　年　月　日生（　歳）

（注）　太枠の中だけ記入してください。

特養（1/3）

（942040）

▶　申立人は養親となる者，管轄は養親となる者の住所地の家庭裁判所である。

▶　特別養子は，養子と実方の父母およびその血族との親族関係は終了することになる。その結果，互いに相続・扶養する関係はなくなる。そのため，民法817条の2以降の厳格な要件を必要とする。

<table>
<tr><td rowspan="3">養子となる者の母</td><td>本　籍
（国　籍）</td><td colspan="2">都　道
府　県</td></tr>
<tr><td>住　所</td><td colspan="2">〒　－　　電話　（　　）
（　　方）</td></tr>
<tr><td>フリガナ
氏　名</td><td></td><td>昭和
平成　年　月　日生
（　　歳）</td></tr>
<tr><td rowspan="2">※1
［　　］</td><td>住　所</td><td colspan="2">〒　－　　電話　（　　）
（　　方）</td></tr>
<tr><td>フリガナ
氏　名</td><td></td><td>昭和
平成　年　月　日生
（　　歳）</td></tr>
<tr><td rowspan="2">※1
［　　］</td><td>住　所</td><td colspan="2">〒　－　　電話　（　　）
（　　方）</td></tr>
<tr><td>フリガナ
氏　名</td><td></td><td>昭和
平成　年　月　日生
（　　歳）</td></tr>
</table>

申　立　て　の　趣　旨
養子となる者を申立人らの特別養子とするとの審判を求める。

<table>
<tr><th colspan="4">申　立　て　の　理　由</th></tr>
<tr><td>※2
(1)
縁組の動機・事情等</td><td colspan="3"></td></tr>
<tr><td rowspan="7">(2)
申立人らの生活状況等</td><td></td><td>養父となる者</td><td>養母となる者</td></tr>
<tr><td>職　業
（勤務先）</td><td></td><td></td></tr>
<tr><td>収入等</td><td>月収（平均）　万円くらい
主な資産等</td><td>月収（平均）　万円くらい
主な資産等</td></tr>
<tr><td>子の有無</td><td>1　無　2　有（男　人，女　人）</td><td>1　無　2　有（男　人，女　人）</td></tr>
<tr><td>婚姻の日</td><td colspan="2">昭和
平成　年　月　日
令和</td></tr>
<tr><td>住宅事情</td><td colspan="2">1　自宅　2　社宅等　3　アパート　4　借家　5　その他（　　）</td></tr>
<tr><td>申立人，養子となる者以外の同居家族等</td><td colspan="2"></td></tr>
</table>

（注）　太枠の中だけ記入してください。

特養（2/3）

家事

<table>
<tr><td rowspan="2">※3
(3)
縁組のあっせんを受けた機関等</td><td>住　所
(所在地)</td><td>〒　－　　電話　(　　)</td></tr>
<tr><td>氏　名
又は
名　称</td><td></td></tr>
<tr><td rowspan="3">※4
(4)
申立人らによる養子となる者の監護状況</td><td>監護の
有　無
(申立時)</td><td>1 有　監護開始年月日　平成・令和　　年　　月　　日(監護開始時の子の年齢　　歳　　月)
2 無</td></tr>
<tr><td>監護の
経　緯</td><td></td></tr>
<tr><td>監　護
状況等</td><td></td></tr>
<tr><td rowspan="2">※5
(5)
縁組同意の有無等</td><td>父</td><td>1 有
2 無　(同意を得られない事情)</td></tr>
<tr><td>母</td><td>1 有
2 無　(同意を得られない事情)</td></tr>
</table>

(注)　太枠の中だけ記入してください。

記入要領

※1　養子となる者に実父母のほかに養父母がある場合には，それぞれについて，養子となる者に未成年後見人，父母以外で親権を行う者（父母が未成年者であるときのその父母又は未成年後見人，審判前の保全処分によって選任された親権者又は未成年後見人の職務代行者，児童福祉法第 47 条第1項又は第2項の児童福祉施設の長等）又は監護者がある場合には，これらの者について，（　）内に養子となる者との関係を特定した上，所要事項を記入してください。

※2　申立ての動機，経緯のほかに，ア　養子となる者の出生の経緯，生活歴及び心身の状況（出生時の状況，申立人と同居するまでの家庭環境，監護状況等，申立人と同居するまでの病歴，健康状態，心身の発達状況等），イ　父母の家庭状況及び経済状況（家族構成，家庭の人間関係，生活態度，資産，収入等），ウ　未成年後見人，父母以外で親権を行う者，監護者の縁組についての意向等について記入してください。

※3　児童相談所又は養子縁組をあっせんする事業を行う者からあっせんを受けた場合に記入してください。なお，審判の結果は，当該機関等にも通知されます。

※4　「監護の有無」について，「2　無」に○を付けた場合には，監護開始予定年月日を記入してください。「監護状況等」については，養子となる者に対する保健衛生上の配慮，教育的関心及び配慮等，養子となる者との感情的交流及び親密さの程度，事件本人の心身の発達の経過，同居後の家庭の人間関係と雰囲気，今後の監護教育についての意向等を記入してください。

※5　「同意を得られない事情」中には，民法第 817 条の 6 ただし書に規定する場合に該当することを示す事情も記入してください。

特養（3/3）

（8－017 特別養子縁組申立書）

8-018 特別代理人選任申立書

受付印	
収入印紙　円	
予納郵便切手　円	

特別代理人選任申立書

（この欄に収入印紙800円分を貼ってください。）

（貼った印紙に押印しないでください。）

準口頭		関連事件番号　平成・令和　　年（家　　）第　　　号

家庭裁判所 御中 令和　　年　　月　　日	申立人の 記名押印	印

添付書類	（同じ書類は1通で足ります。審理のために必要な場合は，追加書類の提出をお願いすることがあります。） □未成年者の戸籍謄本（全部事項証明書）　□親権者又は未成年後見人の戸籍謄本（全部事項証明書） □特別代理人候補者の住民票又は戸籍附票　□利益相反に関する資料（遺産分割協議書案，契約書案等） □（利害関係人からの申立ての場合）利害関係を証する資料 □

申立人	住所	〒　－　　電話（　　） （　　方）			
	フリガナ 氏名		昭和 平成 令和　年　月　日生 （　　歳）	職業	
	フリガナ 氏名		昭和 平成 令和　年　月　日生 （　　歳）	職業	
	未成年者との関係	※ 1 父母　2 父　3 母　4 後見人　5 利害関係人			
未成年者	本籍 （国籍）	都道 府県			
	住所	〒　－　　電話（　　） （　　方）			
	フリガナ 氏名		平成 令和　年　月　日生 （　　歳）		
	職業 又は 在校名				

（注）　太枠の中だけ記入してください。　※の部分は，当てはまる番号を○で囲んでください。

特代（1/2）

（942060）

家事

申　立　て　の　趣　旨
特 別 代 理 人 の 選 任 を 求 め る。

<table>
<tr><th colspan="4">申　立　て　の　理　由</th></tr>
<tr><th colspan="2">利益相反する者</th><th colspan="2">利益相反行為の内容</th></tr>
<tr><td colspan="2">※
1　親権者と未成年者の間で利益相反する。

2　同一親権に服する他の子と未成年者との間で利益相反する。

3　後見人と未成年者との間で利益相反する。

4　その他（

）</td><td colspan="2">※
1　被相続人亡＿＿＿＿＿＿＿＿の遺産を分割するため
2　被相続人亡＿＿＿＿＿＿＿＿の相続を放棄するため
3　身分関係存否確定の調停・訴訟の申立てをするため
4　未成年者の所有する物件に　1 抵当権　2 根抵当権　を設定するため
5　その他（　　　　　　　　）

（その詳細）</td></tr>
<tr><td rowspan="3">特別代理人候補者</td><td>住　所</td><td colspan="2">〒　　－　　　　　電話　（　　）
（　　　方）</td></tr>
<tr><td>フリガナ
氏　名</td><td>昭和
平成　　年　月　日生
（　　歳）</td><td>職業</td></tr>
<tr><td>未成年者
との関係</td><td colspan="2"></td></tr>
</table>

（注）　太枠の中だけ記入してください。　※の部分については，あてはまる番号を○で囲み，利益相反する者欄の４及び利益相反行為の内容欄の５を選んだ場合には，（　　）内に具体的に記入してください。

特代（2/2）

（8－018　特別代理人選任申立書）

8−019 未成年後見人選任申立書

受付印	未成年後見人選任申立書
	（この欄に未成年者1人について収入印紙800円分を貼ってください。）
収入印紙　　円	
予納郵便切手　　円	（貼った印紙に押印しないでください。）

準口頭		関連事件番号　平成・令和　　年（家　　）第　　　号

家庭裁判所 御中 令和　　年　　月　　日	申立人の 記名押印	印

添付書類	（同じ書類は1通で足ります。審理のために必要な場合は，追加書類の提出をお願いすることがあります。） □未成年者の戸籍謄本（全部事項証明書）　□未成年者の住民票又は戸籍附票 □親権を行う者がないことを証する資料（親権者が死亡した旨の記載がある戸籍謄本（全部事項証明書）等） □未成年後見人候補者の戸籍謄本（全部事項証明書） □未成年者の財産に関する資料　□（利害関係人からの申立ての場合）利害関係を証する資料 □

申立人	住所	〒　　－　　　電話　（　　　） （　　　　方）			
	フリガナ 氏名		大正 昭和 平成　年　月　日生 （　　歳）		
	未成年者との関係	※ 未成年者の…	1　本人　2　直系尊属（父母・祖父母）　3　兄弟姉妹 4　父方親族　5　母方親族　6　未成年後見監督人 7　児童相談所長　8　その他（　　　）		
	職業				
未成年者	本籍 （国籍）	都道 府県			
	住所	〒　　－　　　電話　（　　　） （　　　　方）			
	フリガナ 氏名		平成 令和　年　月　日生 （　　歳）	職業又は 在校名	
	フリガナ 氏名		平成 令和　年　月　日生 （　　歳）	職業又は 在校名	
	フリガナ 氏名		平成 令和　年　月　日生 （　　歳）	職業又は 在校名	

（注）　太枠の中だけ記入してください。　※の部分は，当てはまる番号を○で囲み，8を選んだ場合には，（　）内に具体的に記入してください。

未成年後見（1/2）

（942050）

▶　申立人：未成年被後見人の親族，その他の利害関係人（民法841条），15歳以上の事件本人。

▶　管轄：未成年被後見人の住所地の家庭裁判所。

申　立　て　の　趣　旨
未成年後見人の選任を求める。

申　立　て　の　理　由		
申立ての原因	申立ての動機	未成年者の資産収入
※ 1 親権者の⑴死亡 ⑵所在不明 2 親権者の親権の⑴辞退 ⑵喪失 ⑶停止 3 親権者の管理権の⑴辞退 ⑵喪失 4 未成年後見人の⑴死亡 ⑵所在不明 5 未成年後見人の⑴辞任 ⑵解任 6 父母の不分明 7 その他（　　　） （その年月日 平成 令和　　年　月　日）	※ 1 未成年者の監護教育 2 養子縁組・養子離縁 3 入　学 4 就　職 5 就　籍 6 遺産分割 7 相続放棄 8 扶助料・退職金・保険金等の請求 9 その他の財産の管理処分 10 その他（　　　）	宅　地………約＿＿平方メートル 建　物………約＿＿平方メートル 農　地………約＿＿ヘクタール 山　林………約＿＿ヘクタール 有価証券……約＿＿万円 現　金………約＿＿万円 預貯金………約＿＿万円 債　権………約＿＿万円 月　収………約＿＿万円 負　債………約＿＿万円

未成年後見人候補者				
本　籍 （国 籍）	都道 府県		未成年者 との関係	
住　所	〒　－　　電話　（　） （　　方）			
勤務先	〒　－　　電話　（　）			
フリガナ 氏　名		大正 昭和 平成　年　月　日生 （　歳）	職　業	

（注）　太枠の中だけ記入してください。　※の部分は，当てはまる番号を○で囲み，申立ての原因欄の 7 及び申立ての動機欄の 10 を選んだ場合には，（　）内に具体的に記入してください。

（注）　複数の未成年後見人の選任を希望するため，上記「未成年後見人候補者」欄では足りない場合には，A4 の用紙に上記の「未成年後見人候補者欄」の記載事項と同じ事項を記入し，この申立書に添付してください。

（注）　未成年後見人として法人の選任を希望する場合には，上記「未成年後見人候補者」欄に斜線をするとともに，A4 の用紙に，未成年後見人候補者の商業登記簿上の①主たる事務所又は本店の所在地，②名称又は商号，③代表者名を記入し，この申立書に添付してください。

未成年後見（2/2）

（8－019 未成年後見人選任申立書）

8－020 保護者選任（等）申立書

受付印		保　護　者　選　任　（等）　申　立　書
収入印紙	円	この欄に収入印紙を貼ってください。 保護者選任のみの場合 800 円分 保護者の順位の変更＋保護者の選任の場合 1,600 円分 （貼った印紙に押印しないでください。）
予納郵便切手	円	
予納収入印紙	円	

準口頭		関連事件番号　平成・令和　　年（家　　）第　　　号

家庭裁判所 御　中 令和　　年　　月　　日	申　立　人 （又は法定代理人など） の記名押印	印

添付書類	（同じ書類は1通で足ります。審理のために必要な場合は，追加書類の提出をお願いすることがあります。） □事件本人の戸籍謄本（全部事項証明書） □保護者候補者の戸籍謄本（全部事項証明書） □

申立人	住　所	〒　－　　電話　（　　） （　　　方）			
	フリガナ 氏　名		昭和 平成　年　月　日生 令和　（　　歳）	職　業	
	事件本人との関係	※ 事件本人の…　1　直系尊属（父母・祖父母）　2　直系卑属（子・孫）　3　兄弟姉妹 4　市町村長　5　精神病院の管理者　6　その他（　　　）			
事件本人	本　籍 （国　籍）	都　道 府　県			
	住　所	〒　－　　電話　（　　） （　　　方）			
	フリガナ 氏　名		昭和 平成　年　月　日生 令和　（　　歳）	職　業	

（注）　太枠の中だけ記入してください。　※の部分は，当てはまる番号を○で囲み，6を選んだ場合には，（　）内に具体的に記入してください。

保護者（1/2）

▶　家庭裁判所は，申立てにより，精神障害者について，その扶養義務者の中から保護者を選任する（精神保健及び精神障害者福祉に関する法律20条2項4号）。

▶　申立人：精神障害者の親族，精神病院長，市区町村長，都道府県知事など。

▶　管轄：精神障害者の住所地の家庭裁判所。

家事

申立ての趣旨
□ 保護者の順位の変更及び
保護者の選任を求める。

申立ての理由

申立ての原因	申立ての動機
※ 1 保護者となる先順位の者（後見人・保佐人・配偶者・親権を行う者）がいない。 2 保護者となる先順位の者はいるが，その者が次の者に当たり保護者となれない。 (1) 行方不明者 (2) 事件本人と訴訟をした者並びにその配偶者・直系血族 (3) 家庭裁判所で免ぜられた法定代理人，保佐人又は補助人 (4) 破産者 (5) 成年被後見人・被保佐人 (6) 未成年者 (7) その他 〔　　　〕	事件本人について，医療観察法★の手続において保護者の選任等が必要であるため。

扶養義務者（配偶者・親権者を除く。）［保護者として適任と思われる者を○で囲む。］

氏名	住所	年齢	事件本人との関係	職業
1				
2				
3				
4				
5				

（注） 太枠の中だけ記入をしてください。
保護者の順位の変更を求める場合は，申立ての趣旨欄の□にチェックをしてください。
※の部分は，当てはまる番号を○で囲み，申立ての原因欄の 2 の(7)を選んだ場合には，〔 〕内に具体的に記入してください。
★医療観察法とは，「心神喪失等の状態で重大な他害行為を行った者の医療及び観察等に関する法律」のことを言います。

保護者（2/2）

（8-020 保護者選任（等）申立書）

8−021 後見開始申立書

受付印	
	後　見　開　始　申　立　書
貼用収入印紙　円 予納郵便切手　円 予納収入印紙　円	**(注意) 登記手数料としての収入印紙は，貼らずにそのまま提出してください。** この欄に**申立手数料としての**収入印紙 800 円分を貼ってください（**貼った印紙に押印しないでください**）。

準口頭		関連事件番号　平成・令和　　年（家　　）第　　　　号

家庭裁判所 御　中 令和　　年　　月　　日	申立人の 記名押印	印

添付書類	（同じ書類は1通で足ります。審理のために必要な場合は，追加書類の提出をお願いすることがあります。） □本人の戸籍謄本（全部事項証明書）　□本人の住民票又は戸籍附票 □本人の登記されていないことの証明書　□本人の診断書（家庭裁判所が定める様式のもの） □本人の財産に関する資料　□成年後見人候補者の住民票又は戸籍附票 □

申立人	住　所	〒　－　　電話　（　　） （　　方）	
	フリガナ 氏　名		大正 昭和　年　月　日生 平成 （　　歳）
	職　業		
	本人との関係	※ 1 本人　2 配偶者　3 四親等内の親族（　　） 4 未成年後見人・未成年後見監督人　5 保佐人・保佐監督人 6 補助人・補助監督人　7 任意後見受任者・任意後見人・任意後見監督人 8 市区町村長　9 その他（　　）	
本人	本　籍 （国　籍）	都道 府県	
	住　所	〒　－　　電話　（　　） （　　方）	
	フリガナ 氏　名		明治 大正 昭和　年　月　日生 平成 （　　歳）
	職　業		

（注）　太枠の中だけ記入してください。　※の部分は当てはまる番号を○で囲み，3 又は 9 を選んだ場合には，（　）内に具体的に記入してください。

後見（1/2）

(942110)

- 後見は，精神上の障害により事理を弁識する能力を欠く状況にあるとき，開始される（民法7条）。
- 申立人:本人, 配偶者，4親等以内の親族，未成年後見人，未成年後見監督人，保佐人，保佐監督人，補助人，補助監督人，検察官（民法7条），任意後見受任者，任意後見人，任意後見監督人（任意後見契約に関する法律10条），市町村長。
- 管轄：本人の所在地の家庭裁判所。

申　立　て　の　趣　旨
本人について後見を開始するとの審判を求める。

申　立　て　の　理　由
（申立ての動機，本人の生活状況などを具体的に記入してください。）

成年後見人候補者 （適当な人がいる場合に記載してください。）	（いずれかを○で囲んでください。） 1. 申立人と同じ（右欄の記載は不要） 2. 申立人以外（右欄に記載）	住　所	〒　－　電話（　） （　方）		
		フリガナ 氏　名		大正 昭和 平成	年　月　日生 （　歳）
		職　業		本人との関係	
		勤務先	電話（　）		

（注）　太枠の中だけ記入してください。

後見（2/2）

（8−021 後見開始申立書）

8−022 申立書付票

申　　立　　書　　付　　票（本人以外の申立用）
（後見開始，保佐開始，補助開始，任意後見監督人選任）

これは申立書を補うものですから，申立書と一緒に提出してください。当てはまる番号又は記号を○で囲んでください。また，空欄には自由に記入してください。なお，わからなければ記入しなくてもかまいません。

1　この申立ての内容に関して，これまでに家庭裁判所を利用したことがありますか。
　1　ない。
　2　ある。
　　それはいつごろですか。
　　　平成・令和＿＿＿＿年＿＿＿＿月　頃
　　どこの家庭裁判所ですか。
　　　＿＿＿＿＿＿家庭裁判所＿＿＿＿＿＿＿＿＿支部・出張所
　　申立てをした人の氏名
　　　氏名＿＿＿＿＿＿＿＿＿＿＿＿＿＿＿＿＿＿＿＿＿＿
　　事件番号（ご存じであれば記入してください。）
　　　平成・令和＿＿＿＿年（家）第＿＿＿＿＿＿＿＿＿＿＿＿＿号
　　事件名
　　　後見開始・保佐開始・補助開始・任意後見監督人選任・その他（　　　　　　　　　）

2　この申立てをすることを本人は知っていますか。
　1　知っている。
　　同意の有無
　　ア　本人は申立てのとおりの審判がされることに同意している。
　　イ　本人は申立てのとおりの審判がされることに同意していない。
　　ウ　本人が申立てのとおりの審判がされることに同意しているかどうかは分からない。
　2　知らない。
　　その理由
　　ア　本人が理解できる状態でないため。
　　イ　本人は理解できる状態であるが，本人に不安を与えるなどの影響を考えたため。
　　ウ　本人が申立てに反対しているため。
　　エ　その他（　　　　　　　　　　　　　　　　　　　　　　　　）

3　本人の判断能力はどのような状態ですか。
　1　一人で日常生活をするのに問題はないが，重要な財産行為（不動産，自動車などの売買，自宅の増改築，金銭の貸し借りなど）については，だれかが代わりにやる方がよい。
　2　一人で日常の買い物などはできるが，重要な財産行為（不動産，自動車などの売買，自宅の増改築，金銭の貸し借りなど）は自分ではできない。
　3　一人で日常の買い物などをすることができない。

本人の状態（認知症の程度など）について具体的に記入してください。

………………………………………………………………………………
………………………………………………………………………………
………………………………………………………………………………
………………………………………………………………………………

1

4　本人の生活状況はどのような状態ですか。
　1　自宅で一人で生活している。
　　介護の有無
　　ア　家族が訪問するなどして介護している。
　　イ　介護サービスを受けている（要支援状態・要介護状態区分　1・2・3・4・5）。
　　ウ　特に介護を受けていない。
　2　自宅又は家族の住居で家族と一緒に生活している。
　3　老人ホームなどの施設に入居している。

　　施設名＿＿＿＿＿＿＿＿＿＿＿＿＿＿＿＿＿＿＿＿＿＿＿＿

　　連絡先　〒＿＿＿＿－＿＿＿＿　　電話＿＿＿＿（＿＿＿＿）＿＿＿＿

　　＿＿＿＿＿＿＿＿＿＿＿＿＿＿＿＿＿＿＿＿＿＿＿＿

　4　病院，療養所などに入所している。

　　病院名＿＿＿＿＿＿＿＿＿＿＿＿＿＿＿＿＿＿＿＿＿＿＿＿

　　連絡先　〒＿＿＿＿－＿＿＿＿　　電話＿＿＿＿（＿＿＿＿）＿＿＿＿

　　＿＿＿＿＿＿＿＿＿＿＿＿＿＿＿＿＿＿＿＿＿＿＿＿

5　本人の資産，収入などについて分かる範囲で記入してください（不動産については登記簿謄本の表示を，預貯金については銀行等の名称，口座番号などを記入してください。）。
　1　不動産（土地・建物）

　　……………………………………………………
　　……………………………………………………
　　……………………………………………………

　2　預貯金

　　……………………………………………………
　　……………………………………………………
　　……………………………………………………

　3　株式

　　……………………………………………………
　　……………………………………………………

　4　収入・年金
　　収入　月額＿＿＿＿＿＿＿＿円　　　年金　月額＿＿＿＿＿＿＿＿円

　　（賞与　＿＿＿＿＿＿＿＿円）

　5　負債（借金）

　　……………………………………………………

　6　その他

　　……………………………………………………

2

（8−022 申立書付票）

6　成年後見人，保佐人又は補助人の候補者は，この申立てについて知っていますか。
　1　知っている。
　　候補者の承諾の有無
　　ア　選任されることを承諾している。
　　イ　選任されることを承諾していない。
　2　知らない。
　　理由 ……………………………………………………

　　　　……………………………………………………

　　　　……………………………………………………

　　　　……………………………………………………

7　成年後見人，保佐人又は補助人の候補者に対する本人の意向はどうですか。
　1　候補者が選任されることに賛成している。
　2　候補者が選任されることに反対している。
　3　意向がわからない（理解できない場合を含む。）。

8　この申立てに反対している人がいるなど，家庭裁判所に特に注意してほしいことがあれば記入してください。

……………………………………………………

……………………………………………………

……………………………………………………

……………………………………………………

あなたの平日昼間の連絡先
（勤め先，仕事場など）

____

電話＿＿＿＿（＿＿＿＿）＿＿＿＿

記入年月日及びあなたの氏名

令和　　年　　月　　日　　氏　名＿＿＿＿＿＿＿＿＿＿

3

（8−022 申立書付票）

8−023 保佐開始申立書

受付印		保 佐 開 始 申 立 書
貼用収入印紙	円	**（注意）登記手数料としての収入印紙は，貼らずにそのまま提出してください。** この欄に申立手数料としての収入印紙を貼ってください（貼った印紙に押印しないでください）。 申立手数料：保佐開始のみの場合 800 円／保佐開始＋同意権拡張（☆）の場合 1,600 円分／保佐開始＋代理権付与の場合 1,600 円分／保佐開始＋同意権拡張（☆）＋代理権付与の場合 2,400 円分
予納郵便切手	円	
予納収入印紙	円	

準口頭		関連事件番号 平成・令和 年（家 ）第 号

家庭裁判所 御中 令和 年 月 日	申立人の記名押印	印

添付書類	（同じ書類は1通で足ります。審理のために必要な場合は，追加書類の提出をお願いすることがあります。） □本人の戸籍謄本（全部事項証明書） □本人の住民票又は戸籍附票 □本人の登記されていないことの証明書 □本人の診断書（家庭裁判所が定める様式のもの） □本人の財産に関する資料 □保佐人候補者の住民票又は戸籍附票 □（同意権拡張又は代理権付与を求める場合）同意権，代理権を要する行為に関する資料（契約書写し等） □

申立人	住所	〒 − 電話 （ ） （ 方）	
	フリガナ 氏名		大正 昭和 年 月 日生 平成 （ 歳）
	職業		
	本人との関係	※ 1 本人 2 配偶者 3 四親等内の親族（ ） 4 （未成年・成年）後見人 5 （未成年・成年）後見監督人 6 補助人・補助監督人 7 任意後見受任者・任意後見人・任意後見監督人 8 市区町村長 9 その他（ ）	
本人	本籍（国籍）	都 道 府 県	
	住所	〒 − 電話 （ ） （ 方	
	フリガナ 氏名		明治 大正 昭和 年 月 日生 平成 （ 歳）
	職業		

（注） 太枠の中だけ記入してください。 ※の部分は，当てはまる番号を○で囲み，３又は９を選んだ場合には，（ ）内に具体的に記入してください。 ☆民法第 13 条第１項に規定されている行為については，申立ての必要はありません。

保佐（1/2）

（942120）

- 保佐は，精神上の障害により事理を弁識する能力が著しく不十分なとき，開始される（民法 11 条）。
- 申立人：本人，配偶者，４親等以内の親族，後見人，後見監督人，補助人，補助監督人，検察官（民法 11 条），任意後見受任者，任意後見人，任意後見監督人（任意後見契約に関する法律 10 条２項）。
- 管轄：本人の所在地の家庭裁判所。

申　立　て　の　趣　旨
本人について保佐を開始するとの審判を求める。
（必要とする場合に限り，当てはまる番号を○で囲んでください。） 1　本人が以下の行為（日用品の購入その他日常生活に関する行為を除く。）をするにも，その保佐人の同意を得なければならないとの審判を求める。（☆） 2　本人のために以下の行為について保佐人に代理権を付与するとの審判を求める。
（行為の内容を記入してください。書き切れない場合は別紙を利用してください。）

申　立　て　の　理　由
（申立ての動機，本人の生活状況など具体的に記入してください。書き切れない場合は別紙を利用してください。）

保佐人候補者 （適当な人がいる場合に記載してください。）	（いずれかを○で囲んでください。） 1．申立人と同じ（右欄の記載は不要） 2．申立人以外（右欄に記載）	住　所	〒　－　電話　（　） （　方）		
		フリガナ 氏　名		大正 昭和　年　月　日生 平成 （　歳）	
		職　業		本人との関係	
		勤務先	電話　（　）		

（注）　太枠の中だけ記入してください。　☆民法第 13 条第1項に規定されている行為については，申立ての必要はありません。

保佐（2/2）

家事

8−024 補助開始申立書

受付印	補　助　開　始　申　立　書
貼用収入印紙　円 予納郵便切手　円 予納収入印紙　円	**（注意）登記手数料としての収入印紙は，貼らずにそのまま提出してください。** この欄に申立手数料としての収入印紙を貼ってください（**貼った印紙に押印しないでください**）。 申立手数料：補助開始＋同意権付与の場合 1,600 円分 補助開始＋代理権付与の場合 1,600 円分 補助開始＋同意権付与＋代理権付与の場合 2,400 円分

準口頭		関連事件番号　平成・令和　　年（家　　）第　　　　号

家庭裁判所 御　中 令和　　年　　月　　日	申立人の 記名押印	印

添付書類	（同じ書類は１通で足ります。審理のために必要な場合は，追加書類の提出をお願いすることがあります。） □本人の戸籍謄本（全部事項証明書）　□本人の住民票又は戸籍附票 □本人の登記されていないことの証明書　□本人の診断書（家庭裁判所が定める様式のもの） □本人の財産に関する資料　□補助人候補者の住民票又は戸籍附票 □（同意権又は代理権付与を求める場合）同意権又は代理権を要する行為に関する資料（契約書写し等） □

申立人	住　所	〒　　－　　　電話（　　　） （　　　　方）
	フリガナ 氏　名	大正 昭和　　年　　月　　日生 平成 （　　歳）
	職　業	
	本人との関係	※ 1 本人　2 配偶者　3 四親等内の親族（　　　） 4 （未成年・成年）後見人　5 （未成年・成年）後見監督人 6 保佐人・保佐監督人　7 任意後見受任者・任意後見人・任意後見監督人 8 市区町村長　9 その他（　　　）
本人	本　籍 （国　籍）	都　道 府　県
	住　所	〒　　－　　　電話（　　　） （　　　　方）
	フリガナ 氏　名	明治 大正 昭和　　年　　月　　日生 平成 （　　歳）
	職　業	

（注）　太枠の中だけ記入してください。　※の部分は，当てはまる番号を○で囲み，3 又は 9 を選んだ場合には，（　）内に具体的に記入してください。

補助（1/2）

（942130）

▶ 補助は，精神上の障害により事理を弁識する能力が不十分なとき，開始される。

▶ 申立人：本人，配偶者，4 親等以内の親族，後見人，後見監督人，保佐人，保佐監督人，検察官（民法 14 条 1 項），任意後見受任者，任意後見人，任意後見監督人（任意後見契約に関する法律 10 条 2 項），市町村長。

▶ 管轄：本人の所在地の家庭裁判所。

申　立　て　の　趣　旨
本人について補助を開始するとの審判を求める。
（必ず，当てはまる番号を○で囲んでください。） 1　本人が以下の行為（日用品の購入その他日常生活に関する行為を除く。）をするには，その補助人の同意を得なければならないとの審判を求める。（☆） 2　本人のために以下の行為について補助人に代理権を付与するとの審判を求める。
（行為の内容を記入してください。書き切れない場合は別紙を利用してください。）

申　立　て　の　理　由					
（申立ての動機，本人の生活状況など具体的に記入してください。書き切れない場合は別紙を利用してください。）					
補助人候補者（適当な人がいる場合に記載してください。）	（いずれかを○で囲んでください。） 1．申立人と同じ（右欄の記載は不要） 2．申立人以外（右欄に記載）	住　所	〒　－　電話（　） （　方）		
		フリガナ 氏　名			大正 昭和　年　月　日生 平成 （　歳）
		職　業		本人との関係	
		勤務先	電話（　）		

（注）　太枠の中だけ記入してください。　☆申し立てる行為は，民法第 13 条第１項に規定されている行為の一部に限られます。

補助（2/2）

家事

8－025 任意後見監督人選任申立書

<table>
<tr><td>受付印

貼用収入印紙　　円
予納郵便切手　　円
予納収入印紙　　円</td><td>任意後見監督人選任申立書

（注意）登記手数料としての収入印紙は，貼らずにそのまま提出してください。
この欄に申立手数料としての収入印紙 800 円分を貼ってください（貼った印紙に押印しないでください）。</td></tr>
</table>

準口頭		関連事件番号 平成・令和　　年（家　　）第　　号

家庭裁判所 御　中 令和　　年　　月　　日	申立人の 記名押印	印

添付書類	（審理のために必要な場合は，追加書類の提出をお願いすることがあります。） □本人の戸籍謄本（全部事項証明書）　□任意後見契約公正証書の写し □本人の後見登記事項証明書　□本人の診断書（家庭裁判所が定める様式のもの） □本人の財産に関する資料　□任意後見監督人候補者の住民票又は戸籍附票 □　（候補者を立てていただく取扱いの場合のみ必要です。）

申立人	住　所	〒　－　　電話（　　） （　　方）	
	フリガナ 氏　名		大正 昭和　年　月　日生 平成 （　　歳）
	職　業		
	本人との関係	※　1　本人　2　配偶者　3　四親等内の親族（　　） 4　任意後見受任者　5　その他（　　）	
本人	本　籍 （国　籍）	都　道 府　県	
	住　所	〒　－　　電話（　　） （　　方）	
	フリガナ 氏　名		明治 大正 昭和　年　月　日生 平成 （　　歳）
	職　業		

（注）　太枠の中だけ記入してください。　※の部分は，当てはまる番号を○で囲み，3 又は 5 を選んだ場合には，（　）内に具体的に記入してください。

任後監督（1/2）

（942140）

申　立　て　の　趣　旨
任意後見監督人の選任を求める。

申　立　て　の　理　由						
（申立ての動機，本人の生活状況などを具体的に記入してください。）						
任意後見契約	公正証書を作成した公証人の所属	法務局	証書番号	平成 令和　年　第　号		
	証書作成年月日	平成 令和　年　月　日	登記番号	第　－　号		
任意後見受任者	住所	〒　－　電話　（　） （　方）				
	フリガナ 氏名			大正 昭和 平成　年　月　日生 （　歳）		
	職業		本人との関係			
	勤務先	電話　（　）				

（注）　太枠の中だけ記入してください。

任後監督（2/2）

家事

8－026 遺産分割調停申立書

この申立書の写しは，法律の定めるところにより，申立ての内容を知らせるため，相手方に送付されます。

受付印	遺産分割 □ 調停 / □ 審判 申立書
	（この欄に申立て1件あたり収入印紙１，２００円分を貼ってください。）
収入印紙　　円	
予納郵便切手　　円	（貼った印紙に押印しないでください。）

家庭裁判所 御中 令和　年　月　日	申立人 （又は法定代理人など） の記名押印	印

添付書類	（審理のために必要な場合は，追加書類の提出をお願いすることがあります。） □ 戸籍（除籍・改製原戸籍）謄本（全部事項証明書）　合計　　通 □ 住民票又は戸籍附票　合計　　通　□ 不動産登記事項証明書　合計　　通 □ 固定資産評価証明書　合計　　通　□ 預貯金通帳写し又は残高証明書　合計　　通 □ 有価証券写し　合計　　通　□	準口頭

当事者		別紙当事者目録記載のとおり	
被相続人	最後の住所	都道 府県	
	フリガナ 氏名		平成 令和　年　月　日死亡

申立ての趣旨
□被相続人の遺産の分割の（□調停／□審判）を求める。
□被相続人の遺産のうち，別紙遺産目録記載の次の遺産の分割の（□調停／□審判）を求める。※1
【土地】………………　【建物】………………
【現金，預・貯金，株式等】………………

申立ての理由	
遺産の種類及び内容	別紙遺産目録記載のとおり
特別受益 ※2	□ 有　／　□ 無　／　□不明
事前の遺産の一部分割 ※3	□ 有　／　□ 無　／　□不明
事前の預貯金債権の行使 ※4	□ 有　／　□ 無　／　□不明
申立ての動機	□ 分割の方法が決まらない。 □ 相続人の資格に争いがある。 □ 遺産の範囲に争いがある。 □ その他（………………）

(注) 太枠の中だけ記入してください。□の部分は該当するものにチェックしてください。
※1　一部の分割を求める場合は，分割の対象とする各遺産目録記載の遺産の番号を記入してください。
※2　被相続人から生前に贈与を受けている等特別な利益を受けている者の有無を選択してください。「有」を選択した場合には，この遺産目録のほかに，特別受益目録を作成の上，別紙として添付してください。
※3　この申立てまでにした被相続人の遺産の一部の分割の有無を選択してください。「有」を選択した場合には，遺産目録のほかに，分割済遺産目録を作成の上，別紙として添付してください。
※4　相続開始時からこの申立てまでに各共同相続人が民法９０９条の２に基づいて単独でした預貯金債権の行使の有無を選択してください。「有」を選択した場合には，遺産目録【現金，預・貯金，株式等】に記載されている当該預貯金債権の欄の備考欄に権利行使の内容を記入してください。

遺産（1/　）

▶　添付する遺産目録は書式 8－027 ～ 8－029 を，当事者等目録は書式 8－030 を使用する。土地，建物，現金・預貯金・株式等に分類して作成する。記入する遺産が少ない場合は一つの形式にまとめてもよい。その場合は，遺産を特定するために各目録の記入事項を参考にするとよい。

8－027 遺産目録（土地）

この申立書の写しは，法律の定めるところにより，申立ての内容を知らせるため，相手方に送付されます。

遺　産　目　録　（□特別受益目録，□分割済遺産目録）

【土　　地】

番号	所　　在	地　　番	地　目	地　積	備　考
		番		平方メートル	

(注) この目録を特別受益目録又は分割済遺産目録として使用する場合には，（□特別受益目録又は□分割済遺産目録）の□の部分をチェックしてください。また，備考欄には，特別受益目録として使用する場合は被相続人から生前に贈与を受けた相続人の氏名，分割済遺産目録として使用する場合は遺産を取得した相続人の氏名を記載してください。

遺産（　／　）

8−028 遺産目録（建物）

この申立書の写しは，法律の定めるところにより，申立ての内容を知らせるため，相手方に送付されます。

遺　産　目　録（□特別受益目録，分割済遺産目録）

【建　　物】

番号	所　　　　　在	家屋番号	種　類	構　　造	床　面　積	備　考
					平方メートル	

（注）この目録を特別受益目録又は分割済遺産目録として使用する場合には，（□特別受益目録又は□分割済遺産目録）の□の部分をチェックしてください。また，備考欄には，特別受益目録として使用する場合は被相続人から生前に贈与を受けた相続人の氏名，分割済遺産目録として使用する場合は遺産を取得した相続人の氏名を記載してください。

遺産（　／　）

8－029 遺産目録（現金，預・貯金，株式等）

この申立書の写しは，法律の定めるところにより，申立ての内容を知らせるため，相手方に送付されます。

遺　産　目　録（□特別受益目録，□分割済遺産目録）

【現金，預・貯金，株式等】

番号	品　　目	単　位	数　量　（金　額）	備　　考

（注）この目録を特別受益目録又は分割済遺産目録として使用する場合には，（□特別受益目録又は□分割済遺産目録）の□の部分をチェックしてください。また，備考欄には，特別受益目録として使用する場合は被相続人から生前に贈与を受けた相続人の氏名，分割済遺産目録として使用する場合は遺産を取得した相続人の氏名を記載してください。

遺産（　/　）

8－030 当事者目録

この申立書の写しは，法律の定めるところにより，申立ての内容を知らせるため，相手方に送付されます。

当　事　者　目　録

□申立人 □相手方	住所	〒　－ （　　方）	
	フリガナ 氏名		大正 昭和　年　月　日生 平成 令和　（　歳）
	被相続人との続柄		
□申立人 □相手方	住所	〒　－ （　　方）	
	フリガナ 氏名		大正 昭和　年　月　日生 平成 令和　（　歳）
	被相続人との続柄		
□申立人 □相手方	住所	〒　－ （　　方）	
	フリガナ 氏名		大正 昭和　年　月　日生 平成 令和　（　歳）
	被相続人との続柄		
□申立人 □相手方	住所	〒　－ （　　方）	
	フリガナ 氏名		大正 昭和　年　月　日生 平成 令和　（　歳）
	被相続人との続柄		
□申立人 □相手方	住所	〒　－ （　　方）	
	フリガナ 氏名		大正 昭和　年　月　日生 平成 令和　（　歳）
	被相続人との続柄		

(注) □の部分は該当するものにチェックしてください。

遺産(　/　)

8−031 相続放棄申述書

受付印	相　続　放　棄　申　述　書
収入印紙　　円	（この欄に収入印紙800円分を貼ってください。）
予納郵便切手　　円	（貼った印紙に押印しないでください。）

準口頭		関連事件番号　平成・令和　　年（家　　）第　　　号

家庭裁判所 御　中 令和　　年　　月　　日	申　述　人 〔未成年者などの場合は法定代理人〕 の　記　名　押　印	印

添付書類	（同じ書類は1通で足ります。審理のために必要な場合は，追加書類の提出をお願いすることがあります。） □戸籍（除籍・改製原戸籍）謄本（全部事項証明書）　合計　通 □被相続人の住民票除票又は戸籍附票 □

申述人	本　籍 （国　籍）	都 道 府 県			
	住　所	〒　－　　電話　（　　） （　　　方）			
	フリガナ 氏　名		昭和 平成　年　月　日生 令和 （　　歳）	職　業	
	被相続人との関係	※ 被相続人の…1　子　2　孫　3　配偶者　4　直系尊属（父母・祖父母） 5　兄弟姉妹　6　おいめい　7　その他（　　　）			
法定代理人等	※ 1　親権者 2　後見人 3	住　所	〒　－　　電話　（　　） （　　　方）		
		フリガナ 氏　名		フリガナ 氏　名	
被相続人	本　籍 （国　籍）	都 道 府 県			
	最後の 住　所			死亡当時 の職業	
	フリガナ 氏　名		平成 令和　年　月　日死亡		

（注）　太枠の中だけ記入してください。　※の部分は，当てはまる番号を○で囲み，被相続人との関係欄の7，法定代理人等欄の3を選んだ場合には，具体的に記入してください。

相続放棄（1/2）

（942080）

▶ 被相続人との関係，法廷代理人，申立ての実情の欄のあてはまる番号はマル（○）で囲む。遺産の欄が書ききれない場合は，書式 8−027 ～ 8−029 の遺産目録を利用する。

申　述　の　趣　旨
相続の放棄をする。

申　述　の　理　由		
※ 相続の開始を知った日…………平成・令和　　年　　月　　日 1 被相続人死亡の当日　　3 先順位者の相続放棄を知った日 2 死亡の通知を受けた日　　4 その他（　　　）		
放　棄　の　理　由	相　続　財　産　の　概　略	
※ 1 被相続人から生前に贈与を受けている。 2 生活が安定している。 3 遺産が少ない。 4 遺産を分散させたくない。 5 債務超過のため 6 その他〔　　　〕	資産	農　地…約＿＿平方メートル　現　金 預貯金…約＿＿万円 山　林…約＿＿平方メートル　有価証券‥約＿＿万円 宅　地…約＿＿平方メートル 建　物…約＿＿平方メートル
	負　債…………………………………約＿＿万円	

（注）　太枠の中だけ記入してください。　※の部分は，当てはまる番号を○で囲み，申述の理由欄の 4，放棄の理由欄の 6 を選んだ場合には，（　　）内に具体的に記入してください。

相続放棄（2/2）

（8－031 相続放棄申述書）

MEMO

刑　事　編

刑事事件

刑事事件

1　刑事弁護の受任

9−001 弁護人選任届（逮捕・勾留中の被疑者の場合）

弁　護　人　選　任　届

令和○○年○○月○○日

○○地方検察庁　御中

被　疑　者　　　　○　○　○　○

上記被疑者に対する○○○○被疑事件について，弁護士○○○○を弁護人に選任したので，連署して届け出る。

被　疑　者　　　　○　○　○　○　（指印）

上記は本人の署名指印であることを証明する。
警察署
（司法巡査）　　　　　　　印

事務所所在地
〒○○○−○○○○
東京都○○区○○町○○丁目○○番○○号
電 話 番 号　　○○（○○○○）○○○○
ＦＡＸ番号　　○○（○○○○）○○○○
所属弁護士会　○○弁護士会
弁　護　人　　　　○　○　○　○　　　印

- 刑事訴訟法 30 条，31 条，32 条，刑事訴訟規則 17 条，18 条，18 条の 2。被疑者が逮捕・勾留中の場合の書式例である。
- 検察官送致前に警察署に差し出す選任届には，警察署長を宛先として明記する。区検察庁担当事件については，区検察庁を宛先として明記する。
- 選任届は，選任者と連署する。公訴提起前に捜査機関に差し出す選任届は弁護人も自署を要する（刑訴規 60 条）。
- 指印証明部分は，刑事施設の担当者がゴム印を押捺するので，あらかじめ記載されたものを用意する必要はない。

9−002 弁護人選任届（公訴提起後の在宅の被告人の場合）

弁　護　人　選　任　届

令和○○年○○月○○日

○○地方裁判所　御中

被　告　人　　　　○　○　○　○

上記被告人に対する○○○○被告事件について，弁護士○○○○を弁護人に選任したので，連署して届け出る。

被　告　人　　　　○　○　○　○　　　　印

事務所所在地
〒○○○−○○○○
東京都○○区○○町○○丁目○○番○○号
電 話 番 号　　○○（○○○○）○○○○
ＦＡＸ番号　　○○（○○○○）○○○○
所属弁護士会　○○弁護士会
弁　護　人　　　　○　○　○　○　　　　印

▶　公訴提起後，被告人が在宅の場合の書式例である。

▶　公訴提起後に裁判所に差し出す選任届については，係属部が判明していれば，宛先として明記するのが望ましい。

9－003 主任弁護人指定届

主　任　弁　護　人　指　定　届

令和○○年○○月○○日

○○地方裁判所第○○刑事部　御中

被　告　人　　○　○　○　○

上記被告人に対する○○○○被告事件について，弁護人○○○○を主任弁護人に指定したので，届け出る。

弁　護　人　　○　○　○　○　　印
弁　護　人　　○　○　○　○　　印
弁　護　人　　○　○　○　○　　印

▶　刑事訴訟法33条，刑事訴訟規則19条，20条。

▶　被告人は単独で主任弁護人を指定できる。その場合は被告人の署名押印（指印）で足り，弁護人の署名押印は不要。

▶　実務上は全弁護人の届出によることが多い。ただし，被告人の明示の意思に反してはできない（刑訴規19条4項）。

2 起訴前弁護活動

9－004 可視化・取調べメモに関する申入書

可視化・取調べメモに関する申入書

令和○○年○○月○○日

○○地方検察庁

検察官検事　○○○○　殿

被　疑　者　○　○　○　○

弁　護　人　○　○　○　○　印

上記被疑者に対する○○○○被疑事件にかかる今後の取調べについては，下記の理由により，その全過程をビデオ録画すること及びその取調べにおいて作成された全ての取調べメモ・備忘録等を保管することを求める。

記

第１　○○○○○○○○○

第２　○○○○○○○○○

第３　○○○○○○○○○

▶ 宛先に警察（警察署長，担当司法警察員等）を含める場合もある。

9－005 勾留請求に対する意見書

意　見　書

令和〇〇年〇〇月〇〇日

〇〇地方検察庁

検察官検事　〇〇〇〇　殿

被　疑　者　　〇　〇　〇　〇

弁　護　人　　〇　〇　〇　〇　　印

上記被疑者に対する〇〇〇〇被疑事件について，以下のとおり勾留の要件は存在しないので，勾留請求をすることなく在宅で捜査すべきである。

第１　勾留の理由の不存在

１　「罪を犯したことを疑うに足りる相当な理由」の不存在

２　刑事訴訟法第２０７条１項，同第６０条１項１号事由の不存在

３　刑事訴訟法第２０７条１項，同第６０条１項２号事由の不存在

４　刑事訴訟法第２０７条１項，同第６０条１項３号事由の不存在

第２　勾留の必要性がない

１　事案が軽微である。

２　身体拘束による失職の可能性が高い。

３　被疑者の帰りを待つ家族がいる。

添　付　書　類

（略）

▶　勾留の理由（刑訴法60条１項各号）と勾留の必要性が存しないことを具体的に記載する。

▶　勾留請求までの時間的制限，逮捕手続の違法その他手続的要件に問題がある場合には，その点も主張する。

▶　「罪証を隠滅すると疑うに足りる相当な理由」がないことについては，罪証隠滅の対象，態様および可能性がないことについて具体的に主張する。

▶　勾留請求の前に担当検事に提出する書面であるので，時機を逸しないようにする。

▶　勾留請求の前に担当検事と面会し，本書面を提出したほうがよい。

9−006 勾留請求却下を求める意見書

意　見　書

令和〇〇年〇〇月〇〇日

〇〇地方裁判所　御中

被 疑 者　〇 〇 〇 〇
弁 護 人　〇 〇 〇 〇　印

上記被疑者に対する〇〇〇〇被疑事件について，以下のとおり勾留の要件は存在しないので，勾留請求は却下されるべきである。

第１　勾留の理由の不存在

１　「罪を犯したことを疑うに足りる相当な理由」の不存在

２　刑事訴訟法第２０７条１項，同第６０条１項１号事由の不存在

３　刑事訴訟法第２０７条１項，同第６０条１項２号事由の不存在

４　刑事訴訟法第２０７条１項，同第６０条１項３号事由の不存在

第２　勾留の必要性がない

１　事案が軽微である。

２　身体拘束による失職の可能性が高い。

３　被疑者の帰りを待つ家族がいる。

添 付 書 類

(略)

▶ 簡易裁判所で勾留決定する場合もあるので，提出先には注意を要する（裁判所法33条)。

▶ その他，書式 9−005 参照。

刑事

9－007 勾留状謄本交付請求書

勾 留 状 謄 本 交 付 請 求 書

担当検察官　　　　　　　　　　　　　（内線　　　　　）

勾留日　　　　　年　　　月　　　日

収容（留置）場所　□警視庁　　　　　警察署・□東京拘置所

弁護人選任届は，

令和　　年　　月　　日に東京（地検・区検）に提出済

フリガナ
被 疑 者

生年月日　　　　　　　　年　　　月　　　日 生

上記の者に対する○○○○被疑事件につき，勾留状の執行を受けたので，その謄本を交付されたく請求する。

令和　　年　　月　　日

弁　護　人　　　　　　　　　　　　　　印

事務所所在地

（電話番号　　　－　　　　　－　　　　　）

東京地方裁判所刑事第１４部　御中

請　　書

上記謄本を１通受領いたしました。

令和　　年　　月　　日

弁護人　　　　　　　　　　　　印

東京地方裁判所　刑事第１４部　御中

▶ 刑事訴訟法207条1項，刑事訴訟規則302条1項，74条，154条。

▶ 東京地方裁判所で使用している書式である。

▶ 弁護人選任届を検察庁に提出する際，写しに受領印を押してもらい，裁判所に持参する。

9－008　勾留決定に対する準抗告申立書

準　抗　告　申　立　書

令和○○年○○月○○日

○○地方裁判所　御中

被　疑　者　　○　○　○　○

弁　護　人　　○　○　○　○　　印

上記被疑者に対する○○○○被疑事件について，令和○○年○○月○○日○○地方裁判所裁判官○○○○がなした勾留の裁判に対し，以下のとおり準抗告を申し立てる。

第１　申立ての趣旨

原裁判を取り消す

検察官の勾留請求を却下する

との決定を求める。

第２　申立ての理由

１　勾留の理由の不存在

原裁判は，刑事訴訟法第２０７条１項，同６０条１項２号及び同３号の事由があるとして，被疑者の勾留を認めたものであるが，以下のとおり，被疑者には，犯罪の嫌疑がなく，逮捕手続にも重大な違法があり，罪証を隠滅すると疑うに足りる相当な理由も逃亡すると疑うに足りる相当な理由もない。

２　勾留の必要性がない。

添　付　書　類

（略）

▶　勾留の裁判に対する準抗告の書式例である。刑事訴訟法 429 条 1 項 2 号，431 条。

▶　犯罪の嫌疑がないことを理由とする準抗告が認められるかについては見解が分かれるが（刑訴法 429 条 2 項，420 条 3 項），弁護人としては主張すべきである。

▶　逮捕手続の違法は勾留の効力に影響を及ぼさないとする見解があるが，弁護人としては逮捕手続の違法も主張すべきである。

▶　罪証隠滅のおそれがないことについては，罪証隠滅の対象，態様および可能性がないことについて具体的に主張する。

9－009 準抗告棄却に対する特別抗告申立書

特　別　抗　告　申　立　書

令和○○年○○月○○日

最高裁判所　御中

被　疑　者　　○　○　○　○

弁　護　人　　○　○　○　○　　印

上記被疑者に対する○○○○被疑事件について，令和○○年○○月○○日に○○地方裁判所裁判官○○○○がした勾留決定に対する準抗告を，○○地方裁判所が令和○○年○○月○○日付けで棄却した裁判（令和○○年（○）第○○号）には不服があるから，以下のとおり特別抗告を申し立てる。

第１　申立ての趣旨

原裁判及び令和○○年○○月○○日に○○地方裁判所裁判官○○○○がした勾留決定を取り消し，本件勾留請求を却下する

との裁判を求める。

第２　申立ての理由

1　憲法第○○条に違反する。

2　平成○○年○○月○○日付最高裁判例の判断に反する判断をしている。

添　付　書　類

（略）

▶　準抗告を棄却した裁判に対する特別抗告の書式例である（刑訴法 433 条 1 項）。

▶　特別抗告は，法により不服の申立てが認められていない決定または命令に対して憲法違反，判例違反の事由がある場合に限り，最高裁判所に特に申し立てることができる抗告である（刑訴法 433 条 1 項）。準抗告（抗告）裁判所の決定に対しては不服申立が認められていないので（同法 427 条，432 条），これに対する不服申立は，特別抗告によることとなる。

▶　上告理由（刑訴法 405 条）があることを理由とする場合に限られる。

▶　特別抗告の提起期間は 5 日である（刑訴法 433 条 2 項）。

▶　特別抗告の宛先は「最高裁判所」であるが，申立書は原裁判をした裁判所または裁判官に差し出さなければならない（刑訴法 434 条，423 条 1 項）。

9−010 勾留延長に対する準抗告申立書

準　抗　告　申　立　書

令和○○年○○月○○日

○○地方裁判所　御中

被　疑　者　　○　○　○　○
弁　護　人　　○　○　○　○　　印

上記被疑者に対する○○○○被疑事件について，令和○○年○○月○○日○○地方裁判所裁判官○○○○がなした勾留期間延長の裁判に対し，以下のとおり準抗告を申し立てる。

第１　申立ての趣旨

原裁判を取り消す
検察官の勾留期間延長請求を却下する
との決定を求める。

第２　申立ての理由

１　法２０８条２項の「やむを得ない事由」の不存在
２　（以下略）

添　付　書　類

（略）

▶ 勾留延長の裁判に対する準抗告の書式例である。

9－011 勾留場所に対する準抗告申立書

準 抗 告 申 立 書

令和○○年○○月○○日

○○地方裁判所　御中

被 疑 者　○ ○ ○ ○

弁 護 人　○ ○ ○ ○　印

上記被疑者に対する○○○○被疑事件について，令和○○年○○月○○日○○地方裁判所裁判官○○○○がなした勾留の裁判に対し，以下のとおり準抗告を申し立てる。

第１　申立ての趣旨

原裁判中，勾留場所を○○警察署留置場とした部分を取り消す

被疑者の勾留場所を○○拘置所とする

との決定を求める。

第２　申立ての理由

１　被疑者の勾留場所は，拘置所であるべきである。

○○○○○○○○

２　逮捕当初から，違法不当な取調べが続いている。

○○○○○○○○

添 付 書 類

（略）

▶ 勾留の裁判のうち勾留場所に対する準抗告の書式例である。

9−012 勾留場所変更申立書

勾 留 場 所 変 更 申 立 書

令和○○年○○月○○日

○○地方裁判所裁判官　殿

被 疑 者　○ ○ ○ ○
弁 護 人　○ ○ ○ ○　印

上記被疑者は，○○○○被疑事件について，○○警察署留置施設に勾留されているところ，以下の理由により勾留場所を○○拘置所に変更するよう申し立てる。

1　連日長時間にわたる苛酷な取調べがなされている。
2　（以下略）

▶ 勾留場所の変更を命じる職権発動を促す書式例である。

▶ 検察庁にも申し立てる場合があるが（刑訴規 80 条 1 項参照），いずれも職権の発動を求めるものである。

▶ 被疑者段階の場合と被告人段階の場合とがある。

9−013 接見指定に対する準抗告申立書

準 抗 告 申 立 書

令和○○年○○月○○日

○○地方裁判所　御中

被 疑 者　○ ○ ○ ○

弁 護 人　○ ○ ○ ○　印

上記被疑者に対する○○○○被疑事件について，令和○○年○○月○○日○○地方検察庁検察官○○○○がなした接見に関する処分に対し，以下のとおり準抗告を申し立てる。

第１　申立ての趣旨

１　○○地方検察庁検察官○○○○が令和○○年○○月○○日申立人に対してなした，上記被疑者との接見の日時を同月○○日午前○○時○○分から同○○分までの２０分間と指定するとの処分を取り消す

２　同検察官は，申立人に対し，令和○○年○○月○○日に接見の申出があり次第，直ちに上記被疑者との接見をさせなければならない

との決定を求める。

第２　申立ての理由

１　被疑者は，令和○○年○○月○○日○○○○の被疑事実により逮捕され，現在勾留中である。

２　申立人は，被疑者の弁護人として，同月○○日午前○○時ころ，本件捜査を担当する○○地方検察庁検察官○○○○に対し，被疑者と面会したい旨を申し入れたところ，同検察官は申立ての趣旨第１項のとおり接見日時・時間を指定した。

３　しかし，検察官の上記指定処分は，以下の理由により，違法不当である。

▶　刑事訴訟法430条１項，431条。

▶　申立ての理由には，接見交通権の意義，接見交通の必要性（特に逮捕勾留の初期段階における接見の重要性と事案に即した必要性）などを，具体的に記載するとよい。

▶　指定処分を取り消しただけでは，新たに違法な指定処分をされる懸念もあるので，「申立ての趣旨」第２項のように，弁護人が接見を必要とする日時に接見をさせなければならない旨の命令も併せて求めるとよ

（1）接見交通権の意義

○○○○○○○○○○○

（2）接見交通の必要性

○○○○○○○○○○○

4　よって，検察官の上記指定処分を取り消した上，申立ての趣旨第2項記載のとおりの決定を求める。

い。

▶　指定された接見時間が短いことにつき不服がある場合には，指定処分を取り消した上で，長時間の接見時間を指定する旨の命令を併せて求めて，準抗告を申し立てることになる。

9−014 接見禁止に対する準抗告申立書

準 抗 告 申 立 書

令和○○年○○月○○日

○○地方裁判所　御中

被 疑 者　○ ○ ○ ○

弁 護 人　○ ○ ○ ○　印

上記被疑者に対する○○○○被疑事件について，令和○○年○○月○○日，○○地方裁判所裁判官○○○○がなした接見等禁止の裁判に対し，以下のとおり準抗告を申し立てる。

第1　申立ての趣旨

1　原裁判を取り消す

2　検察官の被疑者に対する接見等禁止請求を却下する

との決定を求める。

第2　申立ての理由

1　○○○○○○○○

2　○○○○○○○○

▶　裁判官による接見等禁止の裁判（刑訴法207条1項，81条）に対する準抗告の書式例である。

▶　「申立ての理由」には，接見等禁止の必要性がないことについて，被疑者の身体を拘束しただけでは逃亡または罪証隠滅が防止できないような強度の理由が存在しないこと，弁護人以外の者と接見をすることの必要性等の具体的事情を記載する。

9−015　接見等禁止一部解除申立書

接見等禁止一部解除申立書

令和○○年○○月○○日

○○地方裁判所　御中

被 疑 者　○ ○ ○ ○
弁 護 人　○ ○ ○ ○　印

上記被疑者に対する○○○○被疑事件について，以下のとおり接見等禁止の一部を解除するよう申し立てる。

1　接見禁止の解除を求める範囲

（1）住　　所　東京都○○区○○町○○丁目○○番○○号
　　氏　　名　○○○○
　　被疑者との関係　○○○○
（2）○○○○

2　接見禁止の解除を求める理由

（1）（1）について
　上記の者との接見をする必要がある。
　上記の者との接見を認めても，被疑者が逃亡しまたは罪証を隠滅すると疑うに足りる相当な理由はない。
（2）（2）について
　○○○○○○○○○○

▶　職権発動を求める書式例である。
▶　被疑者段階の場合と被告人段階の場合とがある。
▶　全面解除を求める場合と一部解除を求める場合とがある。本書式例は一部解除を求める場合のものである。一部解除の場合，日時や人を限定する，物の授受の禁止について解除を求めるなどの場合がある。

9−016 勾留理由開示請求書

勾　留　理　由　開　示　請　求　書

令和○○年○○月○○日

○○地方裁判所　御中

被　疑　者　　○　○　○　○

弁　護　人　　○　○　○　○　　印

上記被疑者は，○○○○被疑事件について勾留中のところ，その理由の開示を請求する。

▶　刑事訴訟法82条1項・2項，刑事訴訟規則81条，同法207条1項，280条1項・3項，97条，同規則92条。

▶　請求人が「利害関係人」の場合，具体的にその関係を明示する（刑訴規81条2項）。

▶　勾留理由開示請求は起訴後もできる。第1回公判期日後は係属部に提出する。

9−017 勾留理由開示手続の場合の求釈明書

求 釈 明 書

令和○○年○○月○○日

○○地方裁判所　御中

被　疑　者　　○　○　○　○

弁　護　人　　○　○　○　○　　印

上記被疑者に対する○○○○被疑事件について，以下のとおり釈明を求める。

第１　本件被疑事実について

１　「罪を犯したと疑うに足りる理由」としては，具体的にどのような事実があるのか。

２　それをどのような証拠に基づいて認定したのか。

３　○○○○○○○○○

第２　刑事訴訟法２０７条１項，６０条１項２号及び同３号について

１　被疑者が具体的にどのような証拠をどのようにして隠滅すると疑うに足りる相当な理由があるといえるのか。

２　被疑者が逃亡し又は逃亡すると疑うに足りる相当な理由があると判断した根拠は何か。

▶　勾留理由開示手続において，勾留の理由や勾留手続の問題点について釈明を求める書式例である。

9−018 勾留取消請求書

勾　留　取　消　請　求　書

令和○○年○○月○○日

○○地方裁判所　御中

被　疑　者　　○　○　○　○

弁　護　人　　○　○　○　○　　印

上記被疑者は，○○○○被疑事件について勾留中のところ，以下の理由により勾留を取り消すよう請求する。

1　勾留の理由がなくなった

（1）　刑事訴訟法２０７条１項，６０条１項１号事由の消滅

（2）　同２号事由の消滅

（3）　同３号事由の消滅

2　勾留の必要性がなくなった

（1）　示談成立による処罰の必要性の著しい減少

（2）　○○○○○○

3　勾留による拘禁が不当に長くなった

▶　刑事訴訟法87条1項,91条1項,207条1項,280条1項・3項，97条，刑事訴訟規則92条。

▶　第1回公判期日後は係属部に提出する。

▶　理由中には，勾留の理由または必要がなくなったこと（刑訴法87条1項），あるいは勾留による拘禁が不当に長くなったこと（同法91条1項）の事由を具体的に記載する。

▶　逮捕手続その他捜査手続の違法が発見された場合，弁護人はその点を主張，疎明すべきである。

9−019 勾留執行停止申立書

令和○○年（○）第○○号　○○○○被告事件

勾　留　執　行　停　止　申　立　書

令和○○年○○月○○日

○○地方裁判所　御中

被　疑　者　　○　○　○　○

弁　護　人　　○　○　○　○　　印

上記被疑者は，○○○○被告事件について勾留中のところ，以下の理由により勾留の執行停止を申し立てる。

1　執行停止の必要性

○○○○○○○○○○

2　執行停止の期間

○○○○○○○○○○

3　執行停止中の制限住居

○○○○○○○○○○

添　付　資　料

（略）

- 刑事訴訟法207条1項，95条，刑事訴訟規則88条。
- 第1回公判期日後は係属部に提出する。
- 公訴提起前にも申請できる。
- 理由中には，たとえば，被疑者の病気，肉親の葬儀など執行停止を必要とする事由を具体的に記載する。

9－020 不起訴処分告知請求書

不起訴処分告知書交付請求書

令和○○年○○月○○日

○○地方検察庁

検察官検事　○○○○　殿

被　疑　者　　○　○　○　○

弁　護　人　　○　○　○　○　　印

上記の者に対する○○○○被疑事件につき，刑事訴訟法２５９条に基づき，不起訴処分告知書の交付を請求する。

上記告知書を受領した。
年　　月　　日
氏名　　　　　　　　　　　　印

▶　刑事訴訟法259条に基づく請求書である。

9－021　証拠保全請求書

証　拠　保　全　請　求　書

令和○○年○○月○○日

○○地方裁判所裁判官　殿

被　疑　者　　○　○　○　○

弁　護　人　　○　○　○　○　　印

上記被疑者に対する○○○○被疑事件について，以下のとおり証拠保全を請求する。

第１　請求の趣旨

被疑者○○○○の身体を検証する

との裁判を求める。

第２　請求の理由

１　事件の概要

２　証明すべき事実

３　証拠及びその保全の方法

４　証拠保全を必要とする事由

よって，本請求に及んだものである。

第３　疎明資料

１　弁護人の報告書　　１通

２　○○警察署長宛の抗議書（内容証明郵便）　　１通

刑事

▶ 刑事訴訟法179条，刑事訴訟規則137条，138条。

▶ 書式例の検証の請求のほか，証拠保全の処分としては，押収，捜索，証人の尋問および鑑定がある。

9−022 保釈請求書

令和○○年（○）第○○○号　○○○○被告事件

保　釈　請　求　書

令和○○年○○月○○日

○○地方裁判所第○刑事部　御中

被　告　人　　○　○　○　○

弁　護　人　　○　○　○　○　　印

上記被告人は，○○○○被告事件について勾留中のところ，以下の理由により保釈を請求する。

第１　請求の趣旨

被告人の保釈を許可する

との裁判を求める。

第２　請求の理由

１　被告人には，以下に述べるとおり，権利保釈除外事由は存しないことは明らかであるから，直ちに権利保釈（刑事訴訟法８９条）が認められるべきである。

（１）　刑事訴訟法８９条１ないし３号及び６号に該当しない

（２）　刑事訴訟法８９条４号に該当しない

ア　本件において隠滅の対象となりうる証拠及び隠滅行為の態様

イ　罪証隠滅行為は客観的観点から実効性がない

ウ　罪証隠滅の主観的可能性は存在しない

（３）　刑事訴訟法８９条５号に該当しない

２　裁量保釈が認められるべき事情の存在

▶　保釈請求書の提出先は，第１回公判期日前は公判担当以外の裁判官（東京地裁の場合は刑事第 14 部の裁判官），第１回公判期日以後は受訴裁判所である（刑訴法 280 条１項，刑訴規 187 条１項）。

▶　実務においては，裁判所は権利保釈が相当である事案においても裁量保釈（職権による保釈）を認める場合も多く，弁護人としては権利保釈とともに，裁量保釈を求めることが必要である。

　仮に権利保釈が認められないとしても，以下の理由により裁量保釈が認められるべきである。

（1）　身体拘束の継続により被告人が受ける健康上の不利益

（2）　身体拘束の継続により被告人が受ける経済上の不利益

（3）　身体拘束の継続により被告人が受ける社会生活上の不利益

（4）　身体拘束の継続により被告人が受ける防御の準備上の不利益

（5）　その他の事情

3　結語

　○○○○○○○○○

添　付　資　料

1　身元引受書　　　1通

▶　権利保釈除外事由は刑事訴訟法89条，裁量保釈の可否について検討すべき事情は同法90条に明記されているので，具体的に主張すべきである。

▶　権利保釈除外事由および裁量保釈の可否について検討すべき事情に関する疎明資料を添付する。

9－023 保釈請求却下の裁判に対する準抗告

令和○○年（○）第○○号　○○○○被告事件

準　抗　告　申　立　書

令和○○年○○月○○日

○○地方裁判所　御中

被　告　人　　○　○　○　○

弁　護　人　　○　○　○　○　　印

上記被告人に対する○○○○被告事件について，令和○○年○○月○○日○○地方裁判所裁判官○○○○がなした保釈請求却下の裁判に対し，以下のとおり準抗告を申し立てる。

第１　申立ての趣旨

原裁判を取り消す

被告人の保釈を許可する

との決定を求める。

第２　申立ての理由

原裁判は，被告人には刑事訴訟法８９条４号の事由(罪証隠滅を隠滅すると疑うに足りる相当な理由)があるとし，また，裁量で保釈することも相当でないとして，保釈の請求を却下した。しかしながら，上記裁判は，以下の理由により不当であるから，取り消されるべきである。

１　刑事訴訟法８９条４号に該当しないこと

（１）　本件において隠滅の対象となりうる証拠及び隠滅行為の態様

（２）　罪証隠滅行為は客観的観点から実効性がない（客観的可能性がない）

（３）　罪証隠滅の主観的可能性は存在しない

▶　第１回公判期日前に行った保釈請求についての裁判（命令）は裁判官によるものであるので，その裁判に対する不服申立方法は「準抗告」である（刑訴法429条１項２号，280条）。

▶　第１回公判期日以後に行った保釈請求についての裁判（決定）は受訴裁判所によるので，その裁判に対する不服申立方法は「抗告」である（刑訴法419条，420条２項）。

▶　準抗告は「請求書」を差し出さなければ

2　裁量保釈が認められるべきこと

前述のとおり被告人には刑事訴訟法８９条４号に該当する事由は存しないことから，権利保釈が認められるべきであるが，仮に，それが認められないとしても，以下の理由により裁量保釈が認められるべきである。

（1）　身体拘束の継続により被告人が受ける健康上の不利益

（2）　身体拘束の継続により被告人が受ける経済上の不利益

（3）　身体拘束の継続により被告人が受ける社会生活上の不利益

（4）　身体拘束の継続により被告人が受ける防御の準備上の不利益

（5）　その他の事情

3　結語

〇〇〇〇〇〇〇〇〇

以　上

添　付　書　類

1　被告人作成の誓約書　　　　　1通

ならないとされているが（刑訴法431条），実務上，「申立書」と記載することが多い。

▶「準抗告」の管轄裁判所は，簡易裁判所の裁判官がした裁判に対しては管轄地方裁判所，その他の裁判官がした裁判に対してはその裁判官所属の裁判所であり，事案に応じて管轄裁判所宛の申立書を当該管轄裁判所に提出する（刑訴法431条，429条1項）。

9－024 準抗告棄却決定に対する特別抗告

○○地方裁判所令和○○年（○）第○○号　○○○○被告事件

特別抗告申立書

令和○○年○○月○○日

最高裁判所　御中

被告人　○○○○

弁護人　○○○○　印

上記被告人に対する○○○○被告事件について，令和○○年○○月○○日○○地方裁判所刑事第○部がした準抗告棄却決定に対し，以下のとおり特別抗告を申し立てる。

第１　申立ての趣旨

原決定及び令和○○年○○月○○日○○地方裁判所○○裁判官がした保釈請求却下決定を取り消す

被告人の保釈を許可する

との裁判を求める。

第２　申立ての理由

１　特別抗告申立てに至る経緯

○○○○○○○○

２　特別抗告の理由（刑事訴訟法４０５条）が存在している。

（１）　原決定は憲法３１条，３４条に違反する。

（２）　原決定は最高裁判所の判例と相反する判断をしている。

３　結語

○○○○○○○○

添付書類

（略）

▶　準抗告を棄却した裁判に対する特別抗告の書式例である（刑訴法433条1項）。

▶　書式 9－009 参照。

9―025 保釈保証書

令和○○年（○）第○○号　○○○○被告事件

保　釈　保　証　書

令和○○年○○月○○日

○○地方裁判所刑事第○部　御中

住　　所　　○○県○○市○○町○○丁目○○番○○号
保 証 人　　　　　　○　○　○　○　　　　　　印

1　金○○○○円也

上記は，被告人○○○○に対する○○○○被告事件の令和○○年○○月○○日付け保釈許可決定により保証書をもって代えることを許された保証金額ですが，命令のあり次第いつでも納入します。

以　上

▶　刑事訴訟法94条3項に基づいて保釈保証金の一部を保証書で納付することについて，保釈許可決定に「保証金額は金○○円とする。ただし，うち金○○円については××の保証書をもってこれに代えることを許可する。」などと記載された場合に提出する保証書の書式例である（刑訴規87条）。

▶　保釈取消により保証金の没取の裁判があった場合には，検察官の命令が執行力のある債務名義と同一の効力を有する（刑訴法490条1項）。

9−026 身元引受書

令和○○年（○）第○○号　○○○○被告事件

身　元　引　受　書

令和○○年○○月○○日

○○地方裁判所第○刑事部　御中

被　告　人　　○　○　○　○

上記被告人は，○○○○被告事件について勾留中のところ，保釈を許可された場合には，私が被告人の身元を引き受け，保釈許可の条件を守らせ，指定の期日には必ず出頭させます。

以　上

身元引受人
住　所

氏　名　　　　　　　　　　　　　　　　印

被告人との関係

▶　身元引受人は保釈条件の遵守や出頭確保などについて道義的責任を負う。保証書を提出した者とは異なり法的義務を負うものではない。

9−027 制限住居変更許可申請

令和○○年（○）第○○号　○○○○被告事件

制限住居変更許可申請書

令和○○年○○月○○日

○○地方裁判所第○刑事部　御中

被　告　人　　○　○　○　○

弁　護　人　　○　○　○　○　　印

上記被告人に対する○○○○被告事件について，令和○○年○○月○○日保釈許可決定がなされ，同人は，同年○○月○○日に保釈された後，上記保釈許可決定に定められた制限住居に居住しているところ，以下の理由により，転居せざるを得なくなったので，制限住居を以下のとおり変更する旨許可されたく申請する。

第１　住所の表示

1　現住所（令和○○年○○月○○日付け保釈許可決定に定められた制限住居）

2　新住所（令和○○年○○月○○日以降の制限住居）

第２　変更の理由

○○○○○○○○○

以　上

添　付　書　類

（略）

▶　保釈が許可される場合に制限住居を定めることは裁判所の任意とされているが（刑訴法93条３項），実務上，ほとんどすべての場合に制限住居が定められている。許否は裁判所の裁量によるので，被告人等が行う許可申請は，裁判所の職権発動を促すという趣旨のものである。

▶　転居せざるを得なくなった事情に関する被告人や近親者等の上申書，新住居の賃貸借契約書の写しなどを添付資料とする。

刑事

9−028 公判期日請書

令和○○年（○）第○○号　○○○○被告事件

公　判　期　日　請　書

令和○○年○○月○○日

○○地方裁判所第○刑事部　御中

被　告　人　　○　○　○　○

弁　護　人　　○　○　○　○　　印

上記被告人に対する○○○○被告事件について，公判期日が令和○○年○○月○○日○○時○○分と指定されましたので，同日時に出頭いたします。

▶　第１回公判期日が指定された場合，指定されていた期日が変更された場合などに提出を求められる，期日請書の書式例である。

▶　第２回目以降の期日は，法廷において指定され，期日請書の提出は求められない。

9―029　公判期日変更請求書

令和○○年（○）第○○号　○○○○被告事件

公判期日変更請求書

令和○○年○○月○○日

○○地方裁判所第○刑事部　御中

被告人　○○○○
弁護人　○○○○　印

上記被告人に対する○○○○被告事件の公判期日は，令和○○年○○月○○日○○時○○分と指定されたが，以下の事由により同公判期日の変更を請求する。

1　変更を必要とする事由

○○○○○○○○○

2　希望日

令和○○年○○月○○日　○○時○○分
令和○○年○○月○○日　○○時○○分

3　疎明資料

診断書　　1通

以上

▶ 公判期日の変更は，検察官，被告人もしくは弁護人の請求によりまたは職権で行うものとされ（刑訴法276条1項），訴訟関係人（検察官，被告人もしくは弁護人）は，公判期日の変更を必要とする事由が生じたときは，直ちに，裁判所に対し，その事由およびそれが継続する見込みの期間を具体的に明らかにし，かつ，診断書その他の資料によりこれを疎明して，期日の変更を請求しなければならない（刑訴規179条の4第1項）。

▶ 私選弁護人について公判期日の変更を必要とする事由が生じたときの手続きについては刑訴規179条の5に，国選弁護人について同様の事由が生じたときの手続きについては同規179条の6に定められている。

9－030 診断書

診　断　書

氏　名

年　　月　　日生（男・女）

①病名，②病状，③その精神又は身体の病状において，公判期日に出頭することができるかどうか，④自ら又は弁護人と協力して適当に防御権を行使することができるかどうか，⑤出頭し又は審理を受けることにより生命又は健康状態に著しい危険を招くかどうかについての具体的な意見（判定とその理由）

上記のとおり診断します。

年　　月　　日

住　所

氏　名　　　　　　　　　　印

▶ 被告人が精神または身体の疾病により公判期日に出頭することができないと思料する場合には，医師の意見が記載された診断書を裁判所に差し出さなければならず（刑訴規183条1項），その診断書には，①病名，②病状，③その精神または身体の病状において，公判期日に出頭することができるかどうか，④自らまたは弁護人と協力して適当に防御権を行使することができるかどうか，⑤出頭しまたは審理を受けることにより生命または健康状態に著しい危険を招くかどうかについての具体的な意見が記載されていることが必要とされている（同条3項）。裁判所は，この方式に違反した診断書を受理してはならず（同規184条1項），方式に違反していない場合であっても，その内容が疑わしいと認めるときは，診断書を作成した医師を召喚して医師の適格性および診断書の内容に関し証人として尋問するなどの措置を講じなければならない（同条2項）。また，医師が故意に虚偽の記載をするなどしたときは，裁判所は適当な処置をとることができる（同規185条）。これらの診断書に関する規定は，検察官，弁護人についても準用される（同規186条）。

▶ 実務上，医師は，訴訟に関する期日変更の申立て等に際して訴訟関係人から裁判所に提出するための診断書の作成を求められたときは，最高裁判所の依頼によって日本医師会長から発せられた通知に基づいて，本書式例による診断書を作成することとなっている。

4　公判前整理手続

9−031 公判前整理手続に付することの請求書

令和○○年（○）第○○号　○○○○被告事件

公判前整理手続に付することの請求書

令和○○年○○月○○日

○○地方裁判所第○刑事部　御中

被　告　人　　○　○　○　○

弁　護　人　　○　○　○　○　　印

上記被告人に対する○○○○被告事件について，弁護人は，以下のとおり請求する。

第１　請求の趣旨

本件は，公判前整理手続に付されるべきである。

第２　請求の理由

本件は，事案が複雑であり，また，否認事件であって争点が多数存在することに鑑みると，検察官から多数の証拠の取調べ請求がされ，公判廷において相当数の証人尋問が行われるものと予想される。

したがって，本件において，充実した審理を実現するためには，被告人側に対する十分な証拠開示を経て，争点及び証拠を整理し，審理予定を策定する必要がある。

よって，本件を公判前整理手続に付することを求める。

以　上

▶ 裁判員裁判対象事件以外の事件について，公判前整理手続に付することを求める意見書の書式例である（裁判員裁判については必要的。裁判員法49条）。平成28年の刑事訴訟法の改正によって，検察官，被告人および弁護人に公判前整理手続の請求権が与えられた（刑訴法316条の2第1項）。

9－032 証明予定事実記載書に対する求釈明

令和○○年（○）第○○号　○○○○被告事件

証明予定事実記載書に対する求釈明書

令和○○年○○月○○日

○○地方裁判所第○刑事部　御中

被告人　○○○○

弁護人　○○○○　印

上記被告人に対する○○○○被告事件について，検察官の令和○○年○○月○○日付証明予定事実記載書に関し，検察官に対し，以下のとおり釈明を求めるよう申し出る。

第１　求釈明事項

検察官証明予定事実記載書第○項には，「被告人は，○○した。」とあり，その証明に用いる証拠として，甲第○，○及び○号証を摘示している。

検察官の主張事実について，

① いかなる間接事実から当該主張事実が推認されると主張するのか

② その間接事実ごとに，事実を証明する証拠は何か

など，事実と証拠の構造を明らかにされたい。

第２　釈明を求める理由

検察官は，証明予定事実記載書に記載した事実が，同書で摘示した証拠等によって直接証明できるのではなく，間接事実から主要事実が推認されると主張する場合には，まず証拠によって証明できる間接事実が何かを明示した上で，当該間接事実と証明予定事実との関係を具体的に明示すべきである。

しかしながら，本件証明予定事実記載書第○項の事実は，摘示証拠を含む開示

▶ 検察官は，証明予定事実を記載するについては，事件の争点および証拠の整理に必要な事項を具体的かつ簡潔に明示しなければならず（刑訴規217条の20第１項），事実とこれを証明するために用いる主要な証拠との関係を具体的に明示しなければならない（同規217条の21）。弁護人は，検察官の証明予定事実記載書を検討し，主張・立証構造が不明確であり，防御準備に支障が生じるような場合には，適切な釈明を求

証拠によって，これを直接証明できる事実とはいえないうえ，何をもって当該事実を推認させる間接事実であると主張する趣旨かも明らかではない。

したがって，本件証明予定事実記載書に記載された事実と証拠との関係を具体的に明らかにさせるために，本釈明を求める。

める必要がある。

9－033 類型証拠開示請求書

令和○○年（○）第○○号　○○○○被告事件

類型証拠開示請求書

令和○○年○○月○○日

○○地方検察庁

検察官検事　○○○○　殿

被告人　○○○○

弁護人　○○○○　印

上記被告人に対する○○○○被告事件について，弁護人は，刑事訴訟法３１６条の１５に基づき，以下のとおり証拠の開示を請求する。

1　**開示対象の特定：**○○○○の写真撮影報告書

類型：３１６条の１５第１項１号，同３号

理由：検察官請求証拠甲○号証は，○○に関する証拠であるが，これらの証明力を判断するには，○○の開示を受けて，相互に齟齬，矛盾等がないかを検討することが重要である。また，○○の証明力を判断するための標記開示は，被告人の防御準備のため必要性が高い。

2　**開示対象の特定：**○○○○の供述録取書等のすべて（既に開示されているものを除く。）

類型：３１６条の１５第１項５号ロ

理由：○○○○○○○○

以　上

▶ 類型証拠開示請求は，被告人側が，検察官の証明予定事実，請求証拠を検討し，防御方針（証拠意見を含む。）を明示する前提としての証拠開示請求であり，特定の検察官請求証拠の証明力を判断するために重要と認められる一定類型の証拠の開示を請求できる（刑訴法 316 条の 15）。

▶ 平成 28 年の刑事訴訟法の改正によって，類型証拠開示の対象が拡大された。

▶ 証拠の特定の程度は，他の証拠と区別して認識できる程度に特定されていれば足りる。

▶ 類型該当性は，証拠の標題ではなく，実質的内容によって判断される。

9−034 証拠開示請求に対する回答書に対する求釈明書

令和○○年（○）第○○号　○○○○被告事件

「○○年○○月○○日付証拠開示請求に対する回答書」
に対する求釈明書

令和○○年○○月○○日

○○地方検察庁
検察官検事　○○○○　殿

被　告　人　　○　○　○　○
弁　護　人　　○　○　○　○　　印

上記被告人に対する○○○○被告事件について，検察官の令和○○年○○月○○日付証拠開示請求に対する回答書に対して，以下のとおり釈明を求める。

第１　「１　開示請求１について」に対する求釈明

１　求釈明事項

弁護人は令和○○年○○月○○日付類型証拠開示請求書第１項において，刑事訴訟法３１６条の１５第１項１号，同３号に該当する写真撮影報告書の開示を請求した。

これに対し，検察官は，「開示請求に係る証拠は存在しない」と回答したが，①検察官の手持ち証拠の中に存在しないという趣旨か，②警察署に保管されているものの中にもおよそ存在しないという趣旨か，③証拠自体は存在するが要件を満たさないという趣旨か，いずれの趣旨であるのか明らかにされたい。

２　求釈明の理由

検察官は，開示請求１について，「該当する証拠は存在しない」と回答しているが，その趣旨は必ずしも明確ではない。弁護人としては，趣旨いかんによって

▶ 検察官は，開示請求に対して応答する義務があり，開示相当の判断をしたときは速やかに当該証拠を開示しなければならず，開示をしないとの判断をしたときは，その理由を請求者に対して告知しなければならない（刑訴規217条の24）。なお，検察官による開示は無条件でなされることが原則であるが，検察官が必要と認めるときは，開示の時期もしくは方法を指定し，または条件を付することができる（刑訴法316条

は，裁定請求等の対応を検討しなければならないので，検察官の回答を明確にする必要がある。

第２　（以下略）

以　上

（9－034　証拠開示請求に対する回答書に対する求釈明書）

の15第１項後段）。

▶　弁護人は，検察官が「当該証拠は存在しない」，「該当なし」など，趣旨が必ずしも明らかではない回答をした場合には，適切な釈明を求める必要がある。また，検察官が開示に応じたとしても開示された証拠が「すべて」であるか否か不明な場合や，不開示（一部不開示を含む）の理由が不十分である場合なども釈明を求める必要がある。

9−035 裁定請求書

令和○○年（○）第○○号　○○○○被告事件

裁　定　請　求　書

令和○○年○○月○○日

○○地方裁判所第○刑事部　御中

被　告　人　　○　○　○　○
弁　護　人　　○　○　○　○　　印

上記被告人に対する○○○○被告事件について，弁護人は，刑事訴訟法３１６条の２６第１項に基づき，以下のとおり裁定請求をする。

第１　裁定の趣旨

検察官に対し，

①　司法警察員作成に係る取調べ状況報告書５通のうち弁護人に開示されていない部分のすべて

②　検察官作成に係る取調べ状況報告書６通のうち弁護人に開示されていない部分のすべて

の開示を命じる

との決定を求める。

第２　裁定の理由

１　不開示理由

弁護人は，検察官に対し，令和○○年○○月○○日付類型証拠開示請求書で，刑事訴訟法３１６条の１５第１項８号に基づいて，被告人について作成された取調べ状況記録書面のすべてを開示するよう請求した。

これに対して，検察官は同年○○月○○日付回答書で，○○○○○○○○と回

▶　証拠開示に関する裁定の請求は，書面を差し出して行わなければならない（刑訴規217条の27第1項）。

▶　裁判所の裁定は，①証拠調べ請求をした者からの請求に基づいて，当該証拠の開示時期・方法の指定等に関して行う場合（刑訴法316条の25）と，②証拠の開示を受ける者からの請求に基づいて，当該証拠の開示を命じる場合（同法316条の26）とがある。

刑事

答した。

2　類型該当性

刑事訴訟法３１６条の１５第１項８号

3　理由

（1）　重要性，必要性について

○○○○○○○○○○○

（2）　相当性について

○○○○○○○○○○○

以　上

（9−035 裁定請求書）

▶ 裁定請求に対する裁判所の決定に不服があるとき（裁判所が開示を命じるにあたって指定した開示時期・方法，条件に不服があるときを含む）は，即時抗告をすることができる（刑訴法 316 条の 25 第 3 項，316 条の 26 第 3 項）。

9−036 証拠意見書

令和○○年（○）第○○号　○○○○被告事件

証　拠　意　見　書

令和○○年○○月○○日

○○地方裁判所第○刑事部　御中

被　告　人　　○　○　○　○

弁　護　人　　○　○　○　○　　印

上記被告人に対する○○○○被告事件について，検察官請求証拠に対する意見は以下のとおりである。

第１　甲号証について

１　甲１号証ないし甲５号証

同意する

２　甲６号証

不同意

３　甲７号証

留保する

第２　乙号証について

１　乙１号証

同意する

２　乙２号証ないし乙５号証

不同意

以　上

▶　裁判所は，証拠採否の決定をするについては，証拠調の請求に基づく場合には，相手方またはその弁護人の意見を聴かなければならない（刑訴規190条２項）。

9−037 予定主張記載書面

令和○○年（○）第○○号　○○○○被告事件

予 定 主 張 記 載 書 面

令和○○年○○月○○日

○○地方裁判所第○刑事部　御中

被 告 人　○ ○ ○ ○

弁 護 人　○ ○ ○ ○　印

上記被告人に対する○○○○被告事件について，弁護人が公判期日においてすることを予定している主張は，以下のとおりである。

第１　公訴事実に対する主張

被告人は，公訴事実記載の犯行を行っていない。

よって，被告人は無罪である。

第２　証明予定事実その他事実上の主張

１　被害者の供述には信用性がない

２　犯行現場の痕跡から被告人が犯人であることを推認することはできない

３　被告人の供述調書には任意性，信用性がない

（1）　被告人の供述調書（乙１ないし３号証）は，○○○○○○○○の点で任意性，信用性を争う。

（2）　被告人が虚偽の自白をするに至った事情は，以下のとおりである。

○○○○○○○○

４　アリバイの存在

被告人は，公訴事実記載の日時に，同記載の場所にはおらず，犯行現場と離れた○○○○にいたのであり，被告人にはアリバイが存在する。

以　上

▶　予定主張は，公判前整理手続における争点や証拠整理を目的として示す意見である。

▶　主張明示の時期は，刑訴法316条の13第１項の書面の送付を受け，かつ，同法316条の14および316条の15第１項・２項による開示をすべき証拠の開示を受けたときであるが，事案ごとに慎重に対応する必要がある。

▶　主張明示の方法について刑訴規217条の

20第2項，217条の21。なお，証拠とはならない資料により裁判所に偏見，予断を与えてはならない（刑訴法316条の17第1項後段，316条の13第1項後段）。

▶「証明予定事実」は，被告人側が，「公判期日において証拠により証明しようとする事実」（反証のためにその存在を証拠により裏付けようとする事実など）であり，これを明示することは証拠調べ請求の前提となる。実体的事実（刑罰権の存否および範囲を定める事実）やそれを推認させる間接事実のほか，訴訟法的事実（証拠の証明力や証拠能力に関する事実など），情状事実（量刑や処分に係る事実）も含まれる。

▶　主張事実に応じて，適宜，人証，書証（「弁○号証［○○○］」などと記載する。）などの証拠方法を摘示する。

9－038 主張関連証拠開示請求書

令和○○年（○）第○○号　○○○○被告事件

主張関連証拠開示請求書

令和○○年○○月○○日

○○地方検察庁
検察官検事　○○○○　殿

被告人　○○○○
弁護人　○○○○　印

上記被告人に対する○○○○被告事件について，弁護人は，刑事訴訟法３１６条の２０に基づき，以下のとおり証拠の開示を請求する。

開示対象の特定：○○の供述録取書等

（理由）弁護人は，本件犯行があったとされる日時に，被告人が犯行現場と離れた○○にいた旨のアリバイを主張することを予定している。上記証拠は，アリバイの存在の有無の判断に資するものであるから，同主張と関連し，その開示を受けて検討することは，被告人の防御の準備のために必要性が高い。

以　上

▶ 主張関連証拠開示請求（刑訴法316条の20）は，被告人側が明らかにした主張に関連する証拠を類型に制約されることなく検察官に開示するよう求めるものであり，これにより争点および証拠の整理の一層の進展を促し，審理計画の策定を円滑に行わせるとともに，被告人の防御にも資することとなる。

▶ 開示請求をするときは，①開示請求に係る証拠を識別するに足りる事項，②開示が必要である理由を明らかにしなければならない（刑訴法316条の20第2項）。

▶ 証拠の特定の程度は，他の証拠と区別して認識できる程度に特定されていれば足りる。

9−039 証言要旨記載書

令和○○年（○）第○○号　○○○○被告事件

証　言　要　旨　記　載　書

令和○○年○○月○○日

○○地方検察庁
検察官検事　○○○○　殿

被　告　人　　○　○　○　○
弁　護　人　　○　○　○　○　　印

上記被告人に対する○○○○被告事件について，弁護人が請求した証人○○○○が公判期日において供述すると思料される内容の要旨は以下のとおりである。

1　証人は，被告人の知人であり，○○県○○市○○町に居住している。
　証人と被告人は，令和○○年○○月ころ，共通の友人である○○○○を通じて知り合い，ともに競馬を趣味としていたことから意気投合し，以後，一緒に競馬場に行ったり，お互いの自宅で競馬中継を見たりするなどの交流を続けていた。
2　本件事件が発生した令和○○年○○月○○日は，証人が被告人を自宅に招き，飲食しながら，Ｇ１レースである○○賞の観戦をするなどしていた。
　当日，被告人は，午後○時ころに証人宅に到着したことから，○○○○○○
　その後，被告人は，競馬の全レースが終了した午後○時ころに「そろそろ帰る。」と言って証人宅を去ったが，この間，被告人が証人宅から外出したことはなかった。
3　その他関連事項
　○○○○○○○○○

以上

▶　被告人側が証人等の取調べを請求した場合には，「その者の供述録取書等のうち，その者が公判期日において供述すると思料する内容を明らかになるもの」，または「その者が公判期日において供述すると思料する内容の要旨を記載した書面」（証言予定要旨記載書面）を開示しなければならない（刑訴法316条の18第2号）。

▶　供述録取書等の開示義務は，たとえば，自白の任意性を争う場合に取調官を証人として取調べ請求する場合など，当該証人がいわゆる敵性証人であっても免除されない。

9−040 合意書面

令和○○年（○）第○○号　○○○○○被告事件

合　意　書　面

令和○○年○○月○○日

○○地方検察庁
検察官検事　　　　○　○　○　○　　印

被　告　人　　　　○　○　○　○　　印

弁　護　人　　　　○　○　○　○　　印

上記被告人に対する○○○○被告事件について，刑事訴訟法３２７条に基づき，以下の内容について証拠することに合意する。

第１　被害者の左足の傷の状態

第２　被害者の左足に生じた傷の成傷機序

以　上

▶　刑訴法 327 条前段。実務上は，検察官と被告人側が事前に協議をしたうえで，検察官が作成した「捜査報告書」に被告人側が同意するという方式で，事実上の合意書面が作成される場合が多い。ただし，合意書面が証拠となることと，その内容についての真偽とは別問題であり，合意書面に記載された内容についても，後に証明力を争うことはできる（同条後段）。

▶　弁護人は，被告人の意思に反して合意することはできない。

9−041 弁論分離請求書

令和○○年（○）第○○号　○○○○被告事件

弁　論　分　離　請　求　書

令和○○年○○月○○日

○○地方裁判所第○刑事部　御中

被　告　人　　○　○　○　○

弁　護　人　　○　○　○　○　　印

上記被告人に対する○○○被告事件について，下記のとおり弁論の分離を請求する。

記

第１　請求の趣旨

本件から，被告人○○○○に対する○○○○被告事件（令和○○年（○）第○○号○○○○被告事件）の弁論を分離する。

第２　請求の理由

○○○○○○○○

▶ 刑訴法 313 条，刑訴規 210 条。

9－042 起訴状に対する求釈明書

令和○○年（○）第○○号　○○○○被告事件

起訴状に対する求釈明書

令和○○年○○月○○日

○○地方裁判所第○刑事部　御中

被告人　○ ○ ○ ○

弁護人　○ ○ ○ ○　印

上記被告人に対する○○○○被告事件について，検察官に対し，以下の事項につき釈明を求めるよう申し出る。

公訴事実のうち，

1　○○○○○○○○

2　○○○○○○○○

以　上

▶　裁判長または裁判官の釈明を促すための発問である（刑訴規208条3項）。

▶　第1回公判期日に検察官が回答書を準備できるよう裁判所に提出する（刑訴規178条の6第3項1号）。

9－043 被告事件に対する陳述書

令和○○年（○）第○○号　○○○○被告事件

被告事件に対する陳述書

令和○○年○○月○○日

○○地方裁判所第○刑事部　御中

被　告　人　　○　○　○　○

弁　護　人　　○　○　○　○　　印

上記被告人に対する○○○○被告事件について，弁護人は以下のとおり陳述する。

1　被告人は無罪である。

2　公訴事実のうち「○○○○○○○○」との部分は争う。

以　上

▶　冒頭手続において，裁判長は，起訴状の朗読後，黙秘権の告知に続いて，被告人および弁護人に対し，被告事件について陳述する機会を与えなければならない（刑訴法291条4項）。弁護人が書面を提出する場合の書式例である。

▶　公訴事実に対する認否や刑訴法335条2項の主張などを記載する（同法291条3項）。

9－044 冒頭陳述書

令和○○年（○）第○○号　○○○○被告事件

冒　頭　陳　述　書

令和○○年○○月○○日

○○地方裁判所第○刑事部　御中

被　告　人　　○　○　○　○

弁　護　人　　○　○　○　○　　印

上記被告人に対する○○○○被告事件について，弁護人が証拠によって証明しようとする事実は以下のとおりである。

1　検察官の事実認定の誤り

○○○○○○○○

2　事実の経過

○○○○○○○○

3　情状

○○○○○○○○

- 弁護人（または被告人）の冒頭陳述は，公判前整理手続に付された事件では必要的である（刑訴法316条の30）。それ以外の事件では任意的である（刑訴規198条1項）。
- 弁護人（または被告人）は，冒頭陳述において，証拠とすることができず，または証拠としてその取調べを請求する意思のない資料に基づいて，裁判所に事件について偏見または予断を生じせしめるおそれのある事項を述べることはできない（刑訴規198条2項）。

9－045 証拠調請求書

令和○○年（○）第○○号　○○○○被告事件

証　拠　調　請　求　書

令和○○年○○月○○日

○○地方裁判所第○刑事部　　係　御中

被　告　人　　○　○　○　○

弁　護　人　　○　○　○　○　　印

上記被告人に対する，○○○○被告事件について，下記のとおり証拠調べを請求する。

記

1　証人

○○県○○市○○町○○丁目○○番○○号

○　○　○　○

（立　証　趣　旨）○○○○○○○○

（尋問予定時間）○○分

2　証拠物

○○○○○○○○

（立　証　趣　旨）○○○○○○○○

▶　弁護人が証拠調べ請求をする場合（刑訴法 298 条）の書式例である。

▶　証人，鑑定人，通訳人または翻訳人の尋問を請求するときはその氏名および住所を記載した書面，証拠書類その他の書面の取調べを請求するときはその標目を記載した書面を提出しなければならない（刑訴規 188 条）。

▶　上記書式例によらず，裁判所から交付される証拠等関係カードの用紙に所要事項を記載して提出する場合も多い。

9−046 証拠開示命令申立書

令和○○年（○）第○○号　○○○○被告事件

証拠開示命令申立書

令和○○年○○月○○日

○○地方裁判所第○刑事部　御中

被告人　○○○○

弁護人　○○○○　印

上記被告人に対する○○○○被告事件について，以下のとおり検察官に対し証拠開示を命ずるよう申し立てる。

第1　申立ての趣旨

検察官は弁護人に対し，Aの司法警察員に対する供述調書全部を令和○○年○○月○○日までに開示しなければならない

との裁判を求める。

第2　申立ての理由

1　開示を求める証拠の存在

○○○○○○○○

2　開示の具体的必要性

（1）　証拠の重要性

（2）　防御上の重要性

（3）　開示の時期

上記のとおり，Aの供述は本件の有罪・無罪の判断に直結する最も重要な証拠であるから，Aに対する主尋問の監視及びこれに対する反対尋問その他有効適切な防御活動をするための準備には，相当の期間を必要とする。

▶　裁判所に対し，訴訟指揮権（職権）に基づく証拠開示命令の発令を求めるものである。

▶　判例（最判昭和44年4月25日）上，①開示を求める証拠が特定されていること，②開示の具体的必要性（防御上の重要性）があること，③罪証隠滅，証人威迫等の弊害を招来するおそれがないこと――が訴訟指揮権に基づく証拠開示命令の要件とされているので，事案に即して具体的事情を主

したがって，Aの各供述調書の開示は，遅くとも同人の尋問の○日前である令和○○年○○月○○日までになされるべきである。

第３　開示による弊害の不存在

○○○○○○○○○

以　上

張する必要がある。

9−047 検証請求書

令和○○年（○）第○○号　○○○○被告事件

検　証　請　求　書

令和○○年○○月○○日

○○地方裁判所第○刑事部　御中

被　告　人　　○　○　○　○

弁　護　人　　○　○　○　○　　印

上記被告人に対する○○○○被告事件について，以下のとおり検証を請求する。

記

1　**検証すべき場所の表示**

○○○○○○○○○

2　**立証趣旨**

○○○○○○○○○

3　**検証の方法に関する意見**

○○○○○○○○○

▶　本書面には，検証の対象（場所，物）と検証によって証明すべき事実との関係（立証趣旨）を明示しなければならない（刑訴規189条1項）

▶　刑事訴訟法128条以下，刑事訴訟規則101条以下。

▶　検証の対象は，「検証の場所」，「検証物」，「人の身体」等の見出しを付して，その内容を明示する。

9−048 鑑定請求書

令和○○年（○）第○○号　○○○○被告事件

鑑　定　請　求　書

令和○○年○○月○○日

○○地方裁判所第○刑事部　御中

被　告　人　　○　○　○　○

弁　護　人　　○　○　○　○　　印

上記被告人に対する○○○○被告事件について，以下のとおり鑑定を請求する。

1　鑑定事項

本件犯行時の被告人の精神状態

2　請求の理由

本件犯行時，被告人が心神喪失又は心神耗弱の状態にあったことを立証するため

3　弁護人の推薦する鑑定人

住　所　　東京都○○区○○町○○丁目○○番○○号

職　業　　精神医学者

勤務先　　○○大学病院

氏　名　　○○○○

以　上

▶ 刑事訴訟法298条1項，刑事訴訟規則188条の2，189条1項。同法165条以下，同規則128条以下。

▶ 鑑定人の選定を裁判所に一任する場合はその旨記載する。なお，弁護人が独自に専門家に依頼して行ういわゆる「私的鑑定」を実施した場合には，公判前整理手続において，書証として鑑定書を，証人として当該専門家を証拠調べ請求することとなる。

9−049 証人の遮へい措置に関する意見書

令和○○年（○）第○○号　○○○○被告事件

証人の遮蔽に関する意見書

令和○○年○○月○○日

○○地方裁判所第○刑事部　御中

被　告　人　　○　○　○　○

弁　護　人　　○　○　○　○　　印

上記被告人に対する○○○○被告事件について，以下のとおり意見を述べる。

第１　意見の趣旨

証人○○○○の証人尋問において，同人と被告人との間で遮蔽措置を採るべきではない。

第２　意見の理由

1　圧迫を受け精神の平穏を著しく害されるおそれはない

2　相当ではない

以　上

▶　刑事訴訟法157条の5第1項。証人と傍聴人との間の遮蔽措置については，同条2項。

▶　遮蔽措置を採るか否かは，裁判所が検察官および被告人または弁護人の意見を聴いたうえで職権で判断する。

9－050 ビデオリンク方式に関する意見書

令和○○年（○）第○○号　○○○○被告事件

ビデオリンク方式に関する意見書

令和○○年○○月○○日

○○地方裁判所第○刑事部　御中

被　告　人　　○　○　○　○

弁　護　人　　○　○　○　○　　印

上記被告人に対する○○○○被告事件について，以下のとおり意見を述べる。

第１　意見の趣旨

証人○○○○の証人尋問は，ビデオリンク方式により実施されるべきではない。

第２　意見の理由

○○○○○○○○

以　上

▶ 刑事訴訟法 157 条の 6。

▶ ビデオリンク方式を採るか否かは，裁判所が検察官および被告人または弁護人の意見を聴いたうえで職権で判断する。

9−051 刑事訴訟法321条1項2号後段の場合の証拠意見書

令和○○年（○）第○○号　○○○○被告事件

意　見　書

令和○○年○○月○○日

○○地方裁判所第○刑事部　御中

被　告　人　　○　○　○　○

弁　護　人　　○　○　○　○　　印

上記被告人に対する○○○○被告事件について，検察官による刑事訴訟法３２１条１項２号後段に基づく証拠の取調べ請求に対し，弁護人は以下のとおり意見を述べる。

第１　証拠の表示

令和○○年○○月○○日付け及び同○○年○○月○○日付け○○○○の検察官面前調書

第２　相反供述ではない

○○○○○○○○○

第３　特信情況は存しない

○○○○○○○○○

第４　結語

以上のとおり，検察官の本件取調請求は理由がないので，却下されるべきである。

以　上

▶ 検察官が刑事訴訟法321条1項2号後段（いわゆる2号書面）の検面調書を証拠調べ請求した場合の意見書の例。

9－052 証拠排除の申出

令和○○年（○）第○○号　○○○○被告事件

証　拠　排　除　の　申　出

令和○○年○○月○○日

○○地方裁判所第○刑事部　御中

被　告　人　　○　○　○　○
弁　護　人　　○　○　○　○　　印

上記被告人に対する○○○○被告事件につき，さきに証拠として取り調べた下記証拠は，証拠とすることができないものであるからその排除を求める。

記

1　証拠の標目（及び証拠とすることができない部分）

○○○○○○○○

2　証拠とすることができない理由

○○○○○○○○

▶ 職権証拠排除（刑訴規207条）の発動を促す申出。

9－053 弁論要旨－否認事件

令和○○年（○）第○○号　○○○○被告事件

弁　論　要　旨

令和○○年○○月○○日

○○地方裁判所第○刑事部　御中

被　告　人　　○　○　○　○

弁　護　人　　○　○　○　○　　印

上記被告人に対する○○○○被告事件について，弁論の要旨は以下のとおりである。

第１　総論

被告人は無罪である。

本件については，被害者の証言，そして被告人の捜査段階における自白がある。しかし，被害者の証言には信用性がなく，また被告人の自白調書は，捜査官による不起訴の約束や利益供与，そして長時間の継続的取調べによる被告人の肉体的，精神的苦痛の中で作成されたものであり，任意性はなく，信用性もない。

以下，詳述する。

第２　被害者の証言には信用性がない

1　被害者証言の概要

2　客観的証拠ないし動かし難い事実と整合しない

3　供述に至る経緯が不自然である

4　供述内容に不合理な変遷がある

5　証言内容が不合理である

6　被害者には虚偽供述の動機がある

以上のとおり，被害者の証言は到底信用することができない。

▶　第三者供述の信用性を争うとともに，被告人の自白の任意性，信用性を争う場合の弁論要旨の書式例である。

第３　被告人の自白には任意性がない

１　被告人の捜査段階における自白内容の概要

本件においては，捜査段階における被告人の自白調書として〇〇〇〇があり，その内容は大要〇〇〇〇〇〇〇〇〇である。

しかし，以下に述べるとおり，かかる自白調書には任意性がない。

２　被告人の自白を内容とする員面調書には任意性がない

（1）　警察官は被告人に対し不起訴の約束をした。

（2）　警察官は被告人に対し世俗的利益を供与した。

（3）　不当な長時間の継続的取調べがなされた。

（4）　以上に対し，捜査官は被告人の取調べ状況について〇〇〇〇〇〇〇〇〇と証言している。しかし，以下の点からもかかる捜査官の証言に信用性がないことは明らかである。

（5）　以上のとおり，本件自白調書は捜査官により不起訴の約束や利益供与などがなされ，また被告人が長時間の継続的取調べにより肉体的，精神的苦痛に耐えられなくなった結果作成されたものであり，任意性はない。

３　被告人の自白を内容とする検面調書には任意性がない

４　以上のとおり，上記自白調書はいずれも任意性がないので，証拠能力を欠き，証拠から排除されるべきである（刑事訴訟規則２０７条）。

第４　被告人の自白には信用性がない

上述した内容の被告人の自白調書には，以下に述べるとおり，信用性もない。

１　自白内容が客観的証拠ないし動かし難い事実と整合しない

２　自白に至った経緯

上述のとおり，被告人が自白したのは〇〇〇〇〇〇〇〇〇などの捜査官による不当な誘導によるものである。

３　自白内容に不合理な変遷がある

4　自白内容が不合理である

5　自白内容に秘密の暴露がない

6　その他

第５　結論

以上の理由により，被告人は，無罪である。

以　上

（9−053　弁論要旨−否認事件）

9－054 弁論要旨－情状弁護

令和○○年（○）第○○号　○○○○被告事件

弁　論　要　旨

令和○○年○○月○○日

○○地方裁判所第○刑事部　御中

被　告　人　　○　○　○　○
弁　護　人　　○　○　○　○　　印

上記被告人に対する○○○○被告事件について，弁論の要旨は以下のとおりである。

第１　総論

本件について，被告人は公訴事実を認めており，弁護人も争わない。しかし，被告人には以下のとおり酌むべき情状が多々あるので，執行猶予付きの判決が相当である。

第２　犯情事実について

1　被告人の犯行態様は悪質なものではない。
2　被害者の被った損害の程度は比較的軽微である。
3　本件は偶発的犯行である。
4　本件は，被害者が被告人を挑発したことに端を発しており，被害者側にも落ち度がある。

第３　一般情状事実について

1　被害者とは示談が成立しており，被害者は被告人を許し，寛大な処分を望んでいる。
2　被告人には前科前歴もない。

▶　いわゆる情状弁護の弁論要旨の書式例である。不利な情状事実の弾劾と有利な情状事実の説得的論述が求められる。なお，量刑意見については，罰金刑や保護観察付執行猶予を求めるなど，事案に応じてさまざまな場合がありうる。

3　被告人は，真摯に反省しており，逮捕後一貫して本件犯行を認めている。

4　被告人の父親が，被告人の指導監督を誓約しており，被告人に再犯の可能性はない。

5　被告人は社会内における更生が十分期待できる。

第4　結論

以上のとおり，被告人には有利な情状が多くあるので，執行猶予付きの判決を求める次第である。

以　上

（9－054 弁論要旨－情状弁護）

9−055 弁論再開請求書

令和○○年（○）第○○号　○○○○被告事件

弁　論　再　開　請　求　書

令和○○年○○月○○日

○○地方裁判所第○刑事部　御中

被　告　人　　○　○　○　○
弁　護　人　　○　○　○　○　　印

上記被告人に対する○○○○被告事件について，令和○○年○○月○○日終結した弁論を次の理由により再開せられたく請求する。

理　　由

1　○○○○○○○○
2　○○○○○○○○
3　○○○○○○○○

以　上

▶　結審となった後に証拠調べの必要が生じた場合などに弁論再開を請求することができる（刑訴法 313 条 1 項）。
▶　弁論再開の請求を却下する決定は送達を要しない（刑訴規 214 条）。

9−056 判決謄本交付請求書

令和○○年（○）第○○号　○○○○被告事件

判 決 謄 本 交 付 請 求 書

令和○○年○○月○○日

○○地方裁判所第○刑事部　御中

被 告 人　○ ○ ○ ○

弁 護 人　○ ○ ○ ○　印

上記被告人に対する○○○○被告事件について，令和○○年○○月○○日に宣告された判決の謄本を交付されたく請求する。

令和　　年　　月　　日

○○地方裁判所第○刑事部　御中

上記謄本を受領しました。

弁 護 人　○ ○ ○ ○　印

▶　被告人その他訴訟関係人は，自己の費用で，裁判書または裁判を記載した調書の謄本または抄本の交付を請求することができる（刑訴法46条，刑訴規57条）。

9－057 正式裁判請求書

令和○○年（○）第○○号　○○○○被告事件

正　式　裁　判　請　求　書

令和○○年○○月○○日

○○簡易裁判所　御中

被　告　人　　○　○　○　○

弁　護　人　　○　○　○　○　　印

上記被告人に対する○○○○被告事件について，令和○○年○○月○○日御庁において罰金○○○○円に処する旨の略式命令を受けたが，同命令は不服であるから，正式裁判を請求する。

以　上

▶　略式命令を受けた被告人について，正式裁判を請求するための書式である。刑事訴訟法 465 条，467 条，刑事訴訟規則 294 条。

9−058 損害賠償命令・答弁書

令和○○年（○）第○○号　○○○○被告事件
申立人　　○　○　○　○
相手方　　○　○　○　○

答　　弁　　書

令和○○年○○月○○日

○○地方裁判所第○刑事部　御中

（送達場所）
〒○○○−○○○○
○○県○○市○○町○○丁目○○番○○号
○○法律事務所
相手方代理人弁護士　　○　○　○　○　　印
ＴＥＬ　○○○（○○○○）○○○○
ＦＡＸ　○○○（○○○○）○○○○

第１　請求の趣旨に対する答弁

１　申立人の請求を棄却する。

２　手続費用は申立人の負担とする。

との裁判を求める。

第２　申立書記載事実に対する認否

○○○○○○○○

▶　犯罪被害者等の権利利益の保護を図るための刑事手続に付随する措置に関する法律23条以下。

▶　刑事事件の弁護人は，損害賠償命令の代理権限があるわけでなく，損害賠償命令の代理人となる場合には，改めて委任を受ける必要がある。

6　控訴審・上告審

9－059 控訴申立書

令和○○年（○）第○○号　○○○○被告事件

控　訴　申　立　書

令和○○年○○月○○日

○○高等裁判所　御中

被　告　人　　○　○　○　○　　印

弁　護　人　　○　○　○　○　　印

上記被告人に対する○○○○被告事件について，令和○○年○○月○○日○○地方裁判所が宣告した被告人を○○○○○○○○に処するとの判決は，全部不服であるから，控訴を申し立てる。

- 提出先は原裁判所（不服申立の対象となる裁判をした裁判所）である。
- 控訴申立権者（刑訴法 351 条，353 条，355 条）
- 控訴提起期間（刑訴法 373 条。なお，刑訴法 358 条，55 条）
- 一部控訴の場合は不服申立部分を限定すること（刑訴法 357 条）。

9−060 控訴取下書

令和○○年（○）第○○号　○○○○被告事件

控　訴　取　下　書

令和○○年○○月○○日

○○高等裁判所第○刑事部　御中

被　告　人　　○　○　○　○　　印

上記被告人に対する○○○○被告事件について，令和○○年○○月○○日に控訴の申立てをしたが，被告人は控訴を取り下げる。

以　上

▶ 控訴の取下げは，控訴申立後控訴審の終局裁判があるまで，いつでもすることができる。控訴取下の効力発生時期は，作成日付のいかんにかかわらず裁判所が受理したときである。

▶ 控訴取下の申立ては控訴審裁判所にするのが原則であるが（刑訴規223条の2第1項），訴訟記録が控訴審裁判所に送付される前に取り下げる場合には，原裁判所に差し出すことができる（同条2項）。

▶ 被告人は，刑事訴訟法353条，355条所定の者がした控訴についても，独自の意思で取り下げることができる。なお，被告人の法定代理人または補佐人は，書面による被告人の同意を得て，控訴の取下げをなしうるが（刑訴法360条，359条），原審の弁護人はなしえない。控訴審の弁護人は書面による被告人の同意を得て控訴の取下げをなしうる。被告人以外の者が控訴の取下げをする場合には，取下げと同時に，被告人の同意書面を提出しなければならない（刑訴規224条の2）。

9−061 控訴趣意書差出最終日変更申出書

令和○○年（○）第○○号　○○○○被告事件

控訴趣意書差出最終日変更申出書

令和○○年○○月○○日

○○高等裁判所第○刑事部　御中

被　告　人　　○　○　○　○　　印

上記被告人に対する○○○○被告事件について，控訴趣意書差出最終日を令和○○年○○月○○日と指定されたが，下記の理由により，控訴趣意書差出最終日を令和○○年○○月○○日に変更されるよう申し出る。

記

1　事案の重大性・複雑性

2　本件記録は大部である

3　○○○○○○○○

4　○○○○○○○○

▶　差出最終日の変更は，控訴裁判所の裁量に属する事柄であり（刑訴法 376 条，刑訴規 236 条参照），当事者に申立権はなく，変更申出は職権発動を促す趣旨である。

▶　本書面を提出するとともに，裁判所に面談を申し入れ，説明を補充するとよい。

9－062 控訴趣意書

令和○○年（○）第○○号　○○○○被告事件

控　訴　趣　意　書

令和○○年○○月○○日

○○高等裁判所第○刑事部　御中

被　告　人　　○　○　○　○

弁　護　人　　○　○　○　○　　印

上記被告人に対する○○○○被告事件について，控訴の趣意は以下のとおりである。

1　訴訟手続の法令違反

○○○○○○○○○

2　事実誤認

○○○○○○○○○

3　量刑不当

○○○○○○○○○

▶　控訴趣意書差出期限（刑訴法376条，刑訴規236条）。

▶　控訴理由の制限（刑訴法384条）

▶　実務上，控訴趣意書の記載を補充する趣旨の書面を控訴趣意書補充書として提出することもあるが，控訴趣意書に記載のない控訴理由を記載しても適法な控訴理由にはならない。

▶　原本1通，相手方の数に応じる謄本を提出する（刑訴規241条）。実務上，原本1通，謄本（写し）4通を提出している。

9－063 事実取調請求書

令和○○年（○）第○○号　○○○○被告事件

事　実　取　調　請　求　書

令和○○年○○月○○日

○○高等裁判所第○刑事部　御中

被　告　人　　○　○　○　○

弁　護　人　　○　○　○　○　　印

上記被告人に対する○○○○被告事件について，以下のとおり事実の取調べを請求する。

第1　証人尋問

1　証　　　人　　○○○○
　　証人の地位　　○○○○
　　立　証　趣　旨　　○○○○○○○○○
　　尋　問　時　間　　主尋問約○○分
　　尋問の必要性　　○○○○○○○○○

第2　証拠書類の取調べ

1　証拠の標目　　示談書
　　作　成　者　　○○○○
　　作成年月日　　令和○○年○○月○○日
　　立　証　趣　旨　　被害弁償，及び示談の成立
　　取調べの必要性　○○○○○○○○○

▶　控訴審における事実の取調べは，控訴理由の有無についての審査手段であり，事実認定の手段としての証拠調べとは異なるが，実務上は，破棄判決もあり得ることなどから，第一審の証拠調べと同様に，厳格な証拠調手続（厳格な証明）によっている。

▶　事実の取調請求は第一回公判期日前であっても可能であり，できる限り控訴趣意書と同時に提出しておくべきである。なお，実務上，書証の取調請求については，写し

を添付することもある。

- 検察官，被告人および弁護人には事実取調請求権が認められているが，刑事訴訟法382条の2の疎明があったもの以外は，事実の取調べが必要か否かの判断は裁判所の裁量である（同法393条1項）。
- 控訴理由として事実誤認または量刑不当を主張する場合において，新証拠（やむを得ない事由によって第一審の弁論終結前に取調請求ができなかった証拠）についての取調べを請求する場合には，刑事訴訟法382条の2の疎明をすれば取調べは義務的になるので（同法393条1項ただし書），その旨を記載する。
- 示談の成立や被害弁償など，第一審判決後の刑の量定に影響を及ぼすべき情状については，当事者には請求権はなく，職権発動を促すものである（刑事訴訟法393条2項）。
- 本書面を提出するとともに，裁判所に面談を申し入れ，説明を補充するとよい。

9−064 控訴趣意書添付の保証書

令和○○年（○）第○○号　○○○○被告事件

保　証　書

令和○○年○○月○○日

○○高等裁判所第○刑事部　御中

被　告　人　　○　○　○　○

弁　護　人　　○　○　○　○　　印

上記被告人に対する○○○○被告事件について，令和○○年○○月○○日控訴の申立てをしたが，本件については，刑事訴訟法３７７条○号所定の事由があることの十分な証明をすることができる。

以　上

▶　刑事訴訟法376条2項，377条。保証書自体が同法377条の各事由の証拠となるものではない。なお，保証書には，証明できる理由の記載，疎明資料の添付は不要である。

9－065 保釈請求書

令和○○年（○）第○○号　○○○○被告事件

保　釈　請　求　書

令和○○年○○月○○日

○○地方裁判所　御中

被　告　人　　○　○　○　○

弁　護　人　　○　○　○　○　　印

上記被告人は，○○○○被告事件について勾留中のところ，以下の理由により保釈を請求する。

1　保釈が認められるべき相当性

○○○○○○○○○

2　保釈が認められるべき必要性

○○○○○○○○○

▶　再保釈を請求する場合の書式である。再保釈には，必要的保釈の適用はなく（刑訴法344条），裁判所の裁量に任されているが，実刑判決言渡し後であることから，第一審判決前よりも保釈の基準は厳格に取り扱われている。

▶　保釈請求書の提出先は，控訴提起前および控訴提起後訴訟記録が控訴裁判所に到達前は原裁判所（刑訴法97条1項・2項，刑訴規92条2項），訴訟記録が控訴裁判所に到達後は控訴裁判所である。

9－066 保釈保証金充当許可申請書

令和○○年（○）第○○号　○○○○被告事件

保釈保証金充当許可申請書

令和○○年○○月○○日

○○地方裁判所　御中

被告人　○　○　○　○

弁護人　○　○　○　○　印

上記被告人に対する○○○○被告事件について，令和○○年○○月○○日に御庁において保釈許可決定を受けたが，保釈保証金○○○○円のうち○○○○円につき，

住　所　○○県○○市○○町○丁目○番○号

氏　名　○○○○

が○○地方裁判所で納付した保釈保証金○○○○円を充当することを許可されるよう申請する。

▶ 判決言渡し後，被告人の収容前に再保釈許可の決定があったときは，前に納付した保証金は，新たな保証金の全部または一部として納付されたものとみなされる（刑訴規91条2項，同条1項3号）。これに対し，被告人が収容された後に再保釈許可の決定があったときは，刑事訴訟規則91条2項の適用はなく，原則として保証金の全額を納付しなければならないが，前の保証金の納付者がその保証金を新たな保証金に充てることを同意したときは，同項が適用される場合に準じて取り扱われる。この場合，請求人は，本充当許可申請書，承諾書を提出し，充当許可を得る。

9－067 保釈保証金充当承諾書

令和○○年（○）第○○号　○○○○被告事件

承　諾　書

令和○○年○○月○○日

○○地方裁判所　御中

被告人　○　○　○　○

私は，上記被告人に対する○○○○被告事件について，○○地方裁判所が令和○○年○○月○○日になした保釈許可決定の保釈保証金○○○○円を納付しましたが（令和○○年度第○○号），上記保証金を，御庁が令和○○年○○月○○日にした保釈許可決定の保証金の一部として充当することを承諾します。

住　所

保証金納付者　印

▶　本承諾書が必要な場合および提出先については，**9－065** と **9－066** の注釈を参照のこと。

9－068 答弁書

令和〇〇年（〇）第〇〇号　〇〇〇〇被告事件

答　弁　書

令和〇〇年〇〇月〇〇日

〇〇高等裁判所第〇刑事部　御中

被告人　〇〇〇〇
弁護人　〇〇〇〇　印

上記被告人に対する〇〇〇〇被告事件について，検察官の控訴趣意書に対し，以下のとおり答弁する。

検察官は，原裁判所が被告人に対し懲役〇〇年，執行猶予〇年に処したのは量刑不当と主張するが，理由がなく，速やかに棄却されるべきである。以下，その理由を述べる。

1　本件犯情について
〇〇〇〇〇〇〇〇

2　その他の情状について
〇〇〇〇〇〇〇〇

3　結論
〇〇〇〇〇〇〇〇

▶　検察官が控訴した場合，弁護人は控訴趣意書の謄本送達を受けた日から７日以内に，答弁書を控訴裁判所に差し出すことができる（刑訴規243条１項）。裁判所から一定の期間を定めて答弁書の差出しを命じられる場合もある（同条３項）。提出すべき通数については9－062の注釈を参照のこと。

9－069 上訴放棄申立書

令和○○年（○）第○○号　○○○○被告事件

上　訴　放　棄　申　立　書

令和○○年○○月○○日

○○地方裁判所第○刑事部　御中

被　告　人　　○　○　○　○　　印

上記被告人に対する○○○○被告事件について，令和○○年○○月○○日○○地方裁判所において○○○○○○○○との判決の宣告を受けたが，この判決に対する上訴を放棄する。

- 刑事訴訟法359条～360条の3，刑事訴訟規則223条。
- 判決宣言後，上訴申立期間満了前に裁判を確定させたい場合に利用する。
- 被告人が上訴を放棄しても，検察官も同様に放棄しない限り裁判は確定しない。しかし，検察官は特別の事情がない限り上訴放棄をして，有罪判決を速やかに確定させている例が多い。
- 事前に検察官に連絡しておくべきである。

9−070 上訴権回復請求書

上　訴　権　回　復　請　求　書

令和○○年○○月○○日

○○地方裁判所　御中

被　告　人　　○　○　○　○

弁　護　人　　○　○　○　○　　印

上記被告人に対する○○○○被告事件について，被告人は令和○○年○○月○○日○○地方裁判所において○○○○○○○○との判決を受けたが，以下のとおり，被告人はその責に帰することができない事由により上訴の提起期間内に上訴することができなかったので，上訴権の回復を請求する。

（※天変地変など不可抗力に基づく上訴不能の事実について記載）

疎　明　資　料

（略）

▶　上訴権者は，自己または代人の責に帰することができない事由によって上訴することができなかったときは，原裁判所に対し上訴権回復の請求をすることができる（刑訴法 362 条）。

▶　上訴権回復の請求は，上訴不能の事由が止んだ日から上訴の提起期間に相当する期間内にしなければならず，また，その請求と同時に原裁判所に対し控訴の申立てをしなければならない（刑訴法 363 条 1 項・2 項）。

9−071 上告申立書

上 告 申 立 書

令和○○年○○月○○日

最高裁判所　御中

被　告　人　　○　○　○　○

弁　護　人　　○　○　○　○　　印

上記被告人に対する○○○○被告事件について，令和○○年○○月○○日○○高等裁判所が宣告した○○○○○○○○の判決は全部不服であるから上告を申し立てる。

▶ 上告の提起期間は第二審の判決が言い渡されてから14日であるが（刑訴法358条，414条，373条），初日は算入されない（同法55条1項）。なお，上告申立書は期間内に第二審裁判所に到達しなければならないが，刑事施設にいる被告人については特則がある（同法366条，刑訴規227条，228条）。

▶ 宛先は最高裁判所であるが，提出先は控訴審裁判所である（刑訴法414条，374条）。

▶ 裁判が可分の場合にはその一部に対して上告することができる（刑訴法357条前段）。

9−072 上告趣意書差出最終日変更申出書

令和○○年（○）第○○号　○○○○被告事件

上告趣意書差出最終日変更申出書

令和○○年○○月○○日

最高裁判所第○小法廷　御中

被　告　人　　○　○　○　○

弁　護　人　　○　○　○　○　　印

上記被告人に対する○○○○被告事件について，上告趣意書差出最終日を令和○○年○○月○○日と指定されたが，下記の理由により，上告趣意書差出最終日を令和○○月○○日に変更されるよう申し出る。

記

1　事案の重大性・複雑性

2　本件記録は大部である

3　（以下略）

▶　差出最終日は，上告申立人が通知書を受領した日の翌日から起算して28日以後の日でなければならない（刑訴規252条1項）。

▶　差出最終日の変更は，上告裁判所の裁量に属する事柄であり，当事者に申立権はなく，変更申出は職権発動を促す趣旨である。

9−073 上告趣意書

令和○○年（○）第○○号　○○○○被告事件

上　告　趣　意　書

令和○○年○○月○○日

最高裁判所第○小法廷　御中

被　告　人　　○　○　○　○

弁　護　人　　○　○　○　○　　印

上記被告人に対する○○○○被告事件について，上告の趣意は以下のとおりである。

第１　原判決には，○○○○○○○○の点において，憲法○○条の違反（憲法解釈に誤り）がある。

第２　原判決には，○○○○○○○○の点において，判決に影響を及ぼすべき重大な事実の誤認があり，これを破棄しなければ著しく正義に反する。

第３　原判決は，刑の量定が甚だしく不当であって，これを破棄しなければ著しく正義に反する。

▶　上告趣意書の作成にあたっての留意事項は，基本的には控訴趣意書と同じである。

▶　上告趣意書には，相手方の数に応ずる謄本を添付しなければならない（刑訴規266条，241条）。実務上，原本１通，謄本（写し）２通を提出している。

▶　なお，上告理由（刑訴法405条）がない場合であっても，弁護人としては，職権発動を促す趣旨で，職権破棄事由（同法411条）をも検討して主張すべきである。

9−074 事件受理申立書

事 件 受 理 申 立 書

令和○○年○○月○○日

最高裁判所　御中

被　告　人　　○　○　○　○

弁　護　人　　○　○　○　○　　印

上記被告人に対する○○○○被告事件について，令和○○年○○月○○日に○○高等裁判所が宣告した○○○○○○○○○との判決には，以下のとおり，法令の解釈に関する重要な事項を含むので，上告審として事件を受理するよう申し立てる。

1　○○○○○○○○○
2　○○○○○○○○○

▶ 最高裁判所は，刑事訴訟法405条の規定により上告することができる場合以外の場合でも，法令の解釈に関する重要な事項を含むものと認められる事件については，その判決確定前に限り，上告審としてその事件を受理することができる（同法406条）。

▶ 高等裁判所がした第一審または控訴審の判決に対しては，その事件が法令（裁判所規則を含む）の解釈に関する重要な事項を含むものと認めるときは，上訴権者は，その判決に対する上告期限内に限り，最高裁に上告審として事件を受理すべきことを申し立てることができる（刑訴規257条）。

▶ 申立人は，原判決の謄本の交付を受けた日から14日以内に，事件受理の理由書を原裁判所に提出しなければならない（刑訴規258条の3第1項）。

9−075 判決訂正申立書

令和○○年（○）第○○号　○○○○被告事件

判　決　訂　正　申　立　書

令和○○年○○月○○日

最高裁判所第○小法廷　御中

被　告　人　　○　○　○　○

弁　護　人　　○　○　○　○　　印

上記被告人に対する○○○○被告事件について，令和○○年○○月○○日付判決に対し，以下のとおり判決の訂正を申し立てる。

1　○○○○○○○○

2　○○○○○○○○

▶　上告裁判所の判決に内容の誤りがある場合，判決の訂正を申し立てることができる（刑訴法 415 条 1 項）。

▶　申立ては，判決の宣告があった日から 10 日以内にしなければならないが，その期間は申立てによって延長されることがある（刑訴法 415 条 2 項・3 項）。

9－076 異議申立書

令和○○年（○）第○○号　○○○○被告事件

異　議　申　立　書

令和○○年○○月○○日

最高裁判所第○小法廷　御中

被　告　人　　○　○　○　○
弁　護　人　　○　○　○　○　　印

上記被告人に対する○○○○被告事件について，令和○○年○○月○○日付け上告棄却決定に対し，以下のとおり異議を申し立てる。

1　○○○○○○○○
2　○○○○○○○○

▶　上告裁判所の決定の訂正は，異議の申立てによらなければならない(刑訴法414条，385条2項，386条2項，428条2項)。

▶　異議の提起期間は3日である（刑訴法414条，385条2項，386条2項，428条2項，423条)。

9−077 抗告申立書

抗 告 申 立 書

令和○○年○○月○○日

○○高等裁判所　御中

被 告 人　○ ○ ○ ○

弁 護 人　○ ○ ○ ○　印

上記被告人に対する○○○○被告事件について，令和○○年○○月○○日○○地方裁判所がなした○○○○○○○○との決定に対し，以下のとおり抗告を申し立てる。

第１　申立ての趣旨

原決定を取り消す

との決定を求める。

第２　申立ての理由

○○○○○○○○

▶　抗告には一般抗告と特別抗告がある。一般抗告は，高等裁判所に対する不服申立(裁判所法16条2号）であって，決定についてのみ認められる。一般抗告には通常抗告(刑訴法419条，420条2項，421条）と即時抗告（同法422条）がある。

▶　抗告裁判所の決定に対する不服申立は，特別抗告（刑訴法433条）による。

9−078 訴訟費用執行免除申立書

令和○○年（○）第○○号　○○○○被告事件

訴訟費用執行免除申立書

令和○○年○○月○○日

最高裁判所第○小法廷　御中

申立人　　○　○　○　○

申立人（被告人）代理人

弁護士　　○　○　○　○　　印

上記申立人にかかる頭書事件は，上告棄却の決定により，令和○○年○○月○○日確定したが，下記のとおり訴訟費用負担の裁判に対し執行免除を申し立てる。

1　訴訟費用の負担を命じた裁判所

令和○○年○○月○○日言渡○○地方裁判所○○支部

令和○○年○○月○○日言渡○○高等裁判所

令和○○年○○月○○日告知最高裁判所第○小法廷

2　訴訟費用を完納することができない事由

（1）　申立人には，固定資産や預貯金等の財産は一切存在しない。

（2）　申立人には，家族が５名（妻と４名の子，いずれも未成年）あり，収入は月額金○○○○円にとどまる。現在，生活保護受給の手続中である。

3　添付書類

（1）　○○市長の固定資産なき証明書　　　　　1通

（2）　民生委員の生活保護受給申請に関する証明　　1通

▶　訴訟費用の負担を命ぜられた者が，貧困のためこれを完納することができないときの免除の申立てである（刑訴法500条1項）。

▶　申立書には，控訴費用の負担を命ずる裁判を言い渡した裁判所を表示し、訴訟費用を完納できない事由を具体的に記載しなければならない（刑訴規295条の4）。

▶　申立ては，訴訟費用の負担を命ずる裁判が確定した後20日以内にしなければならない（刑訴法500条2項）。

9−079 付添人選任届

付　添　人　選　任　届

令和〇〇年〇〇月〇〇日

〇〇家庭裁判所少年部　御中

少　年　〇　〇　〇　〇

上記少年に対する〇〇〇〇保護事件について，弁護士〇〇〇〇を付添人に選任したので，連署して届け出る。

少　年　〇　〇　〇　〇　（指印）

上記は本人の署名指印であることを証明する。
〇〇警察署
司法巡査　〇　〇　〇　〇　印

事務所所在地
〒〇〇〇−〇〇〇〇
〇〇県〇〇市〇〇町〇〇丁目〇〇番〇〇号
電話番号　〇〇〇（〇〇〇）〇〇〇〇
ファックス番号　〇〇〇（〇〇〇）〇〇〇〇
所属弁護士会　〇〇弁護士会
付添人　弁護士　〇　〇　〇　〇　印

▶　身体拘束中の少年が選任者となり，弁護士を私選付添人として選任する場合の書式。家庭裁判所に送致される前に弁護人選任届を提出していても，送致後に改めて付添人選任届を家庭裁判所に提出する必要がある。

▶　付添人選任届には，選任者と付添人とが連署することを要する（少年規14条2項）。

▶　指印証明部分の記載は，ゴム印を押捺されるので，あらかじめ記載したものを用意する必要はない。

▶　付添人は，署名押印に代えて記名押印することができる（少年規14条3項）。

9−080 観護措置決定をしないことを求める意見書

意　　見　　書

令和○○年○○月○○日

○○家庭裁判所少年部　御中

少　　年　　○　○　○　○

付 添 人　　○　○　○　○　　印

上記少年に対する○○○○保護事件について，付添人の意見は以下のとおりである。

第１　意見の趣旨

少年につき，少年法１７条１項２号の観護の措置をとらないことを求める。

第２　意見の理由

１　鑑別所収容の必要性は存在しない

（１）　逃亡のおそれはない

（２）　罪証隠滅のおそれはない

（３）　収容による心身鑑別をしなくても鑑別目的を達成し得る

２　観護措置をとることは相当ではない

（１）　進級が困難になる

（２）　観護措置によって就職できなくなる可能性がある

以　上

▶　非行事実を争わない場合の意見書の書式例である。

▶　少年法17条1項2号に基づく観護措置が相当ではない事情としては，このほかに，少年の就労の継続が困難になること，少年に疾病があることなどが考えられる。

9−081 観護措置決定に対する異議申立書

令和○○年（○）第○○号　○○○○保護事件

異　議　申　立　書

令和○○年○○月○○日

○○家庭裁判所少年部　御中

少　　年　　○　○　○　○

付 添 人　　○　○　○　○　　印

上記少年に対する○○○○保護事件につき，令和○○年○○月○○日に御庁がなした２号観護措置決定に対し，以下のとおり異議を申し立てる。

第１　申立ての趣旨

原決定を取り消す

との決定を求める。

第２　申立ての理由

１　観護措置の必要はない

（１）　逃亡のおそれはない

（２）　罪証隠滅のおそれはない

（３）　収容による心身鑑別をしなくても鑑別目的を達成し得る

２　観護措置は相当ではない

（１）　進級が困難になる

（２）　観護措置によって就職できなくなる可能性がある

以　上

▶　異議の申立てができるのは，少年，その法定代理人または付添人である（少年法17条の２第１項)。ただし，付添人は，選任者である保護者（同法２条２項）の明示した意思に反して，異議の申立てをすることはできない（同法17条の２第１項ただし書)。

▶　異議申立は，観護措置決定が違法・不当であることを理由とするものであり，審判に付すべき事由がないことを理由としてすることはできない（少年法17条の２第２項)。

9−082 観護措置取消申立書

令和○○年（○）第○○号　○○○○保護事件

観護措置取消申立書

令和○○年○○月○○日

○○家庭裁判所少年部　御中

少　　年　　○　○　○　○
付 添 人　　○　○　○　○　　印

上記少年に対する○○○○保護事件につき，令和○○年○○月○○日なされた観護措置決定を，以下の理由により取り消すよう申し立てる。

1　観護措置の必要性がなくなった

（1）　逃亡のおそれはない

（2）　罪証隠滅のおそれはない

（3）　収容による心身鑑別を行う必要がない

（4）　少年は非行事実を認め内省を深めている

（5）　少年を監督する環境に問題はない

2　観護措置を避けるべき事情がある

（1）　鑑別所への収容によって少年の体調が悪化したこと

（2）　観護措置の継続により進級が困難になること

以　上

▶　観護措置の取消しは，裁判所の職権によって判断されるものであるから（少年法17条8項），本申立ては，法律によって認められた不服申立権の行使である異議申立（同法17条の2第1項）ではなく，裁判所に対して職権発動を促すものである。

9－083 不処分を求める意見書

令和○○年（○）第○○号　○○○○保護事件

意　　見　　書

令和○○年○○月○○日

○○家庭裁判所少年部　御中

少　　年　　○　○　○　○

付 添 人　　○　○　○　○　　印

上記少年に対する○○○○保護事件について，付添人の意見は以下のとおりである。

第１　処遇意見

少年を不処分とするのが相当である。

第２　理由

１　非行事実について

○○○○○○○○

２　要保護性は存しない

（１）　少年を取りまく環境に問題はない

（２）　少年の性格に何ら問題となるところはない

（３）　少年には非行・審判歴はない

（４）　少年は十分反省し更生の意欲は旺盛である

（５）　被害回復がなされている

（６）　学校の受入れ体制が整えられている

３　結論

○○○○○○○○

以　上

▶　不処分（少年法23条２項）を求める場合の意見書の書式例である。このほか，保護観察など，相当と考える保護処分（同法24条）を求める場合や，中間処分としての試験観察（同法25条）を求める場合もある。

9－084 医療観察法対象者付添人選任届

付　添　人　選　任　届

令和〇〇年〇〇月〇〇日

〇〇地方裁判所　御中

対　象　者　　〇　〇　〇　〇

上記対象者に対する心神喪失者等医療観察法４２条１項の決定をすることの申立事件について，弁護士〇〇〇〇を付添人に選任したので，連署して届け出る。

保 護 者　〇　〇　〇　〇　　印

事務所所在地
〒〇〇〇－〇〇〇〇
〇〇県〇〇市〇〇町〇〇丁目〇〇番〇〇号
電話番号　〇〇〇（〇〇〇）〇〇〇〇
ファックス番号　〇〇〇（〇〇〇）〇〇〇〇
所属弁護士会　〇〇弁護士会
付 添 人　〇　〇　〇　〇　　印

▶ 心神喪失者等医療観察法に基づく入院等申立事件（同法33条1項）について，保護者が選任者となり，私選付添人を選任する場合の書式例。付添人選任届には，選任者と付添人とが連署することを要する（医療観察審判規則35条1項)。

▶ 保護者とは，後見人，保佐人，配偶者，親権者および扶養義務者または居住地もしくは現住地を管轄する市町村長である（医療観察法23条の2，23条の3)。

9−085 入院等の決定についての意見書

令和○○年（○）第○○号　○○○○事件

意　見　書

令和○○年○○月○○日

○○地方裁判所第○刑事部　御中

対 象 者　○ ○ ○ ○

付 添 人　○ ○ ○ ○　印

上記対象者に対する心神喪失者等医療観察法（以下「本法律」という。）４２条１項の決定をすることの申立事件について，以下のとおり意見を述べる。

第１　意見の趣旨

１　対象者について，本法律による医療を行わない

２　仮に，本法律による医療を行う必要があるとしても，対象者について入院によらない医療を受けさせる

との決定を求める。

第２　意見の理由

１　対象行為に該当しない

対象者の行為は，正当防衛であり違法性を欠くものであるから本法律の定める対象行為に該当しない。

２　本法律による医療をする必要性がない

（１）　対象者の症状は沈静化した

（２）　対象者には病識があり治療を受ける意思もある

（３）　長期間の信頼関係がある医師の治療を受けることが妥当である

（４）　家族や地域の福祉関係者の協力を得ることができる

以　上

▶　医療観察法33条１項に基づく検察官の申立てに対する裁判所の入院等の決定（同法42条１項）についての意見書の書式例である。

9−086 無罪費用補償請求書

無　罪　費　用　補　償　請　求　書

令和○○年○○月○○日

○○地方裁判所第○刑事部　御中

請求人代理人弁護士　○　○　○　○　印

〒○○○−○○○○
○○県○○市○○町○○丁目○○番○○号
請　求　人　○　○　○　○
〒○○○−○○○○
○○県○○市○○町○○丁目○○番○○号
○○法律事務所
請求人代理人弁護士　○　○　○　○
TEL　○○○（○○○○）○○○○
FAX　○○○（○○○○）○○○○

第1　請求の趣旨

請求人に対し，無罪の裁判に要した費用の補償として相当額を交付するとの裁判を求める。

第2　請求の原因

1　無罪判決

2　公判期日等への出頭

3　弁護活動の内容及び特に要した費用

弁護人は，相当量の記録を謄写し，謄写料として合計金○○○○円を支出した。また，○○○○に私的鑑定を依頼し，その鑑定料として金○○○○円を支出した。これらは，弁護人として的確な反証をするために必須であった費用であるから，

▶ 刑事訴訟法188条の2に基づく請求である。類似の制度に，上訴費用補償（同法188条の4）がある。

▶ 無罪費用補償は，無罪の判決をした裁判所が行う（刑訴法188条の3第1項）。請求は，無罪判決確定後6カ月以内にしなければならない（同条2項）。

▶ 補償の対象は，被告人もしくは被告人であった者または弁護人であった者の出頭日当，旅費，宿泊料および弁護人の報酬であ

弁護人の報酬を決定するに当たって参酌されるべきである。

4　まとめ

よって，刑事訴訟法１８８条の２により，請求人に対し，無罪の裁判に要した費用の補償として相当額を交付するとの裁判を求める。

第３　証拠方法

1　甲第１号証　記録謄写料の領収証

2　甲第２号証　鑑定料の領収証

第４　添付書類

（略）

（9−086 無罪費用補償請求書）

る（刑訴法188条の6第1項）。本来は具体的な金額を請求の趣旨に掲げるべきであるが，計算が複雑であるため，「相当額」と記載する例も多い。

9−087 刑事補償請求書

刑　事　補　償　請　求　書

令和〇〇年〇〇月〇〇日

〇〇地方裁判所第〇刑事部　御中

請求人代理人弁護士　〇　〇　〇　〇　印

〒〇〇〇−〇〇〇〇
〇〇県〇〇市〇〇町〇〇丁目〇〇番〇〇号
請　求　人　〇　〇　〇　〇
〒〇〇〇−〇〇〇〇
〇〇県〇〇市〇〇町〇〇丁目〇〇番〇〇号
〇〇法律事務所
請求人代理人弁護士　〇　〇　〇　〇
ＴＥＬ　〇〇〇（〇〇〇〇）〇〇〇〇
ＦＡＸ　〇〇〇（〇〇〇〇）〇〇〇〇

第１　請求の趣旨

請求人に対し，金〇〇〇〇円を交付する
との裁判を求める。

第２　請求の原因

１　無罪判決

２　逮捕及び勾留

３　逸失利益及び慰謝料

４　以上の事情を考慮すれば，本件未決の抑留・拘禁に対する刑事補償は，刑事補償法４条１項所定の最高金額である１日金１万２５００円に拘禁日数〇〇日を乗じた金〇〇〇〇円が相当である。

▶　管轄裁判所は，無罪の裁判をした裁判所である（刑事補償法６条）。

▶　当然に最高額の補償（刑事補償法４条）が認められるとは限らないので，収入を失った状況，被った精神的苦痛など，逸失利益や慰謝料等を根拠付ける具体的な主張，立証をする必要がある（同条２項参照）。

よって，請求人に対し，請求の趣旨記載の補償金を交付するとの裁判を求める。

第３　証拠方法

１　甲第１号証　請求人作成の陳述書

２　甲第２号証　○○株式会社の給与明細

第４　添付書類

１　甲号証　　　　　　　各１通

２　委任状　　　　　　　　１通

（9－087 刑事補償請求書）

9−088 再審請求書

再　審　請　求　書

令和○○年○○月○○日

○○地方裁判所　御中

本　　籍　　○○県○○市○○町○○丁目○○番地
住　　所　　○○県○○市○○町○○丁目○○番○○号
請 求 人　　○　○　○　○
平成○○年○○月○○日生
住　　所　　○○県○○市○○町○○丁目○○番○○号
○○法律事務所
電　　話　　○○○（○○○○）○○○○
F　A　X　　○○○（○○○○）○○○○
請求人代理人弁護士　○　○　○　○　　印

上記請求人に対する○○○○被告事件について，令和○○年○○月○○日宣告の上告棄却判決により確定した第一審○○地方裁判所の判決（令和○○年○○月○○日言渡し）に対し，無罪を言い渡すべき明らかな証拠を新たに発見したので，刑事訴訟法４３５条６号の事由により，以下のとおり再審を請求する。

第１　再審請求の趣意

１　原判決の内容
２　無罪であることの事由
３　新証拠
（１）　新規性
（２）　明白性

▶ 管轄裁判所は，原判決をした裁判所である（刑訴法438条）。

▶ 再審の請求ができるのは，検察官，有罪の言渡しを受けた者，その法定代理人および保佐人，有罪の言渡しを受けた者が死亡し，または心神喪失の状態にある場合には，その配偶者，直系の親族および兄弟姉妹である（刑訴法439条１項）。

▶ 検察官以外の者が再審の請求をする場合には，弁護人を選任することができる（刑

第2　添付書類

1　原判決の謄本

2　証拠書類及び証拠物

3　弁護人選任届

（9－088 再審請求書）

訴法440条1項）。

▶　再審を請求するには，その趣意書に原判決の謄本，証拠書類および証拠物を添えてこれを管轄裁判所に差し出さなければならない（刑訴規283条）。

9－089 即時抗告申立書

令和○○年（○）第○○号　○○○○事件

即　時　抗　告　申　立　書

令和○○年○○月○○日

○○高等裁判所　御中

再審請求人　　　　　○　○　○　○

〒○○○－○○○○

○○県○○市○○町○○丁目○○番○○号

○○法律事務所

請求人代理人弁護士　○　○　○　○　　印

ＴＥＬ　○○○（○○○○）○○○○

ＦＡＸ　○○○（○○○○）○○○○

上記再審請求人にかかる○○○○再審請求事件について，○○地方裁判所は，令和○○年○○月○○日請求棄却の決定をし，その決定謄本は同月○○日請求人に送達されたので，以下のとおり即時抗告を申し立てる。

第１　申立ての趣旨

○○○○○○○○○

との決定を求める。

第２　申立ての理由

○○○○○○○○○

以　上

▶ 再審請求棄却決定（刑訴法446条，447条１項，449条１項）に対しては，即時抗告をすることができる（同法450条）。

9−090 恩赦願書

恩　赦　願　書

令和〇〇年〇〇月〇〇日

〇〇地方検察庁検事正　〇〇〇〇　殿

氏　名　　〇　〇　〇　〇　　　印

下記のとおり，恩赦の出願をします。

ふりがな 氏名	〇〇〇〇　〇〇〇〇 〇　〇　〇　〇		
生年月日	昭和〇〇年〇〇月〇〇日	職業	〇〇〇〇
本籍	〇〇県〇〇市〇〇町〇〇丁目〇〇番		
住居	〇〇県〇〇市〇〇町〇〇丁目〇〇番〇〇号		
言渡し裁判所	〇〇地方裁判所		
言渡し年月日	平成〇〇年〇〇月〇〇日		
罪名・刑名・刑期・金額及び犯数	業務過失傷害，道路交通法違反 懲役２年 初犯		
刑執行の状況	刑の始期　〇〇年〇〇月〇〇日　法定通算〇〇日 仮釈放の年月日　〇〇年〇〇月〇〇日　裁定通算なし 刑執行終了の年月日　〇〇年〇〇月〇〇日		
恩赦の種類	特赦又は復権		
出願の理由	別紙のとおり		
添付書類	戸籍謄本　１通 身上関係書　１通 在職証明書　１通 嘆願書　１通		
付記	本件は代理人による出願（委任状は本書末尾に編綴）		

▶　特赦は，有罪の言渡しを受け判決の確定した特定の者に対して行うものであり，復権は，有罪の言渡しを受けたため法令の定めるところによって資格を喪失し，または停止させられた者に対して，その資格を将来に向かって回復させるものである（恩赦刑訴法４条，９条，10条）。

9−091 告訴状−業務上横領

告　訴　状

令和○○年○○月○○日

○○県警察○○警察署長　殿

○○県○○市○○町○○丁目○○番○○号
告訴人　○　○　○　○
○○県○○市○○町○○丁目○○番○○号
○○法律事務所
上記告訴人代理人弁護士　○　○　○　○　印
電　話　番　号　○○○（○○○）○○○○
ファックス番号　○○○（○○○）○○○○
○○県○○市○○町○○丁目○○番○○号
被告訴人　○　○　○　○
電　話　番　号　○○○（○○○）○○○○
生年月日　平成○○年○○月○○日
職　　業　○○○○

告　訴　事　実

1　告訴人は，全国○○店の支店を持つレストラン「○○○○」チェーンを経営している。

被告訴人は，令和○○年４月，告訴人に正社員として雇用され，同○○年から告訴人○○支店の店長として勤務していた者である。

2　告訴人の売上金の管理システムは，次のとおりである。

売上げは，すべてレジスターに記録ののち，閉店時，その合計金額と照合して特定銀行に納金するものであった。なお，売上金の管理は，各支店ごとに，専ら店長が担当し，毎日，売上金額を告訴人に報告させていた。

▶　告訴（刑訴法230条以下）は，被害者等の告訴権者が犯罪事実の申告と犯人の処罰を求めるものであるから，犯人の特定は必ずしも必要ではない。

▶　電話番号は，捜査官の呼出しの便宜のため必ず記載する。

▶　親告罪の告訴期間は犯人を知った日から６カ月である（刑訴法235条）。

刑事

3　告訴人は，前記支店における売上総額が，被告訴人が同支店店長に就任した１カ年後である令和○○年頃から減少していることに疑問を持ち，以後監視していた。この結果，被告訴人は，毎日の如く，同支店の売上額をレジスターに記録ののち，売上金の中から金１～３万円を抜き取る方法によって，判明している限度でも，別紙一覧表のとおり，合計金５５０万円を着服していたことがわかった。

なお，被告訴人は売上総額と納金額とをレジスターのマイナスキーを利用することによって合致させていたため，告訴人の発見が困難となったものである。

4　被告訴人の以上の所為は，業務上横領（刑法第２５３条）に該当するものであるので，厳重な処罰をされたく告訴する。

立　証　方　法

1　告訴人銀行通帳及びレジスター記録シート

（9－091 告訴状－業務上横領）

9−092 告訴取消申立書

傷害告訴事件
告　訴　人　○○○○
被告訴人　○○○○

告訴取消申立書

令和○○年○○月○○日

○○地方検察庁　御中

告訴人代理人
弁　護　士　○○○○　印

上記告訴人は，令和○○年○○月○○日上記○○○○を傷害事件の被告訴人として告訴いたしましたが，当事者間において示談ができましたので，告訴は取り消します。

▶　代理人によって告訴の取消しをする場合には，告訴人の告訴の取消しに関する委任状を添付する（犯捜規66条4項）。

▶　告訴の取消しが法律上の意味を持つのは親告罪に限られる。非親告罪にあっては，単なる情状にとどまる。

▶　親告罪の場合，告訴を取り消した者は再び告訴することはできない（刑訴法237条2項）。

9−093 告発状

告　発　状

令和○○年○○月○○日

○○県警察○○警察署長　殿

○○県○○市○○町○○丁目○○番○○号
告発人　○　○　○　○
○○県○○市○○町○○丁目○○番○○号
○○法律事務所
上記告発人代理人弁護士　○　○　○　○　印
電　話　番　号　○○○（○○○）○○○○
ファックス番号　○○○（○○○）○○○○
○○県○○市○○町○○丁目○○番○○号
被告発人　○　○　○　○
電　話　番　号　○○○（○○○）○○○○

告　発　事　実

1　告発人は，住所地の他に3店舗を有する食料品販売を業とする者，被告発人は，食料品卸売を業とする株式会社○○の取締役であった者である。

2　告発人は，同株式会社○○とは約１０年間にわたり取引を継続してきたが，令和○○年○○月，被告発人を通じ同社振出しの別紙目録記載の約束手形１通の買取り方を依頼され，これを買い取った。

3　告発人は，同約束手形１通を支払期日に支払呈示をしたが支払拒絶された。

4　告発人は，同会社に問い合わせた結果，同約束手形は被告発人が同社取締役を辞任ののち恣に作成振り出したものであることが判明した。

5　被告発人の以上の所為は有価証券偽造（刑法第１６２条）に該当するものであるので厳重に処罰されたく，告発に及ぶ。

▶　告発は，犯人または告訴権者以外の第三者が，捜査機関に対して犯罪事実を申告し，その犯人の処罰を求める意思表示である（刑訴法239条）。

MEMO

行政編

行政訴訟

10－001 訴状（風俗営業許可処分取消請求）

収入
印紙

訴　　　状

令和○○年○○月○○日

○○地方裁判所　御中

原告訴訟代理人弁護士　　○　○　○　○　　印

〒○○○－○○○○
○○県○○市○○町○○丁目○○番○○号
原　　　　　　告　　　○　○　○　○
（送達場所）
〒○○○－○○○○
○○県○○市○○町○○丁目○○番○○号
○○弁護士会所属
上記原告訴訟代理人弁護士　　○　○　○　○
ＴＥＬ　○○○（○○○）○○○○
ＦＡＸ　○○○（○○○）○○○○
〒○○○－○○○○
○○県○○市○○町○○丁目○○番○○号
被　　　　　　告　　　○○県
同代表者兼処分行政庁　　　○○県公安委員会
同委員会代表者委員長　　　○　○　○　○

風俗営業許可処分取消請求事件
訴訟物の価額　　金１６０万円也
貼用印紙額　　　金１万３０００円也

請　求　の　趣　旨

1　○○県公安委員会が株式会社○○に対して令和○○年○○月○○日付でした○○県○○市○○丁目○○番○○号所在の建物を営業所とするぱちんこ屋「パチンコ○○」の営業許可を取り消す。

2　訴訟費用は，被告の負担とする。

との判決を求める。

請　求　の　原　因

1　本件処分

2　本件処分の違法性

3　原告適格

証　拠　方　法

甲１号証　「○○県風俗営業等の規制及び業務の適正化等に関する法律施行条例」（平成○○年○○県条例第○○号）

甲２号証　地図

甲３号証　写真

甲４号証　住民票

附　属　書　類

1	訴状副本	１通
2	甲号証の写し	各２通
3	証拠説明書	２通
4	訴訟委任状	１通

10−002 訴状（墓地経営許可処分取消請求）

収入
印紙

訴　　　　状

令和〇〇年〇〇月〇〇日

〇〇地方裁判所　御中

原告訴訟代理人弁護士　　〇　〇　〇　〇　　印

〒〇〇〇−〇〇〇〇
〇〇県〇〇市〇〇町〇〇丁目〇〇番〇〇号
原　　　　告　　　〇　〇　〇　〇
（送達場所）
〒〇〇〇−〇〇〇〇
〇〇県〇〇市〇〇町〇〇丁目〇〇番〇〇号
〇〇弁護士会所属
上記原告訴訟代理人弁護士　　〇　〇　〇　〇
ＴＥＬ　〇〇〇（〇〇〇）〇〇〇〇
ＦＡＸ　〇〇〇（〇〇〇）〇〇〇〇
〒〇〇〇−〇〇〇〇
〇〇県〇〇市〇〇町〇〇丁目〇〇番〇〇号
被　　　　告　　　〇〇区
代表者兼処分行政庁　　　〇〇区長〇〇〇〇

墓地経営許可処分取消請求事件
訴訟物の価額　　金１６０万円也
貼用印紙額　　金１万３０００円也

請　求　の　趣　旨

1　○○区保健所長が，宗教法人A寺に対し，令和○○年○○月○○日付でした別紙目録記載の各土地における墓地経営許可処分を取り消す。

2　訴訟費用は，被告の負担とする。

との判決を求める。

請　求　の　原　因

1　当事者

2　本件処分

3　原告適格

4　本件処分の違法性

証　拠　方　法

甲1号証　住民票

甲2号証　地図

甲3号証　「○○区墓地等の構造設備及び管理の基準等に関する条例」（平成○○年○○区条例第○○号）

附　属　書　類

1	訴状副本	1通
2	甲号証の写し	各2通
3	証拠説明書	2通
4	訴訟委任状	1通

10－003 訴状（消費税及び地方消費税の更正処分取消請求）

収入
印紙

訴　　　状

令和○○年○○月○○日

○○地方裁判所民事部　御中

原告訴訟代理人弁護士　○　○　○　○　印

〒○○○－○○○○
○○県○○市○○町○○丁目○○番○○号
原　　　　告　　　○　○　○　○
（送達場所）
〒○○○－○○○○
○○県○○市○○町○○丁目○○番○○号
○○弁護士会所属
上記原告訴訟代理人弁護士　○　○　○　○
ＴＥＬ　○○○（○○○）○○○○
ＦＡＸ　○○○（○○○）○○○○
〒１００－００１３
東京都千代田区霞が関一丁目１番１号
被　　　　告　　国
上記代表者法務大臣　　○○○○
処　分　行　政　庁　　○○税務署長○○○○

消費税及び地方消費税の更正処分取消等請求事件
訴訟物の価額　　金１６０万円也
貼用印紙額　　　金１万３０００円也

請　求　の　趣　旨

1　処分行政庁が令和○○年○○月○○日付で原告に対してした，令和○○年○○月○○日から令和○○年○○月○○日までの課税期間に係る消費税及び地方消費税の更正処分のうち，消費税につき還付すべき税額が○○○○円，地方消費税につき還付すべき譲渡割額が○○○○円をそれぞれ下回るとした部分，並びに，過少申告加算税賦課決定処分をいずれも取り消す。

2　訴訟費用は，被告の負担とする。

との判決を求める。

請　求　の　原　因

1　当事者

2　経緯

3　本件課税期間に係る消費税等の確定申告

4　本件各処分とその後の不服申立て等

証　拠　方　法

附　属　書　類

1	訴状副本	1通
2	甲号証の写し	各2通
3	資格証明書	1通
4	訴訟委任状	1通

10－004 訴状（産業廃棄物処理施設設置許可処分取消請求）

収入
印紙

訴　　状

令和○○年○○月○○日

○○地方裁判所民事部　御中

原告訴訟代理人弁護士　○　○　○　○　印

〒○○○－○○○○

○○県○○市○○町○○丁目○○番○○号

原　　告　○　○　○　○

（送達場所）

〒○○○－○○○○

○○県○○市○○町○○丁目○○番○○号

○○弁護士会所属

上記原告訴訟代理人弁護士　○　○　○　○

ＴＥＬ　○○○（○○○）○○○○

ＦＡＸ　○○○（○○○）○○○○

〒○○○－○○○○

○○県○○市○○町○○丁目○○番○○号

被　　告　○○県

被告代表者兼処分行政庁　○○県知事○○○○

産業廃棄物処理施設設置許可処分取消請求事件

訴訟物の価額　金１６０万円也

貼用印紙額　金１万３０００円也

請　求　の　趣　旨

1　○○県知事が，株式会社○○に対して，令和○○年○○月○○日付許可番号○○－○をもってした産業廃棄物処理施設の設置に係る許可を取り消す。

2　訴訟費用は，被告の負担とする。

との判決を求める。

請　求　の　原　因

1　本件処分

2　本件処分の違法性

3　原告適格

10−005 訴状（運転免許取消処分取消請求事件）

収　入
印　紙

訴　　　　　状

令和○○年○○月○○日

○○地方裁判所民事部　御中

原告訴訟代理人弁護士　　○　○　○　○　　印

〒○○○−○○○○

○○県○○市○○町○○丁目○○番○○号

原　　　　　　　　　告　　　○　○　○　○

（送達場所）

〒○○○−○○○○

○○県○○市○○町○○丁目○○番○○号

○○弁護士会所属

上記原告訴訟代理人弁護士　　○　○　○　○

ＴＥＬ　○○○（○○○）○○○○

ＦＡＸ　○○○（○○○）○○○○

〒○○○−○○○○

○○県○○市○○町○○丁目○○番○○号

被　　　　　　　　　告　　　○○県

被告代表者兼処分行政庁　　　○○県公安委員会

上 記 代 表 者 委 員 長　　　○　○　○　○

運転免許取消処分取消請求事件

訴訟物の価額　　　金１６０万円也

貼用印紙額　　　　金１万３０００円也

請　求　の　趣　旨

1　○○県公安委員会が原告に対して令和○○年○○月○○日付でした運転免許を取り消す処分を取り消す。

2　訴訟費用は，被告の負担とする。

との判決を求める。

請　求　の　原　因

1　本件事故

2　本件処分

3　本件処分の違法性

証　拠　方　法

甲第1号証　実況見分調書

甲第2号証　本件通知書

甲第3号証　本件処分書

甲第4号証　不起訴処分通知書

附　属　書　類

1　訴状副本　1通

2　甲号証の写し　各2通

3　資格証明書　1通

4　訴訟委任状　1通

10－006 訴状（生活保護処分取消請求）

収入印紙

訴　　　状

令和○○年○○月○○日

○○地方裁判所民事部　御中

原告訴訟代理人弁護士　○　○　○　○　印

〒○○○－○○○○

○○県○○市○○町○○丁目○○番○○号

原　　　　告　○　○　○　○

（送達場所）

〒○○○－○○○○

○○県○○市○○町○○丁目○○番○○号

○○弁護士会所属

上記原告訴訟代理人弁護士　○　○　○　○

ＴＥＬ　○○○（○○○）○○○○

ＦＡＸ　○○○（○○○）○○○○

〒○○○－○○○○

○○県○○市○○町○○丁目○○番○○号

被　　　　告　○○県

上記代表者○○県知事　○　○　○　○

処分行政庁　○○市福祉事務所長

生活保護処分取消請求事件

訴訟物の価額　金１６０万円也

貼用印紙額　金１万３０００円也

請　求　の　趣　旨

1　処分行政庁が令和○○年○○月○○日付でした原告に対する保護廃止決定を取り消す。

2　訴訟費用は，被告の負担とする。

との判決を求める。

請　求　の　原　因

1　生活保護受給

2　保護廃止決定

3　審査請求及び再審査請求

4　本件指示の違法性

5　本件処分に手続上の違法があること

6　本件処分が相当性を欠くこと

10－007 訴状（退去強制令書発付処分取消請求）

収入
印紙

訴　　状

令和○○年○○月○○日

○○地方裁判所民事部　御中

原告訴訟代理人弁護士　○　○　○　○　印

〒○○○－○○○○

○○県○○市○○町○○丁目○○番○○号

原　　　　告　○　○　○　○

（送達場所）

〒○○○－○○○○

○○県○○市○○町○○丁目○○番○○号

○○弁護士会所属

上記原告訴訟代理人弁護士　○　○　○　○

ＴＥＬ　○○○（○○○）○○○○

ＦＡＸ　○○○（○○○）○○○○

〒１００－００１３

東京都千代田区霞が関一丁目１番１号

被　　　　告　国

上記代表者法務大臣　○　○　○　○

処分行政庁　○○入国管理局主任審査官

退去強制令書発付処分取消請求事件

訴訟物の価額　金１６０万円也

貼用印紙額　金１万３０００円也

請　求　の　趣　旨

1　○○入国管理局主任審査官が原告に対して令和○○年○○月○○日にした退去強制令書発付処分を取り消す。

2　訴訟費用は，被告の負担とする。

との判決を求める。

請　求　の　原　因

1　原告の身分

2　原告の入国及び在留状況

3　退去強制令書発付処分に至る経緯

4　本件処分の違法性（適正手続違反）

証　拠　方　法

甲第１号証の１　登録業務データベースに基づく住民事項証明書

甲第１号証の２　上記翻訳文

甲第２号証の１　国民身分証明書

甲第２号証の２　上記翻訳文

添　付　書　類

1	訴状副本	１通
2	証拠説明書	２通
3	甲号証の写し	各２通
4	訴訟委任状	１通

10－008 訴状（公文書不開示処分取消請求）

収　入
印　紙

訴　　　状

令和〇〇年〇〇月〇〇日

〇〇地方裁判所民事部　御中

原告訴訟代理人弁護士　〇　〇　〇　〇　印

〒〇〇〇－〇〇〇〇

〇〇県〇〇市〇〇町〇〇丁目〇〇番〇〇号

原　　　告　〇　〇　〇　〇

（送達場所）

〒〇〇〇－〇〇〇〇

〇〇県〇〇市〇〇町〇〇丁目〇〇番〇〇号

〇〇弁護士会所属

上記原告訴訟代理人弁護士　〇　〇　〇　〇

ＴＥＬ　〇〇〇（〇〇〇）〇〇〇〇

ＦＡＸ　〇〇〇（〇〇〇）〇〇〇〇

〒１００－００１３

東京都千代田区霞が関一丁目１番１号

被　　　告　国

上記代表者法務大臣　〇　〇　〇　〇

公文書不開示処分取消請求事件

訴訟物の価額　　金１６０万円也

貼用印紙額　　金１万３０００円也

請　求　の　趣　旨

1　被告が，原告に対し，令和○○年○○月○○日付で行った「令和○○年○○月○○日から令和○○年○○月○○日までの間の○○○○に関する苦情事例に関する一切の情報」の不開示決定処分を取り消す。

2　訴訟費用は，被告の負担とする。

との判決を求める。

請　求　の　原　因

1　情報公開請求と不開示決定

2　本件処分の違法性について

証　拠　方　法

甲第1号証　情報開示請求書

甲第2号証　不開示決定通知書

附　属　書　類

1	訴状副本	1通
2	甲号証の写し	各2通
3	訴訟委任状	1通

10−009 訴状（審決取消請求）

収 入 印 紙

訴　　　状

令和○○年○○月○○日

知的財産高等裁判所　御中

原告訴訟代理人弁護士　　○　○　○　○　　印

〒○○○－○○○○

○○県○○市○○町○○丁目○○番○○号

原　　　　　　　　告　　　○○株式会社

代表者代表取締役　　　○　○　○　○

（送達場所）

〒○○○－○○○○

○○県○○市○○町○○丁目○○番○○号

○○弁護士会所属

上記原告訴訟代理人弁護士　　○　○　○　○

ＴＥＬ　○○○（○○○）○○○○

ＦＡＸ　○○○（○○○）○○○○

〒１００－８９１５

東京都千代田区霞が関三丁目４番３号

被　　　　　　　　告　　　特許庁長官○○○○

審決取消請求事件

訴訟物の価額　　金１６０万円也

貼用印紙額　　　金１万３０００円也

請　求　の　趣　旨

1　特許庁がなした令和○○年不服第○○号事件について令和○○年○○月○○日になした審決を取り消す。

2　訴訟費用は，被告の負担とする。

との判決を求める。

請　求　の　原　因

1　特許庁における手続き

（1）　原告は，令和○○年○○月○○日，以下のような発明（以下「本願発明」という。）につき特許庁に特許出願をした。

ア　出 願 番 号　令和○○年第○○号

イ　発明の名称　○○○○

（2）　ところが，特許庁は，令和○○年○○月○○日本願発明につき拒絶査定を行った。

（3）　そこで，原告は，令和○○年○○月○○日特許庁長官に対して拒絶査定不服審判請求を行った。

（4）　特許庁は，上記不服審判につき，令和○○年○○月○○日に「本願審判の請求は成り立たない」旨の審決を行った。

2　本願発明の要旨

3　審決の理由の要旨

4　審決の違法

証　拠　方　法

甲第１号証　　審決謄本

附　属　書　類

１	訴状副本	１通
２	甲号証の写し	各２通
３	資格証明書	１通
４	訴訟委任状	１通

（10－009 訴状（審決取消請求））

10－010 訴状（不作為の違法確認の訴え）

収入
印紙

訴　　　　状

令和○○年○○月○○日

○○地方裁判所民事部　御中

原告訴訟代理人弁護士　○　○　○　○　印

〒○○○－○○○○
○○県○○市○○町○○丁目○○番○○号
原　　　　告　　　　○　○　○　○
（送達場所）
〒○○○－○○○○
○○県○○市○○町○○丁目○○番○○号
○○弁護士会所属
上記原告訴訟代理人弁護士　○　○　○　○
ＴＥＬ　○○○（○○○）○○○○
ＦＡＸ　○○○（○○○）○○○○
〒○○○－○○○○
○○県○○市○○町○○丁目○○番○○号
被　　　　告　　　　○○県
代表者知事　　　　○　○　○　○
処分行政庁　　　　○○県知事○○○○

不作為の違法確認の訴え
訴訟物の価額　　金１６０万円也
貼用印紙額　　金１万３０００円也

請　求　の　趣　旨

1　原告が令和○○年○○月○○日付でなした産業廃棄物処理施設の設置にかかる許可申請について，○○県知事が何らの処分をしないことが違法であることを確認する。

2　訴訟費用は，被告の負担とする。

との判決を求める。

請　求　の　原　因

1　当事者

2　廃棄物処理法の規定内容等

3　許可申請書の提出及びその返戻の経過

4　本件不作為の違法性

（10－010 訴状（不作為の違法確認の訴え））

10－011 訴状（仮換地指定処分取消請求）

収入
印紙

訴　　状

令和○○年○○月○○日

○○地方裁判所　御中

原告訴訟代理人弁護士　○　○　○　○　印

〒○○○－○○○○
○○県○○市○○町○○丁目○○番○○号
原　　告　○　○　○　○
（送達場所）
〒○○○－○○○○
○○県○○市○○町○○丁目○○番○○号
○○弁護士会所属
上記原告訴訟代理人弁護士　○　○　○　○
ＴＥＬ　○○○（○○○）○○○○
ＦＡＸ　○○○（○○○）○○○○
〒○○○－○○○○
○○県○○市○○町○○丁目○○番○○号
被告兼処分庁　○○市○○土地区画整理組合
代表者理事長　○　○　○　○

仮換地指定処分取消請求事件
訴訟物の価額　金１６０万円也
貼用印紙額　金１万３０００円也

請　求　の　趣　旨

1　被告が原告に対し，令和○○年○○月○○日付でした別紙物件目録の各土地について仮換地指定処分は無効であることを確認する。

2　訴訟費用は，被告の負担とする。

との判決を求める。

請　求　の　原　因

1　本件仮換地指定処分

2　本件仮換地指定処分に重大かつ明白な瑕疵があること

（10－011 訴状（仮換地指定処分取消請求））

10−012 訴状（介護保険負担限度額承認処分の義務付け等請求）

収　入
印　紙

訴　　　状

令和○○年○○月○○日

○○地方裁判所民事部　御中

原告訴訟代理人弁護士　○　○　○　○　印

〒○○○−○○○○

○○県○○市○○町○○丁目○○番○○号

原　　　　　　　　告　○　○　○　○

（送達場所）

〒○○○−○○○○

○○県○○市○○町○○丁目○○番○○号

○○弁護士会所属

上記原告訴訟代理人弁護士　○　○　○　○

ＴＥＬ　○○○（○○○）○○○○

ＦＡＸ　○○○（○○○）○○○○

〒○○○−○○○○

○○県○○市○○町○○丁目○○番○○号

被　　　　　　　　告　○○県

代　表　者　県　知　事　○　○　○　○

処　分　行　政　庁　○○広域連合

代表者広域連合長　○　○　○　○

介護保険負担限度額承認処分の義務付け等請求事件

訴訟物の価額　　金１６０万円也

貼用印紙額　　　金１万３０００円也

請　求　の　趣　旨

１　○○広域連合が令和○○年○○月○○日付でした原告の介護保険料負担限度額を承認しないとの処分を取り消す。

２　○○広域連合は，原告が令和○○年○○月○○日付で申請した特定入所者介護サービス費相当額を介護保険料負担限度額として承認せよ。

３　訴訟費用は，被告の負担とする。

との判決を求める。

請　求　の　原　因

１　処分庁の拒否処分

２　裁量権の逸脱・濫用

３　審査請求

４　結語

よって，原告は，介護保険料負担限度額承認拒否処分の取消しを求めるとともに，その承認を義務付ける訴えを提起した次第である。

（10−012 訴状（介護保険負担限度額承認処分の義務付け等請求））

10－013 訴状（営業許可取消処分差止請求）

収入
印紙

訴　　　状

令和○○年○○月○○日

○○地方裁判所民事部　御中

原告訴訟代理人弁護士　○　○　○　○　印

〒○○○－○○○○
○○県○○市○○町○○丁目○○番○○号
原　　　　告　　　○　○　○　○
（送達場所）
〒○○○－○○○○
○○県○○市○○町○○丁目○○番○○号
○○弁護士会所属
上記原告訴訟代理人弁護士　○　○　○　○
ＴＥＬ　○○○（○○○）○○○○
ＦＡＸ　○○○（○○○）○○○○
〒１００－００１３
東京都千代田区霞が関一丁目１番１号
被　　　　告　国
上記代表者法務大臣　○　○　○　○
〒１００－８９１６
東京都千代田区霞が関一丁目２番２号
処分行政庁　厚生労働大臣○○○○

営業許可取消処分差止請求事件

訴訟物の価額　　金１６０万円也

貼用印紙額　　　金１万３０００円也

請　求　の　趣　旨

1　処分行政庁は，原告に対し，労働者派遣事業の適正な運営の確保及び派遣労働者の就業条件の整備等に関する法律１４条に基づく許可の取消処分をしてはならない。

2　訴訟費用は，被告の負担とする。

との判決を求める。

請　求　の　原　因

1　当事者

2　労働者派遣事業に関する許可及び許可取消

3　処分の蓋然性

4　重大な損害を生ずるおそれの存在

5　許可取消の違法性（裁量逸脱）

（10−013 訴状（営業許可取消処分差止請求））

10－014 審査請求書

審　査　請　求　書

令和○○年○○月○○日

（審査庁の長）　殿

審査請求人代理人弁護士　○　○　○　○　印

〒○○○－○○○○

○○県○○市○○町○○丁目○○番○○号

審査請求人　○　○　○　○

（送達場所）

〒○○○－○○○○

○○県○○市○○町○○丁目○○番○○号

○○弁護士会所属

上記審査請求人代理人弁護士　○　○　○　○

ＴＥＬ　○○○（○○○）○○○○

ＦＡＸ　○○○（○○○）○○○○

次のとおり審査請求をします。

1　審査請求人の氏名及び年齢又は名称並びに住所

氏名（名称）：　○　○　○　○　　年齢：○才

住所　　　　：　上記のとおり

2　審査請求に係る処分

（処分庁の長）の令和○○年○○月○○日付の審査請求人に対する行政文書開示（不開示）決定処分（○○○第○○○号）

3　**審査請求に係る処分があったことを知った年月日**

令和○○年○○月○○日

4　**「2記載の処分を取り消す。」との裁決を求める。**

5　**審査請求の理由**

6　**処分庁の教示の有無及びその内容**

「この決定に不服がある場合は，行政不服審査法第2条の規定により，この決定があったことを知った日の翌日から起算して3か月以内に（審査庁の長）に対して審査請求をすることができます。」との教示があった。

以　上

（10－014　審査請求書）

10−015 執行停止申立書

令和○○年（行ウ）第○○号　退去強制令書発布処分取消請求事件
申立人　○○○○
相手方　国

収入
印紙

執行停止申立書

令和○○年○○月○○日

○○地方裁判所民事部　御中

申立人訴訟代理人弁護士　○○○○　印

申立ての趣旨

○○入国管理局主任審査官が申立人に対して令和○○年○○月○○日にした退去強制令書発布処分の執行を，本案訴訟の第1審判決言渡しまで停止する。
との裁判を求める。

申立ての原因

1　重大な損害を避けるための緊急の必要性
（1）　収容継続による重大な損害
（2）　強制送還による重大な損害

2　本案について理由があるとみえること

3　公共の福祉に重大な影響を及ぼすおそれの不存在

10−016 仮の義務付け申立書

収入
印紙

仮の義務付け申立書

令和〇〇年〇〇月〇〇日

〇〇地方裁判所民事部　御中

申立人訴訟代理人弁護士　〇　〇　〇　〇　印

〒〇〇〇−〇〇〇〇
〇〇県〇〇市〇〇町〇〇丁目〇〇番〇〇号
申　立　人　〇　〇　〇　〇

（送達場所）
〒〇〇〇−〇〇〇〇
〇〇県〇〇市〇〇町〇〇丁目〇〇番〇〇号
〇〇弁護士会所属
上記原告訴訟代理人弁護士　〇　〇　〇　〇
ＴＥＬ　〇〇〇（〇〇〇）〇〇〇〇
ＦＡＸ　〇〇〇（〇〇〇）〇〇〇〇

〒〇〇〇−〇〇〇〇
〇〇県〇〇市〇〇町〇〇丁目〇〇番〇〇号
相　手　方　〇〇市
上記代表者市長　〇　〇　〇　〇
処分行政庁　〇〇市福祉事務所長

申立ての趣旨

1　処分行政庁は，令和〇〇年〇〇月〇〇日付で申立人に対してした生活保護申請却下処分に伴う本案事件（令和〇〇年（行ウ）第〇〇号生活保護開始申請却下取消等請求事件のうち義務付けに係る部分)の第1審判決が言い渡されるまでの間，申立人に対し，以下のとおり，生活保護を仮に開始せよ。

(1)　生活扶助として，令和〇〇年〇〇月から毎月1日限り〇〇〇〇円を支払え。

(2)　住宅扶助として，令和〇〇年〇〇月から毎月1日限り〇〇〇〇円を支払え。

(3)　医療扶助として，令和〇〇年〇〇月から本決定の日までに要した医療費のうち，申立人の医療機関に対する未払部分に相当する金額を仮に支払い，本決定の日の翌日から仮に現物給付せよ。

2　申立費用は相手方の負担とする。

との決定を求める。

申立ての原因

1　緊急の必要性

(1)　申立人の経歴

(2)　生活保護受給に至る経緯

(3)　生活保護受給廃止に至る経緯

(4)　生活保護申請却下に至る経緯

(5)　現在の申立人の状況

2　本案について理由があるとみえること

3　公共の福祉に重大な影響を及ぼすおそれの不存在

10−017 執行停止申立書

収入 印紙

執行停止申立書

令和○○年○○月○○日

○○地方裁判所民事部　御中

申立人訴訟代理人弁護士　○○○○　印

〒○○○−○○○○
○○県○○市○○町○○丁目○○番○○号
申立人　○○○○
（送達場所）
〒○○○−○○○○
○○県○○市○○町○○丁目○○番○○号
○○弁護士会所属
上記申立人代理人弁護士　○○○○
TEL　○○○（○○○）○○○○
FAX　○○○（○○○）○○○○
〒○○○−○○○○
○○県○○市○○町○○丁目○○番○○号
相手方　○○県
上記代表者知事　○○○○

開発許可仮の差止め申立事件
貼用印紙額　金○○○○円也

申　立　て　の　趣　旨

1　○○県知事は，本案（当庁令和○○年（行ウ）第○○号開発許可差止請求事件）の第１審判決の言渡しまで，○○○○に対し，別紙開発行為につき都市計画法第２９条第１項に基づく開発許可処分をしてはならない。

2　申立費用は相手方の負担とする。

との決定を求める。

申　立　て　の　原　因

1　本案訴訟の提起

2　申立人適格

3　償うことのできない損害を避けるための緊急の必要性

4　本案について理由があるとみえること

5　公共の福祉に重大な影響を及ぼすおそれの不存在

6　まとめ

よって，申立人は，行政事件訴訟法第３７条の５第２項に基づき，本件処分の仮の差止めを求め，本申立てに及ぶ次第である。

事務処理編

事務処理

11−001 弁護士報酬等見積書

令和　　年　　月　　日

見積り依頼者

＿＿＿＿＿＿＿＿＿＿＿＿＿＿＿様

〇〇市〇〇町〇丁目〇番〇号　〇〇ビル〇階
〇〇法律事務所
弁護士　〇　〇　〇　〇　印

弁　護　士　報　酬　等　見　積　書

お申し出のあった事案の弁護士報酬等の見積りは，以下のとおりです。

【事件の表示】

事　件　名　＿＿＿＿＿＿＿＿＿＿＿＿＿＿＿＿

当　事　者　＿＿＿＿＿＿＿＿＿＿＿＿＿＿＿＿

【ご説明を受けた事案の概要】

＿＿＿＿＿＿＿＿＿＿＿＿＿＿＿＿＿＿＿＿＿＿＿＿＿＿＿＿＿＿

＿＿＿＿＿＿＿＿＿＿＿＿＿＿＿＿＿＿＿＿＿＿＿＿＿＿＿＿＿＿

＿＿＿＿＿＿＿＿＿＿＿＿＿＿＿＿＿＿＿＿＿＿＿＿＿＿＿＿＿＿

＿＿＿＿＿＿＿＿＿＿＿＿＿＿＿＿＿＿＿＿＿＿＿＿＿＿＿＿＿＿

【想定する事件処理の方針】

＿＿＿＿＿＿＿＿＿＿＿＿＿＿＿＿＿＿＿＿＿＿＿＿＿＿＿＿＿＿

＿＿＿＿＿＿＿＿＿＿＿＿＿＿＿＿＿＿＿＿＿＿＿＿＿＿＿＿＿＿

＿＿＿＿＿＿＿＿＿＿＿＿＿＿＿＿＿＿＿＿＿＿＿＿＿＿＿＿＿＿

【弁護士報酬等の概要】

1．弁護士報酬の種類（　着手金・報酬金　，　手数料　，　　　　　）

2．想定される金額（以下の金額には消費税が含まれています。）

①受任時

弁護士報酬　金＿＿＿＿＿＿＿＿＿＿円

実　　　費　金＿＿＿＿＿＿＿＿＿＿円

②終了時

弁護士報酬　金＿＿＿＿＿＿＿＿＿＿円

注）終了時は１００％の成果を収めた場合を想定しています。

③その他

＿＿＿＿＿＿＿＿＿＿＿＿＿＿＿＿＿＿＿＿＿＿＿＿＿＿＿＿

【特記事項】

＿＿＿＿＿＿＿＿＿＿＿＿＿＿＿＿＿＿＿＿＿＿＿＿＿＿＿＿＿＿

＿＿＿＿＿＿＿＿＿＿＿＿＿＿＿＿＿＿＿＿＿＿＿＿＿＿＿＿＿＿

＿＿＿＿＿＿＿＿＿＿＿＿＿＿＿＿＿＿＿＿＿＿＿＿＿＿＿＿＿＿

以上

11－002 請求書・領収証（弁護士報酬）

No.………………

令和　　年　　月　　日

請　　　求　　　書（弁護士報酬）
領　　　収　　　証

＿＿＿＿＿＿＿＿＿＿殿

〒○○○－○○○○
○○区○○町○丁目○番○号
○○ビル○階　○○法律事務所
TEL　○○（○○○○）○○○○
弁護士　　○　○　○　○　　印

¥　　　　　　　　　（消費税を含む。）

上記の金額をご請求致します。内訳は下記のとおりです。
なお，ご送金は，源泉所得税を差し引いた下記のご送金額欄記載の金額をご送金下さるようお願い致します。

但し，＿＿＿＿＿＿＿＿＿＿＿＿＿＿の件

内　訳	金　額	備　考
着手金（手数料）		
報酬金		
相談・鑑定料		
文書作成料		
登記・登録手数料		
消費税		
合計①		
源泉所得税②	△	
ご送金額（①－②）	②がない場合は①と同額	

備考欄

ご送金先
○○銀行○○支店（普）（口座番号）○○○○○○○
　　　　　　　　　　　（口　座　名）○○○○

▶　請求書の場合は「領収証」の文字を，領収証の場合は「請求書」および中段の「なお，ご送金は……」の文字を削除する。

▶　請求書と領収証を同時に作成し(ただし，領収証の日付は空白とする)，入金があり次第領収証を送付するようにしていれば，未入金のものがあればすぐわかる。

11－003 請求書・預り証（実費）

No.＿＿＿＿＿＿

令和　　年　　月　　日

請　　求　　書（実費）
預　　り　　証

＿＿＿＿＿＿＿＿＿＿＿＿＿殿

〒○○○－○○○○
○○区○○町○丁目○番○号
○○ビル○階　○○法律事務所
TEL　○○（○○○○）○○○○
弁護士　　○　○　○　○　　印

¥　　　　　　　　　　（消費税を含む。）

上記の金額をご請求致します。内訳は下記のとおりです。
なお，上記の金額は事件終了後精算し，残金があれば直ちにご返還いたします。

但し，＿＿＿＿＿＿＿＿＿＿＿＿＿＿＿＿の件

内　訳	金　額	備　考
印紙代		
予納郵券代		
保証金		
登記・登録料		
記録謄写料		
日当		
旅費宿泊費		
諸費用（交通・通信費等）		
合計		

備考欄

ご送金先
○○銀行○○支店（普）（口座番号）○○○○○○○
（口　座　名）○○○○

▶　受任事件のための預り費用について明細を明らかにすると依頼者の信頼を増すことが多い。

11－004 請求書（弁護士報酬・実費）

No.

令和　　年　　月　　日

請　求　書

＿＿＿＿＿＿＿＿＿＿殿

〒○○○－○○○○
○○区○○町○丁目○番○号
○○ビル○階　○○法律事務所
TEL　○○（○○○○）○○○○
弁護士　　○　○　○　○　　印

¥　　　　　　　　　　（消費税を含む。）

貴殿の＿＿＿＿＿＿＿＿の件につきまして，弁護士報酬及び費用を次のとおりご請求申し上げます。

	区　分	金　　額	摘　　要
弁護士報酬	着手金（手数料）		
	報酬金		
	相談・鑑定料		
	文書作成料		
	登記・登録手数料		
	消費税		
実　　費	印紙代		
	予納郵券代		
	保証金		
	登記・登録料		
	記録謄写料		
	日当		
	旅費宿泊費		
	諸費用（交通・通信費等）		
請　求　額	小　計		
	源泉所得税	△	
	差引残額		
差　引　額	前受金	△	
合計請求額			

備考欄

ご送金先
○○銀行○○支店（普）（口座番号）○○○○○○○
（口　座　名）○○○○

▶ 弁護士報酬と実費を一つの書類で請求できるようまとめたものである。

11－005 預り金精算書

No.

御預り金精算書

令和　　年　　月　　日

殿

〒○○○－○○○○
○○区○○町○丁目○番○号
○○ビル○階　○○法律事務所
TEL　○○（○○○○）○○○○
弁護士　　○　○　○　○　　印

件　名　　　　　　　　　事件

精算金　¥

1　御預り金　¥
2　支出金（内訳は別紙のとおり）¥
3　差引御返還金　¥

上記のとおり領収いたしました。

令和　　年　　月　　日

住　所

氏　名　　　　　　　　印

▶ 預り金については，各事件ごとに「○○○○殿御預り金帳簿」を作り，そのコピーを支出金の内訳として添付すると，支出の内容が明らかとなり，かつ，弁護士の一種の活動報告ともなる。預り金をきちんと処理することで依頼者の信頼が増すことが多い。

11−006 預り証（書類）

No.＿＿＿＿＿＿

預　り　証（書　類）

令和　　年　　月　　日

＿＿＿＿＿＿＿＿＿＿＿＿＿＿殿

〒○○○−○○○○
○○区○○町○丁目○番○号
○○ビル○階　○○法律事務所
TEL　○○（○○○○）○○○○
弁護士　○　○　○　○　　印

件　名　＿＿＿＿＿＿＿＿＿＿＿＿＿＿事件

ご依頼の標記事件について，次の書類をお預かりしました。

記

1＿＿＿＿＿＿＿＿＿＿＿＿＿＿＿＿＿＿＿＿通
1＿＿＿＿＿＿＿＿＿＿＿＿＿＿＿＿＿＿＿＿通
1＿＿＿＿＿＿＿＿＿＿＿＿＿＿＿＿＿＿＿＿通
1＿＿＿＿＿＿＿＿＿＿＿＿＿＿＿＿＿＿＿＿通
1＿＿＿＿＿＿＿＿＿＿＿＿＿＿＿＿＿＿＿＿通
1＿＿＿＿＿＿＿＿＿＿＿＿＿＿＿＿＿＿＿＿通
1＿＿＿＿＿＿＿＿＿＿＿＿＿＿＿＿＿＿＿＿通
1＿＿＿＿＿＿＿＿＿＿＿＿＿＿＿＿＿＿＿＿通

以　上

11－007 受領証（書類）

No.……………………

受　領　証（書　類）

令和　　年　　月　　日

弁護士　　　　　　　　　　殿

住　所

氏　名　　　　　　　　　　　　　印

件　名　＿＿＿＿＿＿＿＿＿＿＿事件

標記事件について，次の書類の返還を受け，正に受領致しました。

1 …………………………………………………… 通

1 …………………………………………………… 通

1 …………………………………………………… 通

1 …………………………………………………… 通

1 …………………………………………………… 通

1 …………………………………………………… 通

1 …………………………………………………… 通

1 …………………………………………………… 通

1 …………………………………………………… 通

以　上

▶ 事件終了後依頼者に返却または手渡すべき書類をすべて返却等をしたときは，主要な書類を掲げ，最後に「本件に関するその他の一切の書類」と記載するとよい。

11−008 書類送付状

書 類 送 付 の 件

令和　　年　　月　　日

＿＿＿＿＿＿＿＿＿＿殿

〒○○○−○○○○
○○区○○町○丁目○番○号
○○ビル○階　○○法律事務所
TEL　○○（○○○○）○○○○
弁護士　　○　○　○　○　　印

拝啓　貴殿には愈々ご清栄のこととお慶び申し上げます。
　さて，次の書類をご送付申し上げますので，ご査収下さるようお願い申し上げます。

敬　具

件　名　＿＿＿＿＿＿＿＿＿＿事件

送 付 書 類

1 ………………………………………… 通
1 ………………………………………… 通
1 ………………………………………… 通
1 ………………………………………… 通
1 ………………………………………… 通
1 ………………………………………… 通
1 ………………………………………… 通

以　上

11－009 経過報告書

No.＿＿＿＿＿＿

経　過　報　告　の　件

令和　　年　　月　　日

＿＿＿＿＿＿＿＿＿＿殿

〒○○○－○○○○
○○区○○町○丁目○番○号
○○ビル○階　○○法律事務所
TEL　○○（○○○○）○○○○）
弁護士　　○　○　○　○　　印

拝啓　貴殿には愈々ご清栄のこととお慶び申し上げます。
さて，貴殿ご依頼の件につき下記のとおり経過をご報告申し上げます。

敬具

件　名　＿＿＿＿＿＿＿＿＿＿事件

記

1

2

3

以　上

11−010 FAX送信票

　　　　　　　　　　殿（FAX No. ○○−○○○○−○○○○）

ファクシミリ送信票	令和　　年　　月　　日
	送信枚数　　　枚
発信者 **弁護士　○ ○ ○ ○** 〒○○○−○○○○ ○○区○○町○丁目○番○号　○○ビル○階 ○○法律事務所 TEL ○○（○○○○）○○○○／FAX ○○（○○○○）○○○○	

拝啓　時下益々ご清栄のこととお慶び申し上げます。
次のとおりファクシミリを送信させて頂きますのでご査収くださるようお願い申し上げます。

敬　具

件　　名 ＿＿＿＿＿＿＿＿＿＿事件

送信書類 ＿＿＿＿＿＿＿＿＿＿

□　後ほどお電話を差し上げます。

□　書類が届きましたら，お電話をください。

□　別紙のとおり案文を作成いたしましたので，ご検討ください。

ご　連　絡　事　項

11−011 印鑑証明書交付申請書 (B5)

印鑑証明書交付申請書

印鑑

（本店）

（商号）

年　　月　　日生

上記のとおり印鑑の証明を申請する。

証明書の数　　　　通　　手数料　金　　　　円

令和　　年　　月　　日

申請人

印

法務局　　　支　局　出張所　　御中

上記のとおり証明する。

11−012 照会申出書

照　会　申　出　書

令和　　年　　月　　日

○○弁護士会会長
○　○　○　○　殿

〒○○○－○○○○
事務所住所　○○区○○町○○丁目○○番○○号
事 務 所 名　○○法律事務所
電　　　話　○○（○○○○）○○○○
登 録 番 号　○○○○
弁護士　○　○　○　○

当職受任中の下記事件につき，以下の照会事項について弁護士法第２３条の２第１項に基づく照会の申出をいたします。

記

1　受任事件
　依頼者名　※原告・被告等地位を明らかにする
　相手方名　※同上
　事 件 名　※事件番号があれば記載

2　照会先
　名　　称
　住　　所
　電　　話

3　照会を求める事項
　※回答の便宜のため箇条書き，１問１答，余白を空ける。照会事項が多いときは別紙に記載する。

4　照会を求める事由
　※具体的に記載する。

11－013 公正証書作成用委任状（譲渡担保）

実印

委　任　状

令和　　年　　月　　日

住　所　〒

委任者　　　　　　　　　　　　　　　　　　　　実印

私は，次の者を代理人と定め，別紙○○金銭消費貸借及び譲渡担保設定契約書に基づき，強制執行認諾約款付き公正証書作成嘱託に関する一切の権限を委任する。

弁護士　　○　○　○　○　（○○弁護士会所属）

住　　所　〒○○○－○○○○

東京都○○区○○町○○丁目○○番○○号

○○ビル　○階

事務所名　○○法律事務所

ＴＥＬ　○○（○○○○）○○○○

ＦＡＸ　○○（○○○○）○○○○

▶ 代理人によって嘱託できるが，本人の印鑑証明書(法人の場合は，さらに資格証明書)が必要となる。代理人が公証人と面識があれば，代理人の印鑑証明書は不要である。

▶ 委任事項は公正証書に記載される具体的趣旨内容がすべて記載されていることが要求されるので，注意する必要がある。

11−014 公正証書作成用委任状（金銭消費貸借）

実印

委　任　状

令和　　年　　月　　日

住　所　〒

委任者　　　　　　　　　　　　　　　　　　　　実印

私は，次の者を代理人と定め，別紙○○金銭消費貸借契約書に基づき，強制執行認諾約款付き公正証書作成嘱託に関する一切の権限を委任する。

弁護士　　○　○　○　○　（○○弁護士会所属）

住　　所　〒○○○−○○○○
東京都○○区○○町○○丁目○○番○○号
○○ビル　○階

事務所名　○○法律事務所

T E L　○○（○○○○）○○○○

F A X　○○（○○○○）○○○○

▶ 11−013 参照。

11－015 公正証書作成用委任状（債務弁済）

実印

委　任　状

令和　　年　　月　　日

住　所　〒＿＿＿＿＿＿＿＿＿＿＿＿＿＿＿＿

＿＿＿＿＿＿＿＿＿＿＿＿＿＿＿＿＿＿＿＿

委任者＿＿＿＿＿＿＿＿＿＿＿＿＿＿＿＿実印

私は，次の者を代理人と定め，別紙○○債務弁済契約書に基づき，強制執行認諾約款付き公正証書作成嘱託に関する一切の権限を委任する。

弁護士　○　○　○　○　（○○弁護士会所属）

住　　所　〒○○○－○○○○

東京都○○区○○町○○丁目○○番○○号

○○ビル　○階

事務所名　○○法律事務所

ＴＥＬ　○○（○○○○）○○○○

ＦＡＸ　○○（○○○○）○○○○

▶ 11－013 参照。

11－016 公正証書作成用委任状（賃貸借）

実印

委　任　状

令和　　年　　月　　日

住　所　〒＿＿＿＿＿＿＿＿＿＿＿＿＿＿＿＿＿＿＿＿

＿＿＿＿＿＿＿＿＿＿＿＿＿＿＿＿＿＿＿＿＿＿＿＿

委任者＿＿＿＿＿＿＿＿＿＿＿＿＿＿＿＿＿＿＿＿実印

私は，次の者を代理人と定め，別紙○○賃貸借契約書に基づき，強制執行認諾約款付き公正証書作成嘱託に関する一切の権限を委任する。

弁護士　　○　○　○　○　（○○弁護士会所属）

住　　所　〒○○○－○○○○

東京都○○区○○町○○丁目○○番○○号

○○ビル　○階

事務所名　○○法律事務所

ＴＥＬ　○○（○○○○）○○○○

ＦＡＸ　○○（○○○○）○○○○

▶ **11－013** 参照。

11−017 委任契約書（手数料）

委任契約書
（手数料）

依頼者＿＿＿＿＿＿＿＿を甲とし，受任弁護士＿＿＿＿＿＿＿＿を乙として，甲と乙とは次のとおり委任契約を締結する。

第１条　甲は乙に対し，次の事件等の処理を委任し，乙はこれを受任する。

　１　裁判上の手数料等

　　□証拠保全，□即決和解，（示談交渉の要否　□要，□否），
　　□公示催告，□倒産整理事件の債権届出，□簡易な家事審判
　　□その他（　　　　　　　　　　　）

　２　裁判外の手数料事務

　　□法律関係調査，□契約書類等の作成（□定型，□非定型），
　　□内容証明郵便の作成（弁護士名の表示の有無・□有，□無），
　　□遺言書の作成（□定型，□非定型），□遺言執行，□会社設立等，
　　□会社設立等以外の登記等（□申請手続，□交付手続），
　　□株主総会の指導，□現物出資証明，□簡易な自賠責保険請求，
　　□その他（　　　　　　　　　　　）

第２条　乙は弁護士法に則り，誠実に委任事務の処理に当たるものとする。

第３条　甲は乙に対し，乙の所属する　　　　弁護士会の報酬会規に則り，後記の手数料，日当・実費等（預り金により処理する場合を除く。）を次のとおり支払うものとする。

　⑴　手数料は甲乙協議により定める次のとき
　　□受任時，□委任事務処理終了時，□その他（　　　　　　　　）

　⑵　日当・委任事務処理に要する実費等は乙が請求したとき

第４条　甲が手数料または委任事務処理に要する実費等の支払いを遅延したときは，

乙は事件等に着手せずまたはその処理を中止することができる。

第５条　委任契約に基づく事件等の処理が，解任，辞任または委任事務の継続不能により，中途で終了したときは，乙は，甲と協議のうえ，委任事務処理の程度に応じて，受領済みの弁護士報酬の全部もしくは一部を返還し，または弁護士報酬の全部もしくは一部を請求するものとする。

２　前項において，委任契約の終了につき，乙のみに重大な責任があるときは，乙は受領済みの弁護士報酬の全部を返還しなければならない。ただし，弁護士が既に委任事務の重要な部分の処理を終了しているときは，乙は，甲と協議のうえ，その全部または一部を返還しないことができる。

３　第１項において，委任契約の終了につき，乙に責任がないにもかかわらず，甲が乙の同意なく委任事務を終了させたとき，甲が故意または重大な過失により委任事務処理を不能にしたとき，その他甲に重大な責任があるときは，乙は，弁護士報酬の全部を請求することができる。ただし，弁護士が委任事務の重要な部分の処理を終了していないときは，その全部については請求することができない。

第６条　甲が第３条により乙に支払うべき金員を支払わないときは，乙は，甲に対する金銭債務（保証金，相手方より収受した金員等）と相殺しまたは事件等に関して保管中の書類その他のものを甲に引き渡さないでおくことができる。

特約条項

１　手数料の額

(1) 算出方法

□　経済的利益の額を算定基準とする場合（計算式による標準金額）

経済的利益の額　　　　　　　　　　　金　　　　　　円

計算式　上記額の　　　　％＋　　　万円＝　　　　　円（A）

□　経済的利益の額を算定基準としない場合（会規上の標準金額）

金　　　　　　円（B）

(2)　上記(1)の（A）及び（B）を合算する場合の標準金額

金　　　　　　円

事務

(3) 増減額事由の有無（□有，□無）
（有る場合の理由）

(4) お支払いいただく着手金の額　　金　　　　円
（消費税　　　円）

2 謄写・通信・交通費・宿泊料等の実費
□その都度請求する。□預り金から受領する。

3 日当等
出張日当として，□１日，□半日　当たり，金　　　　　円を，
□その都度請求する。□預り金から受領する。

4 預り金（その用途：　　　　　　）
金　　　　円

令和　　年　　月　　日

依頼者　　（甲）
住所

氏名　　　　　　　　　　　　　印

受任弁護士（乙）
住所

氏名　　　　　　　　　　　　　印

（11－017 委任契約書（手数料））

11−018 委任契約書（民事）

委 任 契 約 書 （民事）

依頼者を甲，受任弁護士を乙として，次のとおり委任契約を締結する。

第１条（事件等の表示と受任の範囲）

甲は乙に対し下記事件または法律事務（以下「本件事件等」という。）の処理を委任し，乙はこれを受任した。

①　事件等の表示

事件名 ＿＿＿＿＿＿＿＿＿＿＿＿＿＿＿＿＿＿＿＿

相手方 ＿＿＿＿＿＿＿＿＿＿＿＿＿＿＿＿＿＿＿＿

裁判所等の手続機関名 ＿＿＿＿＿＿＿＿＿＿＿＿＿＿

②　受任範囲

□示談折衝，□書類作成，□契約交渉

□訴訟（一審，控訴審，上告審，支払督促，少額訴訟，手形・小切手）

□調停，□審判，□倒産（破産，民事再生，任意整理，会社更生，特別清算）

□保全処分（仮処分，仮差押），□証拠保全，□即決和解

□強制執行，□遺言執行，□行政不服申立

□その他（　　　　　　　　　　　　　　　　　　　）

第２条（弁護士報酬）

甲及び乙は，本件事件等に関する弁護士報酬につき，乙の弁護士報酬基準に定めるもののうち☑を付したものを選択すること及びその金額（消費税を含む。）又は算定方法を合意した。

□　着手金

①　着手金の金額を次のとおりとする。

金＿＿＿＿＿＿＿円とする。

②　着手金の支払時期・方法は，特約なき場合は本件事件等の委任のときに一括払いするものとする。

□　報酬金

①　報酬金の金額を次のとおりとする。但し，本件事件等が上訴等により受任範囲とは異なる手続に移行し，引き続き乙がこれを受任する場合は，その新たな委任契約の協議の際に再度協議するものとする。

□金＿＿＿＿＿＿円とする。

□甲の得た経済的利益の＿＿＿＿％とする。経済的利益の額は，乙の弁護士報酬基準＿＿＿＿に定める方法によって算出する。

② 報酬金の支払時期は，本件事件等の処理の終了したときとする。

□ 手数料

① 手数料の金額を次のとおりとする。

金＿＿＿＿＿＿円とする。

② 手数料の支払時期・方法は，特約なき場合は本件事件等の委任のときに一括払いするものとする。

□ 時間制（ 事件処理全般の時間制 ， 着手金に代わる時間制 ）

① 1時間当たりの金額を次のとおりとする。

金＿＿＿＿＿＿円

② 甲は時間制料金の予納を（ する ，しない ）ものとし，追加予納については特約に定める。予納を合意した金額は＿＿＿＿時間分である。

金＿＿＿＿＿＿円

③ 予納金額との過不足は，特約なき場合は事件終了後に清算する。

□ 出廷日当

① 1回当たりの日当の金額を次のとおりとする。

金＿＿＿＿＿＿円とする。

② 甲は日当の予納を（ する ， しない ）ものとし，追加予納については特約に定める。予納を合意した金額は＿＿＿＿回分である。

金＿＿＿＿＿＿円とする。

③ 予納金額との過不足は，特約なき場合は事件終了後に清算する。

□ 出張日当

① 出張日当を（ 一日 ， 半日 ）金＿＿＿＿＿円とする。

② 甲は出張日当の予納を（ する ， しない ）ものとし，追加予納については特約に定める。予納を合意した金額は＿＿＿＿回分である。

金＿＿＿＿＿＿円

③ 予納金額との過不足は，特約なき場合は事件終了後に清算する。

□ その他

（11−018 委任契約書（民事））

第３条（実費・預り金）

甲及び乙は，本件事件等に関する実費等につき，次のとおり合意する。

□　実費

①　甲は費用概算として金＿＿＿＿＿＿円を予納する。

②　乙は本件事件等の処理が終了したときに清算する。

□　預り金

甲は＿＿＿＿＿＿＿＿＿＿＿＿＿＿＿＿＿＿＿＿の目的で，

金＿＿＿＿＿＿＿＿円を乙に預託する。

第４条（弁護士業務の適正の確保）

1. 甲は、本件事件等の処理の依頼目的が犯罪収益移転に関わるものではないことを、表明し保証する。
2. 前項の内容の確認等のため、乙が甲に対し、本人特定事項の確認のための書類を提示または提出するよう請求した場合、甲はそれに応じなければならない。
3. 甲は、前項により確認した本人特定事項に変更があった場合には、乙に対しその旨を通知する。

第５条（事件処理の中止等）

1. 甲が弁護士報酬または実費等の支払いを遅滞したときは，または前条第２項に基づく乙からの請求に応じないときは、乙は本件事件の処理に着手せず，またはその処理を中止することができる。
2. 前項の場合には，乙はすみやかに甲にその旨を通知しなければならない。

第６条（弁護士報酬の相殺等）

1. 甲が弁護士報酬又は実費等を支払わないときは，乙は甲に対する金銭債務と相殺し，または本件事件等に関して保管中の書類その他のものを甲に引き渡さないことができる。
2. 前項の場合には，乙はすみやかに甲にその旨を通知しなければならない。

第７条（委任契約の解除権）

甲及び乙は、委任事務が終了するまで本委任契約を解除することができる。

第８条（中途解約の場合の弁護士報酬の処理）

本委任契約にもとづく事件等の処理が，委任契約の解除または継続不能により中途で終了したときは，乙の処理の程度に応じて清算をおこなうこととし，処理の程度についての甲及び乙の協議結果にもとづき，弁護士報酬の全部もしくは一部の返還または支払をおこなうものとする。

（11－018 委任契約書（民事））

第９条（特約）

本委任契約につき，甲及び乙は次のとおりの特約に合意した。

....

....

....

甲及び乙は，乙の弁護士報酬基準の説明にもとづき本委任契約の合意内容を十分理解したことを相互に確認し，その成立を証するため本契約書を２通作成し，相互に保管するものとする。

令和　　年　　月　　日

甲（依頼者）

住所..

氏名..印

乙（受任弁護士）

氏名..印

（11－018 委任契約書（民事））

11−019 委任契約書（刑事・少年）

委 任 契 約 書
（ 刑事 ・ 少年 ）

依頼者を甲，受任弁護士を乙として，次のとおり委任契約を締結する。

第１条（事件の表示と受任の範囲）

甲は乙に対し下記事件（以下「本件事件」という。）の処理を委任し，乙はこれを受任した。

① 事件の表示

事件名 ＿＿＿＿＿＿＿＿＿＿＿＿＿＿＿＿＿＿＿＿

被疑者・被告人・少年氏名 ＿＿＿＿＿＿＿＿＿＿＿＿＿＿

② 受任範囲

□成人弁護活動（起訴前，一審，控訴審，上告審）

□少年付添人・弁護活動（送致前，家裁，抗告審，　　　　　　）

□保釈，□勾留執行停止，□勾留取消，□勾留理由開示

□被害弁償等の示談折衝

□その他（　　　　　　　　　　　　　　　　）

第２条（弁護士報酬）

甲と乙は，本件事件に関する弁護士報酬につき，乙の弁護士報酬基準に定めるもののうち☑を付したものを選択すること，およびその金額（消費税を含む。）または算定方法を合意した。

□ 着手金

① 着手金の金額を次のとおりとする。

金＿＿＿＿＿＿＿円とする。（消費税を含む。以下同じ。）

② 着手金の支払時期・方法は，特約なき場合は本件事件の委任のときに一括払いするものとする。

□ 報酬金

① 報酬金の金額を次のとおりとする。

（成人刑事事件もしくは少年逆送事件）

□無罪の場合　　　　　　　　　　　　金＿＿＿＿＿＿円

□執行猶予の場合　　　　　　　　　　金＿＿＿＿＿＿円

□求刑より判決の量刑が減刑された場合　金＿＿＿＿円
□その他（　　　　　　　　　　　　）
金＿＿＿＿円

（少年付添人事件）
□非行事実なし　金＿＿＿＿円
□不処分・保護観察・＿＿＿＿＿の場合　金＿＿＿＿円
□その他（　　　　　　　　　　　　）
金＿＿＿＿円

② 報酬金の支払時期は，本件事件の処理の終了したときとする。

□ **手数料**

① 手数料の金額を次のとおりとする。
金＿＿＿＿円とする。

② 手数料の支払時期・方法は，特約なき場合は本件事件等の委任のときに一括払いするものとする。

□ **時間制**（ 事件処理全般の時間制 ， 着手金に代わる時間制 ）

① 1時間当たりの金額を次のとおりとする。
金＿＿＿＿円

② 甲は時間制料金の予納を（ する ， しない ）ものとし，追加予納については特約に定める。予納を合意した金額は＿＿＿時間分である。
金＿＿＿＿円

③ 予納金額との過不足は，特約なき場合は事件終了後に清算する。

□ **出廷日当**

① 1回当たりの日当の金額を次のとおりとする。
金＿＿＿＿円とする。

② 甲は日当の予納を（ する ， しない ）ものとし，追加予納については特約に定める。予納を合意した金額は＿＿＿回分である。
金＿＿＿＿円とする。

③ 予納金額との過不足は，特約なき場合は事件終了後に清算する。

□ **出張日当**

① 出張日当を（ 一日 ， 半日 ）金＿＿＿＿円とする。

② 甲は出張日当の予納を（ する ， しない ）ものとし，追加予納については特約に定める。予納を合意した金額は＿＿＿回分である。
金＿＿＿＿円

（11－019 委任契約書（刑事・少年））

③　予納金額との過不足は，特約なき場合は事件終了後に清算する。

□その他

……………………………………………………………………

……………………………………………………………………

……………………………………………………………………

……………………………………………………………………

第３条（実費・預り金）

甲及び乙は，本件事件に関する実費等につき，次のとおり合意する。

□　実　費

①　甲は費用概算として金＿＿＿＿＿＿円を予納する。

②　乙は本件事件の処理が終了したときに清算する。

□　預り金

甲は＿＿＿＿＿＿＿＿＿＿＿＿＿＿＿＿＿＿の目的で，

金＿＿＿＿＿＿＿＿円を乙に預託する。

第４条（事件処理の中止等）

1．甲が弁護士報酬または実費等の支払いを遅滞したときは，乙は本件事件の処理に着手せずまたはその処理を中止することができる。

2．前項の場合には，乙はすみやかに甲にその旨を通知しなければならない。

第５条（弁護士報酬の相殺等）

1．甲が弁護士報酬または実費等を支払わないときは，乙は甲に対する金銭債務と相殺し，または本件事件に関して保管中の書類その他のものを甲に引き渡さないでおくことができる。

2．前項の場合には，乙はすみやかに甲にその旨を通知しなければならない。

第６条（中途解約の場合の弁護士報酬の処理）

本委任契約に基づく事件等の処理が，解任，辞任または継続不能により中途で終了したときは，乙の処理の程度に応じて清算を行うこととし，処理の程度についての甲と乙の協議結果に基づき，弁護士報酬の全部もしくは一部の返還または支払いを行うものとする。

第７条（特　約）

本委任契約につき，甲と乙は次のとおりの特約に合意した。

……………………………………………………………………

……………………………………………………………………

……………………………………………………………………

（**11－019** 委任契約書（刑事・少年））

甲および乙は，乙の弁護士報酬基準の説明に基づき本委任契約の合意内容を十分理解したことを相互に確認し，その成立を証するため本契約書を２通作成し，それぞれ保管するものとする。

令和　　年　　月　　日

甲（依頼者）

住所……………………………………………

氏名……………………………………………印

乙（受任弁護士）

氏名……………………………………………印

（11－019 委任契約書（刑事・少年））

11−020 弁護士報酬説明書

令和　　年　　月　　日

＿＿＿＿＿＿＿＿＿＿殿

弁 護 士 報 酬 説 明 書
（　民事事件用　）

この説明書は，依頼事件に関して，貴殿に弁護士報酬についての概略を知っていただくために作成したものです。

☆　弁護士が，訴訟事件・調停事件・示談交渉事件などのように，その性質上委任事務処理の結果に成功不成功がある事件等を受任したときには，着手金，報酬金，実費，日当等をお支払いいただくことになっております。

☆　着手金は，事件等を依頼したときに，その事件を進めるにあたっての委任事務処理の対価としてお支払いいただくものです。着手金は審級ごとに支払っていただきます。

☆　報酬金は，事件等が終了したとき（勝訴判決・和解成立・調停成立・示談成立などの場合）に，成功の程度に応じて，委任事務処理の対価でお支払いいただくものです。なお，民事事件を上級審まで引き続いて受任したときの報酬金は，特に定めのない限り，最終審の報酬金のみをお支払いいただくこととなっています。

☆　実費は，収入印紙代・郵便切手代・謄写料，交通通信費，宿泊料などに充当するものです。その他に，保証金，保管金，供託金などに当てるためにお預かりする金額もあります。これらは，事件のご依頼時に概算額でお預かりするか，支出の都度にお支払いいただきます。

☆　日当は，弁護士がその仕事のために遠方に出張しなければならない場合にお支払いいただくものです。

☆　協議のうえ決定した弁護士の報酬については，お預かりしている金銭（仮差押・仮処分保証金，供託金，相手方からの支払金など）と相殺させていただく場合もありますのでご了承ください。

弁護士　　○　○　○　○

弁護士報酬をお振り込みいただく場合には，
下記にお願い申し上げます。

金融機関名	○○銀行・信用金庫
支　店　名	○○支店
口座の種類	普通預金
口座番号	○○○○○○○
口　座　名	○○○○

（11－020 弁護士報酬説明書）

11－021 民事事件等の報酬計算書

民事事件等の報酬計算書

1．依頼事件名

2．依頼事件の区分

□示談交渉，□調停，□訴訟（一審，控訴審，上告審），□手形訴訟

□保全，□民事執行，□審判，□離婚，□非訟，□その他（　　　　　）

3．報酬等の区分

□着手金，□報酬金，□実費，□日当

4．算出方法

□経済的利益の額を算定基準とする場合	□経済的利益の額を算定基準としない場合
(1)　事件等の対象の経済的利益の額	□離婚事件（財産的給付を伴わない場合）
□算定可能，□算定不能	□境界に関する事件
金　　　　　万円	□その他
（備考欄　　　　　　　　　　）	
(2)　計算式（標準金額）	標準金額
A　4(1)の　　％＋　　万円＝　　万円	B　金　　万円　～　金　　万円

上記4によるA及びBの合計標準金額　　　　金　　　　　　円

5．増減額事由の有無（□有，□無）

（増減額事由がある場合の理由）

6．あなたにお支払いいただく弁護士報酬（□着手金，□報酬金）の額

金　　　　　　　　　　円

（消費税　　　，源泉徴収税　　　）

7．事件処理に予想される実費・日当等の額

□実費（　　　　　　　　　　）の合計額　金　　　　　　　　円

□日当等・（□1日，□半日）1回当たり　金　　　　　　　　円

（消費税　　　　　　　　円）

□その他（　　　　　　　　　　）　金　　　　　　　　円

8．あなたからの預り金

□実費その他（その用途・　　　　　　　　　　　　　　）

□日当（概算額・金　　　　　　万円）

合計額　金　　　　　　　　　　　円

9．報酬金の額の予想（今回のお支払いが着手金の場合）

□あなたの言い分が全部認められた場合で，標準となる額は，金　　　　　円です。

□その他（　　　　　　　　　　　　　　　　　　　　　）

※処理結果等によっては予測額と異なることがあります。

（11－021 民事事件等の報酬計算書）

MEMO

資料編

資料1　第一審訴え提起手数料（収入印紙代）早見表

東京地方裁判所民事事件係　　令和2年4月現在

訴額（円）	手数料額	訴額（円）	手数料額	訴額（円）	手数料額	訴額（円）	手数料額
10万	¥1,000	2100万	¥83,000	7100万	¥233,000	1億 2100万	¥383,000
20万	¥2,000	2200万	¥86,000	7200万	¥236,000	1億 2200万	¥386,000
30万	¥3,000	2300万	¥89,000	7300万	¥239,000	1億 2300万	¥389,000
40万	¥4,000	2400万	¥92,000	7400万	¥242,000	1億 2400万	¥392,000
50万	¥5,000	2500万	¥95,000	7500万	¥245,000	1億 2500万	¥395,000
60万	¥6,000	2600万	¥98,000	7600万	¥248,000	1億 2600万	¥398,000
70万	¥7,000	2700万	¥101,000	7700万	¥251,000	1億 2700万	¥401,000
80万	¥8,000	2800万	¥104,000	7800万	¥254,000	1億 2800万	¥404,000
90万	¥9,000	2900万	¥107,000	7900万	¥257,000	1億 2900万	¥407,000
100万	¥10,000	3000万	¥110,000	8000万	¥260,000	1億 3000万	¥410,000
120万	¥11,000	3100万	¥113,000	8100万	¥263,000	1億 3100万	¥413,000
140万	¥12,000	3200万	¥116,000	8200万	¥266,000	1億 3200万	¥416,000
160万	¥13,000	3300万	¥119,000	8300万	¥269,000	1億 3300万	¥419,000
180万	¥14,000	3400万	¥122,000	8400万	¥272,000	1億 3400万	¥422,000
200万	¥15,000	3500万	¥125,000	8500万	¥275,000	1億 3500万	¥425,000
220万	¥16,000	3600万	¥128,000	8600万	¥278,000	1億 3600万	¥428,000
240万	¥17,000	3700万	¥131,000	8700万	¥281,000	1億 3700万	¥431,000
260万	¥18,000	3800万	¥134,000	8800万	¥284,000	1億 3800万	¥434,000
280万	¥19,000	3900万	¥137,000	8900万	¥287,000	1億 3900万	¥437,000
300万	¥20,000	4000万	¥140,000	9000万	¥290,000	1億 4000万	¥440,000
320万	¥21,000	4100万	¥143,000	9100万	¥293,000	1億 4100万	¥443,000
340万	¥22,000	4200万	¥146,000	9200万	¥296,000	1億 4200万	¥446,000
360万	¥23,000	4300万	¥149,000	9300万	¥299,000	1億 4300万	¥449,000
380万	¥24,000	4400万	¥152,000	9400万	¥302,000	1億 4400万	¥452,000
400万	¥25,000	4500万	¥155,000	9500万	¥305,000	1億 4500万	¥455,000
420万	¥26,000	4600万	¥158,000	9600万	¥308,000	1億 4600万	¥458,000
440万	¥27,000	4700万	¥161,000	9700万	¥311,000	1億 4700万	¥461,000
460万	¥28,000	4800万	¥164,000	9800万	¥314,000	1億 4800万	¥464,000
480万	¥29,000	4900万	¥167,000	9900万	¥317,000	1億 4900万	¥467,000
500万	¥30,000	5000万	¥170,000	1億	¥320,000	1億 5000万	¥470,000
550万	¥32,000	5100万	¥173,000	1億 100万	¥323,000	1億 5100万	¥473,000
600万	¥34,000	5200万	¥176,000	1億 200万	¥326,000	1億 5200万	¥476,000
650万	¥36,000	5300万	¥179,000	1億 300万	¥329,000	1億 5300万	¥479,000
700万	¥38,000	5400万	¥182,000	1億 400万	¥332,000	1億 5400万	¥482,000
750万	¥40,000	5500万	¥185,000	1億 500万	¥335,000	1億 5500万	¥485,000
800万	¥42,000	5600万	¥188,000	1億 600万	¥338,000	1億 5600万	¥488,000
850万	¥44,000	5700万	¥191,000	1億 700万	¥341,000	1億 5700万	¥491,000
900万	¥46,000	5800万	¥194,000	1億 800万	¥344,000	1億 5800万	¥494,000
950万	¥48,000	5900万	¥197,000	1億 900万	¥347,000	1億 5900万	¥497,000
1000万	¥50,000	6000万	¥200,000	1億 1000万	¥350,000	1億 6000万	¥500,000
1100万	¥53,000	6100万	¥203,000	1億 1100万	¥353,000	1億 6100万	¥503,000
1200万	¥56,000	6200万	¥206,000	1億 1200万	¥356,000	1億 6200万	¥506,000
1300万	¥59,000	6300万	¥209,000	1億 1300万	¥359,000	1億 6300万	¥509,000
1400万	¥62,000	6400万	¥212,000	1億 1400万	¥362,000	1億 6400万	¥512,000
1500万	¥65,000	6500万	¥215,000	1億 1500万	¥365,000	1億 6500万	¥515,000
1600万	¥68,000	6600万	¥218,000	1億 1600万	¥368,000	1億 6600万	¥518,000
1700万	¥71,000	6700万	¥221,000	1億 1700万	¥371,000	1億 6700万	¥521,000
1800万	¥74,000	6800万	¥224,000	1億 1800万	¥374,000	1億 6800万	¥524,000
1900万	¥77,000	6900万	¥227,000	1億 1900万	¥377,000	1億 6900万	¥527,000
2000万	¥80,000	7000万	¥230,000	1億 2000万	¥380,000	1億 7000万	¥530,000

資料2　主な申立て手数料額表（民事執行センター関係分を除く）

令和2年4月現在

申立ての種類	手数料額	基本条文	提出窓口
忌避（裁判官，書記官）	500円	民訴24，27	事件係
特別代理人選任	500円	民訴35，民執41	事件係
補助参加	500円	民訴42	担当部
訴訟引受	500円	民訴50	事件係
事件に関する事項の証明	150円	民訴91，民執29	担当部
秘密保持のための閲覧等の制限	500円	民訴92	事件係
書記官の処分に対する異議	500円	民訴121	事件係
忌避（鑑定人）	500円	民訴214	事件係
訴え提起前の証拠保全	500円	民訴234	事件係
受命・受託裁判官の裁判に対する異議	500円	民訴329	事件係
手形・小切手判決に対する異議	500円	民訴357，367	7部受付
強制執行の停止等	500円	民訴398，民執36，38	事件係
保全（仮差押．仮処分）命令	2000円	民保13	9部
商法上の仮処分			8部
労働関係保全処分			労働部
知的財産関係保全処分			知的財産部
保全異議	500円	民保26	9部
商法上の仮処分の異議			8部
労働・知的財産関係保全処分の異議			事件係
保全取消	500円	民保37，38，39	9部
商時・労働・知的財産関係保全処分の取消			事件係
保護命令（配偶者暴力防止法）	1000円	配保護10	9部
仮登記仮処分	2000円	不登33	9部
執行文付与	300円	民執26～28	事件係
代替執行（建物収去命令）	2000円	民執171	9部内21部
間接強制	2000円	民執172	9部内21部
破産（債権者がする申立てに限る）	20000円	破産132	20部受付
破産（債務者がする申立て）	1000円	破産132	20部受付
免責，復権	500円	破産366の2，367	20部受付
再生手続開始	10000円	民再21	20部受付
更生手続開始	20000円	更生17	8部
特別清算	20000円	商法381，431	8部
民事非訟事件	1000円	非訟1	8部
即時抗告（移送，訴訟教助，文書提出命令の申立てに係る決定に対するもの）	1000円	民訟21，86，223	事件係
執行抗告（代替執行，間接強制の決定に対するもの）	3000円	民執171，172	事件係
即時抗告（保全命令申立てを却下する決定に対するもの）	3000円	民保19	事件係
保全抗告	3000円	民保41	事件係
即時抗告（保護命令（配偶者暴力防止法）に対するもの）	1500円	配保護16	事件係
即時抗告（債権者がした破産申立てに係る決定に対するもの）	1000円	破産9，33	事件係
即時抗告（債務者がした破産申立てに係る決定に対するもの）	1500円	破産9，33	事件係
即時抗告（免責，復権の申立てに係る決定に対するもの）	1000円	破産9，33，252，256	事件係

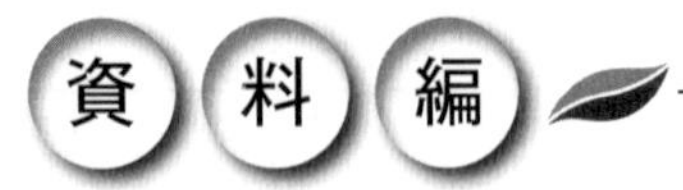

資料3　訴状の主な点検事項

東京地方裁判所民事事件係

私たちは主にここを見ています。　提出者御自身による点検用として御利用ください。

点検事項	点検の要領	参考法令
記載事項		
□あて名	東京地方裁判所あてになっているか	規2Ⅰ⑤
□付属書類の表示	添付した書類が表示されているか（委任状，資格証明書，証拠説明書，登記簿謄本，固定資産評価証明書，調停不成立証明書等）	規2Ⅰ③
□当事者の氏名，名称，住所	委任状の記載と合致しているか	法133Ⅱ①，規2Ⅰ①
□法定代理人の氏名	戸籍謄本，資格証明書等の記載と合致しているか	法133Ⅱ①，規2Ⅰ①
□訴訟代理人の氏名，住所	委任状，資格証明書に記載されているか	規2Ⅰ①
□送達場所の届出	代理人が1名の場合でも必要。代理人事務所が複数ある場合はどれか1つを指定。本人との関係の記載	規41Ⅰ，Ⅱ
□郵便番号，電話番号，ファクシミリ番号の記載		規53Ⅳ
□作成年月日	空欄になっていないか	規2Ⅰ④
□作成名義人の表示（記名），押印，契印又はページ番号	契印（割印）がない場合.それに代わる措置（ページ番号付与等）が講じられているか（別紙は独立ページでも可）	規2Ⅰ柱書
□作成名義人の資格		
□請求の趣旨	請求が特定されているか。引用した目録がついているか	法133Ⅱ②
□請求の原因	請求の趣旨記載の請求を特定しているか	法133Ⅱ②
□証拠保全事件の表示	訴え提起前に証拠保全を行った場合	規54
添付書類		
□郵便切手（※郵便料を現金納付する場合は不要）	当事者数に応じた所定の額が添付されているか	費用法12Ⅰ，13
□訴状，甲号証副本	被告の人数分あるか	規58Ⅰ，137Ⅰ
□資格証明書	商業登記簿謄本，登記事項証明書，破産管財人選任証明書，更生管財人証明書，当事者選定書，戸籍謄本等	規15，18，破産規則23Ⅲ，会社更生規則20Ⅲ，例外:規14
□委任状	委任事項が請求と一致しているか	規23Ⅰ
□登記簿謄本，手形又は小切手の写し	不動産に関する事件，手形又は小切手に関する事件〔手形（小切手）訴訟事件は民事第8部で受付〕の場合	規55Ⅰ
□証拠証明書	文書の記載から明らかな場合は不要	規137Ⅰ
□訳文	外国へ送達する場合，外国語の書証	民訴手続条約実施規則2Ⅰ，規138
□訴額算定資料	固定資産評価証明書は対象物件のものか。価格証明として適当か	法8，15
□調停不成立証明書	調停前置の場合又は調停不成立後2週間以内に訴え提起の場合	民調19，24の2，費用法5
□手数料納付証明書	手数料を納付したものとみなされる場合	費用法5
□裁決書謄本	審査請求前置の場合	行訴8Ⅰ但書，8Ⅱ
□管轄合意書	専属管轄の定めのない場合に限る	法11Ⅱ
□訴え提起許可等証明書		破78Ⅱ⑩，地自96Ⅰ⑫，会社更生72Ⅱ⑤，同32
□訴状写し（協力依頼）	行政事件及び労働事件は1部，特許，実用新案の事件は5部，その他の知的財産権関係事件は4部を添付	
□書証写し（協力依頼）	特許，実用新案の事件は4部，その他の知的財産権関係事件は3部を添付	
その他		
□管轄	管轄はあるか。専属管轄でないか。	法4，5，6，7，11，12，15，行訴12等
□法定代理人の資格		規15
□法人の代表者の資格	資格証明書（3ケ月以内のもの）に記載されているか	規18，15
□訴額	訴額は正しいか	法8，9，15
□手数料の納付	訴額に対応する収入印紙がちょう付されているか	費用法3Ⅰ，8本文
□共同訴訟	要件を満たしているか	法38，行訴17Ⅰ
□併合，反訴の制限	特に行政訴訟の場合	法136，146，行訴16Ⅰ
□出訴期間	行訴14Ⅰ，民201Ⅰ，会社法828，832，831，865等	

（地方裁判所民事事件係で使用している書面である。）　（平23. 1. 11現在）

資料4　第三債務者の表示例

1　基本例

〒100－0004　東京都千代田区大手町○丁目○番○号
第三債務者　株式会社甲野商事
代表者代表取締役　甲　野　太　郎

2　差押債権が国家公務員の職務上の収入の場合

(1)　国会議員の歳費，俸給等

第三債務者　国
代表者　支出官　衆(参)議院庶務部長　○　○　○　○
送達場所　〒100－0014　東京都千代田区永田町17日7番1号

(2)　国会職員の場合

第三債務者　国
代表者　衆(参)議院支出官　○　○　○　○
送達場所　〒100－0014　東京都千代田区永田町1丁目7番1号

(3)　各省庁職員の場合

第三債務者　国
代表者　財務省支出官　○　○　○　○
送達場所　〒100－8940　東京都千代田区霞が関3丁目1番1号

※　代表者は○○省支出官とし，省庁の所在地を送達場所とする。
※　代表者は「○○省資金前渡官吏　○　○　○　○」でもよい。

(4)　税務署職員の場合

第三債務者　国
代表者　国税資金支払命令官
麹町税務署長　○　○　○　○
送達場所　〒102－0074　東京都千代田区九段南1丁目1番15号

(5)　自衛隊員の場合

第三債務者　国
代表者　分任資金前渡官吏
陸上自衛隊朝霞駐屯地第○会計隊長
○　○　○　○
送達場所　〒351－0000　埼玉県朝霞市○○町○○番○号

(6) 裁判所職員の場合

第三債務者　国 代表者　支出官　東京地方裁判所長　○ ○ ○ ○ 送達場所　〒100 − 0013　東京都千代田区霞が関1丁目1番4号

※　代表者は最高裁判所の場合は経理局長，高等裁判所の場合は事務局長，地方裁判所，家庭裁判所，簡易裁判所の場合は地方（家庭）裁判所長とする。

3　差押債権が地方公務員の職務上の収入の場合

(1) 地方議会議員歳費及び地方公務員，公立学校職員等の俸給等

第三債務者　東京都 代表者　知事　○ ○ ○ ○ 送達場所　〒163 − 8001　東京都新宿区西新宿2丁目8番1号

※　市区町村から給与等を受けている場合は代表者は当該市区町村長とする。

(2) 水道局，下水道局，交通局職員等公営企業体の職員の俸給等

第三債務者　東京都 代表者　公営企業管理者 東京都　水道局長　○ ○ ○ ○ 送達場所　〒163 − 8001　東京都新宿区西新宿2丁目8番1号

※　差押債権が公営企業体に対する売掛金・工事代金請求の場合のときも同様である。

4　差押債権が裁判所の保管金の場合

第三債務者　国 代表者　東京地方裁判所東京簡易裁判所 歳入歳出外現金出納官吏　○ ○ ○ ○ 送達場所　〒100 − 8933　東京都千代田区霞が関1丁目1番4号

※　これにあたるものには，保釈保証金返還請求権，入札保証金返還請求権・配当金交付請求権，剰余金交付請求権等がある。

5　差押債権が供託金払渡請求権等の場合

第三債務者　国 代表者　東京法務局供託官　○ ○ ○ ○ 送達場所　〒102 − 8225　東京都千代田区九段南1丁目1番15号

※　代表者は供託を受理した供託官とし，法務局所在地を送達場所とする。

6　差押債権が郵便貯金の場合（通常郵便貯金等）

〒○○○－○○○○　東京都○○区○○丁目○番○号
第三債務者　株式会社ゆうちょ銀行
代表者代表執行役　○　○　○　○
（送達場所）〒○○○－○○○○　○○県○○市○○
株式会社ゆうちょ銀行貯金事務センター

7　差押債権が社会保険診療報酬の場合

〒105－0000　東京都港区新橋2丁目1番3号
第三債務者　社会保険診療報酬支払基金
代表者理事長　○　○　○　○
（送達場所）〒171－0022　東京都豊島区南池袋2丁目28番10号
東京都社会保険診療報酬支払基金事務所
幹事長　○　○　○　○

※　社会保険診療報酬支払基金法1条，13条2項参照

※　送達場所は都道府県の社会保険診療報酬支払基金事務所の幹事長とする。

8　差押債権が国民健康保険診療報酬の場合

〒160－0004　東京都新宿区四谷3丁目3番1号
第三債務者　東京都国民健康保険団体連合会
代表者理事長　○　○　○　○

※　第三債務者は，都道府県の国民健康保険団体連合会となる。

9　差押債権が銀行預金又は預託金返還請求権の場合

〒100－0004　東京都千代田区大手町○丁目○番○号
第三債務者　株式会社□□銀行
代表者代表取締役　甲　野　太　郎
（送達場所）〒174－0056　東京都板橋区志村○丁目○番○号
株式会社□□銀行志村支店

10　差押債権が会社員の給料の場合

〒271－0076　千葉県松戸市岩瀬○丁目○番○号
第三債務者　甲野運送株式会社
代表者代表取締役　春　夏　秋　子
（送達場所）〒100－0013　東京都千代田区霞が関○丁目○番○号
甲野運送株式会社東京支社

11　個人営業の従業員の給料の場合

〒174 － 0056　東京都板橋区志村○丁目○番○号 第三債務者　　甲　野　太　郎

※　通称を使用している場合は「甲野商店こと甲野太郎」等と記載する。

資料 5　**裁判所所在地一覧**

令和 2 年 1 月現在

最高裁判所			
	〒 102－8651	千代田区隼町 4 － 2	03－3264－8111
高等裁判所			
札　幌	〒 060－0042	札幌市中央区大通西 11	011－231－4200
仙　台	〒 980－8638	仙台市青葉区片平 1 － 6 － 1	022－222－6111
東　京	〒 100－8933	千代田区霞が関 1 － 1 － 4	03－3581－5411
名古屋	〒 460－8503	名古屋市中区三の丸 1 － 4 － 1	052－203－1611
大　阪	〒 530－8521	大阪市北区西天満 2 － 1 － 10	06－6363－1281
広　島	〒 730－0012	広島市中区上八丁堀 2 － 43	082－221－2411
高　松	〒 760－8586	高松市丸の内 1 － 36	087－851－1531
福　岡	〒 810－8608	福岡市中央区六本松 4 － 2 － 4	092－781－3141
地方裁判所			
札　幌	〒 060－0042	札幌市中央区大通西 11	011－231－4200
函　館	〒 040－8601	函館市上新川町 1 － 8	0138－38－2370
旭　川	〒 070－8640	旭川市花咲町 4	0166－51－6251
釧　路	〒 085－0824	釧路市柏木町 4 － 7	0154－41－4171
仙　台	〒 980－8639	仙台市青葉区片平 1 － 6 － 1	022－222－6111
盛　岡	〒 020－8520	盛岡市内丸 9 － 1	019－622－3165
秋　田	〒 010－8504	秋田市山王 7 － 1 － 1	018－824－3121
青　森	〒 030－8522	青森市長島 1 － 3 － 26	017－722－5351
福　島	〒 960－8512	福島市花園町 5 － 38	024－534－2156
山　形	〒 990－8531	山形市旅篭町 2 － 4 － 22	023－623－9511
東　京	〒 100－8920	千代田区霞が関 1 － 1 － 4	03－3581－5411
横　浜	〒 231－8502	横浜市中区日本大通 9	045－201－9631
さいたま	〒 330－0063	さいたま市浦和区高砂 3 － 16 － 45	048－863－4111
千　葉	〒 260－0013	千葉市中央区中央 4 － 11 － 27	043－222－0165
水　戸	〒 310－0062	水戸市大町 1 － 1 － 38	029－224－8408
宇都宮	〒 320－8505	宇都宮市小幡 1 － 1 － 38	028－621－2111
前　橋	〒 371－8531	前橋市大手町 3 － 1 － 34	027－231－4275
静　岡	〒 420－8633	静岡市葵区追手町 10 － 80	054－252－6111
甲　府	〒 400－0032	甲府市中央 1 － 10 － 7	055－235－1131
長　野	〒 380－0846	長野市旭町 1108	026－232－4991

新　潟	〒951－8511	新潟市中央区学校町通１－１	025－222－4131
名古屋	〒460－8504	名古屋市中区三の丸１－４－１	052－203－1611
津	〒514－8526	津市中央３－１	059－226－4171
岐　阜	〒500－8710	岐阜市美江寺町２－４－１	058－262－5121
福　井	〒910－8524	福井市春山１－１－１	0776－22－5000
金　沢	〒920－8655	金沢市丸の内７－１	076－262－3221
富　山	〒939－8502	富山市西田地方町２－９－１	076－421－6131
大　阪	〒530－8522	大阪市北区西天満２－１－10	06－6363－1281
京　都	〒604－8550	京都市中京区菊屋町	075－211－4111
神　戸	〒650－8575	神戸市中央区橘通２－２－１	078－341－7521
奈　良	〒630－8213	奈良市登大路町35	0742－26－1271
大　津	〒520－0044	大津市京町３－１－２	077－522－4281
和歌山	〒640－8143	和歌山市二番丁１	073－422－4191
広　島	〒730－0012	広島市中区上八丁堀２－43	082－228－0421
山　口	〒753－0048	山口市駅通り１－６－１	083－922－1330
岡　山	〒700－0807	岡山市北区南方１－８－42	086－222－6771
鳥　取	〒680－0011	鳥取市東町２－223	0857－22－2171
松　江	〒690－8523	松江市母衣町68	0852－23－1701
高　松	〒760－8586	高松市丸の内１－36	087－851－1531
徳　島	〒770－8528	徳島市徳島町１－５－１	088－603－0111
高　知	〒780－8558	高知市丸ノ内１－３－５	088－822－0340
松　山	〒790－8539	松山市一番町３－３－８	089－941－4151
福　岡	〒810－8653	福岡市中央区六本松４－２－４	092－781－3141
佐　賀	〒840－0833	佐賀市中の小路３－22	0952－23－3161
長　崎	〒850－8503	長崎市万才町９－26	095－822－6151
大　分	〒870－8564	大分市荷揚町７－15	097－532－7161
熊　本	〒860－8513	熊本市中央区京町１－13－11	096－325－2121
鹿児島	〒892－8501	鹿児島市山下町13－47	099－222－7121
宮　崎	〒880－8543	宮崎市旭２－３－13	0985－23－2261
那　覇	〒900－8567	那覇市樋川１－14－１	098－855－3366

資料6 **検察庁所在地一覧**

令和2年1月現在

最高検察庁			
	〒100－0013	東京都千代田区霞が関1－1－1	03－3592－5611
高等検察庁			
東　京	〒100－8904	東京都千代田区霞が関1－1－1	03－3592－5611
大　阪	〒553－8511	大阪市福島区福島1－1－60	06－4796－2100
名古屋	〒460－0001	名古屋市中区三の丸4－3－1	052－951－1581
広　島	〒730－0012	広島市中区上八丁堀2－31	082－221－2451
福　岡	〒810－0073	福岡市中央区舞鶴2－5－30	092－734－9000
仙　台	〒980－0812	仙台市青葉区片平1－3－1	022－222－6153
札　幌	〒060－0042	札幌市中央区大通西12	011－261－9311
高　松	〒760－0033	高松市丸の内1－1	087－821－5631
地方検察庁			
東　京	〒100－8903	東京都千代田区霞が関1－1－1	03－3592－5611
横　浜	〒231－0021	横浜市中区日本大通9	045－211－7600
さいたま	〒330－8572	さいたま市浦和区高砂3－16－58	048－863－2221
千　葉	〒260－8620	千葉市中央区中央4－11－1	043－221－2071
水　戸	〒310－8540	水戸市北見町1－11	029－221－2196
宇都宮	〒320－0036	宇都宮市小幡2－1－11	028－621－2525
前　橋	〒371－8550	前橋市大手町3－2－1	027－235－7800
静　岡	〒420－8611	静岡市葵区追手町9－45	054－252－5135
甲　府	〒400－8556	甲府市中央1－11－8	055－235－7231
長　野	〒380－0846	長野市旭町1108	026－232－8191
新　潟	〒951－8502	新潟市中央区西大畑町5191	025－222－1521
大　阪	〒553－8512	大阪市福島区福島1－1－60	06－4796－2200
京　都	〒602－8510	京都市上京区新町通下長者町下る両御霊町82	075－441－9131
神　戸	〒650－0016	神戸市中央区橘通1－4－1	078－367－6100
奈　良	〒630－8213	奈良市登大路町1－1	0742－27－6821
大　津	〒520－8512	大津市京町3－1－1	077－527－5120
和歌山	〒640－8586	和歌山市二番丁3	073－422－4161
名古屋	〒460－8523	名古屋市中区三の丸4－3－1	052－951－1481
津	〒514－8512	津市中央3－12	059－228－4121
岐　阜	〒500－8812	岐阜市美江寺町2－8	058－262－5111

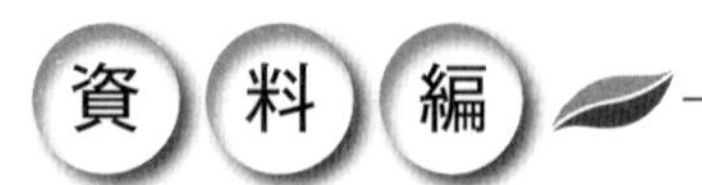

福　井	〒910－8583	福井市春山1－1－54	0776－28－8721
金　沢	〒920－0912	金沢市大手町6－15	076－221－3161
富　山	〒939－8510	富山市西田地方町2－9－16	076－421－4106
広　島	〒730－8539	広島市中区上八丁堀2－31	082－221－2453
山　口	〒753－0048	山口市駅通り1－1－2	083－922－1440
岡　山	〒700－0807	岡山市北区南方1－8－1	086－224－5651
鳥　取	〒680－0022	鳥取市西町3－201	0857－22－4171
松　江	〒690－0886	松江市母衣町50	0852－32－6700
福　岡	〒810－0073	福岡市中央区舞鶴2－5－30	092－734－9000
佐　賀	〒840－0833	佐賀市中の小路5－25	0952－22－4185
長　崎	〒850－8560	長崎市万才町9－33	095－822－4267
大　分	〒870－8510	大分市荷揚町7－5	097－534－4100
熊　本	〒860－0078	熊本市中央区京町1－12－11	096－323－9030
鹿児島	〒892－0816	鹿児島市山下町13－10	099－226－0611
宮　崎	〒880－8566	宮崎市別府町1－1	0985－29－2131
那　覇	〒900－8578	那覇市樋川1－15－15	098－835－9200
仙　台	〒980－0812	仙台市青葉区片平1－3－1	022－222－6151
福　島	〒960－8017	福島市狐塚17	024－534－5131
山　形	〒990－0046	山形市大手町1－32	023－622－5196
盛　岡	〒020－0023	盛岡市内丸8－20	019－622－6195
秋　田	〒010－0951	秋田市山王7－1－2	018－862－5581
青　森	〒030－8545	青森市長島1－3－25	017－722－5211
札　幌	〒060－0042	札幌市中央区大通西12	011－261－9313
函　館	〒040－0031	函館市上新川町1－13	0138－41－1231
旭　川	〒070－8636	旭川市花咲町4	0166－51－6231
釧　路	〒085－8557	釧路市柏木町5－7	0154－41－6151
高　松	〒760－0033	高松市丸の内1－1	087－822－5155
徳　島	〒770－0852	徳島市徳島町2－17	088－652－5191
高　知	〒780－8554	高知市丸ノ内1－4－1	088－872－9191
松　山	〒790－8575	松山市一番町4－4－1	089－935－6111

MEMO

MEMO

CD－ROM の使用にあたって

1　使用環境

このCD－ROMを，快適に使用するためのパソコンの環境は以下のとおりです。

CPU	Pentium Ⅳ以上
メモ	64MB 以上
ディスプレイ	800 × 600 ドット以上
OS	Microsoft Windows 7 以降
アプリケーション	Microsoft Word2010 以降，Excel2010 以降

※　上記以外の環境のパソコンでの動作については確認していません。

※　パソコンの使用環境により，書式設定にズレが生じることがございます。あらかじめご了承ください。

※　ファイルを保存する場合，Office ボタンまたはメニューバーの ファイル から 名前を付けて保存 を選択し，保存先をハードディスクドライブその他の書き込み可能なメディアに変更する必要がございます。

2　使用承諾

万一，本CD－ROMを使用することによって，何らかの損害やトラブルがパソコンおよび周辺機器，インストール済のソフトウェアなどに生じた場合でも，著者および版元は一切の責任を負うものではありません。

このことは，本CD－ROMを開封した段階で承諾したものとします。

3　使用方法

①　CD－ROMをドライブにセットします。

②「コンピュータ」の中に，本CD－ROMに割り当てられたhoreiというアイコンが表示されますので，ダブルクリックします。

③　本書の編（㊑民事編）に対応したフォルダが表示されます。各フォルダをダブルクリックしますと書式ファイルが表示されますので，ご使用になる書式ファイルをダブルクリックしてください。

なお，本CD－ROMをご使用になる場合は，Microsoft Word および Excel がインストールされていることが前提になります。

〔5訂補訂版〕
弁護士業務書式文例集

平成14年10月10日　初版発行
平成30年4月20日　5訂初版
令和2年6月1日　5訂補訂版
令和5年4月1日　5訂補訂版2刷

検印省略

日本法令®

〒101-0032
東京都千代田区岩本町1丁目2番19号
https://www.horei.co.jp/

編　者　弁護士業務書式研究会
発行者　青木健次
編集者　岩倉春光
印刷所　東光整版印刷
製本所　国宝社

（営　業）TEL　03-6858-6967　Eメール　syuppan@horei.co.jp
（通　販）TEL　03-6858-6966　Eメール　book.order@horei.co.jp
（編　集）FAX　03-6858-6957　Eメール　tankoubon@horei.co.jp

（オンラインショップ）https://www.horei.co.jp/iec/
（お詫びと訂正）https://www.horei.co.jp/book/owabi.shtml
（書籍の追加情報）https://www.horei.co.jp/book/osirasebook.shtml

※万一、本書の内容に誤記等が判明した場合には、上記「お詫びと訂正」に最新情報を掲載しております。ホームページに掲載されていない内容につきましては、FAXまたはEメールで編集までお問合せください。

ISBN 978-4-539-72746-1